여러분의 합격을 응원하는

해커스공무원의 특별 혜택

FREE 공무원 세법 **동영상강의**

해커스공무원(gosi.Hackers.com) 접속 후 로그인 ▶ 상단의 [무료강좌] 클릭 ▶ [교재 무료특강] 클릭

해커스공무원 온라인 단과강의 **20% 할인쿠폰**

9D2A67DDC3F3E4GR

해커스공무원(gosi.Hackers.com) 접속 후 로그인 ▶ 상단의 [나의 강의실] 클릭 ▶
좌측의 [쿠폰등록] 클릭 ▶ 위 쿠폰번호 입력 후 이용

* 쿠폰 이용 기한: 2024년 12월 31일까지(등록 후 7일간 사용 가능)
* ID당 1회에 한해 등록 가능

해커스 회독증강 콘텐츠 **5만원 할인쿠폰**

5D55B9BB62F82NMZ

해커스공무원(gosi.Hackers.com) 접속 후 로그인 ▶ 상단의 [나의 강의실] 클릭 ▶
좌측의 [쿠폰등록] 클릭 ▶ 위 쿠폰번호 입력 후 이용

* 쿠폰 이용 기한: 2024년 12월 31일까지(등록 후 7일간 사용 가능)
* ID당 1회에 한해 등록 가능(특별 할인상품 적용 불가)
* 월간 학습지 회독증강 행정학/행정법총론 개별상품은 할인쿠폰 할인대상에서 제외

합격예측 **모의고사 응시권 + 해설강의 수강권**

9B832D88AD5392TC

해커스공무원(gosi.Hackers.com) 접속 후 로그인 ▶ 상단의 [나의 강의실] 클릭 ▶
좌측의 [쿠폰등록] 클릭 ▶ 위 쿠폰번호 입력 후 이용

* 쿠폰 이용 기한: 2024년 12월 31일까지(ID당 1회에 한해 등록 가능)

쿠폰 이용 관련 문의 **1588-4055**

단기 합격을 위한

해커스 커리큘럼

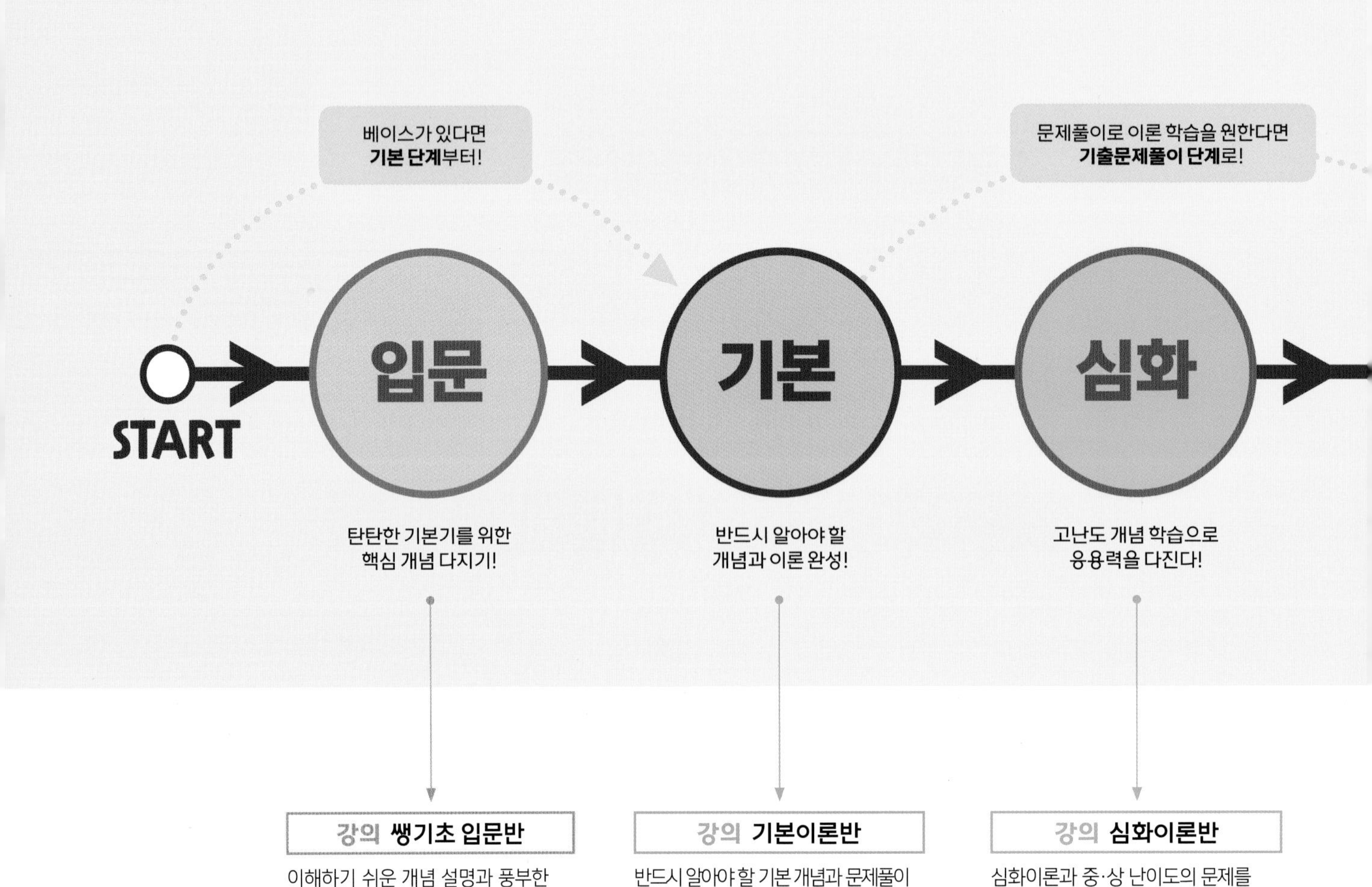

강의 쌩기초 입문반

이해하기 쉬운 개념 설명과 풍부한 연습문제 풀이로 부담 없이 기초를 다질 수 있는 강의

강의 기본이론반

반드시 알아야 할 기본 개념과 문제풀이 전략을 학습하여 핵심 개념 정리를 완성하는 강의

강의 심화이론반

심화이론과 중·상 난이도의 문제를 함께 학습하여 고득점을 위한 발판을 마련하는 강의

단계별 교재 확인 및
수강신청은 여기서!
gosi.Hackers.com

* 커리큘럼은 과목별·선생님별로 상이할 수 있으며, 자세한 내용은 해커스공무원 사이트에서 확인하세요.

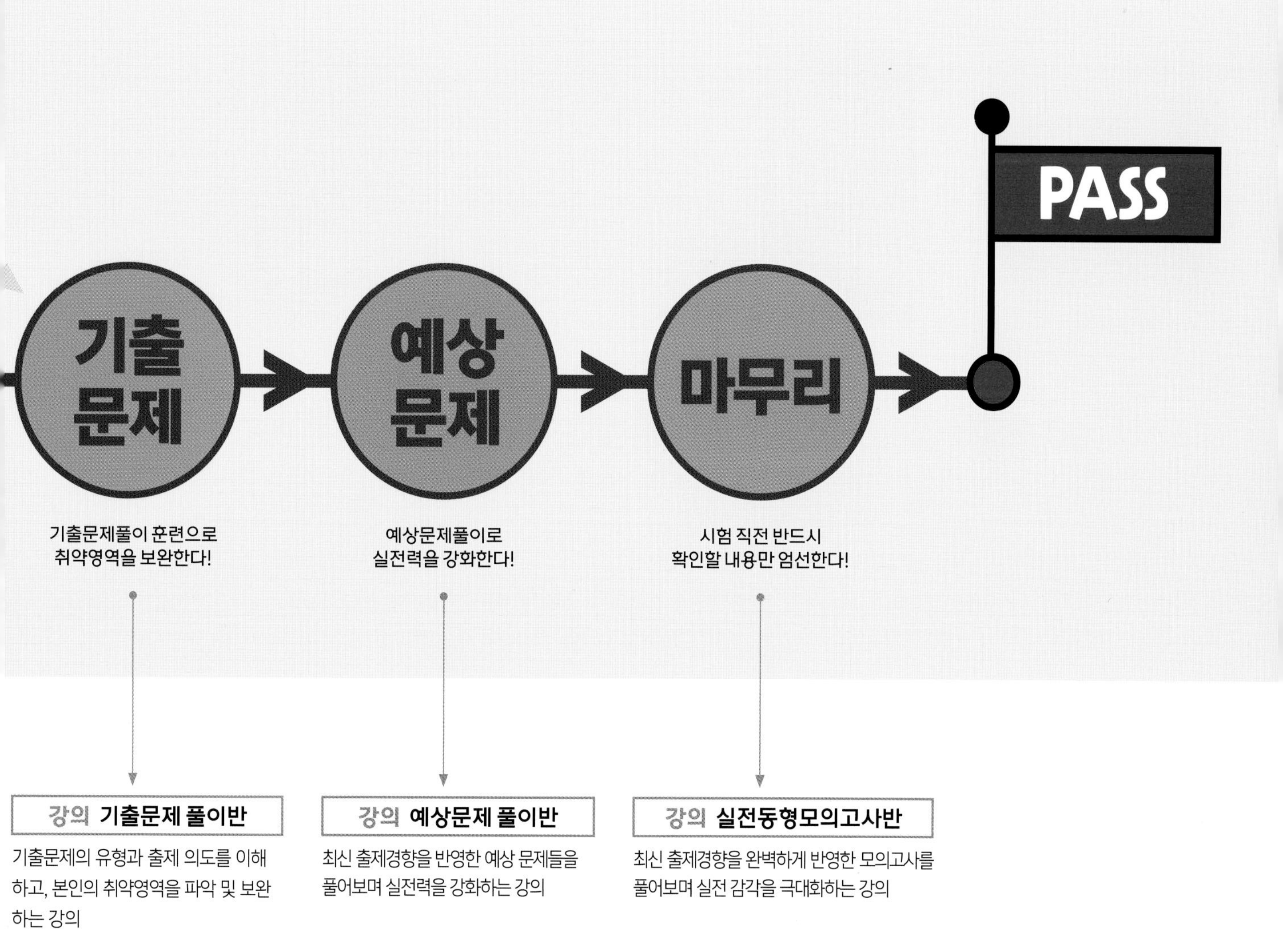

강의 기출문제 풀이반

기출문제의 유형과 출제 의도를 이해하고, 본인의 취약영역을 파악 및 보완하는 강의

강의 예상문제 풀이반

최신 출제경향을 반영한 예상 문제들을 풀어보며 실전력을 강화하는 강의

강의 실전동형모의고사반

최신 출제경향을 완벽하게 반영한 모의고사를 풀어보며 실전 감각을 극대화하는 강의

강의 봉투모의고사반

시험 직전에 실제 시험과 동일한 형태의 모의고사를 풀어보며 실전력을 완성하는 강의

해커스공무원

김영서 세법

기본서 | 1권

해커스공무원

김영서

약력

제47회 세무사 시험 합격
현 | 해커스공무원 세법, 지방세법 강의
현 | 다윤세무회계사무소 대표세무사
현 | 우리경영아카데미 강의
전 | 나무경영아카데미 강의
전 | 남부행정고시학원 강의
전 | 한국행정고시학원 강의

저서

해커스공무원 김영서 세법 기본서
해커스공무원 김영서 세법 단원별 기출문제집
일차원 세법, 세경북스
세법 핵심 기출문제집, 세경북스

공무원 시험 합격을 위한 필수 기본서!

공무원 공부, 어떻게 시작해야 할까?

『해커스공무원 김영서 세법 기본서』는 수험생 여러분들의 소중한 하루하루가 낭비되지 않도록 올바른 수험생활의 길을 제시하고자 노력하였으며 다음과 같은 특징을 가지고 있습니다.

첫째, 세법의 핵심을 쉽고 정확하게 이해할 수 있도록 구성하였습니다.

기본서를 회독하는 과정에서 기본 개념부터 심화 이론까지 자연스럽게 이해할 수 있도록 세법의 핵심 내용만을 짜임새 있게 구성하였습니다. 이를 통해 단순히 기본서를 '이론 학습'의 목적으로만 학습하는 것이 아니라, 수험생활 전반에 걸쳐 본인의 학습 수준에 맞게 사용할 수 있습니다.

둘째, 최신 출제 경향과 개정 법령을 빠짐없이 반영하였습니다.

공무원 세법 기출문제를 철저히 분석하여 최신 출제 경향을 반영하였으며, 재출제 가능성이 높은 기출문제를 선별하여 수록하였습니다. 또한 정확한 세법 내용을 학습할 수 있도록 이론 전반에 최신 개정 법령을 꼼꼼히 반영하였습니다.

셋째, 다양한 학습장치를 통해 수험생 여러분들의 입체적인 학습을 지원합니다.

커리큘럼과 학습 정도에 맞추어 세법 이론을 공부할 수 있도록 '심화'와 '참고', '사례로 이해 UP' 등의 다양한 학습장치를 교재 곳곳에 배치하였습니다.

더불어, 공무원 시험 전문 사이트 해커스공무원(gosi.Hackers.com)에서 교재 학습 중 궁금한 점을 나누고 다양한 무료 학습 자료를 함께 이용하여 학습 효과를 극대화할 수 있습니다. 부디 『해커스공무원 김영서 세법 기본서』와 함께 공무원 세법 시험 고득점을 달성하고 합격을 향해 한걸음 더 나아가시기를 바랍니다.

『해커스공무원 김영서 세법 기본서』가 공무원 합격을 꿈꾸는 모든 수험생 여러분에게 훌륭한 길잡이가 되기를 바랍니다.

김영서, 해커스 공무원시험연구소

목차

1권

이 책의 구성 6

Ⅰ 국세기본법

01 조세총론 10
02 총칙 15
03 국세부과와 세법적용 34
04 납세의무의 성립·확정·소멸 44
05 납세의무의 확장 58
06 국세와 일반채권의 관계 71
07 과세 78
08 국세환급금과 국세환급가산금 96
09 심사와 심판(조세불복제도) 106
10 납세자의 권리 126
11 보칙 153

Ⅱ 국세징수법

01 총칙 166
02 보칙 169
03 신고납부, 납부고지 등 182
04 강제징수 200

Ⅲ 부가가치세법

01 부가가치세 248
02 부가가치세법 총칙 250
03 과세거래 268
04 영세율과 면세 297
05 세금계산서와 영수증 319
06 과세표준 337
07 차가감납부세액 356
08 겸영사업자의 세액계산 377
09 납세절차 384
10 간이과세 405

2권

Ⅳ 법인세법

01 총설 432
02 법인세의 계산구조 450
03 익금과 익금불산입 465
04 손금과 손금불산입 489
05 손익의 귀속시기 507
06 자산의 취득가액 및 자산·부채의 평가 520
07 기업업무추진비와 기부금 536
08 감가상각비와 지급이자 손금불산입 547
09 충당금과 준비금 574
10 부당행위계산의 부인 590
11 과세표준의 계산 599
12 산출세액의 계산 606
13 법인세 납세절차 616
14 기타 법인세 632

Ⅴ 소득세법

01 총설 678
02 이자 · 배당소득 693
03 사업소득 710
04 근로소득 · 연금소득 · 기타소득 731
05 소득금액계산의 특례 767
06 종합소득과세표준의 계산 781
07 종합소득세액의 계산 791
08 퇴직소득세 812
09 양도소득세 817
10 소득세 신고 · 납부 및 비거주자의 신고 · 납부 854
11 금융투자소득 870

Ⅵ 상속세 및 증여세법

01 상속세 882
02 증여세 897
03 재산의 평가 922
04 상속세 및 증여세 납세절차 927

이 책의 구성

『해커스공무원 김영서 세법 기본서』는 수험생 여러분들이 세법 과목을 효율적으로 정확하게 학습할 수 있도록 상세한 내용과 다양한 학습장치를 수록·구성하였습니다. 아래 내용을 참고하여 본인의 학습 과정에 맞게 체계적으로 학습 전략을 세워 학습하기 바랍니다.

1 이론의 세부적인 내용을 정확하게 이해하기

03 재산의 평가

1 평가 원칙

1. 시가평가

(1) 상속세나 증여세가 부과되는 재산의 가액은 상속개시일 또는 증여일(이하 '평가기준일'이라 함) 현재의 시가에 따른다. 이 경우 상장법인의 주식 등에 대한 보충적 평가방법에 의하여 평가한 가액(공개목적주식 등에 대한 평가액은 제외)을 시가로 본다.

(2) 다만, 상속재산에 가산하는 증여재산가액은 증여일 현재의 시가에 따른다.

2. 시가의 범위

(1) 시가

시가는 불특정 다수인 사이에 자유롭게 거래가 이루어지는 경우에 통상적으로 성립된다고 인정되는 가액으로 하고 수용가격·공매가격 및 감정가격 등 시가로 인정되는 것을 포함한다.

(2) 시가로 인정되는 것

수용가격·공매가격 및 감정가격 등 시가로 인정되는 것이란 평가기간❶ 이내의 기간 중 매매·감정·수용·경매(「민사집행법」에 따른 경매를 포함) 또는 공매가 있는 경우에 다음의 어느 하나에 따라 확인되는 가액을 말한다.

① 해당 재산에 대한 매매사실이 있는 경우에는 그 거래가액❷

② 해당 재산(주식을 제외)에 대하여 2 이상의 공신력 있는 감정기관이 평가한 감정가액이 있는 경우에는 그 감정가액의 평균액❸

③ 해당 재산에 대하여 수용·경매 또는 공매사실이 있는 경우에는 그 보상가액·경매가액 또는 공매가액❹

❶ 평가기간

평가기준일 전후 6개월(증여재산의 경우에는 평가기준일 전 6개월부터 평가기준일 후 3개월)을 말한다.

❷

다음의 경우는 제외한다.

1. 특수관계인과의 거래 등으로 그 거래가액이 객관적으로 부당하다고 인정되는 경우
2. 거래된 비상장주식의 액면가액 합계액이 액면가액 기준 발행주식총액(자본금)의 1%와 3억 원 중에 적은 금액에 미달하는 경우(평가심의위원회의 자문을 거쳐 그 거래가액이 거래의 관행상 정당한 사유가 있다고 인정되는 경우는 제외)

❸

감정가격을 결정할 때에는 둘 이상의 감정기관(기준시가 10억 원 이하의 부동산의 경우에는 하나 이상의 감정기관) 감정을 의뢰하여야 한다. 이 경우 납세자가 제시한 감정기관의 감정가액이 세무서장 등이 다른 감정기관에 의뢰하여 평가한 재감정가액의 80%에 미달하는 경우에 세무서장 등은 평가심의위원회의 심의를 거쳐 1년의 범위에서 기간을 정하여 해당 감정기관을 시가불인정 감정기관으로 지정할 수 있으며, 시가불인정 감정기관으로 지정된 기간 동안 해당 시가불인정 감정기관이 평가하는 감정가액은 시가로 보지 않는다.

최신 출제 경향 및 개정 법령을 반영한 이론

1. 철저한 기출분석으로 도출한 최신 출제 경향을 바탕으로 출제가 예상되는 내용 등을 선별하여 이론에 반영·수록하였습니다. 이를 통해 방대한 세법의 범위 중 시험에 나오는 내용만을 효과적으로 학습할 수 있습니다.

2. 현재 시행 중인 내용뿐만 아니라 추후 시행될 내용까지의 최신 개정 법령을 이론, 문제 등 교재 전반에 꼼꼼히 반영하였습니다. 개정된 세법의 정확한 내용을 효율적으로 학습할 수 있습니다.

2 기출 OX 문제를 통한 개념 다지기

2 공동사업의 경우 소득금액계산 특례

1. 공동사업 소득금액계산 대상

사업소득이 발생하는 사업을 공동으로 경영하고 그 손익을 분배하는 공동사업(경영에 참여하지 아니하고 출자만 하는 출자공동사업자가 있는 공동사업을 포함)의 경우에는 해당 사업을 경영하는 공동사업장을 1거주자로 보아 공동사업장별로 그 소득금액을 계산한다.

2. 공동사업 소득금액의 분배

(1) 원칙 – 손익분배비율

공동사업에서 발생한 소득금액은 해당 공동사업을 경영하는 공동사업자(출자공동사업자를 포함)간에 약정된 손익분배비율(약정된 손익분배비율이 없는 경우에는 지분비율)에 의하여 분배되었거나 분배될 소득금액에 따라 각 공동사업자별로 분배한다.

(2) 예외 – 공동사업합산과세

① 개념: 거주자 1인과 그의 특수관계인❶이 공동사업자에 포함되어 있는 경우로서 손익분배비율을 거짓으로 정하는 등 사유가 있는 경우에는 그 특수관계인의 소득금액은 주된 공동사업자의 소득금액으로 본다.

> 심화 | 손익분배비율을 거짓으로 정하는 등의 사유
>
> 1. 공동사업자가 제출한 신고서와 첨부서류에 기재한 사업의 종류, 소득금액내역, 지분율, 약정된 손익분배비율 및 공동사업자간의 관계 등이 사실과 현저하게 다른 경우
> 2. 공동사업자의 경영참가, 거래관계, 손익분배비율 및 자산·부채 등의 재무상태 등을 감안할 때 조세를 회피하기 위하여 공동으로 사업을 경영하는 것이 확인되는 경우

② 주된 공동사업자

㉠ 손익분배비율이 큰 공동사업자

㉡ 손익분배비율이 같은 경우에는 공동사업소득 외의 종합소득금액이 많은 자

㉢ 공동사업소득 외의 종합소득금액이 같은 경우에는 직전과세기간의 종합소득금액이 많은 자

기출 OX

공동사업에서 발생한 소득금액은 해당 공동사업을 경영하는 공동사업자간에 약정된 손익분배비율에 의하여 분배되었거나 분배될 소득금액에 따라 각 공동사업자별로 분배한다. (○) 08. 9급

❶

해당 과세기간종료일 현재 거주자 1인과 친족관계·경제적 연관관계·경영지배관계에 있는 자로서 생계를 같이하는 자를 말한다.

기출 OX

거주자 1인과 그와 법령에서 정하는 특수관계에 있는 자가 공동사업자에 포함되어 있는 경우로서 손익분배비율을 허위로 정하는 등 법령이 정하는 사유가 있는 때에는 당해 특수관계인의 소득금액은 주된 공동사업자의 소득금액으로 본다. (○) 07. 9급

출제 경향과 약점을 파악할 수 있는 기출 OX

1. 이론과 관련된 공무원 세법 기출 지문을 OX로 수록하였습니다. 이론 학습과 동시에, 이론의 내용이 실제 시험에서 어떻게 출제되는지 확인하면서 학습할 수 있습니다.

2. 기출 OX는 이론 학습 후 바로 풀어볼 수 있도록 배치하였습니다. OX 문제 풀이 후 헷갈리거나 잘못 이해한 개념을 다시 한번 정리하고, 학습한 내용을 빠르게 복습할 수 있습니다.

3 다양한 학습장치를 활용하여 이론 완성하기

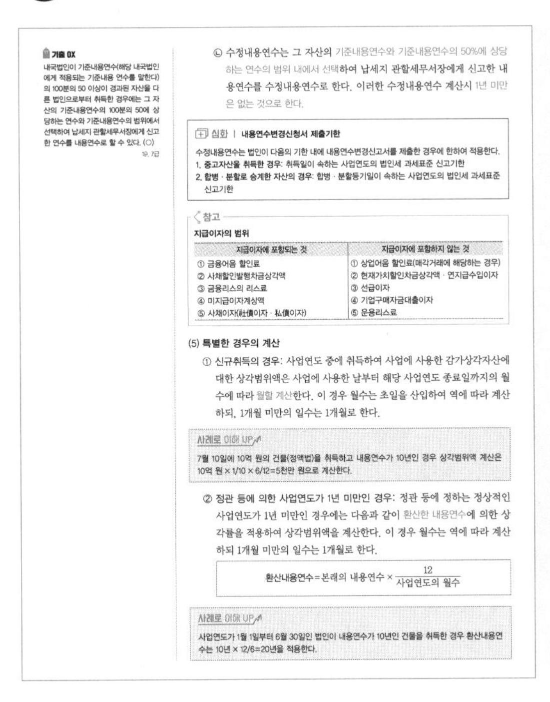

기출 OX

내국법인이 기준내용연수(해당 내국법인에게 적용되는 기준내용 연수를 말한다)의 100분의 50 이상이 경과된 자산을 다른 법인으로부터 취득한 경우에는 그 자산의 기준내용연수의 100분의 50에 상당하는 연수와 기준내용연수의 범위에서 선택하여 납세지 관할세무서장에게 신고한 연수를 내용연수로 할 수 있다. (○) 19. 7급

ⓛ 수정내용연수는 그 자산의 기준내용연수와 기준내용연수의 50%에 상당하는 연수의 범위 내에서 선택하여 납세지 관할세무서장에게 신고한 내용연수를 수정내용연수로 한다. 이러한 수정내용연수 계산시 1년 미만은 없는 것으로 한다.

심화 | 내용연수변경신청서 제출기한

수정내용연수는 법인이 다음의 기한 내에 내용연수변경신고서를 제출한 경우에 한하여 적용한다.
1. 중고자산을 취득한 경우: 취득일이 속하는 사업연도의 법인세 과세표준 신고기한
2. 합병 · 분할로 승계한 자산의 경우: 합병 · 분할등기일이 속하는 사업연도의 법인세 과세표준 신고기한

참고

지급이자의 범위

지급이자에 포함되는 것	지급이자에 포함하지 않는 것
① 금융어음 할인료	① 상업어음 할인료(매각거래에 해당하는 경우)
② 사채할인발행차금상각액	② 현재가치할인차금상각액 · 연지급수입이자
③ 금융리스의 리스료	③ 선급이자
④ 미지급이자계상액	④ 기업구매자금대출이자
⑤ 사채이자(社債이자 · 私債이자)	⑤ 운용리스료

(5) 특별한 경우의 계산

① 신규취득의 경우: 사업연도 중에 취득하여 사업에 사용한 감가상각자산에 대한 상각범위액은 사업에 사용한 날부터 해당 사업연도 종료일까지의 월수에 따라 월할 계산한다. 이 경우 월수는 초일을 산입하여 역에 따라 계산하되, 1개월 미만의 일수는 1개월로 한다.

사례로 이해 UP

7월 10일에 10억 원의 건물(정액법)을 취득하고 내용연수가 10년인 경우 상각범위액 계산은 10억 원 × 1/10 × 6/12=5천만 원으로 계산한다.

② 정관 등에 의한 사업연도가 1년 미만인 경우: 정관 등에 정하는 정상적인 사업연도가 1년 미만인 경우에는 다음과 같이 환산한 내용연수에 의한 상각률을 적용하여 상각범위액을 계산한다. 이 경우 월수는 역에 따라 계산하되 1개월 미만의 일수는 1개월로 한다.

$$환산내용연수 = 본래의\ 내용연수 \times \frac{12}{사업연도의\ 월수}$$

사례로 이해 UP

사업연도가 1월 1일부터 6월 30일인 법인이 내용연수가 10년인 건물을 취득한 경우 환산내용연수는 10년 × 12/6=20년을 적용한다.

한 단계 실력 향상을 위한 다양한 학습장치

1. 심화 및 참고

본문 내용 중 더 알아두면 좋은 내용을 '심화'에 담았으며, 이론에 대한 보충 설명을 '참고'에 수록하여 관련 개념을 보다 깊이 있게 다루었습니다. 이를 통해 이해가 어려웠던 부분의 학습을 보충하고, 심화된 내용까지 학습할 수 있습니다.

2. 사례로 이해 UP

본문 내 이론 학습에 도움이 될 만한 예시들을 따로 구분하여 정리하였습니다. 생소한 세법을 사례에 적용함으로써 이론을 쉽게 익힐 수 있습니다.

4 문제를 통해 다시 한 번 이론 정리하기

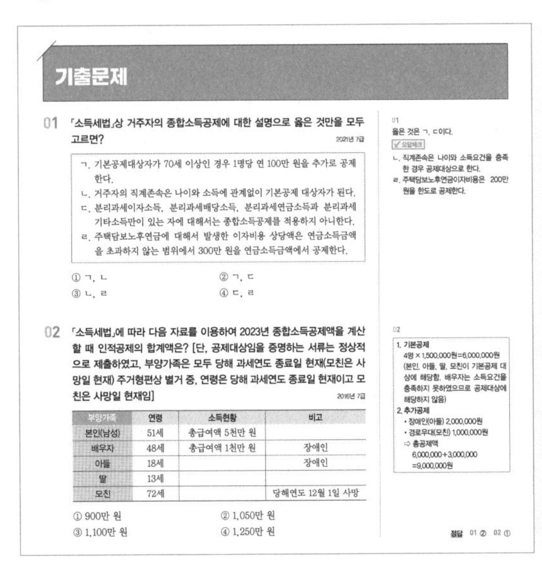

기출문제

01 「소득세법」상 거주자의 종합소득공제에 대한 설명으로 옳은 것만을 모두 고르면? 2021년 7급

ㄱ. 기본공제대상자가 70세 이상인 경우 1명당 연 100만 원을 추가로 공제한다.
ㄴ. 거주자의 직계존속은 나이와 소득에 관계없이 기본공제 대상자가 된다.
ㄷ. 분리과세이자소득, 분리과세배당소득, 분리과세연금소득과 분리과세기타소득만이 있는 자에 대해서는 종합소득공제를 적용하지 아니한다.
ㄹ. 주택담보노후연금에 대해서 발생한 이자비용 상당액은 연금소득금액을 초과하지 않는 범위에서 300만 원을 연금소득금액에서 공제한다.

① ㄱ, ㄴ ② ㄱ, ㄷ
③ ㄴ, ㄹ ④ ㄷ, ㄹ

01
옳은 것은 ㄱ, ㄷ이다.
오답체크
ㄴ. 직계존속은 나이와 소득요건을 충족한 경우 공제대상으로 한다.
ㄹ. 주택담보노후연금이자비용은 200만 원을 한도로 공제한다.

02 「소득세법」에 따라 다음 자료를 이용하여 2023년 종합소득공제액을 계산할 때 인적공제의 합계액은? [단, 공제대상임을 증명하는 서류는 정상적으로 제출하였고, 부양가족은 모두 당해 과세연도 종료일 현재(모친은 사망일 현재) 주거형편상 별거 중, 연령은 당해 과세연도 종료일 현재이고 모친은 사망일 현재임] 2016년 7급

부양가족	연령	소득현황	비고
본인(남성)	51세	총급여액 5천만 원	
배우자	48세	총급여액 1천만 원	장애인
아들	18세		장애인
딸	13세		
모친	72세		당해연도 12월 1일 사망

① 900만 원 ② 1,050만 원
③ 1,100만 원 ④ 1,250만 원

02
1. 기본공제
4명 × 1,500,000원=6,000,000원
(본인, 아들, 딸, 모친이 기본공제 대상에 해당함. 배우자는 소득요건을 충족하지 못하였으므로 공제대상에 해당하지 않음)
2. 추가공제
• 장애인(아들) 2,000,000원
• 경로우대(모친) 1,000,000원
⇨ 총공제액
6,000,000+3,000,000
=9,000,000원

정답 01 ② 02 ①

문제 응용력을 키울 수 있는 기출문제 및 상세한 해설

1. 기출문제

9·7급 기출문제 중 재출제 가능성이 높고 우수한 퀄리티의 문제만을 엄선하여 교재 내에 수록하였습니다. 이를 통해 문제 응용력을 키우고 학습한 이론을 다시 한 번 점검할 수 있습니다.

2. 상세한 해설

까다로운 계산 문제를 해결할 수 있도록 상세한 해설을 수록하였습니다. 이를 통해 문제를 풀고 답을 찾아가는 과정에서 실력을 기를 수 있습니다.

I

국세기본법

01 조세총론
02 총칙
03 국세부과와 세법적용
04 납세의무의 성립 · 확정 · 소멸
05 납세의무의 확장
06 국세와 일반채권의 관계
07 과세
08 국세환급금과 국세환급가산금
09 심사와 심판(조세불복제도)
10 납세자의 권리
11 보칙

01 조세총론

1 조세의 개념과 과세요건

1. 개념

과세요건을 충족한 모든 자에게 직접적 반대급부 없이 부과하는 금전급부를 말한다.

2. 특징

(1) 부과주체

조세를 부과하는 주체는 국가 또는 지방자치단체이므로 국가나 지방자치단체가 아닌 공공단체가 부과하는 공과금은 조세가 아니다.

(2) 조달목적

조세는 국가 또는 지방자치단체의 경비충당을 위한 재정수입을 조달할 목적으로 부과된다. 따라서, 위법행위에 대한 제재에 목적을 두고 부과하는 벌금 · 과료 · 과태료 등은 조세가 아니다.

(3) 반대급부

조세는 직접적 반대급부 없이 부과된다. 조세는 일반적인 보상(사회복지 등)을 제공할 뿐, 납세의무자가 납부한 조세와 비례하여 직접적인 반대급부를 제공하는 것은 아니다.

(4) 부과대상

조세는 법률에 규정된 과세요건을 충족한 모든 자에게 부과된다. 과세요건을 충족하면 당사자의 의사와 관계없이 조세가 부과되는 것이다.

(5) 금전납부

조세는 금전급부로, 금전으로 납부되며 물납은 인정하지 않는다. 다만, 상속세와 재산세에 대하여 물납을 수용하고 있다.

참고

우리나라 조세체계

국세	내국세	직접세	법인세
			소득세
			상속세 및 증여세
			종합부동산세
		간접세	부가가치세
			개별소비세
			주세
			교통 · 에너지 · 환경세
			인지세
			증권거래세
	관세		관세
	부가세		교육세
			농어촌특별세
지방세	보통세		취득세 등
	목적세		지방교육세 등

참고

조세의 구분

1. **직접세와 간접세(조세의 전가 여부에 따른 구분)**: 조세의 전가 여부에 따라 구분한다. 직접세는 납세자와 담세자가 일치하는 조세이며, 간접세는 납세자와 담세자가 일치하지 않는 조세이다.
2. **보통세와 목적세(조세의 사용목적에 따른 구분)**: 조세수입의 사용목적에 따라 구분한다. 보통세는 일반적인 재정수요를 위하여 부과 · 징수하는 조세이며, 목적세는 특정목적을 위하여 부과 · 징수하는 조세이다.
3. **독립세와 부가세(독립성에 따른 구분)**: 독립세는 다른 조세와 관계없이 독립된 세원에 대하여 부과하는 조세이며, 부가세는 다른 조세에 부가하여 부과하는 조세이다.
4. **종가세와 종량세(과세표준에 따른 구분)**: 종가세는 과세물건의 가격에 부과하는 조세로 과세표준을 가격으로 표시하는 조세이며, 종량세는 과세물건의 수량에 부과하는 조세로 과세표준을 수량으로 표시하는 조세이다.
5. **인세와 물세(인적사항 고려에 따른 구분)**: 인세는 납세의무자의 인적상황을 고려하여 과세하는 조세이며, 물세는 인적상황을 고려하지 않고 과세물건에 대하여 과세하는 조세이다.
6. **비례세와 누진세(세율적용에 따른 구분)**: 비례세는 과세물건의 크기에 상관없이 일정한 세율이 적용되는 조세이며, 누진세는 과세물건의 크기에 따라 세율이 점점 높아지면서 차등적용되는 조세이다.

3. 과세요건

(1) 납세의무자

세법에 따라 국세를 납부할 의무(국세를 징수하여 납부할 의무는 제외)가 있는 자를 말한다.

(2) 과세물건

과세의 대상으로 하고 있는 소득 · 수익 · 재산 · 행위 또는 거래를 말한다.

(3) 과세표준

세법에 따라 직접적으로 세액산출의 기초가 되는 과세대상의 수량 또는 가액을 말한다.

(4) 세율

세액을 산출하기 위하여 과세표준에 곱하는 비율 또는 금액을 말한다.

2 조세법의 기본원칙

1. 조세법률주의

(1) 개념

국가 또는 지방자치단체가 국회에서 제정한 법률에 의하여만 조세를 부과 · 징수할 수 있으며 국민은 법률에 의하여만 납세의무를 지는 것을 말한다.

(2) 목적

과세관청의 과세남용으로부터 국민의 재산권을 보호하고 국민의 법적안정성과 예측가능성을 보장하고자 한다.

(3) 내용

① 과세요건법정주의

㉠ 개념: 과세요건과 조세의 부과 · 징수절차를 모두 법률로써 규정하여야 한다는 원칙이다. 조세는 근본적으로 국민의 재산권을 침해하기 때문에 법률에 의하여만 조세를 부과 · 징수할 수 있다는 것이다.

㉡ 위임: 모든 과세요건 등을 법률로 규정하기 어렵기 때문에 위임규정을 두고 있으며 이러한 위임에는 개별위임과 포괄위임이 있다.

ⓐ **개별위임**: 구체적이고 개별적으로 위임의 범위를 정하는 방식으로 이러한 위임은 과세요건법정주의에 따른 것으로 본다.

ⓑ **포괄위임**: 포괄적이고 추상적으로 위임의 범위를 정하고 있으므로 이러한 위임(포괄위임 · 백지위임 · 골격입법)은 과세요건법정주의에 위배된다고 본다. 따라서 이러한 규정은 법적효력이 없다.

② 과세요건명확주의

㉠ 개념: 조세에 관한 세법의 규정은 명확하고 상세하여야 한다는 것을 말한다.

㉡ 필요성: 세법 규정의 내용이 다의적이고 추상적이라면 해석에 따라 달라질 수 있으므로 국민의 법적안정성과 예측가능성을 침해하는 문제가 발생한다.

③ 소급과세금지

㉠ 개념: 새로운 세법의 효력발생 전에 완결된 사실에 대하여 해당 새로운 세법을 적용하여서는 아니 된다는 원칙이다.

㉡ 필요성: 소급과세가 허용된다면 납세자의 법적안정성과 예측가능성이 보장될 수 없게 되는 문제가 발생한다.

④ 세법의 엄격해석

㉠ 개념: 법조문에 대한 해석을 할 때에는 문장의 의미에 따라 엄격하게 하여야 한다는 원칙이다. 즉, 법조문을 해석할 때 그 문언에 충실하게 해석하여야 한다.

㉡ 논리해석: 문리해석만으로 의미를 확정할 수 없을 때 한정하여 보충적 · 제한적으로 논리해석이 허용된다. 그러나 논리해석 중 확장해석이나 유추해석은 허용되지 않는다.

2. 조세평등주의

(1) 개념

① 입법상 국민에게 세부담이 공평히 배분되도록 세법을 제정하여야 한다.

② 세법의 해석 · 적용상 국민을 평등하게 취급하여야 한다는 것이다. 다만, 조세법률주의의 범주 내에서 적용되어야 한다.

(2) 수평적 평등

동일한 조건하에 있는 납세자는 동일한 조세를 부담하여야 한다는 원칙을 말한다.

예 실질과세의 원칙, 부당행위계산의 부인, 의제배당 등

(3) 수직적 평등

담세력이 더 높은 사람이 더 많은 조세를 부담하여야 한다는 원칙을 말한다(응능부담의 원칙).

예 초과누진세율 등

기출문제

01 **조세법률주의에 대한 설명으로 옳지 않은 것은? (단, 다툼이 있는 경우 판례에 의함)** 2019년 9급

① 조세의 과세요건 및 부과 · 징수절차는 입법부가 제정하는 법률로 정해져야 한다.

② 1세대 1주택에 대한 양도소득세 비과세요건(거주요건)을 추가하여 납세자가 양도소득세 비과세를 받기 어렵게 규정을 개정하였지만 경과규정을 두어 법령시행 후 1년간 주택을 양도한 경우에는 구법을 적용하도록 하였다면 이러한 법개정은 소급과세금지에 반하지 않는다.

③ 엄격해석으로 세법상 의미를 확정할 수 없는 경우 세법규정의 유추적용이 허용된다.

④ 조세법률주의는 과세권의 자의적 발동으로부터 납세자를 보호하기 위한 대원칙으로 헌법에 그 근거를 두고 있다.

01
문리해석을 할 수 없는 경우에는 보충적 · 제한적으로 논리해석을 허용한다. 따라서 유추해석이나 확장해석은 허용하지 않는다.

정답 01 ③

02 총칙

1 통칙

1. 목적

「국세기본법」은 국세에 관한 기본적이고 공통적인 사항과 납세자의 권리 · 의무 및 권리구제에 관한 사항을 규정함으로써 국세에 관한 법률관계를 명확하게 하고, 과세를 공정하게 하며, 국민의 납세의무의 원활한 이행에 이바지함을 목적으로 한다.

2. 정의

「국세기본법」에서 사용하는 용어의 뜻은 다음과 같다.

국세	국가가 부과하는 조세로 소득세, 법인세, 상속세와 증여세, 종합부동산세, 부가가치세, 개별소비세, 교통 · 에너지 · 환경세, 주세, 인지세, 증권거래세, 교육세, 농어촌특별세를 말한다.
세법	국세의 종목과 세율을 정하고 있는 법률과 「국세징수법」, 「조세특례제한법」, 「국제조세조정에 관한 법률」, 「조세범처벌법」 및 「조세범처벌절차법」을 말한다. ▶ 즉, 「국세기본법」과 「지방세법」, 「관세법」은 포함되지 않는다.
원천징수	세법에 따라 원천징수의무자가 국세(이에 관계되는 가산세는 제외)를 징수하는 것을 말한다.
가산세	세법에서 규정하는 의무의 성실한 이행을 확보하기 위하여 세법에 따라 산출한 세액에 가산하여 징수하는 금액을 말하며, 가산세는 국세에 해당한다.
강제징수비	「국세징수법」 중 강제징수에 관한 규정에 따른 재산의 압류 · 보관 · 운반과 매각에 든 비용(매각을 대행시키는 경우 그 수수료를 포함)을 말한다.
지방세	「지방세기본법」에서 규정하는 세목을 말한다.
공과금	「국세징수법」에서 규정하는 강제징수의 예에 따라 징수할 수 있는 채권 중 국세 · 관세 · 임시수입부가세 및 강제징수비를 제외한 것을 말한다.
납세의무자	세법에 따라 국세를 납부할 의무(국세를 징수하여 납부할 의무는 제외)가 있는 자를 말한다.
납세자	납세의무자(연대납세의무자와 납세자를 갈음하여 납부할 의무가 생긴 경우의 제2차 납세의무자 및 보증인을 포함)와 세법에 따라 국세를 징수하여 납부할 의무를 지는 자를 말한다.
제2차 납세의무자	납세자가 납세의무를 이행할 수 없는 경우에 납세자를 갈음하여 납세의무를 지는 자를 말한다.

기출 OX

'납세자'라 함은 세법에 의하여 국세를 납부할 의무(국세를 징수하여 납부할 의무를 포함함)가 있는 자를 말한다. (○)

08. 9급

보증인	납세자의 국세 또는 강제징수비의 납부를 보증한 자를 말한다.
과세기간	세법에 따라 국세의 과세표준 계산의 기초가 되는 기간을 말한다.
과세표준	세법에 따라 직접적으로 세액산출의 기초가 되는 과세대상의 수량 또는 가액(價額)을 말한다.
과세표준신고서	국세의 과세표준과 국세의 납부 또는 환급에 필요한 사항을 기재한 신고서를 말한다.
과세표준 수정신고서	당초에 제출한 과세표준신고서의 기재사항을 수정하는 신고서를 말한다.
법정신고기한	세법에 따라 과세표준신고서를 제출할 기한을 말한다.
세무공무원	① 국세청장, 지방국세청장, 세무서장 또는 그 소속 공무원이다. ② 세법에 따라 국세에 관한 사무를 세관장이 관장하는 경우의 그 세관장 또는 그 소속 공무원이다.
정보통신망	「전기통신기본법」 제2조 제2호에 따른 전기통신설비를 활용하거나 전기통신설비와 컴퓨터 및 컴퓨터의 이용기술을 활용하여 정보를 수집, 가공, 저장, 검색, 송신 또는 수신하는 정보통신체계를 말한다.
전자신고	과세표준신고서 등 「국세기본법」 또는 세법에 따른 신고 관련 서류를 국세청장이 정하여 고시하는 정보통신망을 이용하여 신고하는 것을 말한다.
특수관계인	친족관계 등을 말한다.
세무조사	국세의 과세표준과 세액을 결정 또는 경정하기 위하여 질문을 하거나 해당 장부·서류 또는 그 밖의 물건을 검사·조사하거나 그 제출을 명하는 활동을 말한다.

참고

특수관계인

1. 친족관계(4촌 이내 혈족, 3촌 이내 인척 등)
2. 경제적 연관관계(임원과 그 밖의 사용인 등)
3. 경영지배관계(경영에 대하여 지배적인 영향력을 행사하는 경우 등)

구분	특수관계인 범위
친족관계	① 4촌 이내의 혈족 ② 3촌 이내의 인척 ③ 배우자(사실상의 혼인관계에 있는 자를 포함) ④ 친생자로서 다른 사람에게 친양자 입양된 자 및 그 배우자·직계비속 ⑤ 본인이 「민법」에 따라 인지한 혼인 외 출생자의 생부나 생모(본인의 금전이나 그 밖의 재산으로 생계를 유지하는 사람 또는 생계를 함께하는 사람으로 한정함)
경제적 연관관계	① 임원과 그 밖의 사용인 ② 본인의 금전이나 그 밖의 재산으로 생계를 유지하는 자 ③ 위의 자와 생계를 함께하는 친족
경영지배관계	① 본인이 개인인 경우 ㉠ 본인이 직접 또는 그와 친족관계 또는 경제적 연관관계에 있는 자를 통하여 법인의 경영에 대하여 지배적인 영향력을 행사하고 있는 경우 그 법인

경영지배관계	㉡ 본인이 직접 또는 그와 친족관계, 경제적 연관관계 또는 ㉠의 관계에 있는 자를 통하여 법인의 경영에 대하여 지배적인 영향력을 행사하고 있는 경우 그 법인 ② 본인이 법인인 경우 ㉠ 개인 또는 법인이 직접 또는 그와 친족관계 또는 경제적 연관관계에 있는 자를 통하여 본인인 법인의 경영에 대하여 지배적인 영향력을 행사하고 있는 경우 그 개인 또는 법인 ㉡ 본인이 직접 또는 그와 경제적 연관관계 또는 ㉠의 관계에 있는 자를 통하여 어느 법인의 경영에 대하여 지배적인 영향력을 행사하고 있는 경우 그 법인 ㉢ 본인이 직접 또는 그와 경제적 연관관계, ㉠ 또는 ㉡의 관계에 있는 자를 통하여 어느 법인의 경영에 대하여 지배적인 영향력을 행사하고 있는 경우 그 법인 ㉣ 본인이 기업집단에 속하는 경우 그 기업집단에 속하는 다른 계열회사 및 그 임원 ③ 경영지배기준: 다음의 요건에 해당되는 때에 해당 법인의 경영에 대하여 지배적인 영향력을 행사하고 있는 것으로 본다. ㉠ 영리법인인 경우 ⓐ 법인의 발행주식총수 또는 출자총액의 30% 이상을 출자한 경우 ⓑ 임원의 임면권의 행사, 사업방침의 결정 등 법인의 경영에 대하여 사실상 영향력을 행사하고 있다고 인정되는 경우 ㉡ 비영리법인인 경우 ⓐ 법인의 이사의 과반수를 차지하는 경우 ⓑ 법인의 출연재산의 30% 이상을 출연하고 그 중 1인이 설립자인 경우

3. 다른 법률과의 관계

(1) 세법 등과의 관계

국세에 관하여 세법에 별도의 규정이 있는 경우를 제외하고는 「국세기본법」에서 정하는 바에 따른다.

참고

세법이 우선되는 사례

「국세기본법」 규정	세법규정
국세부과의 원칙	「상속세 및 증여세법」에 따른 명의신탁재산의 증여의제규정
납세의무의 승계	–
연대납세의무	「소득세법」에 따른 공동사업의 경우 손익분배비율에 따른 납세의무
납세의무의 소멸	「조세특례제한법」에 따른 영세개인사업자의 결손처분세액 납부의무 소멸 특례
납세담보	「주세법」에 따른 납세담보
제2차 납세의무	① 「조세특례제한법」에 따른 정비사업조합의 체납국세에 대한 제2차 납세의무 ② 벤처기업 출자자의 제2차 납세의무 면제
관할관청	–
경정청구	「상속세 및 증여세법」에 따른 후발적 사유로 인한 경정청구 기한의 사례

기한후신고	「법인세법」에 따른 이자소득에 대한 비영리내국법인의 분리과세특례
가산세	① 「조세특례제한법」에 따른 근로장려금의 경정에 따른 가산세 ② 「부가가치세법」에 따른 조기환급 등
국세환급금의 충당과 환급	「법인세법」에 따른 분식회계로 인한 과다납부세액의 환급제한특례 등
국세환급가산금	근로장려금 환급시 국세환급가산금 적용배제
보칙	개별세법에 따른 고지금액의 최저한에 관한 규정
연대납세의무자에 대한 서류의 송달	-
불복	지방세를 본세로 하는 농어촌특별세의 불복절차
국세우선권	「부가가치세법」에 따른 신탁재산에 대한 강제징수시 수탁자의 필요비 또는 유익비의 우선변제
물적납세의무	「부가가치세법」에 따른 신탁 관련 수탁자의 물적납세의무

(2) **「관세법」과의 관계**

① 「관세법」이 「국세기본법」에 우선한다.

② 「관세법」과 「수출용 원재료에 대한 관세 등 환급에 관한 특례법」에서 세관장이 부과 · 징수하는 국세에 관하여 「국세기본법」에 대한 특례규정을 두고 있는 경우에는 「관세법」과 「수출용 원재료에 대한 관세 등 환급에 관한 특례법」에서 정하는 바에 따른다.

(3) **「행정심판법」과의 관계**

「국세기본법」이 「행정심판법」에 우선한다. 본래 국세에 관한 처분은 행정기관이 행하므로 국세에 관한 불복청구도 「행정심판법」의 적용대상이나, 「국세기본법」에서는 불복청구에 관한 별도의 규정을 두어 이에 대하여는 「행정심판법」을 적용하지 않도록 규정하고 있다.

(4) **「감사원법」과의 관계**

「국세기본법」과 「감사원법」은 선택적 지위에 있다. 조세불복을 하는 경우 「감사원법」에 따른 심사청구와 「국세기본법」에 따른 심사청구 · 심판청구 중에서 선택할 수 있다.

2 기간과 기한

1. 기간

기간이란 일정 시점에서 다른 일정 시점까지의 계속된 시간을 말한다. 「국세기본법」 또는 세법에서 규정하는 기간의 계산은 「국세기본법」 또는 그 세법에 특별한 규정이 있는 것을 제외하고는 「민법」에 따른다.

(1) **기산점**

기간을 일 · 주 · 월 · 년으로 정한 때에는 기간의 초일은 산입하지 않는다. 다만, 그 기간이 오전 0시부터 시작하는 경우에는 초일을 산입하며, 연령계산 시 출생일을 산입한다.

(2) **만료점**

① 기간을 일 · 주 · 월 · 년으로 정한 때에는 기간 말일의 종료로 기간이 만료한다. 다만, 기간의 말일이 공휴일에 해당하는 때에는 그 다음날로 기간이 만료한다.

② 기간을 주 · 월 · 년으로 정한 때에는 역에 따라 계산한다. 일수에 상관없이 월이나 년의 장단을 고려하지 않는다.

③ 주 · 월 · 년의 처음부터 기간을 기산하지 않은 때에는 최후의 주 · 월 · 년에서 그 기산일에 해당하는 날의 전일로 기간이 만료한다.

④ 최후의 월에 해당일이 없을 때에는 그 월의 말일로 기간이 만료한다.

사례로 이해 UP

기간 계산

1. **3월 2일부터 10일(일수로 계산)**: 3월 3일(기산일), 3월 12일(만료일)
2. **3월 2일부터 2개월(기산일 전날)**: 3월 3일(기산일), 5월 2일(만료일)
3. **12월 30일부터 2개월(기산일에 전날이 없는 경우)**: 12월 31일(기산일), 2월 28일(만료일)
4. **3월 31일부터 1개월(기간의 처음부터 기산일)**: 4월 1일(기산일), 4월 말일(만료일)

기출 OX

증여세 신고기한이 4월 1일(금요일)이고 공휴일인 경우 4월 3일까지 신고하여야 한다. (×) 11. 9급

▶ 4월 4일(월요일)까지 신고한다.

2. 기한

기한이란 특정한 법률행위의 효력발생이나 소멸 또는 특정한 의무이행을 위하여 정하여진 일정한 시점을 말한다.

(1) **기한의 특례**

① **공휴일 등의 경우**: 「국세기본법」 또는 세법에서 규정하는 신고, 신청, 청구, 그 밖에 서류의 제출, 통지, 납부 또는 징수에 관한 기한이 다음에 해당하는 날일 때에는 그 다음 날을 기한으로 한다.

㉠ 토요일 및 일요일

㉡ 「공휴일에 관한 법률」에 따른 공휴일 및 대체공휴일

㉢ 「근로자의 날 제정에 관한 법률」에 따른 근로자의 날

② **국세정보통신망의 장애**: 「국세기본법」 또는 세법에서 규정하는 신고기한 만료일 또는 납부기한 만료일에 국세정보통신망이 정전, 통신상의 장애, 프로그램의 오류, 그 밖의 부득이한 사유로 가동이 정지되어 전자신고나 전자납부(「국세기본법」 또는 세법에 따라 납부할 국세를 정보통신망을 이용하여 납부하는 것)를 할 수 없는 경우에는 그 장애가 복구되어 신고 또는 납부할 수 있게 된 날의 다음날을 기한으로 한다.

기출 OX

01 「국세기본법」 또는 세법에서 규정하는 신고, 신청, 청구, 그 밖에 서류의 제출, 통지, 납부 또는 징수에 관한 기한이 공휴일인 경우에는 공휴일의 다음날을 기한으로 한다. (○) 12. 9급

02 신고기한일이나 납부기한일에 프로그램의 오류로 국세정보통신망의 가동이 정지되어 전자신고 또는 전자납부를 할 수 없게 되는 경우에는 그 장애가 복구되어 신고 또는 납부할 수 있게 된 날을 기한으로 한다. (×) 12. 9급

▶ 복구되어 신고 또는 납부할 수 있게 된 날의 다음날을 기한으로 한다.

(2) **우편신고 및 전자신고**

① 우편신고: 우편으로 과세표준신고서, 과세표준수정신고서, 경정청구서 또는 과세표준신고, 과세표준수정신고, 경정청구와 관련된 서류를 제출한 경우 「우편법」에 따른 우편날짜도장이 찍힌 날(우편날짜도장이 찍히지 아니하였거나 분명하지 아니한 경우에는 통상 걸리는 배송일수를 기준으로 발송한 날로 인정되는 날)에 신고된 것으로 본다.

② 전자신고

㉠ 과세표준신고서, 과세표준수정신고서, 경정청구서 또는 과세표준신고, 과세표준수정신고, 경정청구와 관련된 서류 등을 국세정보통신망을 이용하여 제출하는 경우에는 해당 신고서 등이 국세청장에게 전송된 때에 신고된 것으로 본다.

㉡ 전자신고된 경우 과세표준신고 또는 과세표준수정신고와 관련된 서류 중 수출대금입금증명서 등 국세청장이 정하는 서류에 대해서는 10일의 범위에서 제출기한을 연장할 수 있다.

(3) **천재지변 등으로 인한 기한의 연장**

① 기한연장사유: 관할세무서장은 천재지변이나 다음의 사유로 국세기본법 또는 세법에서 규정하는 신고, 신청, 청구, 그 밖에 서류의 제출 또는 통지를 정하여진 기한까지 할 수 없다고 인정하는 경우나 납세자가 기한연장을 신청한 경우에는 그 기한을 연장할 수 있다.

㉠ 천재지변이 발생한 경우

㉡ 납세자가 화재, 전화(戰禍), 그 밖의 재해를 입거나 도난을 당한 경우

㉢ 납세자 또는 그 동거가족이 질병이나 중상해로 6개월 이상의 치료가 필요하거나 사망하여 상중(喪中)인 경우

㉣ 정전, 프로그램의 오류, 그 밖의 부득이한 사유로 한국은행(그 대리점을 포함) 및 체신관서의 정보통신망의 정상적인 가동이 불가능한 경우

㉤ 금융회사 등(한국은행 국고대리점 및 국고수납대리점인 금융회사 등만 해당) 또는 체신관서의 휴무, 그 밖의 부득이한 사유로 정상적인 세금 납부가 곤란하다고 국세청장이 인정하는 경우

㉥ 권한 있는 기관에 장부나 서류가 압수 또는 영치된 경우

㉦ 「세무사법」에 따라 납세자의 장부 작성을 대행하는 세무사(세무법인을 포함) 또는 공인회계사(회계법인을 포함)가 화재, 전화, 그 밖의 재해를 입거나 도난을 당한 경우

㉧ 위 ㉡, ㉢ 또는 ㉥에 준하는 사유가 있는 경우

② 기한연장신청

㉠ 기한의 연장을 받으려는 자는 기한 만료일 3일 전까지 문서로 해당 행정기관의 장에게 신청하여야 한다. 이 경우 해당 행정기관의 장은 기한연장을 신청하는 자가 기한 만료일 3일 전까지 신청할 수 없다고 인정하는 경우에는 기한의 만료일까지 신청하게 할 수 있다.

㉡ 행정기관의 장은 기한을 연장하였을 때에는 문서로 지체 없이 관계인에게 통지하여야 하고 기한만료일 3일 전까지 기한연장의 신청이 있는 것에 대하여는 기한만료 전에 그 승인 여부를 통지하여야 한다.

③ 기한연장

㉠ 일반적인 기한연장: 기한연장은 3개월 이내로 하되, 해당 기한연장의 사유가 소멸되지 아니하는 경우 관할세무서장은 1개월의 범위에서 그 기한을 다시 연장할 수 있다.

㉡ 신고의 기한연장: ㉠의 규정에도 불구하고 신고와 관련된 기한연장은 9개월을 넘지 아니하는 범위에서 관할세무서장이 할 수 있다.

기출 OX

기한을 연장하는 경우 신고와 관련된 기한연장은 9월을 초과하지 아니하는 범위 안에서 관할세무서장이 이를 연장할 수 있다. (○) 07. 9급

3 서류의 송달

1. 개념

서류의 송달은 과세관청이 국세처분의 내용이 담긴 서류를 납세자에게 보내는 것을 말한다.❶

❶ 송달을 받을 자가 파산선고를 받은 경우에는 파산관재인에게 송달한다.

2. 서류의 송달 장소

(1) 원칙

「국세기본법」 또는 세법에서 규정하는 서류는 그 명의인(그 서류에 수신인으로 지정되어 있는 자)의 주소 · 거소 · 영업소 또는 사무소[정보통신망을 이용한 송달(전자송달)인 경우에는 명의인의 전자우편주소]에 송달한다.

(2) 예외

① 연대납세의무자: 연대납세의무자에게 서류를 송달할 때에는 그 대표자를 명의인으로 하며, 대표자가 없을 때에는 연대납세의무자 중 국세를 징수하기에 유리한 자를 명의인으로 한다. 다만, 납세의 고지와 독촉에 관한 서류는 연대납세의무자 모두에게 각각 송달하여야 한다.

② 상속재산관리인: 상속이 개시된 경우 상속재산관리인이 있을 때에는 그 상속재산관리인의 주소 또는 영업소에 송달한다.

③ 납세관리인: 납세관리인이 있을 때에는 납세의 고지와 독촉에 관한 서류는 그 납세관리인의 주소 또는 영업소에 송달한다.

기출 OX

연대납세의무자에게 강제징수에 관한 서류를 송달할 때에는 연대납세의무자 모두에게 각각 송달하여야 한다. (×) 14. 7급

▶ 고지와 독촉에 대한 서류를 모두에게 각각 송달한다.

④ 송달받을 장소의 신고: 서류의 송달을 받을 자가 주소 또는 영업소 중에서 송달받을 장소를 정부에 신고한 경우에는 그 신고된 장소에 송달하여야 한다. 이를 변경한 경우에도 또한 같다.

⑤ 교정시설 등에 유치된 자: 송달받아야 할 사람이 교정시설 또는 국가경찰관서의 유치장에 체포·구속 또는 유치(留置)된 사실이 확인된 경우에는 해당 교정시설의 장 또는 국가경찰관서의 장에게 송달한다.

⑥ 「주민등록법상」의 주소 신고: 서류를 송달받을 장소로 「주민등록법」상 주소를 신고한 자가 이러한 신고서를 제출하면서 주소가 이전하는 때에 송달받을 장소도 변경되는 것에 동의한 경우에는 「주민등록법」에 따른 전입신고를 송달받을 장소의 변경신고로 본다.

3. 서류의 송달방법

(1) 원칙

서류송달은 교부·우편 또는 전자송달의 방법으로 하며, 예외적으로 공시송달의 방법으로 송달할 수 있다. 서류를 송달하는 경우에 송달받아야 할 자가 주소 또는 영업소를 이전하였을 때에는 주민등록표 등으로 이를 확인하고 이전한 장소에 송달하여야 한다.

① 우편송달(등기우편 또는 일반우편)

㉠ 등기우편: 납세의 고지·독촉·강제징수 또는 세법에 따른 정부의 명령에 관계되는 서류의 송달을 우편의 방법으로 할 때에는 등기우편으로 하여야 한다.

㉡ 일반우편: 「소득세법」에 따른 중간예납세액의 납부고지서, 「부가가치세법」에 따라 징수하기 위한 예정신고기간의 납부고지서 및 신고납부세목에 해당하는 국세에 대한 과세표준신고서를 법정신고기한까지 제출하였으나 과세표준신고액에 상당하는 세액의 전부 또는 일부를 납부하지 아니하여 발급하는 납부고지서로서 50만 원 미만에 해당하는 납부고지서는 일반우편으로 송달할 수 있다.

기출 OX

납세의 고지·독촉·강제징수 또는 세법에 의한 정부의 명령에 관계되는 서류의 송달을 우편에 의하고자 할 때에는 등기우편에 의하여야 하는 것이 원칙이다. (○) 09. 7급

② 교부송달

㉠ 원칙: 교부에 의한 서류송달은 해당 행정기관의 소속 공무원이 서류를 송달할 장소에서 송달받아야 할 자에게 서류를 교부하는 방법으로 한다.

㉡ 예외: 송달받아야 할 자가 송달받기를 거부하지 아니하면 다른 장소에서 교부할 수 있다.

㉢ 송달서 서명거부: 교부송달에서 서류를 교부하였을 때에는 송달서에 수령인이 서명 또는 날인하게 하여야 한다. 이 경우 수령인이 서명 또는 날인을 거부하면 그 사실을 송달서에 적어야 하며 서명 또는 날인을 거부하더라도 서류송달의 효력에는 영향이 없다.

> **심화 | 유치송달**
>
> 등기우편송달과 교부송달의 경우 송달할 장소에서 서류를 송달받아야 할 자를 만나지 못하였을 때에는 그 사용인이나 그 밖의 종업원 또는 동거인으로서 사리를 판별할 수 있는 사람에게 서류를 송달할 수 있으며, 서류를 송달받아야 할 자 또는 그 사용인이나 그 밖의 종업원 또는 동거인으로서 사리를 판별할 수 있는 사람이 정당한 사유 없이 서류 수령을 거부할 때에는 송달할 장소에 서류를 둘 수 있다.

기출 OX

서류를 송달받아야 할 자 또는 그 사용인이나 그 밖의 종업원 또는 동거인으로서 사리를 판별할 수 있는 사람이 정당한 사유 없이 서류 수령을 거부할 때에는 송달할 장소에 서류를 둘 수 있다. (○) 13. 7급

③ 전자송달

㉠ **신청**: 전자송달은 서류를 송달받아야 할 자가 신청한 경우에만 한다. 이러한 전자송달의 개시 및 철회는 신청서를 접수한 날의 다음날부터 적용한다.

㉡ **신청으로 의제**: 납부고지서가 송달되기 전에 납세자가 「국세기본법」 또는 세법이 정하는 바에 따라 고지에 따른 소득세 중간예납세액 · 부가가치세 예정고지세액 및 예정부과세액을 확인하여 해당 세액을 계좌이체 방법 또는 신용카드 등으로 자진납부한 경우 납부한 세액에 대해서는 자진납부한 시점에 전자송달을 신청한 것으로 본다.

㉢ **전자송달이 불가능한 경우**: 국세정보통신망의 장애로 전자송달을 할 수 없는 경우나 그 밖에 국세청장이 정하는 사유가 있는 경우에는 교부 또는 우편의 방법으로 송달할 수 있다.

㉣ **전자송달서류**

ⓐ **전자송달서류 범위**: 전자송달할 수 있는 서류는 납부고지서 · 국세환급금통지서 · 신고안내문 · 그 밖에 국세청장이 정하는 서류로 한다.

ⓑ **열람서류**: 국세청장이 납부고지서 및 국세환급금통지서를 전자송달하는 경우에는 해당 납세자로 하여금 국세정보통신망에 접속하여 해당 서류를 열람할 수 있게 하여야 한다.

ⓒ **전자우편주소 송달서류**: 국세청장이 ⓑ 외의 서류를 전자송달하는 경우에는 해당 납세자가 지정한 전자우편주소로 송달하여야 한다.

㉤ **전자송달신청 철회**: 국세정보통신망에 접속하여 서류를 열람할 수 있게 하였음에도 불구하고 해당 납세자가 2회 연속하여 전자송달된 서류를 다음의 기한까지 열람하지 아니한 경우에는 두 번째로 열람하지 아니한 서류에 대한 다음의 구분에 따른 날의 다음날에 전자송달신청을 철회한 것으로 본다. 다만, 납세자가 전자송달된 납부고지서에 따른 납부기한 내에 납부해야 하는 국세의 세액을 전액 납부한 경우에는 해당 서류를 열람한 것으로 본다.

ⓐ **해당 서류에 납부기한 등 기한이 정하여진 경우**: 정하여진 해당 기간

ⓑ **ⓐ 이외의 경우**: 국세정보통신망에 해당 서류가 저장된 때부터 1개월이 되는 날

④ 송달의 효력발생시기

㉠ 송달하는 서류는 송달받아야 할 자에게 도달한 때부터 효력이 발생한다. 다만, 전자송달의 경우에는 송달받을 자가 지정한 전자우편주소에 입력된 때(국세정보통신망에 저장하는 경우에는 저장된 때)에 그 송달을 받아야 할 자에게 도달한 것으로 본다.

㉡ 도달이라는 것은 상대방의 지배권 내에 들어가 사회통념상 일반적으로 그 사실을 알 수 있는 상태를 말하며, 일단 유효하게 송달된 서류가 반송되더라도 그 송달의 효력에는 영향이 없다.

(2) 공시송달

① **공시송달사유**: 서류를 송달받아야 할 자가 다음의 어느 하나에 해당하는 경우에는 공시송달을 할 수 있다.

㉠ 주소 또는 영업소가 국외에 있고 송달하기 곤란한 경우

㉡ 주소 또는 영업소가 분명하지 아니한 경우

㉢ 등기우편으로 송달하였으나 부재중으로 반송되어 납부기한 내 송달이 곤란하다고 인정되는 경우

㉣ 세무공무원이 2회 이상 납세자를 방문[처음 방문한 날과 마지막 방문한 날의 사이의 기간이 3일(기간을 계산할 때 공휴일 및 토요일은 제외)이상이어야 함]하여 서류를 교부하려고 하였으나 수취인이 부재중인 것으로 확인되어 납부기한까지 송달이 곤란하다고 인정되는 경우

② **공시송달방법**: 공고는 다음 중 어느 하나의 방법으로 공고한다. 이 경우 국세정보통신망을 이용하여 공시송달을 할 때에는 다른 공시송달방법과 함께 하여야 한다.

㉠ 국세정보통신망

㉡ 세무서의 게시판이나 그 밖의 적절한 장소

㉢ 해당 서류의 송달 장소를 관할하는 시 · 군 · 구(자치구)의 홈페이지, 게시판이나 그 밖의 적절한 장소

㉣ 관보 또는 일간신문

③ **송달의 효력발생**: 서류의 주요 내용을 공고한 날부터 14일이 지나면 서류송달이 된 것으로 본다.

기출 OX

주소 또는 영업소가 국외에 있고 그 송달이 곤란한 경우에는 공시송달할 수 있다. (○) 04. 7급

기출 OX

서류송달을 받아야 할 자의 주소가 분명하지 아니한 경우에 서류의 주요 내용을 관보에 공고한 날부터 14일이 지나면 서류송달이 된 것으로 본다. (○) 12. 9급

사례로 이해 UP

아파트 경비원의 등기우편물 수령권한

아파트 경비원에게 등기우편물 등을 전달하면 아파트 경비원이 이를 거주자에게 전달해 왔으며 주민들이 이에 대하여 별다른 이의를 제기하지 않았다면 납세의무자 및 아파트의 주민들은 등기우편물 등의 수령권한을 아파트의 경비원에게 묵시적으로 위임한 것이라고 볼 수 있다. 따라서 아파트 경비원이 납부고지서를 수령한 날에 납부고지서가 적법하게 납세의무자에게 송달되었다고 볼 수 있다.

4 인격

1. 법인으로 보는 법인 아닌 단체

(1) 당연히 법인으로 보는 경우

법인(내국법인 및 외국법인)이 아닌 사단 · 재단 · 그 밖의 단체(법인 아닌 단체) 중 다음의 어느 하나에 해당하는 것으로서 수익을 구성원에게 분배하지 아니하는 것은 법인으로 보아 「국세기본법」과 세법을 적용한다.

① 주무관청의 허가 또는 인가를 받아 설립되거나 법령에 따라 주무관청에 등록한 사단 · 재단 · 그 밖의 단체로서 등기되지 아니한 것

② 공익을 목적으로 출연(出捐)된 기본재산이 있는 재단으로서 등기되지 아니한 것

(2) 신청 · 승인을 받아 법인으로 보는 경우

① 요건: 위 (1)의 법인으로 보는 사단 · 재단 · 그 밖의 단체 외의 법인 아닌 단체 중 다음의 요건을 모두 갖춘 것으로서 대표자나 관리인이 관할세무서장에게 신청하여 승인을 받은 것도 법인으로 보아 「국세기본법」과 세법을 적용한다. 이 경우 해당 사단 · 재단 · 그 밖의 단체의 계속성과 동질성이 유지되는 것으로 본다.

㉠ 사단 · 재단 · 그 밖의 단체의 조직과 운영에 관한 규정을 가지고 대표자나 관리인을 선임하고 있을 것

㉡ 사단 · 재단 · 그 밖의 단체 자신의 계산과 명의로 수익과 재산을 독립적으로 소유 · 관리할 것

㉢ 사단 · 재단 · 그 밖의 단체의 수익을 구성원에게 분배하지 아니할 것

② 거주자 또는 비거주자로 변경제한: 법인으로 보는 법인 아닌 단체는 그 신청에 대하여 관할세무서장의 승인을 받은 날이 속하는 과세기간과 그 과세기간이 끝난 날부터 3년이 되는 날이 속하는 과세기간까지는 「소득세법」에 따른 거주자 또는 비거주자로 변경할 수 없다. 다만, 해당 요건을 갖추지 못하게 되어 승인취소를 받는 경우에는 그러하지 아니하다.

기출 OX

법인격이 없는 단체 중 공익을 목적으로 출연된 기본재산이 있는 재단으로서 등기되지 아니한 것은 이를 법인으로 보아 「국세기본법」과 세법을 적용한다. (○)

07. 9급

2. 대표자선임 및 신고

(1) 법인으로 보는 법인 아닌 단체의 국세에 관한 의무는 그 대표자나 관리인이 이행하여야 한다.

(2) 법인으로 보는 단체는 국세에 관한 의무이행을 위하여 대표자나 관리인을 선임하거나 변경한 경우에는 제반사항을 적은 문서로 세무서장에게 신고하여야 한다.

(3) 법인으로 보는 단체가 관리인의 선임 및 변경신고를 하지 아니한 경우에는 관할세무서장은 그 단체의 구성원 또는 관계인 중 1명을 국세에 관한 의무를 이행하는 사람으로 지정할 수 있다.

3. 법인으로 보는 법인 아닌 단체의 세법상 취급

(1) 「**법인세법**」

법인으로 보는 법인격 없는 단체는 비영리법인으로 본다.

(2) 「**소득세법**」

법인 아닌 단체 중 법인으로 보는 단체 외의 법인 아닌 단체는 국내에 주사무소 또는 사업의 실질적 관리장소를 둔 경우에는 1거주자로, 그 밖의 경우에는 1비거주자로 보아 「소득세법」을 적용한다.

(3) 「**상속세 및 증여세법**」

법인으로 보는 법인격 없는 단체는 비영리법인으로 본다.

(4) 「**부가가치세법**」

영리목적에 상관없이 법인 아닌 단체도 납세의무자에 해당한다.

4. 전환국립대학 법인

세법에서 규정하는 납세의무에도 불구하고 전환국립대학 법인(국립학교 또는 공립학교로 운영되다가 법인별 설립근거가 되는 법률에 따라 국립대학 법인으로 전환된 법인)에 대한 국세의 납세의무(국세를 징수하여 납부할 의무는 제외)를 적용할 때에는 전환국립대학 법인을 별도의 법인으로 보지 아니하고 국립대학 법인으로 전환되기 전의 국립학교 또는 공립학교로 본다. 다만, 전환 국립대학 법인이 해당 법인의 설립근거가 되는 법률에 따른 교육 · 연구 활동에 지장이 없는 범위 외의 수익사업을 하는 경우의 납세의무에 대해서는 그러하지 아니하다.

기출 OX

01 「국세기본법」에 의하여 법인으로 보는 법인 아닌 단체는 「법인세법」에서 비영리법인으로 본다. (○) 04. 9급

02 법인으로 보지 않는 단체 중 1거주자로 간주되는 법인격 없는 단체의 소득은 대표자의 다른 소득과 합산과세하지 않는다. (○) 05. 9급

기출문제

01 「국세기본법」 제1조(목적)에 대한 설명으로 옳은 것을 모두 고른 것은?

2012년 9급

ㄱ. 국세에 대한 기본적이고 공통적인 사항을 규정
ㄴ. 위법 또는 부당한 국세처분에 대한 불복절차를 규정
ㄷ. 국세의 징수에 관하여 필요한 사항을 규정하여 국세 수입을 확보
ㄹ. 납세자의 부담능력 등에 따라 적정하게 과세함으로써 조세부담의 형평을 도모
ㅁ. 국세에 대한 법률관계를 명확하게 함

① ㄱ, ㄴ, ㄹ
② ㄱ, ㄴ, ㅁ
③ ㄱ, ㄹ, ㅁ
④ ㄴ, ㄷ, ㄹ

01
옳은 것은 ㄱ, ㄴ, ㅁ이다.
오답체크
ㄷ. 「국세징수법」의 목적이다.
ㄹ. 「소득세법」의 목적이다.

02 「국세기본법」에서 사용하는 용어의 뜻으로 옳지 않은 것은? 2022년 9급

① '납세자'란 납세의무자(연대납세의무자를 제외한다)와 세법에 따라 국세를 징수하여 납부할 의무를 지는 자를 말한다.
② '원천징수'란 세법에 따라 원천징수의무자가 국세(이와 관계되는 가산세는 제외한다)를 징수하는 것을 말한다.
③ '보증인'이란 납세자의 국세 또는 강제징수비의 납부를 보증한 자를 말한다.
④ '제2차 납세의무자'란 납세자가 납세의무를 이행할 수 없는 경우에 납세자를 갈음하여 납세의무를 지는 자를 말한다.

02
납세자란 납세의무자(연대납세의무자와 제2차 납세의무자 및 보증인 포함)와 세법에 따라 국세를 징수하여 납부할 의무를 지는 자를 말한다.

정답 01 ② 02 ①

03 「국세기본법」상 용어의 정의로 옳지 않은 것은? 2012년 7급

① 국세란 국가가 부과하는 조세로서 소득세, 법인세, 부가가치세, 관세, 주세, 증권거래세 등을 말한다.

② 가산세란 세법에서 규정하는 의무의 성실한 이행을 확보하기 위하여 세법에 따라 산출한 세액에 가산하여 징수하는 금액을 말한다.

③ 과세표준이란 세법에 따라 직접적으로 세액산출의 기초가 되는 과세대상의 수량 또는 가액을 말한다.

④ 전자신고란 과세표준신고서 등「국세기본법」또는 세법에 따른 신고 관련 서류를 국세정보통신망을 이용하여 신고하는 것을 말한다.

03
국세에는 관세 및 지방세가 제외된다.

04 「국세기본법」상 용어의 정의로 옳지 않은 것은? 2008년 9급

① '원천징수'라 함은 세법에 의하여 원천징수의무자가 국세(이에 관계되는 가산세를 제외함)를 징수하는 것을 말한다.

② '납세자'라 함은 세법에 의하여 국세를 납부할 의무(국세를 징수하여 납부할 의무를 포함함)가 있는 자를 말한다.

③ '납세의무자'라 함은 세법에 의하여 국세를 납부할 의무(국세를 징수하여 납부할 의무를 포함함)가 있는 자를 말한다.

④ '강제징수비'라 함은 법령의 규정에 의한 재산의 압류 · 보관 · 운반과 매각에 소요된 비용을 말한다.

04
'납세의무자'라 함은 세법에 따라 국세를 납부할 의무(국세를 징수하여 납부할 의무는 제외)가 있는 자를 말한다.

정답 03 ① 04 ③

05 「국세기본법」과 다른 법률과의 관계에 대한 설명으로 옳은 것은? 2019년 9급

① 「국세기본법」은 「국세기본법」 또는 세법에 의한 위법 · 부당한 처분을 받은 경우에는 우선 「행정심판법」에 의한 심사청구 · 심판청구를 하도록 하고 있다.
② 재조사결정에 따른 처분청의 처분에 대한 행정소송은 「국세기본법」에 따른 심사청구 또는 심판청구와 그에 대한 결정을 거치지 아니하면 제기할 수 없다.
③ 국세에 관한 처분에 대하여는 「국세기본법」의 규정에 따른 불복방법과 「감사원법」의 규정에 따른 불복방법도 있기 때문에 두 가지 불복방법을 동시에 이용할 수 있다.
④ 국세환급금의 소멸시효에 관하여는 「국세기본법」 또는 세법에 특별한 규정이 있는 것을 제외하고는 「민법」에 따른다.

05
오답체크
① 조세불복을 하는 경우에는 「행정심판법」을 배제하고 「국세기본법」이나 「감사원법」에 따라 불복절차를 거치도록 하고 있다.
② 재조사결정에 따른 행정소송은 심사청구 또는 심판청구를 거친 후에 할 수도 있고 심사청구 또는 심판청구를 거치지 않고 제기할 수도 있다.
③ 「국세기본법」에 따른 불복과 「감사원법」에 따른 불복 중 하나만 선택할 수 있다.

06 국세기본법령과 「소득세법」의 기간 및 기한에 대한 설명으로 옳은 것은? 2022년 9급

① 수시부과 후 추가발생소득이 없는 거주자는 그 종합소득과세 표준을 다음 연도 5월 1일부터 5월 31일까지 확정신고하고 종합소득 산출세액을 자진납부하여야 한다.
② 부담부증여의 채무액에 해당하는 부분으로서 양도로 보는 경우 그 양도일이 속하는 달의 말일부터 4개월 이내에 양도소득 과세표준을 납세지 관할 세무서장에게 신고하여야 한다.
③ 세무조사의 결과에 대한 서면통지를 받은 자는 통지를 받은 날로부터 90일 이내에 과세전적부심사 청구를 할 수 있다.
④ 국세기본법 또는 세법에서 규정하는 납부기한 만료일에 정전으로 국세정보통신망의 가동이 정지되어 전자납부를 할 수 없는 경우 그 장애가 복구되어 납부할 수 있게 된 날의 다음 날을 기한으로 한다.

06
오답체크
① 수시부과 후 추가소득이 없는 경우에는 신고하지 않을 수 있다.
② 부담부증여의 채무액은 양도일이 속하는 달의 말일부터 3개월 이내 예정신고를 하면 된다.
③ 과세전적부심사는 서면통지를 받고 30일 이내에 청구할 수 있다.

정답 05 ④ 06 ④

07 「국세기본법」상 기간과 기한에 대한 설명으로 옳은 것은?

2020년 7급

① 우편으로 과세표준신고서를 제출한 경우 그 신고서가 도달한 날에 신고된 것으로 본다.

② 「국세기본법」 또는 세법에서 규정하는 신고기한 만료일에 국세정보통신망이 대통령령으로 정하는 장애로 가동이 정지되어 전자신고를 할 수 없는 경우에는 그 장애가 복구되어 신고할 수 있게 된 날을 신고기한으로 한다.

③ 신고와 관련된 기한연장은 9개월을 넘지 아니하는 범위에서 관할세무서장이 신고기한을 연장할 수 있다.

④ 납부고지서를 송달한 경우에 도달한 날에 이미 납부기한이 지난 때에는 그 도달한 날을 납부기한으로 한다.

07

✓ 오답체크

① 우편으로 과세표준신고서를 제출한 경우 우편날짜도장이 찍힌 날에 신고된 것으로 본다.

② 「국세기본법」 또는 세법에서 규정하는 신고기한 만료일에 국세정보통신망이 대통령령으로 정하는 장애로 가동이 정지되어 전자신고를 할 수 없는 경우에는 그 장애가 복구되어 신고할 수 있게 된 날의 다음날을 신고기한으로 한다.

④ 납부고지서를 송달한 경우에 도달한 날에 이미 납부기한이 지난 때에는 그 도달한 날부터 14일이 지난 날을 납부기한으로 한다.

08 「국세기본법」상 기간과 기한에 대한 설명으로 옳지 않은 것을 모두 고르면?

2012년 9급

ㄱ. 우편으로 과세표준신고서를 제출한 경우로서 우편날짜도장이 찍히지 아니하였거나 분명하지 아니한 경우에는 신고서가 도달한 날에 신고된 것으로 본다.

ㄴ. 신고기한일이나 납부기한일에 프로그램의 오류로 국세정보통신망의 가동이 정지되어 전자신고 또는 전자납부를 할 수 없게 되는 경우에는 그 장애가 복구되어 신고 또는 납부할 수 있게 된 날을 기한으로 한다.

ㄷ. 천재지변 등의 사유로 세법에서 규정하는 신고를 정해진 기한까지 할 수 없다고 관할세무서장이 인정하는 경우에는 납세자의 신청이 없는 경우에도 그 기한을 연장할 수 있다.

ㄹ. 「국세기본법」 또는 세법에서 규정하는 신고, 신청, 청구, 그 밖에 서류의 제출, 통지, 납부 또는 징수에 관한 기한이 공휴일, 대체공휴일, 토요일이거나 근로자의 날일 때에는 공휴일, 대체공휴일, 토요일 또는 근로자의 날의 다음날을 기한으로 한다.

① ㄱ, ㄴ　　② ㄴ, ㄷ

③ ㄴ, ㄹ　　④ ㄷ, ㄹ

08

옳지 않은 것은 ㄱ, ㄴ이다.

ㄱ. 우편으로 과세표준신고서를 제출한 경우로서 우편날짜도장이 찍히지 아니하였거나 분명하지 아니한 경우에는 통상 걸리는 배송일수를 기준으로 발송한 날로 인정되는 날에 신고된 것으로 본다.

ㄴ. 신고기한일이나 납부기한일에 프로그램의 오류로 국세정보통신망의 가동이 정지되어 전자신고 또는 전자납부를 할 수 없게 되는 경우에는 그 장애가 복구되어 신고 또는 납부할 수 있게 된 날의 다음날을 기한으로 한다.

정답 07 ③ 08 ①

09 **다음은 국내에 거주하는 甲이 고교동창생들과 함께 결성한 A동창회에 대한 자료이다. A동창회에 대한 과세방법으로 적절한 것은?** 2021년 7급

- A동창회는 주사무소를 서울에 두고 있고, 매달 회비를 걷어서 친목모임에 사용하기로 하였다.
- A동창회는 운영규정도 만들었으며, 수익은 분배하지 않기로 하고 甲이 대표가 되기로 하였다.
- A동창회는 주무관청에 등록되지 않았고, 甲은 A동창회와 관련된 사항을 관할 세무서장에게 신고하거나 신청한 적이 없다.

① A동창회를 「법인세법」상 영리법인으로 보아 법인세를 과세한다.
② A동창회를 「법인세법」상 비영리법인으로 보아 법인세를 과세한다.
③ A동창회를 「소득세법」상 1거주자로 보아 소득세를 과세한다.
④ A동창회의 소득을 대표자 甲의 소득으로 보아 소득세를 과세한다.

10 **「국세기본법」상 서류의 송달에 대한 설명으로 옳은 것은?** 2014년 7급

① 연대납세의무자에게 강제징수에 관한 서류를 송달할 때에는 연대납세의무자 모두에게 각각 송달하여야 한다.
② 소득세 중간예납세액이 100만 원인 납부고지서의 송달을 우편으로 할 때는 일반우편으로 하여야 한다.
③ 정보통신망의 장애로 납부고지서의 전자송달이 불가능한 경우에는 교부에 의해서만 송달을 할 수 있다.
④ 납부고지서를 송달받아야 할 자의 주소를 주민등록표에 의해 확인할 수 없는 경우, 서류의 주요 내용을 공고한 날부터 14일이 지나면 서류송달이 된 것으로 본다.

09
법인 아닌 단체 해당하는 동창회에 해당되며 주무관청에 등록되어 있지 않고 별도로 신청도 하지 않았으므로 법인에 해당되지 않는다. 따라서 「소득세법」에 따른 1거주자(주사무소 서울)로 본다.

10
☑ 오답체크
① 연대납세의무자에게 고지·독촉에 관한 서류를 송달할 때에는 연대납세의무자 모두에게 각각 송달하여야 한다.
② 소득세 중간예납세액이 50만 원 미만인 납부고지서의 송달을 일반우편으로 할 수 있다.
③ 정보통신망의 장애로 납부고지서의 전자송달이 불가능한 경우에는 교부 또는 우편에 의하여 송달을 할 수 있다.

정답 09 ③ 10 ④

11 「국세기본법」상 서류의 송달에 대한 설명으로 옳지 않은 것은? 2012년 9급

① 서류송달을 받아야 할 자의 주소가 분명하지 아니한 경우에 서류의 주요 내용을 관보에 공고한 날부터 14일이 지나면 서류송달이 된 것으로 본다.

② 전자송달은 당사자가 그 방법을 신청한 경우에 적법한 송달이 된 것으로 본다.

③ 전자송달은 송달받을 자가 지정한 전자우편주소에서 직접 출력한 때부터 효력이 발생한다.

④ 세무공무원이 고지서를 적법한 송달장소에서 교부송달을 시도하였는데 납세자가 부재중이었고, 대신 사리를 판별할 능력이 있는 종업원을 발견하여 송달을 시도하였으나, 그 종업원이 정당한 이유 없이 서류수령을 거부하는 경우 송달장소에 고지서를 두고 와도 적법한 송달이 된다.

11
전자송달은 송달받을 자가 지정한 전자우편주소에 입력한 때에 효력이 발생한다.

12 법인으로 보는 단체 등에 대한 설명으로 옳지 않은 것은? 2020년 7급

① 「국세기본법」에 따른 법인으로 보는 단체는 「법인세법」상 비영리내국법인에 해당한다.

② 「소득세법」상 법인으로 보는 단체 외의 법인 아닌 단체에 해당하는 국외투자기구를 국내원천소득의 실질귀속자로 보는 경우 그 국외투자기구는 1비거주자로서 소득세를 납부할 의무를 진다.

③ 전환 국립대학 법인이 해당 법인의 설립근거가 되는 법률에 따른 교육 · 연구 활동에 지장이 없는 범위 외의 수익사업을 하는 경우의 납세의무를 적용할 때에는 전환 국립대학 법인을 별도의 법인으로 보지 아니하고 국립대학 법인으로 전환되기 전의 국립학교 또는 공립학교로 본다.

④ 「국세기본법」에 따라 법인으로 보는 단체의 국세에 관한 의무는 그 대표자나 관리인이 이행하여야 한다.

12
전환 국립대학 법인이 해당 법인의 설립근거가 되는 법률에 따른 교육 · 연구 활동에 지장이 없는 범위 외의 수익사업을 하는 경우의 납세의무를 적용할 때에는 전환 국립대학 법인을 별도의 법인으로 보아 과세한다.

정답 11 ③ 12 ③

13 「국세기본법」상 법인으로 보는 단체에 대한 설명으로 옳은 것은? 2022년 7급

① 주무관청의 허가 또는 인가를 받아 설립된 단체로서 등기되지 아니하고 수익을 구성원에게 분배하지 아니하는 것은 법인으로 보아 「국세기본법」과 세법을 적용한다.

② 사익을 목적으로 출연(出捐)된 기본재산이 있는 재단으로서 등기되지 아니하고 수익을 구성원에게 분배하는 것은 법인으로 보아 「국세기본법」과 세법을 적용한다.

③ 법인이 아닌 단체 중 타인의 계산과 자신의 명의로 수익과 재산을 독립적으로 소유 · 관리하고 단체의 수익을 구성원에게 분배하는 단체로서 대표자나 관리인이 관할 세무서장에게 신청한 것은 법인으로 보아 「국세기본법」과 세법을 적용한다.

④ 법인으로 보는 법인 아닌 단체는 그 신청한 날이 속하는 과세기간과 그 과세기간이 끝난 날부터 5년이 되는 날이 속하는 과세기간까지는 「소득세법」에 따른 거주자 또는 비거주자로 변경할 수 있다.

13

오답체크

② 공익을 목적으로 출연된 기본재산이 있는 재단으로서 등기되지 아니하고 수익을 구성원에게 배분하지 않는 것은 법인으로 본다.

③ 법인이 아닌 단체 중 자신의 계산과 명의로 수익과 재산을 독립적으로 소유 · 관리하고 단체의 수익을 구성원에게 분배하지 않는 단체로서 대표자나 관리인이 관할 세무서장에게 신청하고 승인을 받은 것은 법인으로 본다.

④ 법인으로 보는 법인 아닌 단체는 그 신청한 날이 속하는 과세기간과 그 과세기간이 끝난 날부터 3년이 되는 날이 속하는 과세기간까지는 소득세법에 따른 거주자 또는 비거주자로 변경할 수 없다.

정답 13 ①

03 국세부과와 세법적용

1 의의

국세부과의 원칙은 국세를 확정시킬 때 지켜야 할 원칙을 말하며, 세법적용의 원칙은 세법을 적용하는 과정에서 지켜야 할 원칙을 말한다.

국세부과의 원칙	세법적용의 원칙
1. 실질과세의 원칙 2. 신의성실의 원칙 3. 근거과세의 원칙 4. 조세감면의 사후관리	1. 세법해석의 기준 (납세자 재산권의 부당 침해금지) 2. 소급과세의 금지 3. 세무공무원 재량의 한계 4. 기업회계의 존중

2 국세부과의 원칙

1. 실질과세의 원칙[1]

(1) 개념

실질과 그 형식이 다른 경우에는 그 실질에 따라 과세하여야 한다는 원칙이다.

(2) 적용

① 귀속에 대한 실질과세: 과세의 대상이 되는 소득 · 수익 · 재산 · 행위 또는 거래의 귀속이 명의일 뿐이고 사실상 귀속되는 자가 따로 있을 때에는 사실상 귀속되는 자를 납세의무자로 하여 세법을 적용한다.

② 거래내용에 대한 실질과세: 세법 중 과세표준의 계산에 관한 규정은 소득 · 수익 · 재산 · 행위 또는 거래의 명칭이나 형식에 관계없이 그 실질내용에 따라 적용한다.

③ 간접 또는 우회거래에 대한 실질과세: 제3자를 통한 간접적인 방법이나 둘 이상의 행위 또는 거래를 거치는 방법으로 「국세기본법」 또는 세법의 혜택을 부당하게 받기 위한 것으로 인정되는 경우에는, 그 경제적 실질내용에 따라 당사자가 직접 거래를 한 것으로 보거나 연속된 하나의 행위 또는 거래를 한 것으로 보아 「국세기본법」 또는 세법을 적용한다.

[1] 「상속세 및 증여세법」상 명의신탁재산의 증여의제 규정은 개별세법을 적용한다.

기출 OX

세법 중 과세표준의 계산에 관한 규정은 소득, 수익, 재산, 행위 또는 거래의 명칭이나 형식에 관계없이 그 실질내용에 따라 적용한다. (○) 16. 9급

사례로 이해 UP

실질과세의 원칙

1. 사업자명의등록자와는 별도로 사실상의 사업자가 있는 경우에는 사실상의 사업자를 납세의무자로 한다.
2. 명의신탁부동산을 매각처분한 경우에는 양도의 주체 및 납세의무자는 명의신탁자이다.
3. 회사의 주주로 명부상 등재되어 있더라도 회사의 대표자가 임의로 등재한 것일 뿐 회사의 주주로서 권리행사를 한 사실이 없는 경우에는 그 명의자인 주주를 세법상 주주로 보지 않는다.
4. 1인 명의로 사업자등록을 하고 2인 이상이 동업하여 그 수익을 분배하는 경우에는 외관상의 사업명의인이 누구인지 여부에 불구하고 실질과세의 원칙에 따라 국세를 부과한다.
5. 공부상 등기 · 등록 등이 타인의 명의로 되어 있더라도 사실상 당해 사업자가 취득하여 사업에 공하였음이 확인되는 경우에는 이를 그 사실상 사업자의 사업용자산으로 본다.
6. 거래의 실질내용은 형식상의 기록내용이나 거래명의에 불구하고 상거래관례, 구체적인 증빙, 거래 당시의 정황 및 사회통념 등을 고려하여 판단한다.

2. 신의성실의 원칙

(1) 개념

납세자가 그 의무를 이행할 때에는 신의에 따라 성실하게 하여야 하며, 세무공무원이 직무를 수행할 때에도 또한 같다. 즉, 신의성실의 원칙은 납세자와 과세관청 모두에게 적용된다.

(2) 과세관청의 신의성실원칙 적용요건

신의성실에 대한 요건은 다음과 같으며 판례와 학설에 따른 요건이다.

① 납세자의 신뢰의 대상이 되는 과세관청의 공적 견해표시가 있어야 한다.

② 납세자가 과세관청의 견해표시를 신뢰하고, 그 신뢰에 납세자의 귀책사유가 없어야 한다.

③ 납세자가 과세관청의 견해표시에 대한 신뢰를 바탕으로 한 어떠한 행위 등이 있어야 한다.

④ 과세관청이 당초의 견해표시에 반하는 적법한 행정처분을 하여야 한다.

⑤ 과세관청의 처분으로 납세자가 불이익을 받아야 한다.

(3) 효과

적용요건에 충족되는 경우 납세자에 대한 처분은 취소될 수 있다. 다만, 이러한 신의성실의 원칙은 조세법률주의에 위배될 수 있으므로 합법성을 희생하여 상실되는 법익보다 납세자의 신뢰이익의 보호에 대한 가치가 더 큰 경우에 한하여 적용된다.

기출 OX

조세법률주의에 의하여 합법성이 강하게 작용하는 조세 실체법에 대한 신의성실의 원칙 적용은 합법성을 희생하여서라도 구체적 신뢰보호의 필요성이 인정되는 경우에 한하여 허용된다. (○)

09. 7급

심화 | 납세의무자의 신의성실원칙 적용요건

납세의무자에게 신의성실의 원칙을 적용하기 위하여는 객관적으로 모순되는 형태가 존재하고, 그 행태가 납세의무자의 심한 배신행위에 기인하였으며, 그에 기하여 야기된 과세관청의 신뢰가 보호받을 가치가 있는 것이어야 한다.

사례로 이해 UP

신의성실의 원칙

1. 세무공무원과의 일반적인 상담내용만으로는 과세관청이 공적 견해를 표명한 것으로 인정할 수 없다.
2. 인터넷 국세종합 상담센터의 답변에 따라 세액을 과소하게 신고 · 납부하더라도 그 답변은 과세관청의 공식적인 견해표명이 아니라 상담직원의 단순한 상담에 불과하다.
3. 면세사업자용 사업자등록을 교부한 것은 등록사실을 증명하는 증서의 교부행위에 불과할 뿐, 이것이 납세의무자에게 부가가치세를 과세하지 아니하겠다는 공적인 견해로 볼 수 없다.
4. 납세의무자가 분식회계를 하고 법인세를 과다하게 신고 · 납부하였다가 그 과다납부한 세액에 대하여 취소소송을 제기하여 다툰다는 것만으로 신의성실의 원칙에 위반될 정도로 심한 배신행위를 하였다고 할 수 없다.

3. 근거과세의 원칙

(1) 개념

납세의무자가 세법에 따라 장부를 갖추어 기록하고 있는 경우에는 해당 국세 과세표준의 조사와 결정은 그 장부와 이에 관계되는 증거자료에 의하여야 한다.

(2) 적용

① 국세를 조사 · 결정할 때 장부의 기록내용이 사실과 다르거나 장부의 기록에 누락된 것이 있을 때에는 그 부분에 대하여는 정부가 조사한 사실에 따라 결정할 수 있다.

② 장부의 기록내용과 다른 사실 또는 장부 기록에 누락된 것을 조사 · 결정하였을 때에는 정부가 조사한 사실과 결정의 근거를 결정서에 적어야 한다.

기출 OX

국세를 조사 · 결정할 때 장부의 기록 내용이 사실과 다르거나 장부의 기록에 누락된 것이 있을 때에는 그 부분에 대해서만 정부가 조사한 사실에 따라 결정할 수 있다. (○) 16. 9급

4. 조세감면의 사후관리

(1) 정부는 국세를 감면한 경우에 그 감면의 취지를 성취하거나 국가정책을 수행하기 위하여 필요하다고 인정하면 세법에서 정하는 바에 따라 감면한 세액에 상당하는 자금 또는 자산의 운용범위를 정할 수 있다.

(2) 운용범위를 벗어난 자금 또는 자산에 상당하는 감면세액은 세법에서 정하는 바에 따라 감면을 취소하고 징수할 수 있다.

3 세법적용의 원칙

1. 세법해석의 기준(납세자 재산권의 부당침해금지)

세법을 해석 · 적용할 때에는 과세의 형평과 해당 조항의 합목적성에 비추어 납세자의 재산권이 부당하게 침해되지 아니하도록 하여야 한다.

2. 소급과세의 금지

(1) 개념

소급과세의 금지는 납세자의 법적안정성과 예측가능성을 보장하기 위한 것으로, 성립 이후의 개정된 세법규정이나 관행상 적용하여 오던 국세행정에 대하여 소급적용하지 않는 것을 말한다.

(2) 입법상 · 행정상 소급과세금지

① 입법에 의한 소급과세금지: 국세를 납부할 의무(세법에 징수의무자가 따로 규정되어 있는 국세의 경우에는 이를 징수하여 납부할 의무)가 성립한 소득 · 수익 · 재산 · 행위 또는 거래에 대하여는 그 성립 후의 새로운 세법에 따라 소급하여 과세하지 아니한다.

② 해석 또는 관행에 의한 소급과세금지

㉠ 세법의 해석이나 국세행정의 관행이 일반적으로 납세자에게 받아들여진 후에는 그 해석이나 관행에 의한 행위 또는 계산은 정당한 것으로 보며, 새로운 해석이나 관행에 의하여 소급하여 과세되지 아니한다.

㉡ 새로운 세법해석이 종전의 해석과 상이한 경우에는 새로운 해석을 성립일 이전으로 소급하여 적용하지 않는 것을 의미한다.

㉢ 해석 또는 관행에 의한 소급과세금지는 납세자의 신뢰의 이익을 보호하기 위한 것이다.

(3) 진정소급과 부진정소급

① 진정소급: 납세의무가 성립된 소득 등에 대하여 납세의무성립일 이후의 개정된 세법 등을 소급하여 적용하는 것을 말한다. 이러한 소급은 일반적으로 인정하지 않는다.

② 부진정소급: 납세의무가 성립되기 전에 개정된 세법 등에 의하여 과세기간 개시일로 소급하여 적용하는 것을 말한다. 이러한 소급은 일반적으로 인정한다.

③ 납세자에게 유리한 소급효: 납세자에게 유리한 소급은 소급적용하는 것을 허용하고 있다. 다만, 개별 납세자에게 유리한 소급입법이라 하더라도 그것이 전체적으로 조세공평을 침해할 수 있는 경우에는 허용되지 않을 수도 있다.

3. 세무공무원 재량의 한계

세무공무원이 재량으로 직무를 수행할 때에는 과세의 형평과 해당 세법의 목적에 비추어 일반적으로 적당하다고 인정되는 한계를 엄수하여야 한다.

기출 OX

세법의 해석 또는 국세행정의 관행이 일반적으로 납세자에게 받아들여진 후에는 그 해석이나 관행에 의한 행위 또는 계산은 정당한 것으로 보며, 새로운 해석이나 관행에 의하여 소급하여 과세되지 아니한다. (○) 11. 9급

4. 기업회계의 존중

세무공무원이 국세의 과세표준을 조사 · 결정할 때에는 해당 납세의무자가 계속하여 적용하고 있는 기업회계의 기준 또는 관행으로서 일반적으로 공정 · 타당하다고 인정되는 것은 존중하여야 한다. 다만, 세법에 특별한 규정이 있는 것은 그러하지 아니하다.

참고

국세예규심사위원회

1. 다음의 사항을 심의하기 위하여 기획재정부에 국세예규심사위원회를 둔다.
   ① 세법해석의 기준 및 소급과세의 금지의 기준에 맞는 세법의 해석 및 이와 관련되는 「국세기본법」의 해석에 관한 사항
   ② 「관세법」의 기준에 맞는 과세법의 해석 및 이와 관련되는 「자유무역협정의 이행을 위한 관세법의 특례에 관한 법률」 및 「수출용 원재료에 대한 관세 등 환급에 관한 특례법」의 해석에 관한 사항
2. 기획재정부장관 및 국세청장은 세법의 해석과 관련된 질의에 대하여 세법해석의 기준에 따라 해석하여 회신하여야 한다.
3. 세법 외의 법률 중 국세의 부과 · 징수 · 감면 또는 그 절차에 관하여 규정하고 있는 조항은 세법해석의 기준과 소급과세의 금지원칙을 적용함에 있어 세법으로 본다.

참고

중장기 조세정책운용계획

1. **중장기 계획수립**: 기획재정부장관은 효율적인 조세정책의 수립과 조세부담의 형평성 제고를 위하여 매년 해당 연도부터 5개 연도 이상의 기간에 대한 중장기 조세정책운용계획을 수립하여야 한다. 이 경우 중장기 조세정책운용계획은 「국가재정법」에 따른 국가재정운용계획과 연계되어야 한다.
2. **포함사항**: 중장기 조세정책운용계획에는 다음의 사항이 포함되어야 한다.
   ① 조세정책의 기본방향과 목표
   ② 주요 세목별 조세정책 방향
   ③ 비과세 · 감면제도 운용 방향
   ④ 조세부담 수준
   ⑤ 그 밖에 대통령령으로 정하는 사항
3. **기타사항**
   ① 기획재정부장관은 중장기 조세정책운용계획을 수립할 때에는 관계 중앙관서의 장과 협의하여야 한다.
   ② 기획재정부장관은 수립한 중장기 조세정책운용계획을 국회 소관 상임위원회에 보고하여야 한다.

기출문제

01 **「국세기본법」상 국세부과의 원칙과 세법적용의 원칙에 대한 설명으로 옳지 않은 것은? (다툼이 있는 경우 판례에 의함)** 2016년 7급

① 국세를 조사 · 결정할 때 장부의 기록내용이 사실과 다르거나 장부의 기록에 누락된 것이 있을 때에는 그 부분에 대해서만 정부가 조사한 사실에 따라 결정할 수 있다.
② 과세기간 진행 중 법률의 개정이나 해석의 변경이 있는 경우 이미 진행한 과세기간 분에 대하여 소급과세하는 것은 원칙적으로 허용되지 아니한다.
③ 납세자가 그 의무를 이행할 때에는 신의에 따라 성실하게 하여야 한다. 세무공무원이 직무를 수행할 때에도 또한 같다.
④ 과세의 대상이 되는 소득, 수익, 재산, 행위 또는 거래의 귀속이 명의일 뿐이고 사실상 귀속되는 자가 따로 있을 때에는 사실상 귀속되는 자를 납세의무자로 하여 세법을 적용한다.

01
해당 과세기간 중의 개정이나 해석의 변경은 납세의무가 성립되기 전의 사항이므로 소급하는 것을 허용하고 있다.

02 **「국세기본법」상 실질과세의 원칙에 대한 설명으로 옳지 않은 것은?** 2016년 9급

① 세법 중 과세표준의 계산에 관한 규정은 소득, 수익, 재산, 행위 또는 거래의 명칭이나 형식에 관계없이 그 실질내용에 따라 적용한다.
② 과세의 대상이 되는 소득, 수익, 재산, 행위 또는 거래의 귀속이 명의일 뿐이고 사실상 귀속되는 자가 따로 있을 때에는 명의자를 납세의무자로 하여 세법을 적용한다.
③ 제3자를 통한 간접적인 방법이나 둘 이상의 행위 또는 거래를 거치는 방법으로 「국세기본법」 또는 세법의 혜택을 부당하게 받기 위한 것으로 인정되는 경우에는 그 경제적 실질내용에 따라 당사자가 직접 거래를 한 것으로 보거나 연속된 하나의 행위 또는 거래를 한 것으로 보아 「국세기본법」 또는 세법을 적용한다.
④ 세법에서 「국세기본법」상 실질과세원칙에 따라 특례규정을 두고 있는 경우에는 그 세법에서 정하는 바에 따른다.

02
과세의 대상이 되는 소득 · 수익 · 재산 · 행위 또는 거래의 귀속이 명의일 뿐이고 사실상 귀속되는 자가 따로 있을 때에는 사실상 귀속되는 자를 납세의무자로 하여 세법을 적용한다.

정답 01 ② 02 ②

03 「국세기본법」상 실질과세원칙에 관한 설명으로 옳지 않은 것은? 2013년 9급

① 과세의 대상이 되는 거래의 귀속이 명의일 뿐이고 사실상 귀속되는 자가 따로 있는 때에는 사실상 귀속되는 자를 납세의무자로 한다.
② 사업자등록 명의자와는 별도로 사실상의 사업자가 있는 경우에는 사실상의 사업자를 납세의무자로 본다.
③ 세법 중 과세표준의 계산에 관한 규정은 거래의 명칭이나 형식에 불구하고 그 실질내용에 따라 적용한다.
④ 제3자를 통한 간접적인 방법으로 거래한 경우 「국세기본법」 또는 세법의 혜택을 부당하게 받기 위한 것인지 여부와 관계없이 그 경제적 실질내용에 따라 당사자가 직접 거래를 한 것으로 본다.

03
제3자를 통한 간접적인 방법으로 거래한 경우 「국세기본법」 또는 세법의 혜택을 부당하게 받기 위한 것으로 인정되는 경우에는 그 경제적 실질내용에 따라 당사자가 직접 거래를 한 것으로 본다.

04 「국세기본법」상 신의성실의 원칙에 관한 판례의 내용으로 옳은 것은? 2009년 7급

① 과세관청이 납세의무자에게 부가가치세 면세사업자용 사업자등록증을 교부하였다면 그가 영위하는 사업에 관하여 부가가치세를 과세하지 아니함을 시사하는 언동이나 공적인 견해를 표명한 것으로 볼 수 있다.
② 조세법률주의에 의하여 합법성이 강하게 작용하는 조세 실체법에 대한 신의성실의 원칙 적용은 합법성을 희생하여서라도 구체적 신뢰보호의 필요성이 인정되는 경우에 한하여 허용된다.
③ 납세의무자가 자산을 과대계상하거나 부채를 과소계상하는 등의 방법으로 분식결산을 하고 이에 따라 과다하게 법인세를 신고·납부하였다가 그 과다납부한 세액에 대하여 취소소송을 제기하여 다툰다는 것만으로도 신의성실의 원칙에 위반될 정도로 심한 배신행위를 하였다고 할 수 있다.
④ 과세관청에게 신의성실의 원칙을 적용하기 위해서는 객관적으로 모순되는 행태가 존재하고, 그 행태가 납세의무자의 심한 배신행위에 기인하였으며, 그에 기하여 야기된 과세관청의 신뢰가 보호받을 가치가 있는 것이어야 한다.

04
✓ 오답체크
① 과세관청이 납세의무자에게 부가가치세 면세사업자용 사업자등록증을 교부하는 것은 형식적 절차에 해당하므로 과세관청의 공적인 견해로 볼 수 없다.
③ 납세의무자가 자산을 과대계상하거나 부채를 과소계상하는 등의 방법으로 분식결산을 하고 이에 따라 과다하게 법인세를 신고·납부하였다가 그 과다납부한 세액에 대하여 취소소송을 제기하여 다툰다는 것만으로도 신의성실의 원칙에 위반될 정도로 심한 배신행위를 하였다고 할 수 없다.
④ 납세의무자에게 신의성실의 원칙을 적용하기 위해서는 객관적으로 모순되는 형태가 존재하고, 그 행태가 납세의무자의 심한 배신행위에 기인하였으며, 그에 기하여 야기된 과세관청의 신뢰가 보호받을 가치가 있는 것이어야 한다.

정답 03 ④ 04 ②

05 「국세기본법」상 세법적용의 원칙에 대한 설명으로 옳은 것은? 2008년 7급

① 2 이상의 행위 또는 거래를 거치는 방법으로 세법의 혜택을 부당하게 받기 위한 것으로 인정되는 경우에는 그 경제적 실질내용에 따라 연속된 하나의 행위 또는 거래를 한 것으로 보아 세법을 적용한다.
② 납세자가 그 의무를 이행함에 있어서는 신의를 좇아 성실히 하여야 한다. 세무공무원이 그 직무를 수행함에 있어서도 또한 같다.
③ 납세의무자가 세법에 의하여 장부를 비치 · 기장하고 있는 때에는 당해 국세의 과세표준의 조사와 결정은 그 비치 · 기장한 장부와 이에 관계되는 증빙자료에 의하여야 한다.
④ 세무공무원이 그 재량에 의하여 직무를 수행함에 있어서는 과세의 형평과 당해 세법의 목적에 비추어 일반적으로 적당하다고 인정되는 한계를 엄수하여야 한다.

05
세무공무원 재량의 한계는 세법적용의 원칙에 대한 규정이다.

오답체크
①, ②, ③ 국세부과의 원칙에 해당한다.

06 국세기본법령상 세법 해석에 대한 설명으로 옳지 않은 것은? 2021년 7급

① 세법을 해석 · 적용할 때에는 과세의 형평(衡平)과 해당 조항의 합목적성에 비추어 납세자의 재산권이 부당하게 침해되지 아니하도록 하여야 한다.
② 기획재정부장관 및 국세청장은 세법의 해석과 관련된 질의에 대하여 세법해석의 기준에 따라 해석하여 회신하여야 한다.
③ 세법이 새로 제정되거나 개정되어 이에 대한 기획재정부장관의 해석이 필요한 경우 기획재정부장관이 직접 회신할 수 있으며, 이 경우 회신한 문서의 사본을 국세청장에게 송부하여야 한다.
④ 국세청장은 세법의 해석과 관련된 질의가 세법과 이와 관련되는 「국세기본법」의 입법취지에 따른 해석이 필요한 사항에 해당하는 경우 기획재정부장관에게 해석을 요청하지 않고 민원인에게 직접 회신할 수 있다.

06
세법의 입법취지에 따른 해석이 필요한 경우로서 납세자의 권리보호를 위하여 필요하다고 기획재정부장관이 인정하는 경우 기획재정부장관이 직접 회신할 수 있으며, 이 경우 회신한 문서의 사본을 국세청장에게 송부하여야 한다.

정답 05 ④ 06 ④

07 「국세기본법」상 세법해석의 기준 및 소급과세의 금지에 대한 설명으로 옳지 않은 것은? 2011년 9급

① 세법의 해석 · 적용에 있어서는 과세의 형평과 당해 조합의 합목적성에 비추어 납세자의 재산권이 부당하게 침해되지 아니하도록 하여야 한다.
② 국세를 납부할 의무가 성립한 소득 · 수익 · 재산 · 행위 또는 거래에 대하여는 그 성립 후의 새로운 세법에 의하여 소급하여 과세하지 아니한다.
③ 세법의 해석 또는 국세행정의 관행이 일반적으로 납세자에게 받아들여진 후에는 그 해석이나 관행에 의한 행위 또는 계산은 정당한 것으로 보며, 새로운 해석이나 관행에 의하여 소급하여 과세되지 아니한다.
④ 세법 이외의 법률 중 국세의 부과 · 징수 · 감면 또는 그 절차에 관하여 규정하고 있는 조항에 대해서는 세법해석의 기준에 대한 「국세기본법」 규정이 적용되지 아니한다.

07
세법 이외의 법률 중 국세의 부과 · 징수 · 감면 또는 그 절차에 관하여 규정하고 있는 조항에 대하여는 세법해석의 기준 규정을 적용할 때에는 세법으로 본다.

08 「국세기본법」상 국세 부과의 원칙에 대한 설명이 아닌 것은? 2022년 7급

① 과세의 대상이 되는 소득, 수익, 재산, 행위 또는 거래의 귀속이 명의(名義)일 뿐이고 사실상 귀속되는 자가 따로 있을 때에는 사실상 귀속되는 자를 납세의무자로 하여 세법을 적용한다.
② 세무공무원이 국세의 과세표준을 조사 · 결정할 때에는 해당 납세의무자가 계속하여 적용하고 있는 기업회계의 기준 또는 관행으로서 일반적으로 공정 · 타당하다고 인정되는 것은 존중하여야 한다. 다만, 세법에 특별한 규정이 있는 것은 그러하지 아니하다.
③ 납세의무자가 세법에 따라 장부를 갖추어 기록하고 있는 경우에는 해당 국세 과세표준의 조사와 결정은 그 장부와 이와 관계되는 증거자료에 의하여야 한다.
④ 정부는 국세를 감면한 경우에 그 감면의 취지를 성취하거나 국가정책을 수행하기 위하여 필요하다고 인정하면 세법에서 정하는 바에 따라 감면한 세액에 상당하는 자금 또는 자산의 운용 범위를 정할 수 있다.

08
②는 세법적용의 원칙 중 기업회계 기준의 존중에 대한 설명이다.

정답 07 ④ 08 ②

09 「국세기본법」상 국세 부과의 원칙과 세법 적용의 원칙에 대한 설명으로 옳지 않은 것은? 2023년 9급

① 정부는 국세를 감면한 경우에 국가정책을 수행하기 위하여 필요하더라도 감면한 세액에 상당하는 자금 또는 자산의 운용 범위를 정할 수 없다.
② 세법을 해석 · 적용할 때에는 과세의 형평과 해당 조항의 합목적성에 비추어 납세자의 재산권이 부당하게 침해되지 아니하도록 하여야 한다.
③ 제3자를 통한 간접적인 방법이나 둘 이상의 행위 또는 거래를 거치는 방법으로 「국세기본법」 또는 세법의 혜택을 부당하게 받기 위한 것으로 인정되는 경우에는 그 경제적 실질 내용에 따라 당사자가 직접 거래를 한 것으로 보거나 연속된 하나의 행위 또는 거래를 한 것으로 보아 「국세기본법」 또는 세법을 적용한다.
④ 세법의 해석이나 국세행정의 관행이 일반적으로 납세자에게 받아들여진 후에는 그 해석이나 관행에 의한 행위 또는 계산은 정당한 것으로 보며, 새로운 해석이나 관행에 의하여 소급하여 과세되지 아니한다.

09
국세부과의 원칙 중 조세감면 사후관리에 관한 내용이다. 정부는 국세를 감면한 경우에 국가정책을 수행하기 위하여 필요하더라도 감면한 세액에 상당하는 자금 또는 자산의 운용 범위를 정할 수 있다.

정답 09 ①

04 납세의무의 성립 · 확정 · 소멸

1 개요

1. 납세의무의 성립은 과세요건이 충족되면 자동적으로 성립한다. 납세의무가 확정되기 전에 추상적으로 성립되고 성립된 납세의무가 구체적으로 확정된 후 납부 등을 통하여 소멸하게 된다.
2. 성립된 납세의무를 확정할 수 있는 권리를 형성권의 일종인 부과권이라 하며, 확정된 납세의무를 소멸시키는 권리를 청구권의 일종인 징수권이라 한다.
3. 형성권은 상대방의 의사와 상관없이 일방적 의사표시에 의하여 적용되며, 청구권은 상대방의 의사에 따라 적용될 수 있다.

2 납세의무의 성립

1. 일반적인 납세의무 성립시기는 다음과 같다.

구분		납세의무 성립시기
기간과세국세	소득세 · 법인세 · 부가가치세	① 원칙: 과세기간이 끝나는 때 ② 예외 ㉠ 청산소득에 대한 법인세: 해당 법인이 해산하는 때 ㉡ 수입재화에 대한 부가가치세: 세관장에게 수입신고하는 때
수시부과국세	상속세	상속이 개시되는 때
	증여세	증여에 의하여 재산을 취득하는 때
	종합부동산세	과세기준일(매년 6월 1일)
	개별소비세, 주세, 교통 · 에너지 · 환경세	① 원칙: 과세물품을 제조장으로부터 반출하거나 판매장에 판매하는 때 또는 과세장소에 입장하거나 과세유흥장소에서 유흥음식행위를 한 때 ② 수입물품의 경우: 세관장에게 수입신고를 하는 때
	인지세	과세문서를 작성한 때
	증권거래세	해당 매매거래가 확정되는 때
부가세	교육세 · 농어촌특별세	① 원칙: 본세의 납세의무가 성립하는 때 ② 금융 · 보험업자의 수익금액에 부과되는 교육세: 과세기간이 끝나는 때
가산세		다음의 구분에 따른 시기를 성립시기로 한다. 다만, ②와 ③의 경우 출자자의 제2차 납세의무를 적용할 때에는 「국세기본법」 및 세법에 따른 납부기한이 경과하는 때로 한다. ① 무신고가산세 및 과소신고 · 초과환급신고가산세: 법정신고기한이 경과하는 때

기출 OX

01 각 사업연도 소득에 대한 법인세는 과세표준과 세액을 정부에 신고하는 때 납세의무가 성립한다. (×) 10. 7급
▶ 과세기간이 끝나는 때 성립한다.

02 수시부과하여 징수하는 국세를 납부할 의무는 수시부과할 사유가 발생한 때에 성립한다. (○) 15. 7급

가산세❶	② 납부지연가산세(일수×22/100,000) 및 원천징수 등 납부지연가산세(일수×22/100,000): 법정납부기한 경과 후 1일마다 그 날이 경과하는 때 ③ 납부지연가산세(3%): 납부고지서에 따른 납부기한이 경과하는 때 ④ 원천징수 등 납부지연가산세(3%): 법정납부기한이 경과하는 때 ⑤ 그 밖의 가산세: 가산할 국세의 납세의무가 성립하는 때

2. 다음의 국세를 납부할 의무는 일반적인 성립시기에도 불구하고 다음의 시점에 성립한다.

구분	성립시기
① 원천징수하는 소득세 · 법인세	소득금액 또는 수입금액을 지급하는 때
② 납세조합이 징수하는 소득세 또는 예정신고 납부하는 소득세	과세표준이 되는 금액이 발생한 달의 말일
③ 중간예납하는 소득세 · 법인세 또는 예정신고기간 · 예정부과기간에 대한 부가가치세	중간예납기간 또는 예정신고기간 · 예정부과기간이 끝나는 때
④ 수시부과하여 징수하는 국세	수시부과할 사유가 발생한 때

3 납세의무의 확정

1. 일반적인 확정방법

(1) 정부부과제도

과세관청의 처분에 의하여 세액을 확정하는 제도를 말한다. 정부부과제도세목은 납세의무자의 신고로 확정되지 않으며 해당 국세의 과세표준과 세액을 정부가 결정하는 때 확정된다.

① 확정시기: 정부가 결정하는 때 납세의무가 확정된다.

② 해당 세목: 상속세, 증여세, 종합부동산세(종합부동산세는 신고납부방식을 선택하지 않은 경우)

(2) 신고납부제도

납세의무자의 신고에 의하여 세액을 확정하는 제도를 말한다. 납세의무자가 신고하지 않은 경우 신고납부제도의 세목일지라도 과세표준과 세액을 정부가 결정할 수 있다.

① 확정시기: 납세의무자의 과세표준신고에 의하여 확정된다. 다만, 납세의무자의 신고가 없거나 신고한 세액에 오류나 탈루가 있는 경우에는 과세관청의 결정이나 경정에 의하여 확정된다.

② 해당 세목: 소득세, 법인세, 부가가치세, 종합부동산세(신고납부방식을 선택한 경우), 개별소비세, 주세, 증권거래세, 교육세 및 교통 · 에너지 · 환경세

❶ 가산세

1. **납부지연가산세: ①+②+③**
   ① 납부하지 아니한 세액 또는 과소납부분 세액×법정납부기한의 다음날부터 납부일까지의 기간(납부고지일부터 납부고지서에 따른 납부기한까지의 기간은 제외)×22/100,000
   ② 초과환급받은 세액×환급받은 날의 다음날부터 납부일까지의 기간(납부고지일부터 납부고지서에 따른 납부기한까지의 기간은 제외)×22/100,000
   ③ 법정납부기한까지 납부하여야 할 세액 중 납부고지서에 따른 납부기한까지 납부하지 아니한 세액 또는 과소납부분 세액×3%(국세를 납부고지서에 따른 납부기한까지 완납하지 아니한 경우에 한정)
2. **원천징수 등 납부지연가산세: ①+②**
   ① 납부하지 아니한 세액 또는 과소납부분 세액의 3%에 상당하는 금액
   ② 납부하지 아니한 세액 또는 과소납부분 세액×법정납부기한의 다음날부터 납부일까지의 기간(납부고지일부터 납부고지서에 따른 납부기한까지의 기간은 제외)×22/100,000

2. 성립과 동시에 확정되는 국세

다음의 국세는 납세의무가 성립하는 때에 특별한 절차 없이 그 세액이 확정된다.

(1) 인지세

(2) 원천징수하는 소득세 또는 법인세

(3) 납세조합이 징수하는 소득세

(4) 중간예납하는 법인세(세법에 따라 정부가 조사 · 결정하는 경우는 제외)

(5) 납부지연가산세 및 원천징수 등 납부지연가산세(납부고지서에 따른 납부기한 후의 가산세로 한정)

3. 경정 등의 효력

(1) **개념**

경정(경정결정)이란 과세관청이 이미 확정된 납세의무에 대하여 수정하여 다시 확정하는 처분을 말한다.

(2) **학설**

① **병존설**: 경정처분의 효력은 해당 처분으로 인하여 증감된 부분에 대하여만 미치며 당초 처분에 대해서는 그 효력을 미치지 않는다. 당초처분과 경정처분을 별개의 것으로 보는 것이다.

② **흡수설**: 경정처분으로 당초처분은 효력을 상실하고 경정처분에 흡수되어 소멸한다는 것이다. 당초처분에 경정처분에 흡수되어 경정처분만이 불복의 대상이 된다.

(3) **「국세기본법」의 내용**

① **증액경정**: 세법에 따라 당초 확정된 세액을 증가시키는 경정은 당초 확정된 세액에 관한 「국세기본법」 또는 세법에서 규정하는 권리 · 의무관계에 영향을 미치지 아니한다.

② **감액경정**: 세법에 따라 당초 확정된 세액을 감소시키는 경정은 그 경정으로 감소되는 세액 외의 세액에 관한 「국세기본법」 또는 세법에서 규정하는 권리 · 의무관계에 영향을 미치지 아니한다.

기출 OX

세법의 규정에 의해 당초 확정된 세액을 감소시키는 경정은 그 경정으로 감소되는 세액 외의 세액에 관한 권리 · 의무관계에 영향을 미치지 아니한다. (○)

14. 7급

사례로 이해 UP

증액경정처분

1. 증액경정처분이 있으면 증액경정처분만이 항고소송의 심판대상이 되고 납세의무자는 항고소송에서 당초신고나 결정에 대한 위법사유도 함께 주장할 수 있다. 다만, 확정된 당초신고나 결정에서의 세액에 관하여는 취소를 구할 수 없고 증액경정처분에 의하여 증액된 세액을 한도로 취소를 구할 수 있다.
2. 당초처분의 경정청구기간이 경과하기 전에 증액경정처분이 있었다면 당초 신고한 세액에 대해서도 취소를 구할 수 있다.

(4) 수정신고의 효력

신고납부제도 적용세목인 국세의 수정신고(과세표준신고서를 법정신고기한까지 제출한 자의 수정신고로 한정)는 당초의 신고에 따라 확정된 과세표준과 세액을 증액하여 확정되는 효력을 가진다. 이러한 수정신고는 당초 신고에 따라 확정된 세액에 관한 「국세기본법」 또는 세법에서 규정하는 권리 · 의무관계에 영향을 미치지 아니한다.

4 납세의무의 소멸

1. 소멸사유

국세 또는 강제징수비를 납부할 의무는 다음의 어느 하나에 해당하는 때에 소멸한다.

(1) 납부 · 충당되거나 부과가 취소된 때

(2) 국세부과권의 제척기간이 만료되는 때

(3) 국세징수권의 소멸시효가 완성된 때

2. 국세부과의 제척기간

국세는 다음에 규정된 기간이 끝난 날 후에는 부과할 수 없다. 다만, 조세의 이중과세를 방지하기 위하여 체결한 조약에 따라 상호합의 절차가 진행 중인 경우에는 「국제조세조정에 관한 법률」에서 정하는 바에 따른다.

(1) 일반적인 세목(상속세 및 증여세 제외)

구분	제척기간
① 역외거래에서 발생한 부정행위로 국세를 포탈하거나 환급 · 공제받은 경우[1]	15년
② 사기나 그 밖의 부정한 행위(부정행위)로 국세를 포탈하거나 환급 · 공제받은 경우[1]	10년
③ 납세자가 부정행위로 세금계산서 또는 계산서 미발급 등에 대한 가산세 부과대상이 되는 경우 해당 가산세[2]	
④ 납세자가 법정신고기한까지 과세표준신고서를 제출하지 않은 경우	7년[3] (역외거래의 경우 10년)
⑤ 그 밖의 경우	5년[3] (역외거래의 경우 7년)

▶ 「국제조세조정에 관한 법률」에 따른 국제거래 및 거래 당사자 양쪽이 거주자(내국법인과 외국법인의 국내사업장을 포함)인 거래로서 국외에 있는 자산의 매매 · 임대차, 국외에서 제공하는 용역과 관련된 거래를 역외거래라고 한다.

기출 OX

01 납부고지서 등을 송달할 수 없어 부과결정을 철회하는 경우에도 납세의무는 소멸된다. (×) 07. 9급

▶ 부과철회는 소멸사유에 해당하지 않는다.

02 사기나 그 밖의 부정행위로 법인세를 포탈한 경우 「법인세법」 제67조에 따라 처분된 금액에 대한 소득세에 대해서도 그 소득세를 부과할 수 있는 날부터 10년간을 부과의 제척기간으로 한다. (○) 15. 9급

03 「국세기본법」 제26조의2 제1항에 따른 역외거래에서 발생한 부정행위로 국세를 포탈하거나 환급 · 공제받은 경우에는 국세는 그 국세를 부과할 수 있는 날부터 15년이 끝난 날 후에는 부과할 수 없다. (○) 19. 7급

❶

부정행위로 포탈하거나 환급 · 공제받은 국세가 법인세이면 이와 관련하여 「법인세법」에 따라 소득처분된 금액에 대한 소득세 또는 법인세에 대해서도 그 소득세 또는 법인세를 부과할 수 있는 날부터 10년간으로 한다. 다만, 역외거래에서 발생한 부정행위로 법인세를 포탈하거나 환급 · 공제받아 「법인세법」에 따라 소득처분된 금액에 대한 소득세 또는 법인세의 경우는 15년으로 한다.

❷

1. 「소득세법」에 따른 계산서 미발급, 공급 없이 계산서 발급 또는 발급받은 경우, 공급하는 자가 아닌 자의 명의로 계산서 발급 또는 발급받은 경우 가산세
2. 「법인세법」에 따른 계산서 미발급, 공급 없이 계산서 발급 또는 발급받은 경우, 공급하는 자가 아닌 자의 명의로 계산서 발급 또는 발급받은 경우 가산세
3. 「부가가치세법」에 따른 세금계산서 미발급, 공급 없이 세금계산서 발급 또는 발급받은 경우, 공급하는 자가 아닌 자의 명의로 세금계산서 발급 또는 발급받은 경우 가산세

❸

5년(역외거래 7년) 또는 7년(역외거래 10년)의 제척기간이 끝난 날이 속하는 과세기간 이후의 과세기간에 「법인세법」 및 「소득세법」에 따라 이월결손금을 공제하는 경우에는 그 결손금이 발생한 과세기간의 법인세 또는 소득세는 일반적인 제척기간에도 불구하고 이월결손금을 공제한 과세기간의 법정신고기한으로부터 1년간은 결정 또는 경정할 수 있다.

> **참고**
>
> **부정행위**
>
> 1. 이중장부의 작성 등 장부의 거짓기록
> 2. 거짓증빙 또는 거짓문서의 작성 및 수취
> 3. 장부와 기록의 파기
> 4. 재산의 은닉, 소득 · 수익 · 행위 · 거래의 조작 또는 은폐
> 5. 고의적으로 장부를 작성하지 않거나 비치하지 않은 행위, 또는 계산서 · 세금계산서 또는 계산서합계표 · 세금계산서합계표의 조작
> 6. 전사적 기업자원관리설비의 조작 또는 전자세금계산서의 조작
> 7. 기타 위계에 의한 행위 또는 부정한 행위

(2) 상속세 및 증여세

구분	제척기간[1]
① 납세자가 부정행위로 상속세 · 증여세를 포탈하거나 환급 · 공제받은 경우	15년
② 법정신고기한까지 과세표준신고서를 제출하지 않은 경우	
③ 법정신고기한까지 과세표준신고서를 제출한 자가 거짓신고 또는 누락신고를 한 경우[2](그 거짓신고 또는 누락신고를 한 부분만 해당)	
④ 그 밖의 경우	10년

3. 상속세 및 증여세 특례제척기간

(1) 적용대상

납세자가 부정행위로 상속세 · 증여세를 포탈하는 경우로서 다음의 어느 하나에 해당하는 경우에는 해당 재산의 상속 또는 증여가 있음을 안 날부터 1년 이내에 상속세 및 증여세를 부과할 수 있다.

① 제3자의 명의로 되어 있는 피상속인 또는 증여자의 재산을 상속인이나 수증자가 취득한 경우

② 계약에 따라 피상속인이 취득할 재산이 계약이행기간에 상속이 개시됨으로써 등기 · 등록 또는 명의개서가 이루어지지 아니하고 상속인이 취득한 경우

③ 국외에 있는 상속재산이나 증여재산을 상속인이나 수증자가 취득한 경우

④ 등기 · 등록 또는 명의개서가 필요하지 아니한 유가증권, 서화, 골동품 등 상속재산 또는 증여재산을 상속인이나 수증자가 취득한 경우

⑤ 수증자의 명의로 되어 있는 증여자의 「금융실명거래 및 비밀보장에 관한 법률」에 따른 금융자산을 수증자가 보유하고 있거나 사용 · 수익한 경우

⑥ 「상속세 및 증여세법」에 따른 비거주자인 피상속인의 국내재산을 상속인이 취득한 경우

⑦ 「상속세 및 증여세법」에 따른 명의신탁재산의 증여의제에 해당하는 경우

⑧ 상속재산 또는 증여재산인 「특정 금융거래정보의 보고 및 이용 등에 관한 법률」에 따른 가상자산을 가상자산사업자(가상자산사업자로 신고가 수리된 자로 한정함)를 통하지 아니하고 상속인이나 수증자가 취득한 경우

---

❶

부담부증여에 따라 증여세와 함께 양도소득세가 과세되는 경우의 그 양도소득세는 증여세의 제척기간을 적용한다.

❷ 거짓신고 · 누락신고

1. 상속재산가액 또는 증여재산가액에서 가공의 채무를 빼고 신고한 경우
2. 권리의 이전이나 그 행사에 등기 · 등록 · 명의개서 등이 필요한 재산을 상속인 또는 수증자의 명의로 등기 등을 하지 않은 경우로서 그 재산을 상속재산 또는 증여재산의 신고에서 누락한 경우
3. 예금 · 주식 · 채권 · 보험금, 그 밖의 금융자산을 상속재산 또는 증여재산의 신고에서 누락한 경우

(2) 적용배제

상속인이나 증여자 및 수증자가 사망한 경우와 포탈세액 산출의 기준이 되는 재산가액[(1)의 ①~⑧까지 재산의 가액을 합친 것]이 50억 원 이하인 경우에는 적용하지 않는다.

4. 기타 특례제척기간

일반적인 제척기간 규정에도 불구하고 다음의 구분에 따른 기간이 지나기 전까지 경정결정이나 그 밖에 필요한 처분을 할 수 있다.

(1) 조세쟁송의 판결 등의 경우

다음의 경우에는 결정 또는 판결이 확정된 날부터 1년이 지나기 전까지 경정이나 그 밖에 필요한 처분을 할 수 있다.

① 이의신청, 심사청구, 심판청구, 「감사원법」에 따른 심사청구 또는 「행정소송법」에 따른 소송에 대한 결정이나 판결이 확정된 경우

② 위 ①의 결정이나 판결이 확정됨에 따라 그 결정 또는 판결의 대상이 된 과세표준 또는 세액과 연동된 다른 세목(같은 과세기간으로 한정함)이나 연동된 다른 과세기간(같은 세목으로 한정함)의 과세표준 또는 세액의 조정이 필요한 경우

③ 「형사소송법」에 따른 소송에 대한 판결이 확정되어 「소득세법」에 따른 뇌물 또는 알선수재 및 배임수재에 의하여 받는 금품으로 기타소득이 발생한 것으로 확인된 경우

(2) 상호합의의 경우

조세조약에 부합하지 아니하는 과세의 원인이 되는 조치가 있는 경우 그 조치가 있음을 안 날부터 3년 이내(조세조약에서 따로 규정하는 경우에는 그에 따름)에 그 조세조약의 규정에 따른 상호합의가 신청된 것으로서 그에 대하여 상호합의가 이루어진 경우에는 상호합의절차의 종료일부터 1년이 지나기 전까지 경정이나 그 밖에 필요한 처분을 할 수 있다.

(3) 경정청구의 경우

다음의 경우는 경정청구일 또는 조정권고일부터 2개월이 지나기 전까지 경정이나 그 밖에 필요한 처분을 할 수 있다.

① 「국세기본법」에 따른 경정청구 또는 「국제조세조정에 관한 법률」에 따른 경정청구 또는 조정권고가 있는 경우(일반적인 경정청구나 후발적 사유에 따른 경정청구를 포함)

② ①의 경정청구 또는 조정권고가 있는 경우 그 경정청구 또는 조정권고의 대상이 된 과세표준 또는 세액과 연동된 다른 과세기간의 과세표준 또는 세액의 조정이 필요한 경우

(4) 소송에 대한 판결의 경우

최초의 신고 · 결정 또는 경정에서 과세표준 및 세액의 계산근거가 된 거래 또는 행위 등이 그 거래 · 행위 등과 관련된 소송에 대한 판결(판결과 같은 효력을 가지는 화해나 그 밖의 행위를 포함)에 의하여 다른 것으로 확정된 경우에는 판결이 확정된 날부터 1년이 지나기 전까지 경정이나 그 밖에 필요한 처분을 할 수 있다.

(5) 역외거래에서 조세정보 제공을 요구하는 경우

역외거래와 관련하여 일반적인 제척기간에 따른 기간이 지나기 전에 「국세조세조정에 관한 법률」에 따라 조세의 부과와 징수에 필요한 조세정보를 외국의 권한 있는 당국에 요청하여 조세정보를 요청한 날부터 2년이 지나기 전까지 조세정보를 받은 경우에는 조세정보를 받은 날부터 1년이 지나기 전까지 경정이나 그 밖에 필요한 처분을 할 수 있다.

(6) 명의대여의 경우

이의신청, 심사청구, 심판청구, 「감사원법」에 따른 심사청구 또는 「행정소송법」에 따른 소송에 대한 결정이나 판결에 의하여 다음의 어느 하나에 해당하게 된 경우에는 당초의 부과처분을 취소하고 그 결정 또는 판결이 확정된 날부터 1년 이내에 다음의 구분에 따른 자에게 경정이나 그 밖에 필요한 처분을 할 수 있다.

① 명의대여 사실이 확인된 경우: 실제로 사업을 경영한 자

② 과세의 대상이 되는 재산의 귀속이 명의일 뿐이고 사실상 귀속되는 자가 따로 있다는 사실이 확인된 경우: 재산의 사실상 귀속자

③ 소득세법에 따른 비거주자 및 법인세법에 따른 외국법인의 국내원천소득의 실질귀속자가 확인된 경우: 국내원천소득의 실질귀속자 또는 비거주자의 국내원천소득 및 외국법인의 국내원천소득에 대한 원천징수의무자

5. 제척기간만료의 효과 및 제척기간기산일

(1) 제척기간만료의 효과

부과권이 장래를 향하여 소멸하며, 성립된 납세의무가 확정 없이 소멸하게 된다. 또한 부과권에 대하여는 중단과 정지가 인정되지 않는다.

(2) 기산일

국세부과제척기간은 다음과 같이 국세를 부과할 수 있는 날부터 기산한다.

구분	기산일
① 과세표준과 세액을 신고하는 국세❶ (신고하는 종합부동산세 제외)	과세표준신고기한의 다음날❷
② 종합부동산세 · 인지세	납세의무 성립일
③ 원천징수의무자 또는 납세조합에 대하여 부과하는 국세	해당 원천징수액 또는 납세조합징수액 법정납부기한의 다음날
④ 과세표준신고기한 또는 법정납부기한이 연장되는 경우	그 연장된 기한의 다음날
⑤ 공제 · 면제 · 비과세 또는 낮은 세율의 적용 등에 따른 세액을 의무불이행 등의 사유로 징수하는 경우	공제세액 등을 징수할 수 있는 사유가 발생한 날

❶

신고납부제도 세목이 아닌 신고의무가 있는 국세를 말한다(상속세 및 증여세를 포함).

❷

중간예납신고기한과 예정신고기한 · 수정신고기한은 과세표준신고기한에 포함되지 않으므로 해당 국세의 과세표준과 세액에 대한 정기분 과세표준신고기한의 다음날부터 기산하는 것이다.

6. 국세징수권의 소멸시효

(1) 소멸시효기간

국세의 징수를 목적으로 하는 국가의 권리는 이를 행사할 수 있는 때부터 다음의 구분에 따른 기간 동안 행사하지 아니하면 소멸시효가 완성된다(다음의 국세의 금액에는 가산세는 제외).

① 5억 원 이상의 국세: 10년

② 5억 원 미만의 국세: 5년

(2) 소멸시효기산일

소멸시효는 다음과 같이 징수권을 행사할 수 있는 날부터 기산한다.

구분	기산일
① 신고에 의하여 납세의무가 확정되는 국세에 있어서 신고한 세액❸	그 법정신고납부기한의 다음날
② 정부가 결정 · 경정 또는 수시부과결정하는 경우 납부고지한 세액	그 고지에 따른 납부기한의 다음날
③ 원천징수의무자 또는 납세조합으로부터 징수하는 국세로 납부고지한 세액	그 고지에 따른 납부기한의 다음날
④ 인지세	그 고지에 따른 납부기한의 다음날
⑤ 법정신고납부기한이 연장되는 경우	그 연장된 기한의 다음날

❸

신고납부제도 세목을 말하며 신고하지 않은 경우에는 고지에 따른 납부기한의 다음날로 한다.

(3) 소멸시효완성의 효과

① 소멸시효가 완성되면 기산일에 소급하여 징수권이 소멸되므로 국세 · 강제징수비 등 관련 처분이 모두 소멸된다.

② 제2차 납세의무자 · 납세보증인 및 물적납세의무자에도 그 효력이 미친다.

기출 OX

주된 납세자의 국세가 소멸시효의 완성에 의하여 소멸한 때에는 제2차 납세의무자, 납세보증인과 물적납세의무자에도 그 효력이 미친다. (○) 11. 7급

7. 시효의 중단과 정지

구분	중단	정지
효과	중단사유가 발생한 경우 다시 처음부터 소멸시효를 진행하여야 한다.	정지사유가 발생한 경우 정지된 시점 이전에 남은 기간만큼 잔여기간으로 남게 된다.
사유	① 납부고지[1] ② 독촉 ③ 교부청구 ④ 압류	① 세법에 따른 분납기간 ② 납부고지의 유예, 지정납부기한 · 독촉장에서 정하는 기한의 연장, 징수유예기간 ③ 압류 · 매각 유예기간 ④ 연부연납기간 ⑤ 소송 중인 기간[2] ⑥ 체납자가 국외에 6개월 이상 계속 체류하는 경우 해당 국외 체류기간

8. 기타

(1) 시효이익의 포기

제척기간과 소멸시효의 경우 시효이익을 포기할 수 없다. 여기서 시효이익은 시효로 생기는 법률상 이익을 말한다.

(2) 원용의 필요성

제척기간과 소멸시효 모두 원용은 필요하지 않다. 즉, 주장하지 않더라도 제척기간만료나 소멸시효완성에 따른 효과가 발생한다.

❶
중단된 소멸시효는 고지한 납부기한이 지난 때, 독촉에 의한 납부기한이 지난 때, 교부청구 중의 기간이 지난 때, 압류해제까지의 기간이 지난 때부터 새로 진행한다.

❷
세무공무원이 「국세징수법」에 따른 사해행위취소소송이나 「민법」에 따른 채권자대위소송을 제기하여 그 소송이 진행 중인 기간을 말한다. 다만, 소송이 각하 · 기각 · 취하된 경우에는 시효정지의 효력이 없다.

기출 OX

국세징수권의 소멸시효는 분납기간, 납부고지의 유예, 지정납부기한 · 독촉장에서 정하는 기한의 연장, 징수 유예기간, 압류 · 매각 유예기간, 연부연납기간 또는 세무공무원이 「국세징수법」에 따른 사해행위취소의 소를 제기하여 그 소송이 진행 중인 기간에는 진행되지 아니한다. (○) 11. 9급

기출문제

01 **「국세기본법」상 납세의무의 성립과 확정에 대한 설명으로 옳지 않은 것은?**

2022년 9급

① 청산소득에 대한 법인세의 납세의무 성립시기는 그 법인이 해산을 하는 때이다.
② 원천징수하는 소득세의 납세의무 성립시기는 과세기간이 끝나는 때이다.
③ 소득세와 법인세는 납세의무자가 과세표준과 세액의 신고를 하지 아니한 경우에는 정부가 과세표준과 세액을 결정하는 때에 그 결정에 따라 확정된다.
④ 납세조합이 징수하는 소득세는 납세의무가 성립하는 때에 특별한 절차 없이 그 세액이 확정된다.

01
원천징수하는 소득세의 납세의무 성립시기는 소득금액을 지급하는 때로 한다.

02 **「국세기본법」상 납세의무의 성립시기에 대한 설명으로 옳지 않은 것은?**

2015년 7급

① 종합부동산세를 납부할 의무는 과세기준일에 성립한다.
② 원천징수하는 소득세 · 법인세를 납부할 의무는 소득금액 또는 수입금액을 지급하는 때에 성립한다.
③ 수시부과하여 징수하는 국세를 납부할 의무는 수시부과할 사유가 발생한 때에 성립한다.
④ 수입재화의 경우 부가가치세를 납부할 의무는 과세기간이 끝나는 때에 성립한다.

02
수입재화의 경우 부가가치세를 납부할 의무는 수입신고하는 때에 성립한다.

03 **「국세기본법」상 납세의무의 성립시기에 관한 설명으로 옳지 않은 것은?**

2013년 9급

① 납세조합이 징수하는 소득세와 예정신고납부하는 소득세는 과세표준이 되는 금액이 발생한 달의 말일이 된다.
② 금융보험업자의 수익금액에 부과되는 교육세는 과세기간이 끝나는 때가 된다.
③ 청산소득에 대한 법인세는 당해 법인이 해산하는 때가 된다.
④ 상속세는 상속신고를 완료하는 때가 된다.

03
상속세는 상속이 개시되는 때에 납세의무가 성립한다.

정답 01 ② 02 ④ 03 ④

04 「국세기본법」상 납세의무에 대한 설명으로 옳지 않은 것은? 2014년 7급

① 농어촌특별세는 본세의 납세의무가 성립하는 때에 납세의무가 성립된다.
② 신고납부제도가 적용되는 세목일지라도 과세표준과 세액을 정부가 결정한 경우에는 그 결정하는 때는 납세의무 확정시기로 한다.
③ 상속세의 경우 납세의무자의 신고는 세액을 확정시키는 효력이 있다.
④ 국세부과의 제척기간이 만료되면 부과권을 행사할 수 없고 징수권도 발생하지 아니한다.

04
상속세는 부과과세 세목으로, 납세의무자의 신고는 세액을 확정시키는 효력이 없다.

05 「국세기본법」상 납세의무가 성립하는 때에 특별한 절차 없이 그 세액이 확정되는 국세만을 모두 고르면? 2021년 9급

ㄱ. 예정신고납부하는 소득세
ㄴ. 납세조합이 징수하는 소득세
ㄷ. 중간예납하는 법인세(세법에 따라 정부가 조사·결정하는 경우는 제외한다)
ㄹ. 원천징수 등 납부지연가산세(납부고지서에 따른 납부기한 후의 가산세로 한정한다)
ㅁ. 중간예납하는 소득세
ㅂ. 수시부과하여 징수하는 국세

① ㄱ, ㄴ, ㄷ
② ㄴ, ㄷ, ㄹ
③ ㄷ, ㄹ, ㅁ
④ ㄴ, ㄹ, ㅁ, ㅂ

05
성립과 동시에 확정되는 세액은 다음과 같다.

1. 인지세
2. 원천징수하는 소득세 또는 법인세
3. 납세조합이 징수하는 소득세
4. 중간예납하는 법인세(세법에 따라 정부가 조사·결정하는 경우 제외)
5. 납부지연가산세 및 원천징수 등 납부지연가산세(납부고지서에 따른 납부기한 후의 가산세로 한정)

06 「국세기본법」상 과세관청이 납세의무를 확정하는 결정을 한 후 이를 다시 경정하는 경우에 관한 설명으로 옳지 않은 것은? (단, 다툼이 있을 경우에는 판례에 의함) 2014년 7급

① 세법의 규정에 의해 당초 확정된 세액을 증가시키는 경정은 당초 확정된 세액에 관한 권리의무관계를 소멸시킨다.
② 과세관청의 당초 결정에 대하여 「행정소송법」에 따른 소송에 대한 판결이 확정된 경우, 판결확정일로부터 1년이 지나기 전까지는 판결에 따라 경정결정이나 기타 필요한 처분을 할 수 있다.
③ 납세의무자는 증액경정처분의 취소를 구하는 항고소송에서 당초 결정의 위법사유도 주장할 수 있다.
④ 세법의 규정에 의해 당초 확정된 세액을 감소시키는 경정은 그 경정으로 감소되는 세액 외의 세액에 관한 권리의무관계에 영향을 미치지 아니한다.

06
세법의 규정에 의해 당초 확정된 세액을 증가시키는 경정은 당초 확정된 세액에 관한 권리의무관계에 영향을 미치지 아니한다.

정답 04 ③ 05 ② 06 ①

07 「국세기본법」상 국세부과의 제척기간과 관련한 다음 제시문의 괄호 안에 들어갈 내용으로 옳은 것은?

2018년 7급

> 「국세기본법」 제26조의2 제1항에서 규정하고 있는 일반적인 국세부과제척기간에도 불구하고 「국세기본법」 제7장에 따른 이의신청, 심사청구, 심판청구, 「감사원법」에 따른 심사청구 또는 「행정소송법」에 따른 소송에 대한 결정이나 판결이 확정된 경우에 그 결정 또는 판결에서 명의대여 사실이 확인된 경우에는 그 결정 또는 판결이 확정된 날부터 ( ) 이내에 명의대여자에 대한 부과처분을 취소하고 실제로 사업을 경영한 자에게 경정결정이나 그 밖에 필요한 처분을 할 수 있다.

① 2개월　② 3개월
③ 6개월　④ 1년

07
제척기간의 특례에 대한 내용으로 명의대여 사실이 확인된 경우에는 그 결정 또는 판결이 확정된 날부터 1년 이내에 명의대여자에게 부과처분을 취소하고 실제로 사업을 경영한 자에게 경정결정이나 필요한 처분을 할 수 있다.

08 거주자 甲의 2021년 귀속 종합소득세에 대한 자료이다. 국세기본법령상 국세의 부과제척기간과 국세징수권의 소멸시효에 대한 설명으로 옳지 않은 것은?

2021년 7급

> • 거주자 甲이 2021년도 귀속 종합소득세를 신고하지 않자 관할 세무서장은 종합소득세 2,000만 원을 결정하여 2023년 2월 27일 납부고지서(납부기한: 2023년 3월 20일)를 우편송달하였고, 2023년 3월 2일 甲에게 도달되었다.
> • 납부고지된 종합소득세는 역외거래에서 발생한 것이 아니고, 부정행위로 포탈한 것도 아니다.
> • 甲은 2023년 12월 31일 현재 위 고지된 세액을 납부하지 않고 있다.
> • 甲은 성실신고확인대상사업자가 아니다.

① 甲의 2021년 귀속 종합소득세의 부과제척기간의 기산일은 2022년 6월 1일이다.
② 국세징수권의 소멸시효는 2023년 3월 3일부터 5년이 경과하면 완성된다.
③ 甲의 2021년 귀속 종합소득세 부과제척기간은 해당 국세를 부과할 수 있는 날부터 7년이다.
④ 관할 세무서장의 납부고지는 국세징수권의 소멸시효를 중단시키는 효력을 가진다.

08
소멸시효는 고지서에 따른 납부기한의 다음날을 기산일로 하므로 2023년 3월 21일부터 5년으로 한다.

정답 07 ④ 08 ②

09 「법인세법」상 내국법인 ㈜D는 제22기(2022년 1월 1일~12월 31일) 귀속분 법인세 과세표준 및 세액을 법정신고기한까지 신고 · 납부하지 않았다. 관할 세무서는 2023년 4월 29일 과세표준과 세액을 결정하여 납부고지서를 발송하였다(발송일: 2023년 5월 2일, 도달일: 2023년 5월 4일, 고지서상 납부기한: 2023년 5월 31일). ㈜D의 제22기 귀속분 법인세 납세의무의 소멸에 대한 견해 중 옳은 것만을 모두 고른 것은? 2016년 9급

- 甲: 법정신고기한의 다음날, 즉 2023년 4월 1일이 법인세 부과 제척기간의 기산일이다.
- 乙: 납부고지서를 발송하지 않았다면 제척기간이 만료된 후의 부과처분은 당연히 무효가 되므로, 납부고지를 2033년 3월 31일까지 하여야 한다.
- 丙: 납부고지서의 발송일의 다음날(2023년 5월 3일)이 징수권 소멸시효의 기산일이다.
- 丁: 소멸시효가 완성되는 경우 강제징수비 및 이자상당세액에도 그 효력이 미친다.

① 甲, 乙　② 甲, 丁
③ 乙, 丙　④ 丙, 丁

09
옳은 견해는 甲, 丁이다.

✓ 오답체크

- 乙: 납세의무 성립일은 2022년 12월 31일이며 납세의무가 확정된 날은 고지서의 도달일인 2023년 5월 4일이다. 해당 법인세를 신고하지 않았으므로 2023년 4월 1일부터 제척기간이 시작되며 무신고이므로 7년의 제척기간이 적용된다. 따라서 제척기간은 2030년 3월 31일이 된다.
- 丙: 고지에 따른 납부기한까지 납부하지 않으면 소멸시효가 기산되므로 납부기한의 다음날인 2023년 6월 1일이 소멸시효의 기산일이 된다.

10 「국세기본법」상 국세부과의 제척기간과 국세징수권의 소멸시효에 관한 설명으로 옳지 않은 것은? 2011년 7급

① 국세부과의 제척기간은 권리관계를 조속히 확정시키려는 것이므로 국세징수권 소멸시효와는 달리 진행기간의 중단이나 정지가 없다.
② 주된 납세자의 국세가 소멸시효의 완성에 의하여 소멸한 때에는 제2차 납세의무자, 납세보증인과 물적납세의무자에도 그 효력이 미친다.
③ 납부고지, 교부청구 및 연부연납의 허가는 국세징수권 소멸시효의 중단사유에 해당한다.
④ 국세의 소멸시효가 완성한 때에는 강제징수비 및 이자상당세액에도 그 효력이 미친다.

10
납부고지, 독촉, 교부청구, 압류가 중단사유에 해당한다.

정답 09 ② 10 ③

11 「국세기본법」상 납부의무의 소멸에 대한 설명으로 옳지 않은 것은?

2021년 9급

① 국세 및 강제징수비를 납부할 의무는 국세를 부과할 수 있는 기간에 국세가 부과되지 아니하고 그 기간이 끝난 때에 소멸한다.
② 교부청구가 있으면 국세징수권 소멸시효는 중단된다.
③ 납세자가 법정신고기한까지 부가가치세 과세표준신고서를 제출하지 않은 경우 부가가치세를 부과할 수 있는 날부터 5년을 부과제척기간으로 한다.
④ 체납자가 국외에 6개월 이상 계속 체류하는 경우 해당 국외 체류기간에는 국세징수권의 소멸시효가 진행되지 않는다.

11
부가가치세를 무신고한 경우에는 7년의 제척기간을 적용한다.

12 「국세기본법」상 국세징수권 소멸시효의 기산일에 대한 설명으로 옳지 않은 것은?

2020년 7급

① 과세표준과 세액을 정부가 결정, 경정 또는 수시부과결정하는 경우 납부고지한 세액에 대해서는 그 법정 신고납부기한의 다음날부터 기산한다.
② 과세표준과 세액의 신고에 의하여 납세의무가 확정되는 국세의 법정 신고납부기한이 연장되는 경우 그 연장된 기한의 다음날부터 기산한다.
③ 원천징수의무자로부터 징수하는 국세의 경우 납부고지한 원천징수세액에 대해서는 그 고지에 따른 납부기한의 다음날부터 기산한다.
④ 인지세의 경우 납부고지한 인지세액에 대해서는 그 고지에 따른 납부기한의 다음날부터 기산한다.

12
정부가 과세표준과 세액을 결정, 경정 또는 수시부과하는 경우 납부고지한 세액에 대해서는 그 납부고지에 따른 납부기한의 다음날을 소멸시효의 기산일로 한다.

정답 11 ③ 12 ①

05 납세의무의 확장

1 납세의무의 승계

1. 법인의 합병으로 인한 납세의무의 승계

(1) 합병법인의 납세의무

법인이 합병한 경우 합병 후 존속하는 법인 또는 합병으로 설립된 법인은 합병으로 소멸된 법인에 부과되거나 그 법인이 납부할 국세 및 강제징수비를 납부할 의무를 진다.

기출 OX

법인이 합병한 경우 합병 후 존속하는 법인은 합병으로 소멸된 법인이 납부할 국세 및 강제징수비에 대하여 납부할 의무를 진다. (○) 16. 7급

(2) 납세의 승계한도

승계되는 국세가 부과되거나(부과될) 또는 납부할 것이 대상이므로 성립된 국세 등이 모두 승계된다. 합병의 경우는 한도 없이 전액 승계된다.

2. 상속으로 인한 납세의무의 승계

(1) 납세의무승계

상속이 개시된 때에 그 상속인(「민법」에 따른 상속인을 말하고, 「상속세 및 증여세법」에 따른 수유자를 포함) 또는 「민법」에 규정된 상속재산관리인은 피상속인에게 부과되거나 그 피상속인이 납부할 국세 및 강제징수비를 상속으로 받은 재산의 한도에서 납부할 의무를 진다.

상속으로 받은 재산 = 자산총액 − 부채총액 − 상속세

(2) 상속인에 따른 납세의무승계

① 상속포기인: 납세의무승계를 피하면서 재산을 상속받기 위하여 피상속인이 상속인을 수익자로 하는 보험계약을 체결하고 상속인은 「민법」에 따라 상속을 포기한 것으로 인정되는 경우로서 상속포기자가 피상속인의 사망으로 인하여 보험금(「상속세 및 증여세법」에 따른 보험금)을 받는 때에는 상속포기자를 상속인으로 보고, 보험금을 상속받은 재산으로 보아 (1)의 규정을 적용한다.

기출 OX

피상속인이 체결한 보험계약의 수익자로서 단독 상속인이 피상속인의 사망으로 보험금을 수령하고 상속을 포기한 경우 상속포기를 한 상속인은 피상속인이 납부할 국세를 그 보험금의 한도 내에서 납부할 의무를 진다. (○) 16. 9급

② 상속인이 2명 이상인 경우

㉠ 연대납세의무: 상속인이 2명 이상일 때에는 각 상속인은 피상속인에게 부과되거나 그 피상속인이 납부할 국세 및 강제징수비를 「민법」에 따른 상속분(다음의 어느 하나에 해당하는 경우에는 법으로 정하는 비율[❶]로 함)에 따라 나누어 계산한 국세 및 강제징수비를 상속으로 받은 재산의 한도에서 연대하여 납부할 의무를 진다.

❶ 법으로 정한 비율

$$= \frac{\text{각 상속인(수유자와 상속포기자 포함)이 상속으로 받은 재산가액}}{\text{각 상속인이 상속으로 받은 재산가액의 합계액}}$$

ⓐ 상속인 중 수유자가 있는 경우
ⓑ 상속인 중 「민법」에 따라 상속을 포기한 사람이 있는 경우
ⓒ 상속인 중 「민법」에 따른 유류분을 받은 사람이 있는 경우
ⓓ 상속으로 받은 재산에 보험금이 포함되어 있는 경우

㉡ 신고: 각 상속인은 그들 중에서 피상속인의 국세 및 강제징수비를 납부할 대표자를 정하여 상속개시일부터 30일 이내에 대표자의 성명과 주소 또는 거소, 그 밖에 필요한 사항을 적은 문서로 관할세무서장에게 신고하여야 한다.

③ 상속재산관리인이 있는 경우: 상속인이 있는지 분명하지 아니할 때에는 상속인에게 하여야 할 납세의 고지·독촉이나 그 밖에 필요한 사항은 상속재산관리인에게 하여야 한다.

④ 상속재산관리인이 없는 경우: 상속인이 있는지 분명하지 아니하고 상속재산관리인도 없을 때에는 세무서장은 상속개시지를 관할하는 법원에 상속재산관리인의 선임을 청구할 수 있다.

(3) 처분에 대한 효력

피상속인에게 한 처분 또는 절차는 상속으로 인한 납세의무를 승계하는 상속인이나 상속재산관리인에 대하여도 효력이 있다.

2 연대납세의무

1. 공유물·공동사업 등

공유물·공동사업 또는 그 공동사업에 속하는 재산에 관계되는 국세 및 강제징수비는 공유자 또는 공동사업자가 연대하여 납부할 의무를 진다.

> **심화 | 「소득세법」의 규정**
>
> 「국세기본법」에서 연대납세의무에 대하여 「소득세법」의 공동사업은 공동사업자 간에 손익분배비율에 의하여 분배되었거나 분배될 소득금액에 따라 각 거주자별로 소득세 납세의무를 지도록 규정을 두고 있다.

2. 법인의 분할

(1) 분할법인이 존속하는 경우

법인이 분할되거나 분할합병된 후 분할되는 법인(분할법인)이 존속하는 경우 다음의 법인은 분할등기일 이전에 분할법인에 부과되거나 납세의무가 성립한 국세 및 강제징수비에 대하여 분할로 승계된 재산가액을 한도로 연대하여 납부할 의무가 있다.

① 분할법인

② 분할 또는 분할합병으로 설립되는 법인(분할신설법인)

③ 분할법인의 일부가 다른 법인과 합병하는 경우 그 합병의 상대방인 다른 법인(분할합병의 상대방 법인)

(2) **분할법인이 소멸하는 경우**

법인이 분할 또는 분할합병한 후 소멸하는 경우 다음의 법인은 분할법인에 부과되거나 분할법인이 납부하여야 할 국세 및 강제징수비에 대하여 분할로 승계된 재산가액을 한도로 연대하여 납부할 의무가 있다.

① 분할신설법인

② 분할합병의 상대방법인

(3) **신회사**

법인이 「채무자 회생 및 파산에 관한 법률」에 따라 신회사를 설립하는 경우 기존의 법인에 부과되거나 납세의무가 성립한 국세 및 강제징수비는 신회사가 연대하여 납부할 의무를 진다.

사례로 이해 UP

연대납세의무 판례

1. 연대납세의무자의 1인에 대한 부과처분의 무효 또는 취소의 사유는 다른 연대납세의무자에게 그 효력이 미치지 않는다.
2. 어느 연대채무자가 변제 기타 자기의 출재로 공동면책이 된 때에는 다른 연대채무자의 부담부분에 대하여 구상권을 행사할 수 있다.
3. 어느 연대납세의무자에 대하여 소멸시효가 완성한 때에는 그 부담부분에 한하여 다른 연대납세의무자도 그 납부의무를 면한다.

3 제2차 납세의무

1. 개념

제2차 납세의무란 주된 납세의무자에 대하여 징수부족이 발생한 경우 그와 일정한 관계에 있는 자에게 보충적으로 납부의무를 지우는 것을 말한다.

(1) **부종성**

본래 납세의무자의 납세의무에 대하여 제2차 납세의무가 있는 것이므로 본래 납세의무자의 납세의무가 소멸 또는 변경되는 경우 제2차 납세의무자에게도 그 효력이 그대로 미치는 것을 말한다.

(2) **보충성**

본래 납세의무자가 이행하지 않은 납세의무에 대하여만 제2차 납세의무가 있는 것을 말한다.

2. 청산인의 제2차 납세의무[1]

(1) 개념

법인이 해산한 경우에 그 법인에 부과되거나, 그 법인이 납부할 국세 또는 강제징수비를 납부하지 아니하고 청산 후 남은 재산을 분배하거나 인도하였을 때에 그 법인에 대하여 강제징수를 집행하여도 징수할 금액에 미치지 못하는 경우, 청산인 또는 청산 후 남은 재산을 분배받거나 인도받은 자는 그 부족한 금액에 대하여 제2차 납세의무를 진다.

(2) 한도

① 제2차 납세의무는 청산인의 경우 분배하거나 인도한 재산의 가액을 한도로 하고, 그 분배 또는 인도를 받은 자의 경우에는 각자가 받은 재산의 가액을 한도로 한다.

② 이 경우 재산가액은 청산 후 남은 재산을 분배하거나 인도한 날 현재의 시가로 한다.

3. 출자자의 제2차 납세의무

(1) 개념

법인(유가증권시장과 코스닥시장에 주권이 상장된 법인은 제외)의 재산으로 그 법인에 부과되거나 그 법인이 납부할 국세 및 강제징수비에 충당하여도 부족한 경우에는 그 국세의 납세의무 성립일 현재 무한책임사원[2]과 과점주주[3]는 그 부족한 금액에 대하여 제2차 납세의무를 진다.

(2) 한도

과점주주의 경우에는 그 부족한 금액을 그 법인의 발행주식총수(의결권이 없는 주식은 제외) 또는 출자총액으로 나눈 금액에 해당 과점주주가 실질적으로 권리를 행사하는 주식수(의결권이 없는 주식은 제외) 또는 출자액을 곱하여 산출한 금액을 한도로 한다.

① 무한책임사원(한도 없음)

② 과점주주

$$\text{과점주주 한도} = \text{법인납부부족액} \times \frac{\text{과점주주의 주식수}^{❹}\text{(또는 출자액)}}{\text{발행주식총수}^{❹}\text{(또는 출자총액)}}$$

---

❶

청산인과 재산을 분배받거나 인도받은 자는 연대납세의무를 진다.

기출 OX

법인이 해산한 경우 법인이 납부할 국세에 대하여 청산인은 제2차 납세의무를 질 수 있다. (○) 13. 9급

❷ 무한책임사원

무한책임사원으로서 다음의 어느 하나에 해당하는 사원을 말한다.

1. 합명회사의 사원
2. 합자회사의 무한책임사원

❸ 과점주주

1. **개념:** 주주 또는 다음의 어느 하나에 해당하는 사원 1명과 주주 또는 사원의 특수관계인으로서 그들의 소유주식 합계 또는 출자액 합계가 해당 법인의 발행 주식 총수 또는 출자총액의 100분의 50을 초과하면서 그 법인의 경영에 대하여 지배적인 영향력을 행사하는 자들을 말한다.
   ① 합자회사의 유한책임사원
   ② 유한책임회사의 사원
   ③ 유한회사의 사원
2. **범위:** 어느 특정주주와 그와 친족 · 기타 특수관계에 있는 주주들의 소유주식의 합계 또는 출자액의 합계가 해당 법인의 발행주식총수 또는 출자총액의 50%를 초과하게 되면, 특정주주를 제외한 여타의 주주들 사이에 친족 · 기타 특수관계가 없더라도 그 주주 전원을 과점주주로 본다.

❹

의결권 없는 주식은 제외한다.

기출 OX

법인의 재산으로 그 법인이 납부할 국세에 충당하여도 부족한 경우에는 과점주주로서 그 국세의 납세의무성립일 현재 발생주식 총수의 100분의 50을 초과하면서 그 법인의 경영에 대하여 지배적인 영향력을 행사하는 자는 그 부족한 금액에 대하여 제2차 납세의무를 진다. (○) 10. 9급

4. 법인의 제2차 납세의무

(1) 개념

국세(둘 이상의 국세의 경우에는 납부기한이 뒤에 오는 국세)의 납부기간만료일 현재 법인의 무한책임사원 또는 과점주주(이하 '출자자'라 함)의 재산(그 법인의 발행주식 또는 출자지분은 제외)으로 그 출자자가 납부할 국세 및 강제징수비에 충당하여도 부족한 경우에는 그 법인이 납세의무를 진다.

(2) 요건

해당 법인은 다음의 어느 하나에 해당하는 경우에만 그 부족한 금액에 대하여 제2차 납세의무를 진다.

① 정부가 출자자의 소유주식 또는 출자지분을 재공매하거나 수의계약으로 매각하려 하여도 매수희망자가 없는 경우이다.

② 그 법인이 외국법인인 경우로서 출자자의 소유주식 또는 출자지분이 외국에 있는 재산에 해당하여 「국세징수법」에 따른 압류 등 강제징수가 제한되는 경우

③ 법률 또는 그 법인의 정관에 의하여 출자자의 소유주식 또는 출자지분의 양도가 제한된 경우. 다만, 조세불복절차가 진행 중이어서 「국세징수법」에 따라 공매할 수 없는 경우는 제외한다.

(3) 한도

① 법인의 제2차 납세의무는 그 법인의 자산총액에서 부채총액을 뺀 가액을 그 법인의 발행주식총액 또는 출자총액으로 나눈 가액에 그 출자자의 소유주식금액 또는 출자액을 곱하여 산출한 금액을 한도로 한다.

② 여기서 자산총액과 부채총액은 국세(둘 이상의 국세의 경우에는 납부기한이 뒤에 오는 국세)의 납부기간 만료일의 시가로 평가한다.

법인의 한도

$$= (\text{자산총액} - \text{부채총액}) \times \frac{\text{출자자의 소유주식금액 (또는 출자액)}^{❶}}{\text{발행주식총액(또는 출자총액)}^{❶}}$$

❶
의결권 없는 주식을 포함한다.

5. 사업양수인의 제2차 납세의무

(1) 개념

사업이 양도[2] · 양수된 경우[3]에 양도일 이전에 양도인의 납세의무가 확정된 그 사업에 관한 국세와 강제징수비를 양도인의 재산으로 충당하여도 부족할 때에는 사업양수인에게 제2차 납세의무가 있다.

❷ 포괄양도
사업장별로 그 사업에 관한 모든 권리(미수금에 관한 것은 제외)와 모든 의무(미지급금에 관한 것은 제외)를 포괄적으로 승계하는 것을 말한다.

❸
사업의 양도 · 양수계약이 그 사업장 내의 시설물 · 비품 및 건물 등 대상 목적에 따라 부분별 · 시차별로 별도로 이루어졌다 하더라도 결과적으로 사회통념상 사업 전부에 관하여 행하여진 것이라면 사업의 양도 · 양수에 해당한다.

기출 OX
사업이 양도 · 양수된 경우에 양도일 이전에 양도인의 납세의무가 확정된 그 사업에 관한 국세 및 강제징수비를 양도인의 재산으로 충당하여도 부족할 때에는 대통령령으로 정하는 사업의 양수인은 그 부족한 금액에 대하여 양수한 재산의 가액을 한도로 제2차 납세의무를 진다.
(○) 15. 7급

심화 | 그 사업에 관한 국세

그 사업에 관한 국세에 한한다. 따라서 양도인의 사업용 부동산을 양도함으로써 납부하여야 하는 양도소득세는 사업과 관련된 국세가 아니므로 제2차 납세의무가 없다.

(2) 한도

① 사업의 양수인은 그 부족한 금액에 대하여 양수한 재산의 가액을 한도로 제2차 납세의무를 진다. 이 경우 제2차 납세의무가 있는 양수인은 양도인과 특수관계에 있는 자 또는 양도인의 조세회피를 목적으로 사업을 양수한 자를 말한다.

양수한 재산의 가액은 다음의 금액을 말한다.

㉠ 사업양수인이 양도인에게 지급할 금액이 있는 경우는 그 금액

㉡ ㉠에 따른 금액이 없거나 불분명한 경우에는 양수한 자산 및 부채를 「상속세 및 증여세법」의 규정을 준용하여 평가한 후 그 자산총액에서 부채총액을 뺀 가액

② 다만, ①에서 ㉠에 따른 금액과 시가의 차액이 3억 원 이상이거나 시가의 30%에 상당하는 금액 이상인 경우에는 ㉠과 ㉡ 금액 중 큰 금액으로 한다.

(3) 둘 이상의 사업장 중 하나의 사업장만 양수한 경우

둘 이상의 사업장을 가진 자로부터 하나의 사업장만을 양수한 자는 그 양수한 사업장에 관계되는 국세 등에 한하여 제2차 납세의무를 진다. 만약 둘 이상의 사업장에 공통되는 국세 등이 있는 경우에는 양수한 사업장에 배분되는 금액에 한하여 제2차 납세의무를 진다.

기출 OX

사업양수인의 제2차 납세의무에 있어서 사업양수인이란 사업장별로 그 사업에 관한 미수금을 포함한 모든 권리와 모든 의무를 포괄적으로 승계한 자를 말한다. (×) 13. 7급

▶ 미수금과 미지급금은 제외한다.

4 양도담보권자의 물적납세의무

1. 개념

양도담보는 채권자에게 담보의 목적이 되는 재산의 소유권을 이전시키는 형식의 담보를 말한다. 소유권을 이전하는 자를 양도담보설정자[1]라고 하며 상대방 채권자를 양도담보권자라고 한다.

2. 물적납세의무

납세자가 국세 또는 강제징수비를 체납한 경우에 그 납세자에게 양도담보재산이 있을 때에는 그 납세자의 다른 재산에 대하여 강제징수를 집행하여도 징수할 금액에 미치지 못하는 경우에만 「국세징수법」에서 정하는 바에 따라 그 양도담보재산으로써 납세자의 국세와 강제징수비를 징수[2]할 수 있다.

[1] 양도담보설정자인 사업자가 양도담보로 제공한 자산을 사업에 직접 사용하고 있는 경우에는 양도담보설정자가 그 자산에 대한 감가상각비를 계상한다.

[2] 양도담보재산으로 국세 등을 징수하려는 경우에는 독촉 없이 바로 압류할 수 있다.

I 국세기본법 해커스공무원 김영서 세법 기본서

3. 성립요건

(1) 양도담보설정자의 국세 등을 체납할 것

(2) 양도담보권자에게 납부고지서가 송달되는 시점에 양도담보재산이 존재하고 있을 것

(3) 양도담보가 국세의 법정기일 후에 설정되어 있을 것

(4) 양도담보설정자의 재산에 대하여 강제징수를 집행하여도 징수할 금액에 부족할 것

4. 양도담보재산의 존속

「국세징수법」에 따라 양도담보권자에게 납부고지가 있은 후 납세자가 양도에 의하여 실질적으로 담보된 채무를 불이행하여 해당 재산이 양도담보권자에게 확정적으로 귀속되고 양도담보권이 소멸하는 경우에는 납부고지 당시의 양도담보재산이 계속하여 양도담보재산으로서 존속하는 것으로 본다.

5. 한도

양도담보권자는 양도담보재산가액을 한도로 납세의무를 진다. 양도담보재산이란 당사자 간의 계약에 의하여 납세자가 그 재산을 양도하였을 때에 실질적으로 양도인에 대한 채권담보의 목적이 된 재산을 말한다.

기출 OX

01 납세자의 양도담보재산으로써 납세자의 국세 및 강제징수비를 징수하려면 납세자가 국세 및 강제징수비를 체납하여야 한다. (○) 19. 7급

02 납세자가 국세 또는 강제징수비를 체납한 경우에 그 납세자에게 양도담보재산이 있을 때에는 그 납세자의 다른 재산에 대하여 강제징수를 집행하여도 징수할 금액에 미치지 못하는 경우에만 「국세징수법」에서 정하는 바에 따라 그 양도담보재산으로써 납세자의 국세와 강제징수비를 징수할 수 있다. (○) 12. 7급

기출문제

01 「국세기본법」상 납세의무의 승계에 대한 설명으로 옳지 않은 것은?

2016년 7급

① 법인이 합병한 경우 합병 후 존속하는 법인은 합병으로 소멸된 법인이 납부할 국세 및 강제징수비에 대하여 납부할 의무를 진다.
② 상속이 개시된 때에 그 상속인은 피상속인이 납부할 국세 및 강제징수비를 상속으로 받은 재산의 한도에서 납부할 의무를 진다.
③ 피상속인에게 한 처분은 상속으로 인한 납세의무를 승계하는 상속인에 대해서도 효력이 있다.
④ 상속으로 납세의무를 승계함에 있어서 상속인이 2명 이상일 때에는 각 상속인은 피상속인이 납부할 국세 및 강제징수비를 상속분에 따라 나누어 계산하여 상속으로 받은 재산의 한도에서 분할하여 납부할 의무를 진다.

01
상속으로 납세의무를 승계함에 있어서 상속인이 2명 이상일 때에는 각 상속인은 피상속인이 납부할 국세 및 강제징수비를 상속분에 따라 나누어 계산하여 상속으로 받은 재산의 한도에서 연대하여 납부할 의무를 진다. 즉, 분할하여 납부할 의무를 지는 것이 아니라 연대납세의무를 지는 것이다.

02 「국세기본법」상 납세의무에 대한 설명으로 옳지 않은 것은? 2015년 7급

① 합병 후 존속하는 법인은 합병으로 소멸된 법인이 납부할 국세와 강제징수비를 납부할 의무를 진다.
② 공동사업에서 발생하는 부가가치세는 공동사업자가 연대하여 납부할 의무를 진다.
③ 법인의 재산으로 그 법인이 납부할 국세와 강제징수비에 충당하여도 부족한 경우에는 그 국세의 납세의무확정일 현재의 무한책임사원은 그 부족한 금액에 대하여 제2차 납세의무를 진다.
④ 사업이 양도·양수된 경우에 양도일 이전에 양도인의 납세의무가 확정된 그 사업에 관한 국세와 강제징수비를 양도인의 재산으로 충당하여도 부족할 때에는 양도인의 특수관계인에 해당하는 사업의 양수인은 그 부족한 금액에 대하여 양수한 재산의 가액을 한도로 제2차 납세의무를 진다.

02
법인의 재산으로 그 법인이 납부할 국세와 강제징수비에 충당하여도 부족한 경우에는 그 국세의 납세의무성립일 현재의 무한책임사원은 그 부족한 금액에 대하여 제2차 납세의무를 진다.

정답 01 ④ 02 ③

03 「국세기본법」상 납세의무의 확장에 대한 설명으로 옳지 않은 것은?

2016년 9급

① 피상속인이 체결한 보험계약의 수익자로서 단독 상속인이 피상속인의 사망으로 보험금을 수령하고 상속을 포기한 경우 상속포기를 한 상속인은 피상속인이 납부할 국세를 그 보험금의 한도 내에서 납부할 의무를 진다.

② 공동사업에 관계되는 부가가치세 및 강제징수비는 공동사업자가 연대하여 납부할 의무를 진다.

③ 법령이 정하는 바에 따라 제2차 납세의무를 지는 법인에는 비상장법인뿐만 아니라 상장법인도 포함된다.

④ 사업양수인은 양도일 이후 성립된 사업양도인의 국세에 대해 납세의무가 있다.

03
사업양수인은 양도일 이전에 확정된 국세 등만 사업양수인의 제2차 납세의무에 포함된다.

04 국세기본법령상 제2차 납세의무에 대한 설명으로 옳지 않은 것은?

2021년 7급

① 청산인의 경우 분배하거나 인도한 재산의 가액을 한도로, 잔여재산을 분배받거나 인도받은 자의 경우에는 각자가 받은 재산의 가액을 한도로 제2차 납세의무를 진다.

② 사업양수인의 제2차 납세의무에 있어서 사업양수인이란 사업장별로 그 사업에 관한 모든 권리(미수금에 관한 것은 제외)와 모든 의무(미지급금에 관한 것은 제외)를 포괄적으로 승계한 자로서 양도인과 특수관계인인 자이거나 양도인의 조세회피를 목적으로 사업을 양수한 자를 말한다.

③ A법인의 과점주주가 아닌 유한책임사원 甲의 재산으로 甲이 납부할 국세에 충당하여도 부족한 경우에는 A법인은 법률에 의하여 甲의 소유주식의 양도가 제한된 경우에만 그 부족한 금액에 대하여 제2차 납세의무를 진다.

④ 유가증권시장에 상장된 법인의 과점주주는 그 법인의 재산으로 그 법인이 납부할 국세에 충당하여도 부족한 경우 그 부족한 금액에 대하여 제2차 납세의무를 지지 아니한다.

04
법인이 제2차 납세의무를 지는 경우에는 과점주주 또는 무한책임사원이 납부하지 않은 국세 등을 대상으로 한다.

정답 03 ④ 04 ③

05 「국세기본법」상 제2차 납세의무자에 관한 설명으로 옳지 않은 것은?

2013년 9급

① 법인이 해산한 경우 법인이 납부할 국세에 대하여 청산인은 제2차 납세의무를 질 수 있다.
② 법인(유가증권상장법인 및 코스닥상장법인 제외)이 납부할 국세에 대하여 그 법인의 무한책임사원은 제2차 납세의무를 질 수 있다.
③ 사업양도에서 양도일 이전에 확정된 국세에 대하여 법령으로 정하는 사업의 양수인(양도인의 특수관계인)은 제2차 납세의무를 질 수 있다.
④ 분할법인이 납부해야 할 분할일 이전에 부과된 국세에 대하여 분할로 신설된 법인은 제2차 납세의무를 질 수 있다.

05
분할법인이 납부하여야 할 분할일 이전에 부과된 국세에 대하여 분할로 신설된 법인은 연대하여 납세의무를 진다.

06 「국세기본법」상 제2차 납세의무에 대한 설명으로 옳지 않은 것은?

2013년 7급

① 청산인 등의 제2차 납세의무는 청산인의 경우 분배하거나 인도한 재산의 가액을 한도로 하고, 그 분배 또는 인도를 받은 자의 경우에는 각자가 받은 재산의 가액을 한도로 한다.
② 「자본시장과 금융투자업에 관한 법률」에 따른 유가증권시장에 상장한 법인의 과점주주는 그 법인이 납부하는 국세에 대하여 제2차 납세의무를 지지 않는다.
③ 법인의 출자자가 소유한 주식의 양도가 법률에 의해 제한된 경우에는, 그 출자자가 납부할 국세에 대하여 법인은 제2차 납세의무를 진다.
④ 사업양수인의 제2차 납세의무에 있어서 사업양수인이란 사업장별로 그 사업에 관한 미수금을 포함한 모든 권리와 모든 의무를 포괄적으로 승계한 자를 말한다.

06
사업양수인의 제2차 납세의무에 있어서 사업양수인이란 사업장별로 그 사업에 관한 미수금과 미지급금을 제외한 모든 권리와 모든 의무를 포괄적으로 승계한 자를 말한다.

정답 05 ④ 06 ④

07 세법상 양도담보와 관련된 규정에 대한 설명으로 옳지 않은 것은?

2012년 7급

① 납세자가 국세 또는 강제징수비를 체납한 경우에 그 납세자에게 양도담보재산이 있을 때에는 그 납세자의 다른 재산에 대하여 강제징수를 집행하여도 징수할 금액에 미치지 못하는 경우에만 「국세징수법」에서 정하는 바에 따라 그 양도담보재산으로써 납세자의 국세와 강제징수비를 징수할 수 있다.
② 양도담보계약에 의하여 자산의 소유권을 이전하더라도 「소득세법」상 양도로 보지 아니한다.
③ 양도담보의 목적으로 동산이나 부동산을 제공하더라도 「부가가치세법」상 재화의 공급에 해당하지 아니한다.
④ 양도담보설정자인 사업자가 양도담보로 제공한 자산을 사업에 직접 사용하고 있는 경우에는 양도담보권자가 그 자산에 대한 감가상각비를 손금에 산입할 수 있다.

07
양도담보설정자인 사업자가 양도담보로 제공한 자산을 사업에 직접 사용하고 있는 경우에는 양도담보설정자가 그 자산에 대한 감가상각비를 손금에 산입할 수 있다.

08 「국세기본법」상 연대납세의무에 대한 설명으로 옳지 않은 것은?

2011년 9급

① 공유물 및 공동사업에 관계되는 국세 및 강제징수비는 공유자 또는 공동사업자가 연대하여 납부할 의무가 있다.
② 법인이 분할되는 경우 분할되는 법인에 대하여 분할일 이전에 부과되거나 납세의무가 성립한 국세는 분할되는 법인과 분할로 설립되는 법인 및 존속하는 분할합병의 상대방 법인은 승계된 재산가액을 한도로 연대하여 납부할 책임을 진다.
③ 연대납세의 고지와 독촉에 관한 서류는 그 대표자를 명의인으로 하여 송달하여야 한다.
④ 연대납세의무자의 1인에 대한 과세처분의 무효 또는 취소 등의 사유는 다른 연대납세의무자에게 그 효력이 미치지 아니한다.

08
연대납세의무자에게 서류를 송달하고자 할 때 납세의 고지와 독촉에 관한 서류는 연대납세의무자 모두에게 각각 송달하여야 한다.

정답 07 ④ 08 ③

09 거주자 甲은 비상장법인인 ㈜A의 발행주식총수 100,000주(20,000주는 의결권이 없음) 중 75,000주(15,000주는 의결권이 없음)를 보유하고 있으며, 과점주주로서 실질적인 권리를 행사하고 있다. ㈜A가 10억 원의 국세를 체납하였고, ㈜A의 재산으로 충당하여도 부족한 금액이 8억 원인 경우 甲이 제2차 납세의무자로서 부담하여야 할 한도는 얼마인가? 2011년 7급

① 6억 원 ② 7.5억 원
③ 8억 원 ④ 10억 원

09
8억 원 × (60,000주 / 80,000주) = 6억 원

10 양도담보와 관련된 설명으로 옳지 않은 것은? 2020년 7급

① 「국세기본법」상 납세자가 국세 및 강제징수비를 체납한 경우에 그 납세자에게 국세의 법정기일 후 담보의 목적이 된 양도담보재산이 있을 때에는 그 납세자의 다른 재산에 대하여 강제징수를 집행하여도 징수할 금액에 미치지 못하는 경우에만 「국세징수법」에서 정하는 바에 따라 그 양도담보재산으로써 납세자의 국세 및 강제징수비를 징수할 수 있다.
② 「국세기본법」상 세무서장은 납세자가 제3자와 짜고 거짓으로 재산에 양도담보 설정계약을 하고 그 등기를 함으로써 그 재산의 매각금액으로 국세를 징수하기가 곤란하다고 인정할 때에는 그 행위의 취소를 법원에 청구할 수 있다.
③ 「국세기본법」에서 양도담보재산이란 당사자 간의 계약에 의하여 납세자가 그 재산을 양도하였을 때에 실질적으로 양도인에 대한 채권담보의 목적이 된 재산을 말한다.
④ 부가가치세법령상 양도담보의 목적으로 부동산상의 권리를 제공하는 것은 재화의 공급으로 본다.

10
양도담보는 부가가치세법상 공급에 해당하지 않는다.

정답 09 ① 10 ④

11 「국세기본법」 또는 세법령상 납세의무에 대한 설명으로 옳은 것만을 모두 고르면?

2022년 7급

ㄱ. 「소득세법」 제43조 제3항에 따른 주된 공동사업자가 없는 공동사업에서 발생한 소득금액에 대해서는 공동사업자 간에 연대하여 납부할 의무를 진다.
ㄴ. 법인이 「채무자 회생 및 파산에 관한 법률」 제215조에 따라 신회사를 설립하는 경우 기존의 법인에 부과되거나 납세의무가 성립한 국세 및 강제징수비는 신회사가 연대하여 납부할 의무를 진다.
ㄷ. 법인이 해산한 경우에 「법인세법」 제73조 및 제73조의2에 따라 원천징수하여야 할 법인세를 징수하지 아니하였거나 징수한 법인세를 납부하지 아니하고 잔여재산을 분배한 때에는 청산인과 잔여재산의 분배를 받은 자가 각각 그 분배한 재산의 가액과 분배받은 재산의 가액을 한도로 그 법인세를 연대하여 납부할 책임을 진다.
ㄹ. 법인이 합병한 경우 합병 후 존속하는 법인 또는 합병으로 설립된 법인은 합병으로 소멸된 법인에 부과되거나 그 법인이 납부할 국세 및 강제징수비를 합병으로 소멸된 법인과 연대하여 납부할 의무를 진다.

① ㄱ, ㄷ ② ㄱ, ㄹ
③ ㄴ, ㄷ ④ ㄴ, ㄹ

11
옳은 것은 ㄴ, ㄷ이다.

오답체크

ㄱ. 공동사업은 연대납세의무를 지지 않는 것이 원칙이다.
ㄹ. 합병의 경우는 피합병법인의 국세 등을 합병법인이 한도 없이 전액 승계한다.

12 국세기본법령상 제2차 납세의무의 한도에 대한 설명으로 옳지 않은 것은?

2023년 9급

① 잔여재산을 분배받거나 인도받은 자의 제2차 납세의무는 각자가 받은 재산의 가액을 한도로 한다.
② 과점주주의 제2차 납세의무는 법인의 재산으로 그 법인이 납부할 국세에 충당하여도 부족한 경우, 그 부족한 금액을 법인의 발행주식 총수(의결권이 없는 주식도 포함) 또는 출자총액으로 나눈 금액에 해당 과점주주가 실질적으로 권리를 행사하는 주식 수(의결권이 없는 주식도 포함) 또는 출자액을 곱하여 산출한 금액을 한도로 한다.
③ 법인의 제2차 납세의무는 법인의 자산총액에서 부채총액을 차감한 금액을 발행주식 총액 또는 출자총액으로 나눈 금액에 출자자의 소유주식 금액 또는 출자액을 곱하여 산출한 금액을 한도로 한다.
④ 사업장별로 그 사업에 관한 모든 권리(미수금에 관한 것은 제외한다)와 모든 의무(미지급금에 관한 것은 제외한다)를 포괄적으로 승계한 자로서 양도인과 특수관계인인 자의 제2차 납세의무는 양수한 재산의 가액을 한도로 한다.

12
과점주주의 제2차 납세의무의 한도를 계산할 때 과점주주가 보유한 주식 중 의결권이 없는 것은 제외한다.

정답 11 ③ 12 ②

06 국세와 일반채권의 관계

1 국세우선권

국세우선권이란 일반채권에 우선하여 국세 · 강제징수비를 징수하는 것을 말한다. 조세채권의 공익성으로 인하여 우선권을 부여한 것이다.

2 국세에 우선하는 채권

1. 국세우선권의 예외채권

국세 또는 강제징수비는 다른 공과금이나 그 밖의 채권에 우선하여 징수한다. 다만, 다음의 어느 하나에 해당하는 공과금이나 그 밖의 채권에 대하여는 우선하지 못한다.

(1) 선집행 지방세 또는 공과금의 체납처분비 또는 강제징수비 및 공익비용

① 지방세나 공과금의 체납처분 또는 강제징수를 할 때 그 체납처분금액 또는 강제징수 금액 중에서 국세 또는 강제징수비를 징수하는 경우의 그 지방세나 공과금의 체납처분비 또는 강제징수비보다 우선하지 못한다.

② 강제집행 · 경매 또는 파산절차에 따라 재산을 매각할 때 그 매각금액 중에서 국세 또는 강제징수비를 징수하는 경우의 그 강제집행 · 경매 또는 파산절차에 든 비용보다 우선하지 못한다.

(2) 소액임차보증금

「주택임대차보호법」 또는 「상가건물 임대차보호법」이 적용되는 임대차관계에 있는 주택 또는 건물을 매각할 때 그 매각금액 중에서 국세를 징수하는 경우 임대차에 관한 보증금 중 일정 금액으로서 임차인이 우선하여 변제받을 수 있는 금액에 관한 채권보다 우선하지 못한다.

(3) 임금채권

사용자의 재산을 매각하거나 추심할 때 그 매각금액 또는 추심금액 중에서 국세를 징수하는 경우에 「근로기준법」 또는 「근로자퇴직급여 보장법」에 따라 국세에 우선하여 변제되는 임금 · 퇴직금 · 재해보상금 · 그 밖의 근로관계로 인한 채권보다 우선하지 못한다.

① 임금 · 퇴직금 · 재해보상금 기타 근로관계로 인한 채권은 사용자의 총재산에 대하여 질권 또는 저당권에 따라 담보된 채권을 제외하고는 국세 및 다른 채권에 우선하여 변제되어야 한다. 다만, 질권 · 저당권에 우선하는 국세에 대하여는 그렇지 않다.

기출 OX
지방세의 체납처분에 있어서 그 체납처분금액 중에서 부가가치세를 징수하는 경우의 그 '지방세의 체납처분비'는 그 부가가치세에 우선한다. (○) 07. 9급

② ①의 규정에도 불구하고 다음의 어느 하나에 해당하는 채권은 사용자의 총재산에 대하여 질권 또는 저당권에 따라 담보된 채권, 국세 및 다른 채권에 우선하여 변제되어야 한다.

㉠ 최종 3개월분의 임금

㉡ 최종 3년간의 퇴직금

㉢ 재해보상금

(4) **피담보채권**

법정기일 전에 다음의 어느 하나에 해당하는 권리가 설정된 재산을 매각(아래 2. 재산의 소유권 이전에 따른 전세권 등 설정자 우선에 해당하는 매각은 제외함)하여 그 매각금액에서 국세를 징수하는 경우 그 권리에 의하여 담보된 채권 또는 임대차보증금반환채권보다 우선하지 못한다.

① 전세권, 질권 또는 저당권

② 「주택임대차보호법」 또는 「상가건물 임대차보호법」에 따라 대항요건과 확정일자를 갖춘 임차권

③ 납세의무자를 등기의무자로 하고 채무불이행을 정지조건으로 하는 대물변제(代物辨濟)의 예약에 따라 채권 담보의 목적으로 가등기(가등록 포함)를 마친 가등기 담보권[1]

(5) **법정기일**

구분	법정기일
① 과세표준과 세액의 신고에 따라 납세의무가 확정되는 국세(중간예납하는 법인세와 예정신고납부하는 부가가치세 포함)의 경우 신고한 해당 세액(신고납부제도의 국세 중 신고한 세액에 해당하는 부분. 무신고 또는 과소신고세액 부분의 법정기일은 납부고지서 발송일)	그 신고일
② 과세표준과 세액을 정부가 결정 · 경정 또는 수시부과 결정을 하는 경우 고지한 해당 세액	그 납부고지서의 발송일
③ 원천징수의무자나 납세조합으로부터 징수하는 국세와 인지세	그 납세의무의 확정일
④ 제2차 납세의무자(보증인 포함)의 재산에서 국세를 징수하는 경우 또는 양도담보재산에서 국세를 징수하는 경우	납부고지서의 발송일
⑤ 납세자의 재산을 확정전 보전압류한 경우에 그 압류와 관련하여 확정된 세액	그 압류등기(등록)일
⑥ 「부가가치세법」에 따라 신탁재산에서 부가가치세 등을 징수하는 경우(수탁자의 물적납세의무)	수탁자를 납세의무자로 하는 물적납세의무에 따른 납부고지서의 발송일
⑦ 「종합부동산세법」에 따라 신탁재산에서 징수하는 종합부동산세등	신탁재산의 수탁자에 대한 납부고지서의 발송일

기출 OX

법정기일 전에 전세권을 설정한 경우에는 전세권에 의하여 담보된 채권은 국세보다 우선징수한다. (○) 07. 서울시

[1] 법정기일 후에 가등기를 마친 사실이 증명되는 재산을 매각하여 그 매각금액에서 국세를 징수하는 경우 재산을 압류한 날 이후에 가등기에 따른 본등기가 이루어지더라도 국세는 가등기에 의해 담보된 채권보다 우선한다. 그리고 세무서장은 가등기가 설정된 재산을 압류하거나 공매(公賣)할 때에는 그 사실을 가등기 권리자에게 지체 없이 통지하여야 한다.

(6) **해당 재산에 부과된 국세**

해당 재산에 대하여 부과된 상속세, 증여세 및 종합부동산세는 법정기일 전에 설정된 전세권, 질권 또는 저당권의 권리에 의하여 담보된 채권 또는 임대차보증금반환채권보다 우선한다.[1]

2. 재산의 소유권 이전에 따른 전세권 등 설정자 우선

(1) 국세에 우선하는 채권

전세권 등(본문 1. 국세우선권의 예외채권의 (4) 피담보채권 등을 말한다)이 설정된 재산이 양도, 상속 또는 증여된 후 해당 재산이 국세의 강제징수 또는 경매 절차를 통해 매각되어 그 매각금액에서 국세를 징수하는 경우 해당 재산에 설정된 전세권 등에 의하여 담보된 채권 또는 임대차보증금반환채권은 국세 및 다른 공과금이나 그 밖의 채권에 우선하여 징수한다. 다만, 해당 재산의 직전 보유자가 전세권 등의 설정 당시 체납하고 있었던 국세 등을 고려하여 계산한 금액의 범위 내에서는 국세를 우선하여 징수한다.[2]

(2) 해당 재산에 부과된 국세

해당 재산에 대하여 부과된 상속세, 증여세 및 종합부동산세는 법정기일 전에 설정된 전세권 등 채권 또는 임대차보증금반환채권보다 우선하며, 위 (1)의 규정에도 불구하고 해당 재산에 대하여 부과된 종합부동산세는 법정기일 전에 설정된 전세권 등 채권 또는 임대차보증금반환채권보다 우선한다.

(3) 임대차보증금반환채권 등의 우선

위 (2)에도 불구하고 「주택임대차보호법」에 따라 대항요건과 확정일자를 갖춘 임차권에 의하여 담보된 임대차보증금반환채권 또는 「주택임대차보호법」에 따른 주거용 건물에 설정된 전세권에 의하여 담보된 채권(이하 "임대차보증금반환채권 등"이라 함)은 해당 임차권 또는 전세권이 설정된 재산이 국세의 강제징수 또는 경매 절차를 통해 매각되어 그 매각금액에서 국세를 징수하는 경우 그 확정일자 또는 설정일보다 법정기일이 늦은 해당 재산에 대하여 부과된 상속세, 증여세 및 종합부동산세의 우선 징수 순서에 대신하여 변제될 수 있다. 이 경우 대신 변제되는 금액은 우선 징수할 수 있었던 해당 재산에 대하여 부과된 상속세, 증여세 및 종합부동산세의 징수액에 한정하며, 임대차보증금반환채권 등보다 우선 변제되는 저당권 등의 변제액과 해당 재산에 대하여 부과된 상속세, 증여세 및 종합부동산세를 우선 징수하는 경우에 배분받을 수 있었던 임대차보증금반환채권 등의 변제액에는 영향을 미치지 아니한다.

❶
해당 재산 자체에 부과된 국세도 피상속인이 조세체납이 없는 상태에서 설정한 저당권 등에 담보된 채권보다는 우선하지 못한다.

❷ **국세를 우선징수하는 경우**
해당 재산에 설정된 저당권 등의 설정일(임차권은 확정일자) 중 가장 빠른 것 보다 법정기일이 빠른 직전 보유자의 국세 체납액의 합계액을 한도로 국세가 우선한다. 이 경우 상속세, 증여세 및 종합부동산세의 우선규정은 적용하지 않으며 설정일이 가장 빠른 권리가 직전 보유자의 보유기간 전인 경우는 0으로 한다.

3. 짜고 거짓으로 설정한 담보권계약 등의 취소

(1) 개념

세무서장은 납세자가 제3자와 짜고 거짓으로 재산에 전세권, 질권, 저당권, 가등기, 양도담보 설정계약을 하고 그 등기 또는 등록을 하거나 「주택임대차보호법」 또는 「상가건물 임대차보호법」에 따른 대항요건과 확정일자를 갖춘 임대차 계약을 체결함으로써 그 재산의 매각금액으로 국세를 징수하기가 곤란하다고 인정할 때에는 그 행위의 취소를 법원에 청구할 수 있다. 이 경우 세무서장이 짜고 거짓으로 설정한 계약이라는 것에 대한 입증 책임이 있다.

(2) 거짓계약의 추정

납세자가 국세의 법정기일 전 1년 내에 특수관계인(친족관계 · 경제적 연관관계 · 경영지배관계 중 일정한 관계에 있는 자)과 전세권 · 질권 또는 저당권 설정계약, 임대차계약, 가등기 설정계약 또는 양도담보 설정계약을 한 경우에는 짜고 한 거짓계약으로 추정한다. 따라서 이 경우 정당한 계약이라는 것에 대한 입증책임은 납세자에게 있다.

기출 OX

납세자가 국세의 법정기일 전 1년 내에 법령으로 정하는 친족이나 그 밖의 특수관계인과 전세권 · 질권 또는 저당권 설정계약을 한 경우에는 짜고 한 거짓계약으로 추정한다. (○) 11. 7급

4. 매각대금 배분 순서

구분	배분 순서
법정기일 전에 담보된 채권이 있는 경우	① 강제징수비 · 공익비용 ② 소액임차보증금 · 최우선변제임금채권 ③ 피담보채권 ④ 일반임금채권 ⑤ 국세 ⑥ 공과금 및 일반채권
법정기일 후에 담보된 채권이 있는 경우	① 강제징수비 · 공익비용 ② 소액임차보증금 · 최우선변제임금채권 ③ 국세 ④ 피담보채권 ⑤ 일반임금채권 ⑥ 공과금 및 일반채권

3 조세채권 간의 우선순위

1. 압류우선

(1) 국세 강제징수에 따라 납세자의 재산을 압류한 경우에 다른 국세 및 강제징수비 또는 지방세의 교부청구(「국세징수법」 또는 「지방세징수법」에 따라 참가압류를 한 경우를 포함)가 있으면 압류와 관계되는 국세 및 강제징수비는 교부청구된 다른 국세 및 강제징수비 또는 지방세보다 우선하여 징수한다.

(2) 지방세 체납처분에 의하여 납세자의 재산을 압류한 경우에 국세 또는 강제징수비의 교부청구가 있으면 교부청구된 국세와 강제징수비는 압류에 관계되는 지방세의 다음 순위로 징수한다.

2. 담보우선

납세담보물을 매각하였을 때에는 그 국세 또는 강제징수비는 매각대금 중에서 다른 국세 · 강제징수비와 지방세에 우선하여 징수한다.

1순위: 납세담보에 관계된 국세 · 지방세

⇩

2순위: 압류에 관계된 국세 · 지방세

⇩

3순위: 교부청구(참가압류)한 국세 · 지방세

기출문제

01 **거주자 甲이 2019년 귀속 종합소득세를 납부하지 않아 관할 세무서장은 甲의 주택을 2021년 10월 7일에 압류하고, 2023년 4월 5일에 매각하였다. 다음 자료에 따라 주택의 매각대금 70,000,000원 중에서 종합소득세로 징수할 수 있는 금액은?** 2021년 7급

- 강제징수비: 7,000,000원
- 종합소득세: 80,000,000원(신고일: 2020년 5월 20일)
- 해당 주택에 설정된 저당권에 의해 담보되는 채권: 10,000,000원(저당권 설정일: 2020년 5월 25일)
- 해당 주택에 대한 임차보증금(확정일자: 2020년 5월 30일): 40,000,000원(이 중 「주택임대차보호법」에 따라 임차인이 우선하여 변제받을 수 있는 금액은 15,000,000원임)
- 甲이 운영하는 기업체 종업원의 임금채권: 30,000,000원(이 중 최종 3개월분의 임금은 18,000,000원임)

① 0원 ② 20,000,000원
③ 30,000,000원 ④ 53,000,000원

02 **甲 세무서장은 법인세를 체납하고 있는 乙 회사에 대하여 회사 소유 A 부동산을 압류하고 이를 매각한 금액으로 법인세를 충당하려고 한다. 그런데 乙 회사에게는 체불임금도 있고, A 부동산을 담보로 한 丙 은행 대출채권도 있다. 이 경우 A 부동산의 매각대금에 대한 변제 순위가 빠른 순서대로 바르게 나열된 것은?** 2014년 7급

① A 부동산에 법인세의 법정기일 이전에 저당권이 설정된 경우: 丙 은행 대출채권 > 법인세 > 최종 3월분 이외의 임금채권
② A 부동산에 법인세의 법정기일 이전에 저당권이 설정된 경우: 최종 3월분 이외의 임금채권 > 丙 은행 대출채권 > 법인세
③ A 부동산에 법인세의 법정기일 이후에 저당권이 설정된 경우: 법인세 > 丙 은행 대출채권 > 최종 3월분 이외의 임금채권
④ A 부동산에 법인세의 법정기일 이후에 저당권이 설정된 경우: 최종 3월분 이외의 임금채권 > 법인세 > 丙 은행 대출채권

01
- 매각대금 70,000,000원
- 1순위: 강제징수비 7,000,000원
- 2순위: 소액임차보증금 15,000,000원, 3개월 임금 18,000,000원
- 3순위: 소득세 30,000,000원

국세의 법정기일이 저당권설정일과 확정일자보다 빠르기 때문에 우선적으로 배분받는다.

02
- [경우 1] A 부동산에 법인세의 법정기일 이전에 저당권이 설정된 경우: 丙 은행 대출채권 > 최종 3월분 이외의 임금채권 > 법인세
- [경우 2] A 부동산에 법인세의 법정기일 이후에 저당권이 설정된 경우: 법인세 > 丙 은행 대출채권 > 최종 3월분 이외의 임금채권

정답 01 ③ 02 ③

03 「국세기본법」상 국세의 우선징수에 관한 설명으로 옳지 않은 것은?

2007년 9급

① 지방세의 체납처분에 있어서 그 체납처분금액 중에서 부가가치세를 징수하는 경우의 그 '지방세의 체납처분비'는 그 부가가치세에 우선한다.
② 경매에 의한 재산의 매각에 있어서 그 매각금액 중에서 법인세를 징수하는 경우의 그 '경매에 소요된 비용'은 그 법인세에 우선한다.
③ 종합소득세로 신고한 당해 세액에 대하여 그 신고일 이후에 저당권 설정등기를 한 재산의 매각에 있어서 그 매각대금 중에서 종합소득세를 징수하는 경우의 그 '저당권에 의하여 담보된 채권'은 그 종합소득세에 우선한다.
④ 파산절차에 의한 재산의 매각에 있어서 그 매각금액 중에서 증여세를 징수하는 경우의 그 '파산절차에 소요된 비용'은 그 증여세에 우선한다.

03
종합소득세 신고일 이후에 설정된 담보채권은 법정기일이 담보설정일보다 우선이므로 종합소득세가 담보채권보다 우선한다.

04 「국세기본법」상 국세의 법정기일로 옳지 않은 것은? (단, 확정전 보전압류는 고려하지 않는다)

2016년 7급

① 양도담보재산에서 국세를 징수하는 경우: 그 납세의무의 확정일
② 과세표준과 세액의 신고에 따라 납세의무가 확정되는 국세의 경우: 신고한 해당 세액에 대해서는 그 신고일
③ 원천징수의무자나 납세조합으로부터 징수하는 국세와 인지세의 경우: 그 납세의무의 확정일
④ 과세표준과 세액을 정부가 결정·경정하는 경우 고지한 세액: 그 납부고지서 발송일

04
그 납세의무의 확정일이 아니라 납부고지서의 발송일로 한다.

정답 03 ③ 04 ①

07 과세

1 관할관청

1. 과세표준신고의 관할

(1) 과세표준신고서는 신고 당시 해당 국세의 납세지를 관할하는 세무서장에게 제출하여야 한다. 다만, 전자신고하는 경우에는 지방국세청장이나 국세청장에게 제출할 수 있다.

(2) 과세표준신고서가 관할세무서장 외에 세무서장에게 제출된 경우에도 그 신고의 효력에는 영향이 없다.

2. 결정 또는 경정결정의 관할

(1) 국세의 과세표준과 세액의 결정 또는 경정결정은 그 처분 당시 그 국세의 납세지를 관할하는 세무서장이 한다.

(2) 관할세무서장 이외의 세무서장의 결정 또는 경정결정은 효력이 없다. 다만, 세법 또는 다른 법령 등에 의하여 권한 있는 세무서장이 결정 또는 경정결정하는 경우에는 그러하지 아니하다.

2 수정신고와 경정 등의 청구

1. 수정신고

(1) **개념**

수정신고란 이미 신고한 과세표준 및 세액이 과소(결손금액 또는 환급세액은 과대)한 경우 또는 이미 신고한 내용이 불완전한 경우에 납세의무자가 이를 정정하는 신고를 말한다.

(2) **수정신고대상자**

과세표준신고서를 법정신고기한까지 제출한 자 및 기한후과세표준신고서를 제출한 자(「소득세법」상 연말정산 또는 원천징수로 과세가 종결된 자[1]를 포함)는 관할세무서장이 각 세법에 따라 해당 국세의 과세표준과 세액을 결정 또는 경정하여 통지하기 전으로서 국세부과 제척기간이 끝나기 전까지 과세표준수정신고서를 제출할 수 있다.

(3) **수정신고사유**

① 과세표준신고서 및 기한후과세표준신고서에 기재된 과세표준 및 세액이 세법에 따라 신고하여야 할 과세표준 및 세액에 미치지 못할 때

[1] 근로소득만 있는 자, 퇴직소득만 있는 자, 공적연금소득만 있는 자, 연말정산대상 사업소득만 있는 자, 원천징수되는 기타소득으로서 종교인소득만 있는 자를 말한다.

② 과세표준신고서 및 기한후과세표준신고서에 기재된 결손금액 또는 환급세액이 세법에 따라 신고하여야 할 결손금액이나 환급세액을 초과할 때

③ 원천징수의무자의 정산 과정에서 누락한 경우, 세무조정 과정에서 국고보조금과 공사부담금을 익금과 손금 동시에 누락한 경우 등의 불완전한 신고를 하였을 때(경정 등의 청구를 할 수 있는 경우는 제외)

(4) **수정신고의 효력**

① **정부부과제도 세목:** 정부부과제도 세목은 당초의 신고가 납세의무를 확정하는 효력이 없으므로 수정신고도 정부의 결정 없이는 확정하는 효력이 없다.

② **신고납부제도**(과세표준신고서를 법정신고기한까지 제출한 자의 수정신고에 한함): 신고납부제도 세목에서는 당초의 신고가 납세의무를 확정하는 효력이 있으므로 수정신고도 정부의 결정 없이 확정력을 가진다.

(5) **추가자진납부**

① 세액을 자진납부하는 국세에 관하여 수정신고하는 납세자는 이미 납부한 세액이 과세표준 수정신고액에 상당하는 세액에 미치지 못할 때에는 그 부족한 금액과 가산세를 추가하여 납부하여야 한다.

② 과세표준신고서를 법정신고기한까지 제출하거나 기한후신고를 하였으나 과세표준신고액에 상당하는 세액의 전부 또는 일부를 납부하지 아니한 자는 그 세액과 「국세기본법」 또는 세법에서 정하는 가산세를 세무서장이 고지하기 전에 납부할 수 있다.

2. 경정 등의 청구

(1) **개념**

① 경정 등의 청구란 이미 신고 · 결정 · 경정된 과세표준 및 세액 등이 과대(결손금액 또는 환급세액이 과소)한 경우 과세관청에게 정정하여 결정 또는 경정하도록 요구하는 것이다.

② 경정 등의 청구에는 일반적인 경정청구와 후발적 사유로 인한 경정청구가 있다.

(2) **경정청구대상자**

① **일반적인 경정청구:** 과세표준신고서를 법정신고기한까지 제출한 자 및 기한후과세표준신고서를 제출한 자는 최초신고 및 수정신고한 국세의 과세표준 및 세액의 결정 또는 경정을 청구할 수 있다.

② **후발적 사유에 의한 경정청구**[1]**:** 과세표준신고서를 법정신고기한까지 제출한 자 또는 국세의 과세표준 및 세액의 결정을 받은 자는 과세표준 및 세액의 결정 또는 경정을 청구할 수 있다.

[1] 후발적 사유에 의한 경정청구는 무신고자도 할 수 있다.

기출 OX

납세자의 신고에 의해 확정되는 국세뿐만 아니라 정부의 결정에 의하여 확정되는 국세도 경정청구를 할 수 있다. (○)

11. 7급

(3) 경정청구사유

① 일반적인 경정청구

㉠ **과세표준 및 세액의 과대신고:** 과세표준신고서 및 기한후과세표준신고서에 기재된 과세표준 및 세액(각 세법에 따라 결정 또는 경정이 있는 경우에는 해당 결정 또는 경정 후의 과세표준 및 세액을 말함)이 세법에 따라 신고하여야 할 과세표준 및 세액을 초과할 때

㉡ **결손금액 및 환급세액의 과소신고:** 과세표준신고서 및 기한후과세표준신고서에 기재된 결손금액 또는 환급세액(각 세법에 따라 결정 또는 경정이 있는 경우에는 해당 결정 또는 경정 후의 결손금액 또는 환급세액을 말함)이 세법에 따라 신고하여야 할 결손금액 또는 환급세액에 미치지 못할 때

② 후발적 사유에 의한 경정청구

㉠ 최초의 신고 · 결정 또는 경정에서 과세표준 및 세액의 계산 근거가 된 거래 또는 행위 등이 그에 관한 심사청구, 심판청구, 「감사원법」에 따른 심사청구에 대한 결정이나 소송에 대한 판결(판결과 같은 효력을 가지는 화해나 그 밖의 행위를 포함함)에 의하여 다른 것으로 확정되었을 때

㉡ 소득이나 그 밖의 과세물건의 귀속을 제3자에게로 변경시키는 결정 또는 경정이 있을 때

㉢ 조세조약에 따른 상호합의가 최초의 신고 · 결정 또는 경정의 내용과 다르게 이루어졌을 때

㉣ 결정 또는 경정으로 인하여 그 결정 또는 경정의 대상이 된 과세표준 및 세액과 연동된 다른 세목(같은 과세기간으로 한정함)이나 연동된 다른 과세기간(같은 세목으로 한정함)의 과세표준 또는 세액이 세법에 따라 신고하여야 할 과세표준 또는 세액을 초과할 때

기출 OX

01 최초의 신고 · 결정 또는 경정에 있어서 과세표준 및 세액의 계산근거가 된 거래 또는 행위 등이 그에 관한 소송에 대한 판결에 의하여 다른 것으로 확정된 때에는 이를 안 날로부터 3개월 이내에 결정 또는 경정을 청구할 수 있다. (○) 07. 9급

02 국세의 과세표준 및 세액의 결정을 받은 자는 소득이나 그 밖의 과세물건의 귀속을 제3자에게로 변경시키는 경정이 있는 경우 「국세기본법」에서 규정하는 기간에도 불구하고 그 사유가 발생한 것을 안 날부터 3개월 이내에 경정을 청구할 수 있다. (○) 15. 7급

심화 | 후발적 사유에 따른 경정청구

다음의 사유가 해당 국세의 법정신고기한이 지난 후에 발생하였을 때 후발적 경정청구를 할 수 있다.

1. 최초의 신고 · 결정 또는 경정을 할 때 과세표준 및 세액의 계산근거가 된 거래 또는 행위 등의 효력과 관계되는 관청의 허가나 그 밖의 처분이 취소된 경우
2. 최초의 신고 · 결정 또는 경정을 할 때 과세표준 및 세액의 계산근거가 된 거래 또는 행위 등의 효력과 관계되는 계약이 해제권의 행사에 의하여 해제되거나 해당 계약의 성립 후 부득이한 사유로 해제되거나 취소된 경우
3. 최초의 신고 · 결정 또는 경정을 할 때 장부 및 증거서류의 압수, 그 밖에 부득이한 사유로 과세표준 및 세액을 계산할 수 없었으나 그 후 해당 사유가 소멸한 경우
4. 그 밖에 위의 경우에 준하는 사유

(4) 경정청구기한

① 일반적인 경정청구: 법정신고기한이 지난 후 5년 이내에 관할세무서장에게 청구할 수 있다. 다만, 결정 또는 경정으로 인하여 증가된 과세표준 및 세액에 대하여는 해당 처분이 있음을 안 날(처분의 통지를 받은 때에는 그 받은 날)부터 90일 이내(법정신고기한이 지난 후 5년 이내로 한정)에 경정을 청구할 수 있다.

② 후발적 사유에 의한 경정청구: 후발적 사유가 발생한 것을 안 날부터 3개월 이내에 결정 또는 경정을 청구할 수 있다.

> **심화 | 경정청구 특례**
>
> 상속세 및 증여세의 후발적 사유가 발생한 경우 상속세는 6개월 이내(증여세는 3개월 이내)에 경정청구를 할 수 있다.

(5) 결정통지

① 결정 또는 경정의 청구를 받은 세무서장은 그 청구를 받은 날부터 2개월 이내에 과세표준 및 세액을 결정 또는 경정하거나 결정 또는 경정하여야 할 이유가 없다는 뜻을 그 청구를 한 자에게 통지하여야 한다. 다만, 청구를 한 자가 2개월 이내에 아무런 통지를 받지 못한 경우(아래 ②의 통지는 제외함)에는 통지를 받기 전이라도 그 2개월이 되는 날의 다음날부터 이의신청 · 심사청구 · 심판청구 또는 「감사원법」에 따른 심사청구를 할 수 있다.

② 경정청구(일반적인 경정청구와 후발적 사유에 따른 경정청구 포함)를 받은 세무서장은 그 청구를 받은 날부터 2개월 이내에 과세표준 및 세액의 결정 또는 경정이 곤란한 경우에는 청구를 한 자에게 관련 진행상황 및 이의신청, 심사청구, 심판청구 또는 「감사원법」에 따른 심사청구를 할 수 있다는 사실을 통지하여야 한다.

> **기출 OX**
>
> 결정 또는 경정의 청구를 받은 세무서장은 그 청구를 받은 날부터 2개월 이내에 과세표준 및 세액을 결정 또는 경정하거나 결정 또는 경정하여야 할 이유가 없다는 뜻을 그 청구를 한 자에게 통지하여야 한다. (○) 14. 9급

(6) 경정청구의 효력

경정청구만으로는 당초 신고세액을 감액시키는 효력을 가지지 못하며, 그 청구에 따른 과세관청의 결정 또는 경정에 따라 확정력을 가지게 된다.

(7) 원천징수대상자와 원천징수의무자

「소득세법」에 따른 분리과세소득만 있는 자, 연말정산되는 소득만 있는 자, 퇴직소득만 있는 자, 퇴직소득과 분리과세소득 및 연말정산소득이 있는 자, 분리과세되는 국내원천소득이 있는 외국법인 또는 비거주자(원천징수대상자)의 경우에는 경정 등의 청구 규정을 준용한다.

> **기출 OX**
>
> 근로소득만 있어서 소득세 과세표준확정신고를 하지 않은 납세자도 일정한 경우에는 「국세기본법」 제45조의2 제1항에 따라 경정청구를 할 수 있다. (○) 15. 9급

① **일반적인 경정청구**: 연말정산 또는 원천징수하여 소득세 또는 법인세를 납부하고 「소득세법」 및 「법인세법」에 따라 지급명세서를 제출기한까지 제출한 원천징수의무자 또는 원천징수대상자(비거주자 또는 외국법인은 제외)는 일반적인 경정청구 사유에 해당하는 때에는 연말정산세액 또는 원천징수세액의 납부기한이 지난 후 5년 이내에 연말정산세액 또는 원천징수세액의 경정을 관할세무서장에게 청구할 수 있다.

② **후발적 사유에 따른 경정청구**: 원천징수의무자 또는 원천징수대상자(비거주자 및 외국법인은 제외)는 후발적 사유가 발생한 때에는 그 사유가 발생한 것을 안 날로부터 3개월 이내에 경정청구를 할 수 있다.

(8) **종합부동산세 납세의무자**

「종합부동산세법」에 따른 납세의무자로서 종합부동산세를 부과 · 고지받은 자의 경우에는 경정청구(후발적 사유의 경정청구 포함) 규정을 준용한다.

3 기한후신고

1. 개념

법정신고기한까지 신고서를 제출하지 않은 자가 신고기한이 지난 후 신고서를 제출하는 것을 말한다. 신고서를 제출하지 않은 자가 기한후신고를 하는 것이므로 납부세액이 있는 경우에만 기한후신고를 하는 것은 아니다. 따라서 환급세액이 있는 경우에도 기한후신고를 할 수 있다.

2. 기한후신고대상자

(1) 법정신고기한까지 과세표준신고서를 제출하지 아니한 자는 관할세무서장이 세법에 따라 해당 국세의 과세표준과 세액(「국세기본법」 및 세법에 따른 가산세를 포함)을 결정하여 통지하기 전까지 기한후과세표준신고서를 제출할 수 있다.

(2) 기한후과세표준신고서를 제출한 자로서 세법에 따라 납부하여야 할 세액이 있는 자는 그 세액을 납부하여야 한다.

3. 통지

기한후과세표준신고서를 제출하거나 기한후과세표준신고서를 제출한 자가 과세표준수정신고서를 제출한 경우 관할세무서장은 세법에 따라 신고일부터 3개월 이내에 해당 국세의 과세표준과 세액을 결정하여 신고인에게 통지하여야 한다. 다만, 그 과세표준과 세액을 조사할 때 조사 등에 장기간이 걸리는 등 부득이한 사유로 신고일부터 3개월 이내에 결정할 수 없는 경우에는 그 사유를 신고인에게 통지하여야 한다.

4 가산세의 부과와 감면

1. 개념

(1) 정부는 세법에서 규정한 의무를 위반한 자에게 「국세기본법」 또는 세법에서 정하는 바에 따라 가산세를 부과할 수 있다.

(2) 가산세는 해당 의무가 규정된 세법의 해당 국세의 세목으로 한다. 다만, 해당 국세를 감면하는 경우에는 가산세는 그 감면대상에 포함시키지 아니하는 것으로 한다.

(3) 가산세는 납부할 세액에 가산하거나 환급받을 세액에서 공제한다.

기출 OX

가산세는 해당 의무가 규정된 세법의 해당 국세의 세목으로 하며, 해당 국세를 감면하는 경우에는 가산세도 그 감면대상에 포함한 것으로 한다. (×) 15. 7급

▶ 가산세는 감면대상에 포함하지 않는다.

2. 신고불성실가산세

(1) 무신고가산세

납세의무자가 법정신고기한까지 세법에 따른 국세의 과세표준신고(예정신고 및 중간신고를 포함하며, 「교육세법」에 따른 신고 중 금융 · 보험업자가 아닌 자의 신고와 「농어촌특별세법」 및 「종합부동산세법」에 따른 신고는 제외)를 하지 아니한 경우에는 그 신고로 납부하여야 할 세액(「국세기본법」 및 세법에 따른 가산세와 세법에 따라 가산하여 납부하여야 할 이자 상당 가산액이 있는 경우 그 금액은 제외)에 일정비율을 곱한 금액을 가산세로 한다.

(2) 과소신고 · 초과환급신고가산세

납세의무자가 법정신고기한까지 세법에 따른 국세의 과세표준신고(예정신고 및 중간신고를 포함하며, 「교육세법」에 따른 신고 중 금융 · 보험업자가 아닌 자의 신고와 「농어촌특별세법」에 따른 신고는 제외)를 한 경우로서 납부할 세액을 신고하여야 할 세액보다 적게 신고하거나 환급받을 세액을 신고하여야 할 금액보다 많이 신고한 경우에는 과소신고한 납부세액과 초과신고한 환급세액을 합한 금액(「국세기본법」 및 세법에 따른 가산세와 세법에 따라 가산하여 납부하여야 할 이자 상당 가산액이 있는 경우 그 금액은 제외)에 산출방법을 적용한 금액을 가산세로 한다.

구분			일반	부정[1]
무신고[2]	Max[3]	납부세액	무신고납부세액 × 20%	무신고납부세액 × 40%
		수입금액	수입금액 × $\frac{7}{10,000}$	수입금액 × $\frac{14}{10,000}$
과소신고[2]	Max[3]	납부세액	과소신고납부세액 × 10%	과소신고납부세액[4] × 40%
		수입금액	–	수입금액 × $\frac{14}{10,000}$
초과환급신고[2]	Max[3]	납부세액	초과환급세액 × 10%	초과환급세액[4] × 40%
		수입금액	–	–

❶ 역외거래에서 발생하는 부정행위는 대상세액의 60%를 적용한다.

❷ 부가가치세를 신고하지 않은 경우로 영세율과세표준이 있는 경우에는 영세율과세표준의 0.5%를 가산세로 한다.

❸ 납부세액기준과 수입금액을 비교하는 경우는 법인세와 복식부기의무자인 소득세만 대상이 된다.

❹ 부정하게 신고한 금액과 일반과소신고한 세액이 구분되는 경우에는 부정과소신고한 세액에 대하여 40%를 적용하고 나머지 일반과소신고한 세액은 10%의 가산세를 적용한다. 다만, 부정과소신고한 부분이 구분되지 않는 경우에는 다음과 같이 계산한다.

부정과소신고납부세액 = 과소신고납부세액 등 × $\frac{\text{부정행위로 인하여 과소신고한 과세표준}}{\text{과소신고한 과세표준}}$

(3) 적용배제

① 무신고가산세

㉠ 「부가가치세법」에 따라 납부의무가 면제되는 경우(간이과세자의 해당 과세기간 공급대가가 4,800만 원 미만인 경우)

㉡ 대손세액에 상당하는 부분[1]

② 과소신고 · 초과환급신고가산세

㉠ 다음의 어느 하나에 해당하는 사유로 상속세 · 증여세 과세표준을 과소 신고한 경우

ⓐ 신고 당시 소유권에 대한 소송 등의 사유로 상속재산 또는 증여재산으로 확정되지 아니하였던 경우

ⓑ 「상속세 및 증여세법」에 따른 상속공제규정 및 증여재산공제규정에 따른 공제의 적용에 착오가 있었던 경우

ⓒ 「상속세 및 증여세법」에 따라 수용가격 · 공매가격 · 감정가격 등을 시가로 인정한 경우, 시가를 산정하기 어려워 보충적 평가방법으로 평가한 가액을 시가로 본 경우, 저당권이 설정된 재산 평가의 특례 규정에 따라 평가한 가액으로 과세표준을 결정한 경우(부정행위로 상속세 및 증여세의 과세표준 및 세액을 과소신고한 경우는 제외함)

ⓓ 법인세 과세표준 및 세액의 결정 · 경정으로 「상속세 및 증여세법」의 특수관계법인과의 거래를 통한 이익의 증여의제, 특수관계법인으로부터 제공받은 사업기회로 발생한 이익의 증여의제, 특정법인과의 거래를 통한 이익의 증여의제 규정에 따른 증여의제이익이 변경되는 경우(부정행위로 인하여 결정 · 경정하는 경우는 제외)

㉡ 「부가가치세법」에 따라 공급받은 사업자가 대손세액을 매입세액에서 빼지 않아 세무서장이 경정하는 경우

㉢ 위 ㉠의 ⓓ의 사유로 양도소득세 과세대상인 주식의 취득가액이 감소된 경우

㉣ 「상속세 및 증여세법」에 따라 상속세 또는 증여세를 신고한 자가 법정신고기한까지 상속세 또는 증여세를 납부한 경우로서 법정신고기한 이후 평가심의위원회를 거쳐 상속재산 또는 증여재산을 평가하여 과세표준과 세액을 결정 · 경정한 경우

(4) 중복적용배제

① 예정신고 및 중간신고와 관련하여 무신고가산세 또는 과소신고 · 초과환급신고가산세가 부과되는 부분에 대하여는 확정신고와 관련하여 가산세를 적용하지 아니한다.

---

[1] 「부가가치세법」에서 공급자가 대손세액 공제받은 대손세액을 공급받은 사업자가 매입세액에서 차감하지 않은 경우에는 공급받은 사업자의 관할세무서장이 경정하여야 하는데, 이러한 경정의 경우 그 대손세액에 대하여는 무신고가산세, 과소신고 · 초과환급신고가산세, 납부지연가산세를 적용하지 않는다.

② 무신고가산세 또는 과소신고 · 초과환급신고가산세를 적용할 때 장부의 기록 · 보관 불성실가산세, 주식 등 장부비치 · 기록의무 및 기장불성실가산세가 동시에 적용되는 경우에는 그 중 가산세액이 큰 가산세만 적용하고, 가산세액이 같은 경우에는 무신고가산세 또는 과소신고 · 초과환급신고가산세만 적용한다.

3. 납부지연가산세

(1) 가산세

① 납세의무자(연대납세의무자, 납세자를 갈음하여 납부할 의무가 생긴 제2차 납세의무자 및 보증인을 포함)가 법정납부기한까지 국세(「인지세」는 제외)의 납부(중간예납 · 예정신고납부 · 중간신고납부를 포함)를 하지 않거나 납부하여야 할 세액보다 적게 납부하거나 환급받아야 할 세액보다 많이 환급받은 경우에는 납부지연가산세를 부과한다.

② 납부지연가산세를 적용할 때 납부고지서에 따른 납부기한의 다음날부터 납부일까지의 기간(「국세징수법」에 따라 지정납부기한과 독촉장에서 정하는 기한을 연장한 경우에는 그 연장기간은 제외)이 5년을 초과하는 경우에는 그 기간은 5년으로 한다.

③ 체납된 국세의 납부고지서별 · 세목별 세액이 150만 원 미만인 경우에는 납부지연가산세 중 ⓐ와 ⓑ의 가산세를 적용하지 않는다.

④ 「인지세법」에 따른 인지세(부동산의 소유권 이전에 관한 증서에 대한 인지세는 제외함)의 납부를 하지 아니하거나 과소납부한 경우에는 납부하지 아니한 세액 또는 과소납부분 세액의 100분의 300에 상당하는 금액을 가산세로 한다. 다만, 다음의 어느 하나에 해당하는 경우(과세표준과 세액을 경정할 것을 미리 알고 납부하는 경우는 제외)에는 해당 금액을 가산세로 한다.

㉠ 「인지세법」에 따른 법정납부기한이 지난 후 3개월 이내에 납부한 경우: 납부하지 아니한 세액 또는 과소납부분 세액의 100분의 100

㉡ 「인지세법」에 따른 법정납부기한이 지난 후 3개월 초과 6개월 이내에 납부한 경우: 납부하지 아니한 세액 또는 과소납부분 세액의 100분의 200

납부지연가산세=ⓐ+ⓑ+ⓒ

ⓐ 납부하지 아니한 세액 또는 과소납부분 세액[1]×법정납부기한의 다음날부터 납부일까지의 기간$\times\frac{22}{100,000}$

ⓑ 초과환급 받은 세액[1]×환급받은 날의 다음날부터 납부일까지의 기간[2] $\times\frac{22}{100,000}$

ⓒ 법정납부기한까지 납부하여야 할 세액[1] 중 납부고지서에 따른 납부기한까지 납부하지 아니한 세액 또는 과소납부분 세액×3%(국세를 납부고지서에 따른 납부기한까지 완납하지 아니한 경우에 한정)

[1] 세법에 따라 가산하여 납부하여야 할 이자 상당 가산액이 있는 경우에는 그 금액을 더한다.

[2] 납부고지일부터 납부고지서에 따른 납부기한까지의 기간은 제외한다.

(2) 사업자가 아닌 자

「부가가치세법」에 따른 사업자가 아닌 자가 부가가치세액을 환급받은 경우에도 납부지연가산세를 적용한다.

(3) 적용배제

다음의 어느 하나에 해당하는 경우에는 납부지연가산세[앞 (1) 가산세의 ⓐ와 ⓑ의 가산세(법정납부기한의 다음날부터 납부고지일까지의 기간에 한정)]를 적용하지 아니한다.

① 「부가가치세법」에 따른 사업자가 같은 법에 따른 납부기한까지 어느 사업장에 대한 부가가치세를 다른 사업장에 대한 부가가치세에 더하여 신고납부한 경우

② 「부가가치세법」에 따른 대손세액에 상당하는 부분

③ 국세(소득세 · 법인세 및 부가가치세만 해당)를 과세기간을 잘못 적용하여 신고납부한 경우에는 납부지연가산세를 적용할 때 실제 신고납부한 날에 실제 신고납부한 금액의 범위에서 당초 신고납부하였어야 할 과세기간에 대한 국세를 자진납부한 것으로 본다. 다만, 해당 국세의 신고가 부정행위로 무신고한 경우 또는 부정행위로 과소신고 · 초과신고한 경우에는 그러하지 아니하다.

(4) 중복적용배제

① 원천징수 등 납부지연가산세가 부과되는 부분에 대하여는 국세의 납부와 관련하여 납부지연가산세를 부과하지 아니한다.

② 중간예납 · 예정신고납부 및 중간신고납부와 관련하여 납부지연가산세가 부과되는 부분에 대하여는 확정신고납부와 관련하여 납부지연가산세를 부과하지 아니한다.

4. 원천징수 등 납부지연가산세

(1) 가산세 계산

국세를 징수하여 납부할 의무[1]를 지는 자가 징수하여야 할 세액(납세조합의 경우에는 징수한 세액)을 법정납부기한까지 납부하지 않거나 과소납부한 경우에는 납부하지 않은 세액 또는 과소납부분 세액의 50%(①의 금액과 ② 중 법정납부기한의 다음날부터 납부고지일까지의 기간에 해당하는 금액을 합한 금액은 10%)에 상당하는 금액을 한도로 하여 다음의 금액을 합한 금액을 가산세로 한다.

[1] 국세를 징수하여 납부할 의무란 다음의 어느 하나에 해당하는 의무를 말한다.
1. 「소득세법」 또는 「법인세법」에 따라 소득세 또는 법인세를 원천징수하여 납부할 의무
2. 「소득세법」에 따른 납세조합이 징수의무규정에 따라 소득세를 징수하여 납부할 의무
3. 「부가가치세법」의 대리납부의무 규정에 따라 용역 등을 공급받는 자가 부가가치세를 징수하여 납부할 의무

원천징수 등 납부지연가산세=①+②

① 납부하지 아니한 세액 또는 과소납부분 세액의 3%에 상당하는 금액

② 납부하지 아니한 세액 또는 과소납부분 세액×법정납부기한의 다음날부터 납부일까지의 기간(납부고지일부터 납부고지서에 따른 납부기한까지의 기간은 제외)$\times \frac{22}{100,000}$

위 원천징수 등 납부지연가산세를 적용할 때 납부고지서에 따른 납부기한의 다음날부터 납부일까지의 기간(「국세징수법」에 따라 지정납부기한과 독촉장에서 정하는 기한을 연장한 경우에는 그 연장기간은 제외)이 5년을 초과하는 경우에는 그 기간은 5년으로 한다. 체납된 국세의 납부고지서별 · 세목별 세액이 150만 원 미만인 경우에는 위 원천징수 등 납부지연가산세 중 ②의 가산세를 적용하지 아니한다.

(2) **적용배제**

다음의 어느 하나에 해당하는 경우에는 원천징수 등 납부지연가산세를 적용하지 아니한다.

① 「소득세법」에 따라 소득세를 원천징수하여야 할 자가 우리나라에 주둔하는 미군인 경우

② 「소득세법」에 따라 소득세를 원천징수하여야 할 자가 공적연금 관련법에 따라 받는 일시금(퇴직소득) 또는 공적연금 관련법에 따라 받는 각종 연금(연금소득)을 지급하는 경우

③ 소득세 또는 법인세를 원천징수하여야 할 자가 국가 · 지방자치단체 또는 지방자치단체조합인 경우. 다만, 원천징수 등 납부지연 가산세특례 규정에 따라 국가 · 지방자치단체 또는 지방자치단체조합이라도 원천징수납부불성실가산세를 징수하여 납부하는 경우는 제외한다.

5. 가산세 감면

(1) 전액 감면

정부는 「국세기본법」 또는 세법에 따라 가산세를 부과하는 경우 그 부과의 원인이 되는 사유가 기한연장사유에 해당하거나 납세자가 의무를 이행하지 아니한 데 대한 정당한 사유가 있는 때에는 해당 가산세를 부과하지 아니한다.

참고

정당한 사유로 보는 경우와 정당한 사유로 보지 않는 경우

1. 정당한 사유로 보는 경우
   ① 세법해석에 관한 질의 · 회신 등에 따라 신고 · 납부하였으나 이후 다른 과세처분을 하는 경우
   ② 「공익사업을 위한 토지 등의 취득 및 보상에 관한 법률」에 따른 토지 등의 수용 또는 사용, 「국토의 계획 및 이용에 관한 법률」에 따른 도시 · 군계획 또는 그 밖의 법령 등으로 인해 세법상 의무를 이행할 수 없게 된 경우
   ③ 「소득세법 시행령」에 따라 실손의료보험금을 의료비에서 제외함에 있어 실손의료보험금 지급의 원인이 되는 의료비를 지출한 과세기간과 해당 보험금을 지급받은 과세기간이 달라 해당 보험금을 지급받은 후 의료비를 지출한 과세기간에 대한 소득세를 수정신고하는 경우(해당 보험금을 지급받은 과세기간에 대한 종합소득 과세표준확정신고 기한까지 수정신고 하는 경우에 한함)
2. 정당한 사유로 보지 않는 경우
   ① 법령의 부지 · 착오
   ② 세무공무원의 잘못된 설명을 믿고 그 신고납부의무를 이행하지 아니하였다 하더라도 그것이 관련 법령에 어긋나는 것임이 명백한 경우

(2) 일정액 감면

① **과소신고 · 초과환급신고가산세 감면:** 법정신고기한이 지난 후 수정신고한 경우(과소신고 · 초과환급신고가산세만 해당하며, 과세표준과 세액을 경정할 것을 미리 알고[1] 과세표준수정신고서를 제출한 경우는 제외)에는 다음의 구분에 따른 금액을 감면한다(해당 세액을 납부하지 않은 경우에도 감면함).

법정신고기한 지난 후 다음 기간 내 수정신고하는 경우	가산세 감면율
1개월 이내	90%
1개월 초과 3개월 이내	75%
3개월 초과 6개월 이내	50%
6개월 초과 1년 이내	30%
1년 초과 1년 6개월 이내	20%
1년 6개월 초과 2년 이내	10%

② **무신고가산세 감면:** 법정신고기한이 지난 후 기한후신고를 한 경우(무신고가산세만 해당하며, 과세표준과 세액을 경정할 것을 미리 알고[1] 기한후과세표준신고서를 제출한 경우는 제외)에는 다음의 구분에 따른 금액을 감면한다(해당 세액을 납부하지 않은 경우에도 감면함).

법정신고기한 지난 후 다음 기간 내 기한후신고하는 경우	가산세 감면율
1개월 이내	50%
1개월 초과 3개월 이내	30%
3개월 초과 6개월 이내	20%

기출 OX

과세표준수정신고서를 제출한 과세표준과 세액을 경정할 것을 미리 알고 법정신고기한이 지난 후 6개월 이내에 수정신고서를 제출한 경우에는 가산세를 감면하지 않는다. (○) 10. 7급

❶ 경정 등 미리 알고 제출한 경우

1. 해당 국세에 관하여 세무공무원이 조사를 착수한 것을 알고 과세표준신고서를 제출한 경우
2. 해당 국세에 관하여 관할세무서장으로부터 과세자료 해명통지를 받고 과세표준신고서를 제출한 경우

③ 기타가산세 감면: 다음의 어느 하나에 해당하는 경우에는 해당 가산세액의 50%에 상당하는 금액을 감면한다.

㉠ 과세전적부심사 결정 · 통지기간에 그 결과를 통지하지 아니한 경우(결정 · 통지가 지연됨으로써 해당 기간에 부과되는 납부지연가산세만 해당)

㉡ 세법에 따른 제출 · 신고 · 가입 · 등록 · 개설(이하 '제출 등'이라 함)의 기한이 지난 후 1개월 이내에 해당 세법에 따른 제출 등의 의무를 이행하는 경우(제출 등의 의무위반에 대하여 세법에 따라 부과되는 가산세만 해당)

㉢ 과소신고 · 초과환급신고가산세 감면규정에도 불구하고 세법에 따른 예정신고기한 및 중간신고기한까지 예정신고 및 중간신고를 하였으나 과소신고하거나 초과신고한 경우로서 확정신고기한까지 과세표준을 수정하여 신고한 경우(해당 기간에 부과되는 과소신고 · 초과환급신고가산세만 해당하며, 과세표준과 세액을 경정할 것을 미리 알고 과세표준신고를 하는 경우는 제외)[1]

㉣ 무신고가산세 감면규정에도 불구하고 세법에 따른 예정신고기한 및 중간신고기한까지 예정신고 및 중간신고를 하지 아니하였으나 확정신고기한까지 과세표준신고를 한 경우(해당 기간에 부과되는 무신고가산세만 해당하며, 과세표준과 세액을 경정할 것을 미리 알고 과세표준신고를 하는 경우는 제외)

④ 감면신청: 위의 가산세 감면 등을 받으려는 자는 신청서를 관할세무서장(세관장 또는 지방자치단체의 장을 포함)에게 제출하여야 하며, 관할세무서장은 신청서를 제출받은 때에는 그 승인 여부를 통지하여야 한다.

6. 가산세 한도

다음의 어느 하나에 해당하는 가산세에 대하여는 그 의무위반의 종류별로 각각 5천만 원(중소기업이 아닌 기업은 1억 원)을 한도로 한다. 다만, 해당 의무를 고의적으로 위반한 경우에는 그러하지 아니하다.

(1) 「소득세법」

① 영수증수취명세서 제출 · 작성 불성실가산세
② 사업자현황신고 불성실가산세
③ 증명서류 수취 불성실가산세
④ 기부금영수증 발급 · 작성 · 보관 불성실가산세
⑤ 계산서 등 제출 불성실가산세
⑥ 지급명세서 제출 불성실가산세
⑦ 특정외국법인의 유보소득 계산명세서 제출 불성실가산세

기출 OX

「국세기본법」 제81조의15에 따른 과세전적부심사 결정 · 통지기간에 그 결과를 통지하지 아니한 경우에는 신고 · 납부 관련 가산세의 50%에 상당하는 금액을 감면한다. (×) 12. 7급

▶ 납부지연가산세만 감면대상에 해당한다.

[1] 법정신고기한이 지난 후 6개월 초과, 2년 이내인 경우를 대상으로 한다.

(2) 「**법인세법**」

① 주주 등의 명세서 등 제출 불성실가산세

② 기부금영수증 발급 · 작성 · 보관 불성실가산세

③ 증명서류 수취 불성실가산세

④ 지급명세서 제출 불성실가산세

⑤ 계산서 등 제출 불성실가산세(계산서 미발급, 가공발급 및 수취, 허위 발급 및 수취에 대한 가산세는 제외)

⑥ 특정외국법인의 유보소득 계산명세서 제출 불성실가산세

(3) 「**부가가치세법**」

① 등록불성실가산세

② 세금계산서 불성실가산세(단, 2% 가산세율이 적용되는 것은 제외)

③ 매출처별 세금계산서 합계표 불성실가산세

④ 매입처별 세금계산서 합계표 불성실가산세

⑤ 수입금액명세서 불성실가산세

(4) 「**상속세 및 증여세법**」

① 공익법인이 출연받은 재산의 사용에 대한 계획 및 진도에 관한 보고서 불성실가산세

② 공익법인의 외부전문가의 세무확인 및 그 세무확인에 대한 보고 불성실가산세

③ 지급명세서 제출 불성실가산세

(5) 「**조세특례제한법**」

① 창업자금사용내역 제출 불성실가산세

② 세금우대자료 미제출 가산세

기출문제

01 「국세기본법」상 수정신고에 대한 설명으로 옳지 않은 것은? 2018년 7급

① 「소득세법」 제73조 제1항 제1호(근로소득만 있는 자)에 따라 소득세 과세표준확정신고의무가 면제되는 자는 수정신고를 할 수 있는 자에 해당한다.
② 수정신고를 하였더라도 그 신고로 인하여 납세의무 확정효력이 발생하지 않는 경우도 있다.
③ 과세표준신고액에 상당하는 세액을 자진납부하는 국세에 관하여 수정신고를 한 자는 과소신고세액 등을 추가로 납부하여야 하는데 이를 납부하지 않은 경우에는 수정신고에 따른 과소신고가산세를 감면해주지 않는다.
④ 납세자의 과소신고에 대해 관할세무서장이 해당 세법에 따라 과세표준과 세액을 경정하여 통지한 경우 그 경정통지한 부분에 대해서는 수정신고를 할 수 없다.

01
법정신고기한이 지난 뒤 2년 이내에 수정신고를 하는 경우에는 과소신고 · 초과환급신고가산세를 감면한다. 이 경우 추가로 납부할 세액을 납부하지 않은 경우에도 감면대상에 해당된다.

02 「국세기본법」상 수정신고와 경정청구에 대한 설명으로 옳지 않은 것은? 2014년 9급

① 과세표준신고서를 법정신고기한까지 제출한 자 또는 기한후과세표준신고서를 제출한 자는 과세표준신고서에 기재된 과세표준 및 세액이 세법에 따라 신고하여야 할 과세표준 및 세액보다 큰 경우 과세표준수정신고서를 제출할 수 있다.
② 국세의 과세표준 및 세액의 결정 또는 경정을 받은 자가 소득의 귀속을 제3자에게로 변경시키는 결정 또는 경정이 있을 때에는 그 사유가 발생한 것을 안 날부터 3개월 이내에 결정 또는 경정을 청구할 수 있다.
③ 과세표준신고서를 법정신고기한까지 제출한 자 또는 기한후과세표준신고서를 제출한 자는 과세표준신고서에 기재된 환급세액이 세법에 따라 신고하여야 할 환급세액을 초과할 때에는 법에 정한 바에 따라 과세표준수정신고서를 제출할 수 있다.
④ 결정 또는 경정의 청구를 받은 세무서장은 그 청구를 받은 날부터 2개월 이내에 과세표준 및 세액을 결정 또는 경정하거나 결정 또는 경정하여야 할 이유가 없다는 뜻을 그 청구를 한 자에게 통지하여야 한다.

02
과세표준신고서를 법정신고기한까지 제출한 자 또는 기한후과세표준신고서를 제출한 자는 과세표준신고서에 기재된 과세표준 및 세액이 세법에 따라 신고하여야 할 과세표준 및 세액보다 큰 경우 경정청구서를 제출할 수 있다.

정답 01 ③ 02 ①

03 「국세기본법」상 수정신고와 경정 등의 청구에 대한 설명으로 옳은 것만을 모두 고르면? 2021년 7급

ㄱ. 상속세의 수정신고는 당초의 신고에 따라 확정된 과세표준과 세액을 증액하여 확정하는 효력을 가진다.
ㄴ. 과세표준신고서를 법정신고기한까지 제출한 자 또는 국세의 과세표준 및 세액의 결정을 받은 자는 후발적 사유가 발생한 경우 그 사유가 발생한 것을 안 날부터 4개월 이내에 결정 또는 경정을 청구할 수 있다.
ㄷ. 과세표준신고서를 법정신고기한까지 제출한 자 및 기한후과세표준신고서를 제출한 자는 관할 세무서장이 과세표준과 세액을 결정 또는 경정하여 통지하기 전으로서 국세의 부과제척기간이 끝나기 전까지 수정신고를 할 수 있다.
ㄹ. 과세표준신고서를 법정신고기한까지 제출한 자뿐만 아니라 기한후과세표준신고서를 제출한 자도 과세표준 및 세액의 결정 또는 경정을 청구할 수 있다.

① ㄱ, ㄴ ② ㄱ, ㄷ
③ ㄴ, ㄹ ④ ㄷ, ㄹ

03
옳은 것은 ㄷ, ㄹ이다.

오답체크
ㄱ. 상속세는 정부부과세목이므로 수정신고로 확정되지 않는다.
ㄴ. 후발적 사유에 따른 경정청구는 발생한 것을 안 날로부터 3개월 이내에 청구할 수 있다.

04 「국세기본법」상 경정청구에 관한 설명으로 옳지 않은 것은? 2011년 7급

① 법인세 납세의무자가 법정신고기한까지 과세표준확정신고를 한 후 다시 적법한 경정청구를 한 경우에는 그 금액에 대해 납세자의 경정청구만으로도 납세의무가 확정되는 효력이 있다.
② 납세자의 신고에 의해 확정되는 국세뿐만 아니라 정부의 결정에 의하여 확정되는 국세도 경정청구를 할 수 있다.
③ 납세자가 과세표준신고서를 법정신고기한까지 제출하였으나 해당 국세를 자진납부하지 않은 경우에도 경정청구를 할 수 있다.
④ 납세자가 과세표준신고서를 법정신고기한까지 제출한 후 관할세무서장이 경정처분을 한 경우에도 납세자는 경정청구를 할 수 있다.

04
경정 등의 청구는 세액을 확정하는 효력이 없다.

정답 03 ④ 04 ①

05 「국세기본법」상 후발적 사유에 의한 경정청구에 대한 설명으로 옳지 않은 것은? (다툼이 있는 경우 판례에 의함)

2015년 7급

① 최초에 결정한 과세표준 및 세액의 계산근거가 된 거래가 그에 관한 소송에 대한 판결에 의하여 다른 것으로 확장된 때에는 그 사유가 발생한 것을 안 날부터 3개월 이내의 경우라도, 납세의무자는 해당 거래에 대한 국세부과 제척기간이 경과하였다면 경정청구를 할 수 없다.

② 국세의 과세표준 및 세액의 결정을 받은 자는 소득이나 그 밖의 과세물건의 귀속을 제3자에게로 변경시키는 경정이 있는 경우 「국세기본법」에서 규정하는 기간에도 불구하고 그 사유가 발생한 것을 안 날부터 3개월 이내에 경정을 청구할 수 있다.

③ 「국세기본법」에 따라 경정의 청구를 받은 세무서장은 그 청구를 받은 날부터 2개월 이내에 과세표준 및 세액을 경정하거나 경정하여야 할 이유가 없다는 뜻을 그 청구를 한 자에게 통지하여야 한다.

④ 최초의 결정을 할 때 과세표준 및 세액의 계산근거가 된 거래의 효력과 관계되는 계약이 국세의 법정신고기한이 지난 후에 해제권의 행사에 의하여 해제된 경우도 경정청구사유가 된다.

05

최초에 결정한 과세표준 및 세액의 계산근거가 된 거래가 그에 관한 소송에 대한 판결에 의하여 다른 것으로 확정된 때에는 그 사유가 발생한 것을 안 날부터 3개월 이내의 경우에는 납세의무자는 해당 거래에 대한 국세부과 제척기간이 경과하였어도 경정청구를 할 수 있다.

06 국세기본법령상 후발적 사유에 의한 경정청구에 대한 설명으로 옳지 않은 것은?

2021년 9급

① 과세표준신고서를 법정신고기한까지 제출한 자는 소득이나 그 밖의 과세물건의 귀속을 제3자에게로 변경시키는 결정 또는 경정이 있을 때에는 후발적 사유에 의한 경정을 청구할 수 없다.

② 국세의 과세표준 및 세액의 결정을 받은 자는 조세조약에 따른 상호합의가 최초의 신고 · 결정 또는 경정의 내용과 다르게 이루어졌을 때에는 후발적 사유에 의한 경정을 청구할 수 있다.

③ 과세표준신고서를 법정신고기한까지 제출한 자는 최초의 신고 · 결정 또는 경정에서 과세표준 및 세액의 계산 근거가 된 거래 또는 행위 등이 그에 관한 소송에 대한 판결에 의하여 다른 것으로 확정되었을 때에는 후발적 사유에 의한 경정을 청구할 수 있다.

④ 후발적 사유가 발생하였을 때에는 그 사유가 발생한 것을 안 날부터 3개월 이내에 결정 또는 경정을 청구할 수 있다.

06

과세표준신고서를 법정신고기한까지 제출한 자는 소득이나 그 밖의 과세물건의 귀속을 제3자에게로 변경시키는 결정 또는 경정이 있을 때에는 후발적 사유에 해당된다.

정답 05 ① 06 ①

07 「국세기본법」상 가산세에 대한 설명으로 옳지 않은 것은? 2018년 7급

① 원천징수 등 납부지연가산세가 부과되는 부분에 대해서는 납부지연가산세를 별도로 부과하지 아니한다.
② 가산세는 납부할 세액에 가산하거나 환급받을 세액에서 공제한다.
③ 과세기간을 잘못 적용하여 소득세를 신고납부한 경우, 그 신고가 「국세기본법」상 부정행위로 인한 무신고 등에 해당하지 않는 한, 실제 신고납부한 날에 실제 신고납부한 금액의 범위에서 당초 신고납부하였어야 할 과세기간에 대한 국세를 자진납부한 것으로 보아 납부지연가산세를 계산한다.
④ 국가가 가산세를 납부하는 경우는 없다.

07
국가도 「법인세법」상 비과세 대상에 해당하므로 대부분의 가산세를 적용하지 않는다. 다만, 원천징수와 관련된 지급명세서 제출불성실가산세에 대하여 국가에 대한 면제규정이 없으므로 가산세를 부담할 수 있다.

08 「국세기본법」상 가산세 감면 등이 적용될 수 없는 것은? 2010년 7급

① 납세자가 입은 화재로 인한 신고의 지연이 가산세 부과의 원인인 경우로서 그 화재가 기한연장사유에 해당하는 경우
② 과세전적부심사 결정 · 통지기간 이내에 그 결과를 통지하지 아니하고 지연됨으로써 그 지연된 기간에 부과되는 납부지연가산세인 경우
③ 납세자가 세법에서 정한 의무를 이행하지 아니한 데 대한 정당한 사유가 있는 때
④ 과세표준수정신고서를 제출한 과세표준과 세액을 경정할 것을 미리 알고 법정신고기한이 지난 후 2년 이내에 수정신고서를 제출한 경우

08
과세표준과 세액을 경정할 것을 미리 알고 제출한 경우에는 수정신고에 따른 과소신고 · 초과환급신고가산세 감면대상에 해당하지 않는다.

정답 07 ④ 08 ④

09 「국세기본법」상 가산세에 관한 설명으로 옳지 않은 것은? 2010년 9급

① 「소득세법」상 지급명세서 제출의무를 부담하는 자가 이를 고의적으로 위반한 경우에는 가산세의 한도를 두지 아니한다.
② 정부가 「국세기본법」에 따라 가산세를 부과하는 경우 납세자가 의무를 이행하지 아니한 데 대한 정당한 사유가 있는 때에는 해당 가산세를 부과하지 아니한다.
③ 가산세는 해당 의무가 규정된 세법의 해당 국세의 세목으로 한다. 다만, 해당 국세를 감면하는 경우에 가산세는 그 감면대상에 포함시키지 아니하는 것으로 한다.
④ 납세의무자가 대법원 판결과 다른 조세심판원의 결정취지를 그대로 믿어 세법에 규정된 신고 · 납부의무를 해태한 경우에는 가산세를 부과하지 않는다.

09
세법이 아닌 대법원 판결과 다른 조세심판원의 결정취지를 그대로 믿는 것은 가산세 감면의 정당한 사유에 해당하지 않는다.

10 「국세기본법」상 가산세에 대한 설명으로 옳지 않은 것은? 2015년 7급

① 세법에 따른 제출기한이 지난 후 1개월 이내에 해당 세법에 따른 제출의무를 이행하는 경우 제출의무 위반에 대하여 세법에 따라 부과되는 해당 가산세액의 100분의 50에 상당하는 금액을 감면한다.
② 납세자가 의무를 이행하지 아니한 데 대한 정당한 사유가 있는 때에는 해당 가산세를 부과하지 아니한다.
③ 가산세는 해당 의무가 규정된 세법의 해당 국세의 세목으로 하며, 해당 국세를 감면하는 경우에는 가산세도 그 감면대상에 포함한 것으로 한다.
④ 가산세 부과의 원인이 되는 사유가 「국세기본법」에 따른 기한연장사유에 해당하는 경우에는 해당 가산세를 부과하지 아니한다.

10
해당 국세를 감면하는 경우에 가산세는 그 감면대상 국세에 포함하지 아니한다.

11 국세기본법령상 후발적 사유로 인한 경정 등의 청구가 가능한 사유에 해당하는 것만을 모두 고르면? 2023년 9급

ㄱ. 최초의 신고 · 결정 또는 경정을 할 때 과세표준 및 세액의 계산 근거가 된 거래 또는 행위 등의 효력과 관계되는 관청의 허가나 그 밖의 처분이 취소된 경우가 해당 국세의 법정신고기한이 지난 후에 발생하였을 때
ㄴ. 소득이나 그 밖의 과세물건의 귀속을 제3자에게로 변경시키는 결정 또는 경정이 있을 때
ㄷ. 조세조약에 따른 상호합의가 최초의 신고 · 결정 또는 경정의 내용과 다르게 이루어졌을 때

① ㄱ, ㄴ
② ㄱ, ㄷ
③ ㄴ, ㄷ
④ ㄱ, ㄴ, ㄷ

11
ㄱ, ㄴ, ㄷ 모두 후발적 사유에 해당된다.

정답 09 ④ 10 ③ 11 ④

08 국세환급금과 국세환급가산금

1 개념

세무서장은 납세의무자가 국세 또는 강제징수비로서 납부한 금액 중 잘못 납부 또는 초과하여 납부한 금액이 있거나 세법에 따라 환급하여야 할 환급세액(세법에 따라 환급세액에서 공제하여야 할 세액이 있을 때에는 공제한 후에 남은 금액)이 있을 때에는 즉시 그 잘못 납부한 금액, 초과하여 납부한 금액 또는 환급세액을 국세환급금으로 결정하여야 한다.

심화 | 환급세액 등 용어정리

1. **잘못 납부한 금액(오납금):** 납부 또는 징수의 기초가 된 신고 또는 부과처분이 부존재하거나 당연무효임에도 불구하고 납부 또는 징수된 세액을 말한다(오납금은 처음부터 조세채무가 없으므로 납부 또는 징수시에 이미 환급이 확정되어 있음).
2. **초과납부액(과납금):** 신고 또는 부과처분이 당연무효는 아니나 그 후 취소 또는 경정됨으로써 그 전부 또는 일부가 감소된 세액을 말한다(신고 또는 부과처분의 취소 또는 경정에 의하여 조세채무의 전부 또는 일부가 소멸한 때에 환급이 확정됨).
3. **환급세액:** 적법하게 납부 또는 징수되었으나 그 후 국가가 보유할 정당한 이유가 없게 되어 각 개별 세법에서 환급하기로 정한 세액을 말한다(개별 세법에서 규정한 환급 요건에 따라 환급이 확정됨).

2 국세환급금의 충당과 환급

1. 충당

(1) 직권으로 충당

다음의 경우는 납세자의 동의 없이 직권으로 충당할 수 있다.

① 체납된 국세와 강제징수비[1](다른 세무서에 체납된 국세와 강제징수비를 포함)

② 납부기한전징수사유로 인한 납부고지

(2) 납세자 동의가 있는 경우 충당

① 세법에 따라 자진납부하는 국세

② 납부고지에 의하여 납부하는 국세(납부기한전징수사유로 인한 고지는 제외)

(3) 신청에 의한 충당

납세자가 세법에 따라 환급받을 환급세액이 있는 경우에는 그 환급세액을 국세에 충당할 것을 청구할 수 있다. 이 경우 충당된 세액의 충당청구를 한 날에 해당 국세를 납부한 것으로 본다.

[1] 체납된 국세 또는 강제징수비와 국세환급금은 체납된 국세의 법정납부기한과 국세환급금 발생일 중 늦은 때로 소급하여 대등액에 관하여 소멸한 것으로 본다.

기출 OX

국세환급금으로 결정한 금액을 체납된 국세와 강제징수비에 충당한 경우 체납된 국세 또는 강제징수비와 국세환급금은 체납된 국세의 법정납부기한과 대통령령으로 정하는 국세환급금 발생일 중 늦은 때로 소급하여 대등액에 관하여 소멸한 것으로 본다. (○) 15. 7급

(4) 원천징수세액간 충당

원천징수의무자가 원천징수하여 납부한 세액에서 환급받을 환급세액이 있는 경우 그 환급액은 그 원천징수의무자가 원천징수하여 납부하여야 할 세액에 충당(다른 세목의 원천징수세액에의 충당은 「소득세법」에 따른 원천징수이행상황신고서에 그 충당 · 조정명세를 적어 신고한 경우에만 할 수 있음)하고 남은 금액을 환급한다. 다만, 그 원천징수의무자가 그 환급액을 즉시 환급하여 줄 것을 요구하는 경우나 원천징수하여 납부하여야 할 세액이 없는 경우에는 즉시 환급한다.

(5) 충당순서

① 국세환급금을 충당할 경우에는 체납된 국세와 강제징수비에 우선 충당하여야 한다. 다만, 납세자가 납부고지에 의하여 납부하는 국세에 충당하는 것을 동의하거나 신청한 경우에는 납부고지에 의하여 납부하는 국세에 우선 충당하여야 한다.

② 국세환급금(일반적인 환급금과 10만 원 이하이면서 1년 이내 환급이 이루어지지 않아 충당할 환급금 포함)이 2건 이상인 경우에는 소멸시효가 먼저 도래하는 것부터 충당하여야 한다.

2. 지급

(1) 국세환급금 중 국세 등에 충당한 후 남은 금액은 국세환급금의 결정을 한 날부터 30일 내에 납세자에게 지급하여야 한다.

(2) 국세환급금 중 국세 등에 충당한 후 남은 금액이 10만 원 이하이고, 지급결정을 한 날부터 1년 이내에 환급이 이루어지지 아니하는 경우에는 납부고지에 의하여 납부하는 국세에 충당할 수 있다. 이 경우 납세자의 동의가 있는 것으로 본다. 또한 국세환급금이 발생한 세목과 같은 세목이 있는 경우에는 같은 세목에 우선 충당한다.

(3) 세무서장은 해당 연도의 소관 세입금 중 납세자에게 이를 지급하도록 한국은행에 통지하여야 하며 국세환급금송금통지서를 납세자에게 송부하여야 한다.

(4) 세무서장은 금융회사 등 또는 체신관서에 계좌를 개설하고 세무서장에게 그 계좌를 신고한 납세자에게는 계좌이체방식으로 국세환급금을 지급할 수 있다.

(5) 세무서장은 국세환급금을 계좌이체방식으로 지급할 수 없는 납세자에게는 현금지급방식으로 지급할 수 있다.

(6) 세무서장이 국세환급금의 결정이 취소됨에 따라 이미 충당되거나 지급된 금액의 반환을 청구하는 경우에는 「국세징수법」의 고지 · 독촉 및 강제징수의 규정을 준용한다.

(7) 과세의 대상이 되는 소득, 수익, 재산, 행위 또는 거래의 귀속이 명의일 뿐이고 사실상 귀속되는 자(실질귀속자)가 따로 있어 명의대여자에 대한 과세를 취소하고 실질귀속자를 납세의무자로 하여 과세하는 경우 명의대여자 대신 실질귀속자가 납부한 것으로 확인된 금액은 실질귀속자의 기납부세액으로 먼저 공제하고 남은 금액이 있는 경우에는 실질귀속자에게 환급한다.

3. 국세환급금 배제

다음의 경우는 국세환급금으로 결정하지 않는다.

(1) 국세(소득세 · 법인세 및 부가가치세만 해당)를 과세기간을 잘못 적용하여 신고납부한 경우에는 납부지연가산세를 적용할 때 실제 신고납부한 날에 실제 신고납부한 금액의 범위에서 당초 신고납부하였어야 할 과세기간에 자진납부한 것으로 보는 경우

(2) 사업자가 「부가가치세법」에 따른 납부기한까지 어느 사업장에 대한 부가가치세를 다른 사업장에 대한 부가가치세에 더하여 신고납부한 경우에는 납부지연가산세를 적용할 때 부가가치세를 납부한 것으로 보는 경우

4. 국세환급금 권리의 양도

기출 OX
납세자는 국세환급금에 관한 권리를 법령에 정하는 바에 따라 타인에게 양도할 수 있다. (○) 14. 9급

(1) 납세자는 세무서장이 국세환급금통지서를 발급하기 전에 한하여 국세환급금에 관한 권리를 타인에게 양도할 수 있다. 이와 같이 국세환급금에 관한 권리를 양도하려는 납세자는 그 권리의 양도를 세무서장에게 문서로 요구하여야 한다.

(2) 양도인의 체납액 등이 있어서 국세 또는 강제징수비에 충당하는 경우 충당 후 남은 금액에 대하여는 양수인의 체납액 등을 충당 후에 환급한다.

5. 국세환급금의 소멸시효

기출 OX
납세자의 국세환급가산금에 관한 권리는 행사할 수 있는 때로부터 5년간 행사하지 아니하면 소멸시효가 완성된다. (○) 10. 9급

납세자의 국세환급금과 국세환급가산금에 관한 권리는 행사할 수 있는 때(국세환급가산금의 기산일. 다만, 납부 후 그 납부의 기초가 된 신고 또는 부과를 경정하거나 취소하는 경우에는 경정결정일 또는 부과취소일을 말함)부터 5년간 행사하지 아니하면 소멸시효가 완성된다.

심화 | 국세환급금 소멸시효

1. 국세환급금과 국세환급가산금을 과세처분의 취소 또는 무효확인청구의 소 등 행정소송으로 청구한 경우 시효의 중단에 관하여 「민법」에 따른 청구를 한 것으로 본다. 이 경우 각하 · 기각 또는 취하의 경우에는 시효중단의 효력이 없다.
2. 소멸시효는 세무서장이 납세자의 환급청구를 촉구하기 위하여 납세자에게 하는 환급청구의 안내 · 통지 등으로 인하여 중단되지 아니한다.

3 국세환급가산금

1. 개념

(1) 세무서장은 국세환급금을 충당하거나 지급할 때에는 국세환급가산금 기산일부터 충당하는 날 또는 지급결정을 하는 날까지의 기간과 금융회사 등의 예금이자율 등을 고려하여 이자율(시중은행의 1년 만기 정기예금 평균 수신금리를 고려하여 기획재정부령으로 정하는 이자율[❶])에 따라 계산한 금액(이하 '국세환급가산금'이라 함)을 국세환급금에 가산하여야 한다.

(2) 국세환급금 중 국세 등에 충당한 후 남은 금액이 10만 원 이하이고, 지급결정을 한 날부터 1년 이내에 환급이 이루어지지 않아 충당하는 경우 국세환급가산금은 지급결정을 한 날까지 가산한다.

> 국세환급가산금 = 국세환급금 × 이자율 × 이자계산기간

❶ 이자율은 1천분의 29를 적용한다. 다만, 납세자가 이의신청, 심사청구, 심판청구, 「감사원법」에 따른 심사청구 또는 「행정소송법」에 따른 소송을 제기하여 그 결정 또는 판결에 따라 세무서장이 국세환급금을 지급하는 경우로서 그 결정 또는 판결이 확정된 날부터 40일 이후에 납세자에게 국세환급금을 지급하는 경우에는 기본이자율의 1.5배에 해당하는 이자율을 적용한다.

2. 국세환급가산금 계산기간

국세환급금가산금 기산일이란 다음의 구분에 따른 날의 다음날로 한다.

구분	기산일
① 착오납부, 이중납부 또는 납부 후 그 납부의 기초가 된 신고 또는 부과를 경정하거나 취소함에 따라 발생한 국세환급금	국세 납부일[❷]
② 적법하게 납부된 국세의 감면으로 발생한 국세환급금	감면 결정일
③ 적법하게 납부된 후 법률이 개정되어 발생한 국세환급금	개정된 법률의 시행일
④ 「소득세법」, 「법인세법」, 「부가가치세법」, 「개별소비세법」, 「주세법」, 「교통 · 에너지 · 환경세법」 또는 「조세특례제한법」에 따른 환급세액의 신고, 환급신청, 경정 또는 결정으로 인하여 환급하는 경우	신고를 한 날(신고한 날이 법정신고기일 전인 경우에는 해당 법정신고기일) 또는 신청을 한 날부터 30일이 지난 날. 다만, 환급세액을 법정신고기한까지 신고하지 않음에 따른 결정으로 인하여 발생한 환급세액을 환급할 때에는 해당 결정일부터 30일이 지난 날(세법에서 환급기한을 정하고 있는 경우에는 그 환급기한의 다음 날)로 한다.

❷ 다만, 그 국세가 2회 이상 분할납부된 것인 경우에는 그 마지막 납부일로 하되, 국세환급금이 마지막에 납부된 금액을 초과하는 경우에는 그 금액이 될 때까지 납부일의 순서로 소급하여 계산한 국세의 각 납부일로 하며, 세법에 따른 중간예납액 또는 원천징수에 의한 납부액은 해당 세목의 법정신고기한 만료일에 납부된 것으로 본다.

심화 | 환급가산금 지급제한

다음의 어느 하나에 해당하는 사유 없이 고충민원[❸]의 처리에 따라 국세환급금을 충당하거나 지급하는 경우에는 국세환급가산금을 가산하지 아니한다.

1. 경정 등의 청구
2. 이의신청, 심사청구, 심판청구, 「감사원법」에 따른 심사청구 또는 「행정소송법」에 따른 소송에 대한 결정이나 판결

❸ 국세와 관련하여 납세자가 경정 등의 청구, 이의신청, 심사청구, 심판청구, 「감사원법」에 따른 심사청구의 청구기한 또는 「행정소송법」에 따른 소송의 제소기한까지 그 청구 또는 소송을 제기하지 아니한 사항에 대하여 과세관청에게 직권으로 필요한 처분을 해 줄 것을 요청하는 민원을 말한다.

> **심화 | 국세환급금 발생일**
>
> 국세환급금 발생일은 다음의 날로 한다.
> 1. **착오납부, 이중납부 또는 납부의 기초가 된 신고 또는 부과의 취소 · 경정에 따라 환급하는 경우**: 그 국세 납부일(세법에 따른 중간예납액 또는 원천징수에 따른 납부액인 경우에는 그 세목의 법정신고기한의 만료일). 다만, 그 국세가 2회 이상 분할납부된 것인 경우에는 그 마지막 납부일로 하되, 국세환급금이 마지막에 납부된 금액을 초과하는 경우에는 그 금액이 될 때까지 납부일의 순서로 소급하여 계산한 국세의 각 납부일로 한다.
> 2. **적법하게 납부된 국세의 감면으로 환급하는 경우**: 그 감면 결정일
> 3. **적법하게 납부된 후 법률이 개정되어 환급하는 경우**: 그 개정된 법률의 시행일
> 4. **「소득세법」, 「법인세법」, 「부가가치세법」, 「개별소비세법」, 「주세법」 또는 「조세특례제한법」에 따른 환급세액의 신고, 환급신청 또는 신고한 환급세액의 경정으로 인하여 환급하는 경우**: 그 신고 · 신청일. 다만, 환급세액을 신고하지 않은 경우(법정신고기한이 지난 후 기한후신고를 한 경우 포함)로서 결정에 의하여 환급세액을 환급하는 경우에는 해당 결정일로 한다.
> 5. **원천징수의무자가 연말정산 또는 원천징수하여 납부한 세액을 경정청구에 따라 환급하는 경우**: 연말정산세액 또는 원천징수세액 납부기한의 만료일
> 6. **「조세특례제한법」에 따라 근로장려금을 환급하는 경우**: 근로장려금의 결정일

4 물납재산의 환급

1. 개념

납세자가 「상속세 및 증여세법」에 따라 상속세를 물납한 후 그 부과의 전부 또는 일부를 취소하거나 감액하는 경정 결정에 따라 환급하는 경우에는 해당 물납재산으로 환급하여야 한다. 이 경우 국세환급가산금은 지급하지 아니한다.

기출 OX
납세자가 상속세를 물납한 후 그 부과의 일부를 감액하는 결정 · 경정에 따라 환급하는 경우에는 국세환급가산금을 국세환급금에 가산하지 아니한다. (○)
10. 9급

2. 환급순서

납세자의 신청이 있는 경우에는 그 신청에 따라 관할세무서장이 환급한다. 다만, 납세자의 신청이 없는 경우에는 「상속세 및 증여세법 시행령」에 따른 물납충당재산의 허가순서[1]의 역순으로 환급한다.

[1]
1. 국채 및 공채
2. 유가증권으로 상장된 것
3. 부동산
4. 유가증권(1. 2. 5. 외)
5. 비상장주식
6. 상속인의 거주 주택과 토지

3. 물납재산의 유지와 과실

(1) 수익적 지출

물납재산을 환급하는 경우에 국가가 물납재산을 유지 또는 관리하기 위하여 지출한 비용은 국가의 부담으로 한다.

(2) 자본적 지출

① 국가가 물납재산에 대하여 자본적 지출을 한 경우에는 이를 납세자의 부담으로 한다.

② 물납재산의 수납 이후 발생한 과실(법정과실과 천연과실)은 납세자에게 환급하지 아니하고 국가에 귀속된다.

4. 환급의 제한

다음의 경우에는 물납재산으로 환급하지 않으며 일반환급을 준용한다.

(1) 물납재산이 매각된 경우

(2) 해당 물납재산의 성질상 분할하여 환급하는 것이 곤란한 경우

(3) 해당 물납재산이 임대 중에 있거나 다른 행정용도로 사용되고 있는 경우

(4) 사용계획이 수립되어 해당 물납재산으로 환급하는 것이 곤란하다고 인정되는 경우 등

기출문제

01 국세기본법령상 국세환급금의 발생일로 옳지 않은 것은? 2021년 9급

① 적법하게 납부된 후 법률이 개정되어 환급하는 경우: 당초 과세표준 신고일
② 원천징수의무자가 원천징수하여 납부한 세액을 「국세기본법」 제45조의2 제5항에 따른 경정청구에 따라 환급하는 경우: 원천징수세액 납부기한의 만료일
③ 「조세특례제한법」에 따라 근로장려금을 환급하는 경우: 근로장려금의 결정일
④ 적법하게 납부된 국세의 감면으로 환급하는 경우: 그 감면 결정일

01
적법하게 납부된 후 법률이 개정되어 환급하는 경우는 개정된 법률의 시행일을 환급금발생일로 한다.

02 「국세기본법」상 국세의 환급에 대한 설명으로 옳지 않은 것은? 2020년 7급

① 국세환급금의 소멸시효는 세무서장이 납세자의 환급청구를 촉구하기 위하여 납세자에게 하는 환급청구의 통지로 인하여 중단되지 아니한다.
② 국세환급금과 국세환급가산금을 과세처분의 취소 또는 무효확인청구의 소 등 행정소송으로 청구한 경우 시효의 중단에 관하여 「민법」에 따른 청구를 한 것으로 본다.
③ 납세자가 상속세를 물납한 후 그 부과의 전부 또는 일부를 취소하거나 감액하는 경정 결정에 따라 환급하는 경우에는 해당 물납재산으로 환급하면서 국세환급가산금도 지급하여야 한다.
④ 과세의 대상이 되는 소득의 귀속이 명의일 뿐이고 실질귀속자가 따로 있어 명의대여자에 대한 과세를 취소하고 실질귀속자를 납세의무자로 하여 과세하는 경우 명의대여자 대신 실질귀속자가 납부한 것으로 확인된 금액은 실질귀속자의 기납부세액으로 먼저 공제하고 남은 금액이 있는 경우에는 실질귀속자에게 환급한다.

02
물납재산을 환급할 때 환급가산금은 지급하지 않는다.

정답 01 ① 02 ③

03 **「국세기본법」상 국세환급에 대한 설명으로 옳은 것은?** 2016년 7급

① 국세환급은 별도의 환급신청이 필요하지 않으며, 당초 물납했던 재산으로 환급받는 물납재산환급의 경우에도 국세환급가산금을 받을 수 있다.
② 세무서장은 국세환급금으로 결정한 금액을 납세자의 동의와 관계없이 대통령령으로 정하는 바에 따라 체납된 국세와 강제징수비에 충당하여야 한다. 이는 다른 세무서에 체납된 국세와 강제징수비에 충당하는 경우에도 같다.
③ 세무서장이 국세환급금의 결정이 취소됨에 따라 이미 충당되거나 지급된 금액의 반환을 청구하는 경우에는 고지와 독촉의 절차 없이 당해 납세자의 재산에 대하여 압류를 행한다.
④ 납세자의 국세환급금에 관한 권리는 타인에게 양도할 수 없다.

03
오답체크
① 물납재산환급의 경우에는 국세환급가산금을 받을 수 없다.
③ 세무서장이 국세환급금의 결정이 취소됨에 따라 이미 충당되거나 지급된 금액의 반환을 청구하는 경우에는 「국세징수법」의 고지·독촉 및 강제징수의 규정을 준용한다.
④ 국세환급금에 관한 권리는 타인에게 양도할 수 있다.

04 **「국세기본법」상 국세환급금의 충당과 환급에 대한 설명으로 옳지 않은 것은?** 2015년 7급

① 세무서장이 국세환급금의 결정이 취소됨에 따라 이미 충당되거나 지급된 금액의 반환을 청구하는 경우에는 「국세징수법」의 고지·독촉 및 강제징수의 규정을 준용한다.
② 국세환급금으로 결정한 금액을 체납된 국세와 강제징수비에 충당한 경우 체납된 국세 또는 강제징수비와 국세환급금은 체납된 국세의 법정납부기한과 대통령령으로 정하는 국세환급금 발생일 중 늦은 때로 소급하여 대등액에 관하여 소멸한 것으로 본다.
③ 납세자가 세법에 따라 환급받을 환급세액이 있는 경우에는 그 환급세액을 납부고지에 의하여 납부하는 국세 및 세법에 따라 자진납부하는 국세에 충당할 것을 청구할 수 있다.
④ 원천징수의무자가 원천징수하여 납부한 세액에서 환급받을 환급세액이 있는 경우 원천징수의무자가 그 환급액을 즉시 환급해 줄 것을 요구하는 때에는 그 원천징수의무자가 원천징수하여 납부하여야 할 세액에 충당하고 남은 금액을 즉시 환급한다.

04
원천징수의무자가 원천징수하여 납부한 세액에서 환급받을 환급세액이 있는 경우 원천징수의무자가 그 환급액을 즉시 환급하여 줄 것을 요구하는 때에는 환급세액을 즉시 환급한다.

정답 03 ② 04 ④

05 「국세기본법」상 국세환급금에 대한 설명으로 옳지 않은 것은? 2014년 9급

① 납세자의 국세환급금 및 환급가산금에 관한 권리는 행사할 수 있는 때부터 5년간 행사하지 아니하면 소멸시효가 완성된다.
② 국세환급금으로 세법에 따라 자진납부하는 국세에 충당하는 경우에는 납세자가 그 충당에 동의해야 하는 것은 아니다.
③ 부가가치세 환급세액을 청구하는 소송은 「행정소송법」상 당사자소송의 절차에 따라야 한다.
④ 납세자는 국세환급금에 관한 권리를 법령에 정하는 바에 따라 타인에게 양도할 수 있다.

05
세법에 따라 자진납부하는 국세는 납세자가 그 충당에 동의한 경우에 충당할 수 있다.

06 국세환급가산금의 기산일에 대한 설명으로 옳지 않은 것은? (단, 국세는 분할납부하지 않는다고 가정한다) 2012년 7급

① 「법인세법」, 「소득세법」, 「부가가치세법」, 「개별소비세법」, 「주세법」 또는 「교통 · 에너지 · 환경세법」에 따른 환급세액을 신고 또는 경정으로 인하여 환급하는 경우: 경정결정일의 다음날
② 적법하게 납부된 후 법률이 개정되어 발생한 국세환급금: 개정된 법률의 시행일의 다음날
③ 착오납부, 이중납부 또는 납부 후 그 납부의 기초가 된 신고 또는 부과를 경정하거나 취소함에 따라 발생한 국세환급금: 국세의 납부일의 다음날
④ 적법하게 납부된 국세의 감면으로 발생한 국세환급금: 감면결정일의 다음날

06
「법인세법」, 「소득세법」, 「부가가치세법」, 「개별소비세법」, 「주세법」 또는 「교통 · 에너지 · 환경세법」에 따른 환급세액을 신고 또는 경정으로 인하여 환급하는 경우: 신고를 한 날부터 30일이 지난 날의 다음날

정답 05 ② 06 ①

07 「국세기본법」상 국세환급가산금에 관한 설명으로 옳지 않은 것은?

2010년 9급

① 납세자의 국세환급가산금에 관한 권리는 행사할 수 있는 때로부터 5년간 행사하지 아니하면 소멸시효가 완성된다.

② 국세의 이중납부에 따라 발생한 국세환급금을 지급할 때에는 그 국세납부일의 다음날부터 지급결정을 하는 날까지의 기간과 금융회사 등의 예금이자율 등을 고려하여 법령으로 정하는 이자율에 따라 계산한 금액을 국세환급금에 가산하여야 한다.

③ 국세환급금으로 결정한 금액을 법으로 정하는 바에 따라 국세 또는 강제징수비에 충당하게 되는 경우에는 국세환급가산금을 국세환급금에 가산하지 아니한다.

④ 납세자가 상속세를 물납한 후 그 부과의 일부를 감액하는 결정·경정에 따라 환급하는 경우에는 국세환급가산금을 국세환급금에 가산하지 아니한다.

08 다음은 「국세기본법」상 국세환급금의 충당과 환급 및 기한 후 신고에 관한 규정이다. (가), (나)에 들어갈 내용을 바르게 연결한 것은?

2022년 7급

> **제51조(국세환급금의 충당과 환급)**
> ⑥ 국세환급금 중 제2항에 따라 충당한 후 남은 금액은 국세환급금의 결정을 한 날부터 (가) 내에 대통령령으로 정하는 바에 따라 납세자에게 지급하여야 한다.
>
> **제45조의3(기한 후 신고)**
> ③ 제1항에 따라 기한후과세표준신고서를 제출하거나 제45조 제1항에 따라 기한후과세표준신고서를 제출한 자가 과세표준수정신고서를 제출한 경우 관할 세무서장은 세법에 따라 신고일부터 (나) 이내에 해당 국세의 과세표준과 세액을 결정 또는 경정하여 신고인에게 통지하여야 한다.

	(가)	(나)
①	20일	2개월
②	20일	3개월
③	30일	2개월
④	30일	3개월

07
국세환급가산금이란 국세환급금을 충당 또는 환급할 경우에 그 국세환급금에 가산되는 법정이자에 해당한다.

정답 07 ③ 08 ④

09 심사와 심판(조세불복제도)

1 개념

「국세기본법」 또는 세법에 따른 처분으로서 위법 또는 부당한 처분을 받거나 필요한 처분을 받지 못함으로 인하여 권리나 이익을 침해당한 자는 조세불복의 규정에 따라 그 처분의 취소 또는 변경을 청구하거나 필요한 처분을 청구할 수 있다.

2 불복절차

불복절차는 원칙적으로 1급심(심사청구 또는 심판청구)에 해당한다. 아래 절차에서 이의신청은 선택적 사항이므로 예외적으로 2급심(이의신청 후 심사청구 또는 심판청구)이 된다.

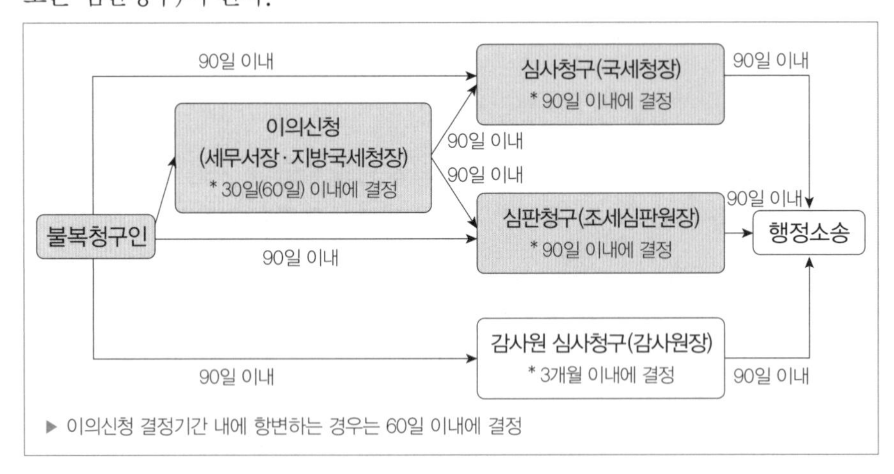

▶ 이의신청 결정기간 내에 항변하는 경우는 60일 이내에 결정

1. 절차규정

(1) 행정심판전치주의

① 국세에 대한 처분으로 행정소송을 제기하기 위하여는 필수적인 전심절차로 「국세기본법」 또는 「감사원법」에 따른 재결을 반드시 거쳐야 한다. 이러한 전심절차를 국세행정심판전치주의라고 한다.

② 국세의 행정처분은 「행정심판법」의 적용을 배제하고 별도로 「국세기본법」 또는 「감사원법」에 의한 불복절차를 거치도록 하고 있다. 다만, 심사청구 또는 심판청구에 대한 인용결정에 따라 처분의 취소·경정결정을 하거나 필요한 처분을 하기 위한 사실관계 확인 등 추가적으로 조사가 필요한 경우에 행한 재조사결정에 따른 처분청의 처분에 대한 행정소송은 심사청구 또는 심판청구를 거치지 아니하고 행정소송을 제기할 수 있다.

기출 OX

세법에 따른 처분으로서 위법한 처분에 대한 행정소송은 「국세기본법」상의 심사청구 또는 심판청구와 그에 대한 결정을 거치지 아니하면 제기할 수 없다. (○)

13. 7급

(2) **재조사결정에 따른 불복제기기간**

심사청구 · 심판청구에 대한 재조사결정에 따른 처분청의 처분에 대한 행정소송은 「행정소송법」에도 불구하고 다음의 기간 내에 제기하여야 한다.

① 「국세기본법」에 따른 심사청구 또는 심판청구를 거치지 아니하고 제기하는 경우: 재조사 후 행한 처분청의 처분의 결과통지를 받은 날부터 90일 이내. 다만, 재조사결정에 따른 처분기간(조사를 연기하거나 조사기간을 연장하거나 조사를 중지하는 경우에는 해당 기간을 포함)에 처분청의 처분결과 통지를 받지 못하는 경우에는 그 처분기간이 지난 날부터 행정소송을 제기할 수 있다.

② 「국세기본법」에 따른 심사청구 또는 심판청구를 거쳐 제기하는 경우: 재조사 후 행한 처분청의 처분에 대하여 제기한 심사청구 또는 심판청구에 대한 결정의 통지를 받은 날부터 90일 이내. 다만, 결정기간에 결정의 통지를 받지 못하는 경우에는 그 결정기간이 지난 날부터 행정소송을 제기할 수 있다.

(3) **다른 법률과의 관계**

① 납세자는 「국세기본법」에 의한 불복절차와 「감사원법」에 의한 심사청구 중 하나를 선택할 수 있으며 중복적용은 불가능하다.

② 조세불복 대상이 되는 처분에 대하여는 일반적인 행정처분과는 달리 전문성을 요하므로 「행정심판법」의 규정을 적용하지 아니한다.

③ 위법한 처분에 대한 행정소송은 「행정소송법」에도 불구하고 「국세기본법」에 따른 심사청구 또는 심판청구와 그에 대한 결정을 거치지 아니하면 제기할 수 없다.

2. 이의신청배제

다음과 같이 국세청장이 조사 · 결정 또는 처리하였거나 하였어야 할 것에 대하여는 이의신청이 배제된다.

(1) 국세청의 감사결과로서의 시정지시에 따른 처분

(2) 세법에 따라 국세청장이 하여야 할 처분

기출 OX

불복의 대상인 처분이 국세청장의 처분인 경우에는 이의신청이 배제된다. (○)

07. 9급

3. 이의신청(관할지방국세청장)

(1) **지방국세청장에게 이의신청하는 경우**

다음의 경우에는 관할지방국세청장에게 이의신청을 하여야 하며, 세무서장에게 한 이의신청은 관할지방국세청장에게 한 것으로 본다.

① 지방국세청장의 조사에 따라 과세처분을 한 경우

② 세무서장에게 과세전적부심사를 청구한 경우

(2) 의견서 송부

세무서장은 이의신청의 대상이 된 처분이 지방국세청장이 조사 · 결정 또는 처리하였거나 처리하였어야 할 것인 경우에는 이의신청을 받은 날부터 7일 이내에 해당 신청서에 의견서를 첨부하여 해당 지방국세청장에게 송부하고 그 사실을 이의신청인에게 통지하여야 한다.

4. 불복의 대상

(1) 불복의 대상 범위

「국세기본법」 또는 세법에 따른 처분으로서 위법 또는 부당한 처분을 받거나 필요한 처분을 받지 못함으로 인하여 권리나 이익을 침해당한 경우는 모두 청구의 대상으로 하는 개괄주의를 따르고 있다.

(2) 불복의 대상에서 제외되는 경우

다음의 처분에 대해서는 「국세기본법」에 따른 불복을 할 수 없다.

① 심사청구 · 심판청구에 대한 처분. 다만, 재조사 결정에 따른 처분청의 처분에 대해서는 해당 재조사결정을 한 재결청에 대하여 심사청구 또는 심판청구를 제기할 수 있다.

② 이의신청에 대한 처분과 재조사결정에 따른 처분청의 처분에 대해서는 이의신청을 할 수 없다.

③ 「조세범처벌법」에 따른 통고처분

④ 「감사원법」에 따라 심사청구를 한 처분이나 그 심사청구에 대한 처분

⑤ 「국세기본법」 및 세법에 따른 과태료 부과처분

기출 OX

01 「조세범 처벌절차법」에 따른 통고처분에 대해서는 불복할 수 없다. (○) 19. 7급

02 「감사원법」에 따라 심사청구를 한 처분이나 그 심사청구에 대한 처분은 심판청구의 대상이 되는 처분에 포함되지 아니한다. (○) 10. 9급

참고

불복청구대상

1. **소득금액변동통지서**
   ① **법인이 수령한 경우**: 원천징수세액을 확정시키므로 불복청구의 대상에 해당한다.
   ② **개인이 수령한 경우**: 납세의무의 사전통지에 불과하므로 불복청구의 대상에 해당하지 않는다.
2. **경정청구의 통지를 받지 못한 경우**: 과세관청의 거부의 처분으로 보아 불복청구를 할 수 있다.
3. **기타 조세불복의 대상이 되는 것**
   ① 세무조사 사전통지서를 수령한 경우
   ② 사업자등록을 거부한 경우

(3) 불복청구인

① 당사자: 불복청구를 할 수 있는 자는 위법 또는 부당한 처분을 받거나 필요한 처분을 받지 못하여 권리 또는 이익의 침해를 받은 자이다.

② 이해관계인: 「국세기본법」 또는 세법에 따른 처분으로 인하여 권리나 이익을 침해당하게 될 다음에 해당하는 제3자는 위법 또는 부당한 처분을 받은 자의 처분에 대하여 불복청구를 할 수 있다.

㉠ 제2차 납세의무자로서 납부고지서를 받은 자

㉡ 물적납세의무를 지는 자로서 납부고지서를 받은 자(「부가가치세법」에 따른 신탁재산의 물적납세의무를 지는 자를 포함)

㉢ 「종합부동산세법」에 따라 물적납세의무를 지는 자로서 납부고지서를 받은 자

㉣ 보증인

㉤ 그 밖에 기획재정부령이 정하는 자

③ 대리인

㉠ 이의신청인 · 심사청구인 또는 심판청구인과 처분청은 변호사 · 세무사 또는 「세무사법」에 따라 등록한 공인회계사를 대리인으로 선임할 수 있다.

㉡ 이의신청인 · 심사청구인 또는 심판청구인은 신청 또는 청구의 대상이 3천만 원(지방세의 경우 1천만 원) 미만의 소액인 경우에는 그 배우자 · 4촌 이내의 혈족 또는 그 배우자의 4촌 이내의 혈족을 대리인으로 선임할 수 있다.

㉢ 대리인의 권한은 서면으로 증명하여야 한다.

㉣ 대리인은 본인을 위하여 그 신청 또는 청구에 관한 모든 행위를 할 수 있다. 다만, 그 신청 또는 청구의 취하는 특별한 위임을 받은 경우에만 할 수 있다.

㉤ 대리인을 해임하였을 때에는 그 사실을 서면으로 해당 재결청에 신고하여야 한다.

④ 국선대리인

㉠ 요건: 이의신청인, 심사청구인, 심판청구인 및 과세전적부심사 청구인(이하 '이의신청인 등'이라 함)은 재결청(과세전적부심사의 경우에는 과세예고통지 등을 한 세무서장이나 지방국세청장)에 다음의 요건을 모두 갖추어 변호사 · 세무사 또는 「세무사법」에 따라 등록한 공인회계사를 대리인(이하 '국선대리인'이라 함)으로 선정하여 줄 것을 신청할 수 있다.

ⓐ 이의신청인 등의 종합소득금액이 5천만 원 이하일 것

ⓑ 소유재산가액[1]이 5억 원 이하일 것

ⓒ 이의신청인 등이 법인이 아닐 것

ⓓ 5천만 원 이하인 신청 또는 청구일 것

ⓔ 상속세 · 증여세 및 종합부동산세가 아닌 세목에 대한 신청 또는 청구일 것

기출 OX

제2차 납세의무자로서 납부고지서를 받은 자나 보증인도 이해관계인으로서 위법한 처분을 받은 자의 처분에 대하여 취소 또는 변경을 청구할 수 있다. (○)

13. 9급

[1] 소유재산가액

토지 · 건물 · 승용자동차 · 전세금(임차보증금 포함) · 골프회원권 · 콘도미니엄 회원권 · 주식 또는 출자지분에 해당하는 재산의 평가가액의 합계액이다.

❶ 처분청과 재결청의 개념

처분청은 해당 불복청구인에게 부당한 처분 또는 필요한 처분을 하지 않은 과세관청을 말하며, 재결청은 이러한 부당한 처분에 대하여 재결할 수 있는 권한을 가진 행정기관을 말한다.

❷

행정소송의 제기기간은 불변기간이므로 해당 연장사유가 적용되지 않는다.

㉡ **통지**: 재결청[1]은 국선대리인 선정신청이 위 요건을 모두 충족하는 경우 지체 없이 국선대리인을 선정하고 신청을 받은 날부터 5일 이내에 그 결과를 이의신청인 등과 국선대리인에게 각각 통지하여야 한다.

⑤ **관계서류의 열람 및 복사요구**: 이의신청인 · 심사청구인 또는 심판청구인은 그 신청 또는 청구에 관계되는 서류를 열람하거나 그 내용을 복사할 수 있으며, 이 경우 열람 및 복사를 구술로 당해 재결청에 요구할 수 있다. 열람 · 복사의 요구를 받은 재결청은 그 서류를 열람 또는 복사하게 하거나 그 등본 또는 초본이 원본과 다르지 않음을 확인하여야 하며, 필요하다고 인정하는 때에는 열람하거나 복사하는 자의 성명을 요구할 수 있다.

5. 불복청구절차

(1) 불복청구기한

① 원칙

㉠ 이의신청, 심사청구 또는 심판청구는 해당 처분이 있음을 안 날(처분의 통지를 받은 때에는 그 받은 날)부터 90일 이내에 제기하여야 한다.

㉡ 이의신청을 거친 후 심사청구 또는 심판청구를 하려면 이의신청에 대한 결정의 통지를 받은 날부터 90일 이내에 제기하여야 한다. 다만, 다음의 어느 하나에 해당하는 경우에는 다음에서 정하는 날부터 90일 이내에 심사청구및 심판청구를 할 수 있다.

ⓐ 이의신청의 결정기간 내에 결정의 통지를 받지 못한 경우: 그 결정기간이 지난 날

ⓑ 이의신청에 대한 재조사 결정이 있은 후 처분기간 내에 처분 결과의 통지를 받지 못한 경우: 그 처분기간이 지난 날

② 예외 – 천재지변 등 기한연장[2]: 불복청구인이 천재지변 등 규정된 사유로 불복청구 기간에 불복을 할 수 없을 때에는 그 사유가 소멸한 날부터 14일 이내에 이의신청 · 심사청구 또는 심판청구를 할 수 있다. 이 경우 불복청구인은 그 기간에 불복청구를 할 수 없었던 사유, 그 사유가 발생한 날과 소멸한 날, 그 밖에 필요한 사항을 기재한 문서를 함께 제출하여야 한다.

(2) 우편에 의한 청구

청구기한까지 우편으로 제출한 불복청구서가 청구기간을 지나서 도달한 경우에는 그 기간의 만료일에 적법한 청구를 한 것으로 본다.

(3) 불복청구서의 제출

① 세무서장은 이의신청 · 심사청구서를 접수받고 7일 이내에 의견서를 첨부하여 재결청(지방국세청장 · 국세청장)에게 송부하여야 한다.

② 세무서장은 심판청구의 접수를 받고 10일 이내에 답변서를 첨부하여 조세심판원장에게 송부하여야 한다.

6. 청구서의 보정

(1) 세무서장 · 국세청장 또는 조세심판원장은 이의신청 · 심사청구 또는 심판청구의 내용이나 절차가 「국세기본법」 또는 세법에 적합하지 않아 보정할 수 있다고 인정되면 다음의 기간(이러한 보정기간은 청구기간 또는 결정기간에 산입하지 않음)을 정하여 보정할 것을 요구할 수 있다. 다만, 보정할 사항이 경미한 경우에는 직권으로 보정할 수 있다.

① 이의신청 · 심사청구의 경우: 20일 이내

② 심판청구의 경우: 상당한 기간

(2) 보정요구를 받은 심사청구인은 보정할 사항을 서면으로 작성하여 국세청장에게 제출하거나, 국세청에 출석하여 보정할 사항을 말하고 그 말한 내용을 국세청 소속공무원이 기록한 서면에 서명 또는 날인함으로써 보정할 수 있다.

7. 증거서류 또는 증거물

(1) 심사청구인은 송부받은 의견서에 대하여 항변하기 위하여 국세청장에게 증거서류나 증거물을 제출할 수 있다.

(2) 심사청구인은 국세청장이 증거서류나 증거물에 대하여 기한을 정하여 제출할 것을 요구하는 경우 그 기한까지 해당 증거서류 또는 증거물을 제출하여야 한다.

(3) 국세청장은 증거서류가 제출되면 증거서류의 부본(副本)을 지체 없이 해당 세무서장 및 지방국세청장에게 송부하여야 한다.

8. 결정기관 및 결정기간

(1) **이의신청**

이의신청을 받은 세무서장 또는 지방국세청장은 그 신청을 받은 날부터 30일 이내에 각각 국세심사위원회의 심의를 거쳐 결정하여야 한다. 다만, 이의신청인이 송부받은 의견서에 대하여 이의신청 결정기간(30일) 내에 항변하는 경우에는 이의신청을 받은 날부터 60일 이내에 결정하여야 한다.

(2) **심사청구**

① 심사청구는 해당 처분을 하였거나 하였어야 할 세무서장을 거쳐 국세청장에게 하여야 한다. 이 경우 해당 청구서를 받은 세무서장은 이를 받은 날로부터 7일 이내에 그 청구서에 처분의 이유가 되는 사실 등이 구체적으로 기재된 의견서를 첨부하여 국세청장에게 송부한다.

② 국세청장은 심사청구를 받으면 국세심사위원회의 의결에 따라 심사청구를 받은 날부터 90일 이내 결정을 하여야 한다. 다만, 심사청구기간이 지난 후에 제기된 심사청구 등 사유에 해당하는 경우에는 제외한다.

③ 국세청장은 국세심사위원회 의결이 법령에 명백히 위반된다고 판단하는 경우 구체적인 사유를 적어 서면으로 국세심사위원회로 하여금 한 차례에 한정하여 다시 심의할 것을 요청할 수 있다.

기출 OX

01 국세청장은 심사청구의 내용이나 절차가 「국세기본법」 또는 세법에 적합하지 아니하나 보정할 수 있다고 인정하는 때에는 20일 이내의 기간을 정하여 보정할 것을 요구할 수 있다. (○) 07. 9급

02 국세청장이 심사청구의 내용이나 절차가 「국세기본법」 또는 세법에 적합하지 아니하여 20일 이내의 기간을 정하여 보정을 요구한 경우 보정기간은 심사청구기간에 산입하지 아니하나 심사청구에 대한 결정기간에는 산입한다. (×) 19. 7급

▶ 보정기간은 청구기간과 결정기간에 산입하지 않는다.

④ 국세심사위원회의 회의는 공개하지 아니한다. 다만, 국세심사위원회 위원장이 필요하다고 인정할 때에는 공개할 수 있다.

(3) 심판청구

① 심판청구를 하려는 자는 대통령령으로 정하는 바에 따라 불복의 사유 등이 기재된 심판청구서를 그 처분을 하였거나 하였어야 할 세무서장이나 조세심판원장에게 제출하여야 한다. 이 경우 심판청구서를 받은 세무서장은 이를 지체 없이 조세심판원장에게 송부하여야 한다.

② 심판청구기간을 계산할 때에는 심판청구서가 처분을 하였거나 하였어야 할 세무서장 외의 세무서장, 지방국세청장 또는 국세청장에게 제출된 경우에도 심판청구를 한 것으로 본다. 이 경우 심판청구서를 받은 세무서장, 지방국세청장 또는 국세청장은 이를 지체 없이 조세심판원장에게 송부하여야 한다.

③ 조세심판원장은 심판청구서를 받은 경우에는 지체 없이 그 부본을 그 처분을 하였거나 하였어야 할 세무서장에게 송부하여야 한다.

④ 심판청구서를 받거나 심판청구서의 부본을 받은 세무서장은 이를 받은 날부터 10일 이내에 그 심판청구서에 대한 답변서를 조세심판원장에게 제출하여야 한다.

⑤ 조세심판원장이 심판청구를 받은 날부터 90일 이내에 조세심판관회의가 심리를 거쳐 결정한다.

⑥ 답변서에는 이의신청에 대한 결정서(이의신청에 대한 결정을 한 경우에만 해당), 처분의 근거 · 이유 및 처분의 이유가 된 사실을 증명할 서류, 청구인이 제출한 증거서류 및 증거물, 그 밖의 심리자료 일체를 첨부하여야 한다.

⑦ 답변서가 제출되면 조세심판원장은 지체 없이 그 부본(副本)을 해당 심판청구인에게 송부하여야 한다.

⑧ 조세심판원장은 10일 이내 세무서장이 답변서를 제출하지 아니하는 경우에는 기한을 정하여 답변서 제출을 촉구할 수 있다.

(4) 국세심사위원회

① 심사청구 · 이의신청 및 과세전적부심사 청구사항을 심의하기 위하여 세무서 · 지방국세청 및 국세청에 각각 국세심사위원회를 둔다.

② 국세심사위원회의 위원 중 공무원이 아닌 위원은 법률 또는 회계에 관한 학식과 경험이 풍부한 사람 중 다음의 구분에 따른 사람이 된다.

㉠ 세무서에 두는 국세심사위원회: 지방국세청장이 위촉하는 사람

㉡ 지방국세청 및 국세청에 두는 국세심사위원회: 국세청장이 위촉하는 사람

③ 국세심사위원회의 위원 중 공무원이 아닌 위원은 「형법」(공무상 비밀의 누설 · 수뢰 · 사전수뢰 · 제삼자뇌물제공 · 수뢰후부정처사 · 사후수뢰 · 알선수뢰)을 적용할 때에는 공무원으로 본다.

④ 국세심사위원회의 위원은 공정한 심의를 기대하기 어려운 사정이 있다고 인정될 때에는 회의에서 제척되거나 회피하여야 한다.

9. 결정의 종류

각하	각하는 다음과 같이 형식적 요건이 충족되지 않은 경우의 결정이다. 각하결정을 하는 경우에는 주장한 이유 등의 내용을 심리하지 아니한다. ① 불복청구가 적법하지 않거나 신청기간이 지난 후에 청구된 경우 ② 보정기간 내에 보정을 하지 않은 경우 ③ 청구대상이 되지 않는 경우 또는 심판청구를 제기한 후 심사청구를 제기(같은 날 제기한 경우도 포함)한 경우[❶] ④ 불복청구의 대상이 되는 처분이 존재하지 아니하는 경우 ⑤ 불복청구의 대상이 되는 처분에 의하여 권리나 이익을 침해당하지 아니하는 경우 ⑥ 대리인이 아닌 자가 대리인으로서 불복을 청구하는 경우
기각	기각결정이란 청구의 내용을 심리한 결과 불복청구에 이유가 없다고 판단하여 내리는 결정을 말한다. 처분청의 처분이 정당하다고 인정되어 불복을 받아들이지 않는 경우이다.
인용	① 청구의 내용을 심리한 결과 그 불복의 내용이 이유 있다고 판단하여 내리는 결정이다. 이 결정을 하면 처분청은 당초 처분을 취소하거나 변경하여야 한다. ② 청구의 내용을 심리한 결과 청구인이 필요한 처분을 받지 못하였다는 주장을 받아들이는 결정을 말한다. 이 결정으로 처분청은 필요한 처분을 하여야 한다. ③ 취소 · 경정 또는 필요한 처분을 하기 위하여 사실관계 확인 등 추가적으로 조사가 필요한 경우에는 처분청으로 하여금 이를 재조사하여 그 결과에 따라 취소 · 경정하거나 필요한 처분을 하도록 하는 재조사결정을 할 수 있다. ④ 재조사결정이 있는 경우 처분청은 재조사결정일로부터 60일 이내에 결정서 주문에 기재된 범위에 한정하여 조사하고, 그 결과에 따라 취소 · 경정하거나 필요한 처분을 하여야 한다. 이 경우 처분청은 세무조사의 사전통지와 연기신청 및 세무조사기간 규정에 따라 조사를 연기하거나 조사기간을 연장하거나 조사를 중지할 수 있다.[❷] ⑤ 처분청은 재조사 결과에 따라 취소 · 경정 등 필요한 처분을 하는 규정에도 불구하고 재조사 결과 심사청구인의 주장과 재조사 과정에서 확인한 사실관계가 다른 경우 등의 사유[❸]에 해당하는 경우에는 해당 이의신청 또는 심사청구의 대상이 된 당초의 처분을 취소 · 경정하지 아니할 수 있다.

10. 불복청구가 처분의 집행에 미치는 영향

(1) 원칙 – 집행부정지의 원칙

불복청구는 세법에 특별한 규정이 있는 것을 제외하고는 해당 처분의 집행에 효력을 미치지 않는다.

(2) 예외

다음의 경우는 처분의 집행이 정지된다.

❶ 불복청구를 중복제기한 경우

1. 동일한 처분에 대한 이의신청을 세무서장과 지방국세청장에게 중복제기한 경우에는 지방국세청장에게 이의신청을 한 것으로 본다. 다만, 지방국세청장에게 제기한 이의신청이 청구기간을 경과하였을 때에는 청구기간 내에 세무서장에게 제기된 이의신청을 심리한다.
2. 동일한 처분에 대하여 이의신청과 심사청구를 중복제기하였을 경우에는 심사청구를 제기한 것으로 본다. 다만, 심사청구가 청구기간을 경과한 때에는 청구기간 내에 제기된 이의신청을 심리한다.
3. 동일한 처분에 대하여 이의신청 또는 심사청구와 감사원 심사청구를 중복제기한 경우에는 감사원 심사청구를 제기한 것으로 본다. 다만, 감사원 심사청구가 청구기간을 경과한 때에는 청구기간 내에 제기된 이의신청 또는 심사청구를 심리한다.

❷

처분청은 재조사 결과에 따라 청구의 대상이 된 처분의 취소 · 경정을 하거나 필요한 처분을 하였을 때에는 그 처분결과를 지체 없이 서면으로 심사청구인 등에게 통지하여야 한다.

❸ 재조사에서 당초의 처분을 취소 · 경정하지 않는 경우

재조사 결과 심사청구인의 주장과 재조사 과정에서 확인한 사실관계가 다른 경우 등은 다음의 어느 하나에 해당하는 경우를 말한다.

1. 심사청구인의 주장과 재조사 과정에서 확인된 사실이 달라 원처분의 유지가 필요한 경우
2. 재조사 과정에서 취소 · 경정 등을 위한 사실관계 확인이 불가능한 경우

기출 OX

이의신청, 심사청구 또는 심판청구는 세법에 특별한 규정이 있는 것을 제외하고는 해당 처분의 집행에 효력을 미치지 아니하나 해당 재결청이 필요하다고 인정할 때에는 그 처분의 집행을 중지하게 하거나 중지할 수 있다. (○) 16. 7급

기출 OX

불복을 하더라도 압류 및 공매의 집행에 효력을 미치지 아니하는 것이 원칙이다. (×) 19. 7급

▶ 조세불복이 결정되기 전까지 공매는 집행할 수 없다.

① 해당 재결청(裁決廳)이 처분의 집행 또는 절차의 속행 때문에 이의신청인, 심사청구인 또는 심판청구인에게 중대한 손해가 생기는 것을 예방할 필요성이 긴급하다고 인정할 때에는 처분의 집행 또는 절차 속행의 전부 또는 일부의 정지(이하 '집행정지'라 함)를 결정할 수 있다. 재결청은 집행정지 또는 집행정지의 취소에 관하여 심리 · 결정하면 지체 없이 당사자에게 통지하여야 한다.

② 「국세기본법」에 따른 불복이 계류 중에 있는 국세의 체납으로 인하여 압류한 재산에 대하여는 그 불복에 대한 결정이 확정되기 전에는 이를 공매할 수 없다.

11. 결정의 통지

(1) 재결청은 결정기간 내에 그 이유를 기재한 결정서로 청구인에게 통지하여야 한다. 결정서에는 그 결정서를 받은 날부터 90일 이내에 이의신청인은 심사청구 또는 심판청구를, 심사청구인 또는 심판청구인은 행정소송을 제기할 수 있다는 내용을 적어야 한다.

(2) 재결청은 해당 신청 또는 청구에 대한 결정기간이 지나도 그 결정을 하지 못하였을 때 이의신청인은 심사청구 또는 심판청구를, 심사청구인 또는 심판청구인은 행정소송제기를 결정의 통지를 받기 전이라도 그 결정기간이 지난 날부터 할 수 있다는 내용을 서면으로 지체 없이 그 신청인 또는 청구인에게 통지하여야 한다.

(3) 처분청은 재조사 결과에 따라 청구의 대상이 된 처분의 취소 · 경정을 하거나 필요한 처분을 하였을 때에는 그 처분결과를 지체 없이 서면으로 심사청구인(이의신청인 · 심판청구인 또는 과세전적부심사 청구인)에게 통지하여야 한다.

12. 결정의 효력

(1) 불가변력

재결청 자신도 불복청구의 결정에 대하여 스스로 결정을 철회하거나 변경하는 것이 허용되지 않는다.

(2) 불가쟁력

불복청구에 대한 결정에 대하여 당사자가 일정한 청구기간 내에 다음 심급에 불복청구를 하지 않거나 일정한 제소기간 내에 행정소송을 제기하지 않은 경우에는 그 결정은 형식적으로 확정된다. 그 결정은 더 이상 그 내용을 쟁송에 따라 다툴 수 없게 되는 효력이 생긴다.

(3) 기속력

인용결정이 당사자와 관계행정청에 대하여 그 결정의 취지에 따르도록 구속하는 효력을 기속력이라고 한다.

13. 관계서류의 열람 및 의견진술권

이의신청인 · 심사청구인 · 심판청구인 또는 처분청(처분청의 경우 심판청구에 한정)은 그 신청 또는 청구에 관계되는 서류를 열람할 수 있으며, 해당 재결청에 의견을 진술할 수 있다.

14. 결정내용의 경정

심사청구에 대한 결정에 잘못된 기재, 계산착오, 그 밖에 이와 비슷한 잘못이 있는 것이 명백할 때에는 국세청장은 직권으로 또는 심사청구인의 신청에 의하여 이를 경정할 수 있으며, 국세청장은 이러한 결정의 경정을 한 경우에는 경정서를 작성하여 지체 없이 심사청구인에게 통지하여야 한다. 이러한 규정은 이의신청과 심판청구에도 준용한다.

15. 정보통신망을 통한 불복청구

(1) 이의신청인, 심사청구인 또는 심판청구인은 국세청장 또는 조세심판원장이 운영하는 정보통신망을 이용하여 이의신청서, 심사청구서 또는 심판청구서를 제출할 수 있다.

(2) (1)에 따라 이의신청서, 심사청구서 또는 심판청구서를 제출하는 경우에는 국세청장 또는 조세심판원장에게 이의신청서, 심사청구서 또는 심판청구서가 전송된 때에 「국세기본법」에 따라 제출된 것으로 본다.

3 조세심판원

1. 개념

(1) 심판청구에 대한 결정을 하기 위하여 국무총리 소속으로 조세심판원을 둔다.

(2) 조세심판원은 그 권한에 속하는 사무를 독립적으로 수행한다.

(3) 조세심판원에 원장과 조세심판관을 두되, 원장과 원장이 아닌 상임조세심판관은 고위공무원단에 속하는 일반직공무원 중에서 국무총리의 제청으로 대통령이 임명하고, 비상임조세심판관은 대통령령으로 정하는 바에 따라 위촉한다. 이 경우 원장이 아닌 상임조세심판관(경력직공무원으로서 전보 또는 승진의 방법으로 임용되는 상임조세심판관은 제외)은 임기제공무원으로 임용한다.

(4) 조세심판관은 조세 · 법률 · 회계분야에 관한 전문지식과 경험을 갖춘 사람으로서 대통령령으로 정하는 자격을 가진 사람이어야 한다.

(5) 상임 · 비상임조세심판관의 임기는 3년으로 하고 각각 한 차례만 중임할 수 있으며, 다음의 어느 하나에 해당하는 경우가 아니면 그 의사에 반하여 면직되거나 해촉되지 아니한다. 다만, 원장인 조세심판관에 대하여는 적용하지 아니한다.

① 금고 이상의 형을 선고받은 경우

② 장기의 심신쇠약으로 직무를 수행할 수 없게 된 경우

2. 조세심판관회의

(1) 조세심판원장은 심판청구를 받으면 이에 관한 조사와 심리를 담당할 주심조세심판관 1명과 배석조세심판관 2명 이상을 지정하여 조세심판관회의를 구성하게 한다.

(2) 의결방법은 주심조세심판관이 그 의장이 되며, 담당조세심판관 3분의 2 이상의 출석으로 개의하고 출석조세심판관의 과반수의 찬성으로 의결한다.

(3) 조세심판관회의는 주심조세심판관이 그 의장이 되며, 의장은 그 심판사건에 관한 사무를 총괄한다. 다만, 주심조세심판관이 부득이한 사유로 직무를 수행할 수 없을 때에는 조세심판원장이 배석조세심판관 중에서 그 직무를 대행할 사람을 지정한다.

(4) 조세심판관회의는 공개하지 아니한다. 다만, 조세심판관회의 의장이 필요하다고 인정할 때에는 공개할 수 있다.

3. 주심조세심판관이 심리 · 결정하는 경우

다음의 경우는 조세심판관회의의 심리를 거치지 않고 주심조세심판관이 심리하여 결정할 수 있다.

(1) 심판청구금액이 3천만 원(지방세의 경우는 1천만 원) 미만인 것으로 다음의 어느 하나에 해당하는 것

① 청구사항이 법령의 해석에 관한 것이 아닌 것

② 청구사항이 법령의 해석에 관한 것으로서 유사한 청구에 대하여 이미 조세심판관회의의 의결에 따라 결정된 사례가 있는 것

③ 각하 결정사유에 해당하는 경우(각하결정 사유 중 청구기간이 지난 후에 청구된 경우는 제외)

(2) 심판청구가 과세표준 또는 세액의 결정에 관한 것 외의 것으로서 유사한 청구에 대하여 이미 조세심판관회의의 의결에 따라 결정된 사례가 있는 것

(3) 청구기간이 지난 후에 심판청구가 있은 경우

4. 조세심판관합동회의에서 결정하는 경우

조세심판원장과 상임조세심판관 모두로 구성된 회의[1]가 조세심판관회의의 의결이 다음의 어느 하나에 해당한다고 의결하는 경우에는 조세심판관합동회의가 심리를 거쳐 결정한다.

(1) 해당 심판청구사건에 관하여 세법의 해석이 쟁점이 되는 경우로서 이에 관하여 종전의 조세심판원 결정이 없는 경우

[1] 심판원장 또는 해당 조세심판관회의가 상임조세심판관회의에 심의를 요청하고 3분의 2 이상의 출석으로 개의하고 과반수의 찬성으로 의결한다.

(2) 종전에 조세심판원에서 한 세법의 해석 · 적용을 변경하는 경우

(3) 조세심판관회의간에 결정의 일관성을 유지하기 위한 경우

(4) 그 밖에 국세행정이나 납세자의 권리 · 의무에 중대한 영향을 미칠 것으로 예상되는 등 대통령령으로 정하는 다음의 경우

① 다수의 납세자에게 동일하게 적용되는 등 국세행정에 중대한 영향을 미칠 것으로 예상되어 국세청장이 조세심판원장에게 조세심판관합동회의에서 심리할 것을 요청하는 경우

② 그 밖에 해당 심판청구사건에 대한 결정이 국세행정이나 납세자의 권리 · 의무에 중대한 영향을 미칠 것으로 예상되는 경우

5. 제척 · 회피 · 기피

(1) 제척

조세심판관은 다음의 어느 하나에 해당하는 경우에는 심판관여로부터 제척된다.

① 심판청구인 또는 대리인인 경우(대리인이었던 경우 포함)

② 위 ①에 규정된 사람의 친족이거나 친족이었던 경우

③ 위 ①에 규정된 사람의 사용인이거나 사용인이었던 경우(심판청구일을 기준으로 최근 5년 이내에 사용인이었던 경우로 한정함)

④ 불복의 대상이 되는 처분이나 처분에 대한 이의신청에 관하여 증언 또는 감정을 한 경우

⑤ 심판청구일 전 최근 5년 이내에 불복의 대상이 되는 처분, 처분에 대한 이의신청 또는 그 기초가 되는 세무조사(「조세범 처벌절차법」에 따른 조세범칙조사를 포함)에 관여하였던 경우

⑥ 위 ④ 또는 ⑤에 해당하는 법인 또는 단체에 속하거나 심판청구일 전 최근 5년 이내에 속하였던 경우

⑦ 그 밖에 심판청구인 또는 그 대리인의 업무에 관여하거나 관여하였던 경우

(2) 회피

조세심판관은 위 (1) 제척사유의 어느 하나에 해당하는 경우에는 주심조세심판관 또는 배석조세심판관에서 회피하여야 한다.

(3) 기피

담당 조세심판관에게 공정한 심판을 기대하기 어려운 사정이 있다고 인정될 때에는 심판청구인은 그 조세심판관의 기피를 신청할 수 있다. 이러한 기피신청은 담당조세심판관의 지정 또는 변경통지를 받은 날부터 7일 내에 일정한 사항을 기재한 문서로 하여야 한다.

(4) 사건의 병합과 분리

담당 조세심판관은 필요하다고 인정하면 여러 개의 심판사항을 병합하거나 병합된 심판사항을 여러 개의 심판사항으로 분리할 수 있다.

6. 심판청구의 심리원칙

기출 OX

01 조세심판관합동회의는 심판청구에 대한 결정을 함에 있어서 심판청구를 한 처분 이외의 처분에 대하여는 그 처분의 전부 또는 일부를 취소 또는 변경하거나 새로운 처분의 결정을 하지 못한다. (○) 08. 7급

02 조세심판관회의는 심판청구에 대한 결정을 할 때 심판청구를 한 처분보다 청구인에게 불리한 결정을 하지 못한다. (○) 10. 9급

(1) 불고불리의 원칙

조세심판관회의 또는 조세심판관합동회의는 심판청구에 대한 결정을 할 때 심판청구를 한 처분 외의 처분에 대하여는 그 처분의 전부 또는 일부를 취소 또는 변경하거나 새로운 처분의 결정을 하지 못한다.

(2) 불이익변경금지의 원칙

조세심판관회의 또는 조세심판관합동회의는 심판청구에 대한 결정을 할 때 심판청구를 한 처분보다 청구인에게 불리한 결정을 하지 못한다.

(3) 자유심리주의

조세심판관은 심판청구에 관한 조사 및 심리의 결과와 과세형평을 고려하여 자유심증으로 사실을 판단한다.

참고

불고불리의 원칙 · 불이익변경금지의 원칙

1. 국세청장은 심사청구에 따른 결정을 할 때 심사청구를 한 처분 외의 처분에 대해서는 그 처분의 전부 또는 일부를 취소 또는 변경하거나 새로운 처분의 결정을 하지 못한다.
2. 국세청장은 심사청구에 따른 결정을 할 때 심사청구를 한 처분보다 청구인에게 불리한 결정을 하지 못한다.
3. 1.과 2.의 규정은 이의신청에도 준용한다.

7. 질문검사권

(1) 담당 조세심판관은 심판청구에 관한 조사와 심리를 위하여 필요하면 직권으로 또는 심판청구인의 신청에 의하여 다음의 행위를 할 수 있다.

① 심판청구인, 처분청(심판청구사건의 쟁점 거래사실과 직접 관계있는 자를 관할하는 세무서장 또는 지방국세청장을 포함), 관계인 또는 참고인에 대한 질문

② 위 ①에 열거한 자의 장부, 서류, 그 밖의 물건의 제출 요구

③ 위 ①에 열거한 자의 장부, 서류, 그 밖의 물건의 검사 또는 감정기관에 대한 감정 의뢰

(2) 담당 조세심판관 외의 조세심판원 소속 공무원은 조세심판원장의 명에 따라 위 ① 및 ③의 행위를 할 수 있다.

8. 조세심판관 회의 운영

(1) 주심조세심판관은 조세심판관회의 개최일 14일 전까지 조세심판관회의의 일시 및 장소를 심판청구인과 처분청에 각각 통지해야 한다.

(2) 주심조세심판관은 조세심판관회의(동일한 심판청구사건에 대해 조세심판관회의가 1회 이상 개최되는 경우에는 첫 번째 개최되는 조세심판관회의)가 개최되기 전에 심판청구인 또는 처분청의 요청이 있는 경우 심판청구인 또는 처분청에 해당 심판청구와 관련된 처분개요, 심판청구인의 주장, 처분청의 의견 및 사실관계를 정리한 심리자료를 열람하게 해야 한다.

(3) 심판청구인 또는 처분청은 조세심판관회의 개최일 7일 전까지 주심조세심판관에게 해당 심판청구와 관련한 주장과 그 이유 등을 정리한 요약 서면자료를 제출할 수 있다. 이 경우 주심조세심판관은 조세심판관회의를 할 때 요약 서면자료를 심리자료의 일부로 포함해야 한다.

(4) 조세심판관회의에 그 서무를 처리하게 하기 위해 간사 1명을 두고, 간사는 조세심판원장이 심판조사관 중에서 임명한다.

기출문제

01 **「국세기본법」상 다른 법률과의 관계에 대한 설명으로 옳지 않은 것은?**

2021년 7급

① 국세에 관하여 세법에 별도의 규정이 있는 경우를 제외하고는「국세기본법」에서 정하는 바에 따른다.
② 조세조약에 따른 상호합의절차가 개시된 경우 상호합의절차의 개시일부터 종료일까지의 기간은 심판청구의 청구기간에 산입하지 아니한다.
③ 심사청구 또는 심판청구에 대한 결정기간에 결정의 통지를 받지 못한 경우에는 결정의 통지를 받기 전이라도 그 결정기간이 지난 날부터 행정소송을 제기할 수 있다.
④ 위법 또는 부당한 처분에 대하여 감사원 심사청구를 거친 경우에는 바로 행정소송을 제기할 수 없다.

01
감사원의 심사청구를 거친 경우에는 바로 행정소송을 제기할 수 있다.

02 **「국세기본법」상 심사와 심판에 대한 설명으로 옳은 것으로만 묶은 것은?**

2020년 7급

ㄱ. 심사청구가 이유 있다고 인정되어 행한 재조사 결정에 따른 처분청의 처분에 대한 행정소송은 심사청구와 그에 대한 결정을 거치지 아니하면 제기할 수 없다.
ㄴ.「감사원법」에 따라 심사청구를 한 처분이나 그 심사청구에 대한 처분에 대해서는「국세기본법」에 따른 처분의 취소 또는 변경을 청구하거나 필요한 처분을 청구할 수 없다.
ㄷ. 국세청장은 심사청구의 내용이나 절차가「국세기본법」또는 세법에 적합하지 아니하나 보정(補正)할 수 있다고 인정되면 20일 이내의 기간을 정하여 보정할 것을 요구할 수 있고, 보정할 사항이 경미한 경우에는 직권으로 보정할 수 있다.
ㄹ. 심판청구를 제기한 후 같은 날 심사청구를 제기한 경우에는 심사청구를 기각하는 결정을 한다.

① ㄱ, ㄴ　② ㄱ, ㄹ
③ ㄴ, ㄷ　④ ㄷ, ㄹ

02
옳은 것은 ㄴ, ㄷ이다.

오답체크

ㄱ. 재조사 결정에 따라 조세불복을 하는 경우에는 심사청구 또는 심판청구를 거친 후에 행정소송을 제기할 수도 있고 심사청구 또는 심판청구를 거치지 않고 행정소송을 제기할 수 있다.
ㄹ. 심판청구를 제기한 후 같은 날 심사청구를 제기한 경우에는 심사청구를 각하하는 결정을 한다.

정답 01 ④ 02 ③

03 국세기본법령상 조세불복의 대리인에 대한 설명으로 옳지 않은 것은? (단, 지방세는 고려하지 않는다)

2019년 9급

① 이의신청인 등과 처분청은 변호사를 대리인으로 선임할 수 있다.
② 이의신청인 등은 신청 또는 청구의 대상이 되는 금액이 3천만 원 미만인 경우 그 배우자도 대리인으로 선임할 수 있다.
③ 조세불복의 신청 또는 청구의 취하는 대리인이 본인으로부터 특별한 위임을 받은 경우에만 할 수 있다.
④ 법인이 아닌 심판청구인이 심판청구의 대상세목이 상속세이고, 청구금액이 5천만 원인 경우 조세심판원에 세무사를 국선대리인으로 선정하여 줄 것을 신청할 수 있다.

03
국선대리인을 신청하기 위해서는 해당 세목이 상속세, 증여세 및 종합부동산세가 아닌 세목을 대상으로 한다.

04 「국세기본법」상 심판청구제도에 대한 설명으로 옳지 않은 것은?

2018년 7급 변형

① 담당 조세심판관 외의 조세심판원 소속 공무원은 조세심판원장의 명에 따라 심판청구인의 장부나 서류의 제출을 요구할 수 있다.
② 심판청구는 「국세기본법 시행령」으로 정하는 바에 따라 불복의 사유를 갖추어 세무서장 또는 조세심판원장에게 하여야 한다.
③ 심판청구인 또는 처분청은 「국세기본법 시행령」으로 정하는 바에 따라 해당 재결청에 의견을 진술할 수 있다.
④ 청구기간이 지난 후에 심판청구를 받은 경우에는 조세심판관회의의 심리를 거치지 않고 주심조세심판관이 심리하여 결정할 수 있다.

04
조세심판관 외의 조세심판원 소속 공무원은 조세심판원장의 명에 따라 할 수 있는 것은 심판청구인 등에 대한 질문과 장부 등 물건에 대한 검사 및 감정의뢰를 할 수 있다. 따라서 장부, 서류 등 제출은 해당되지 않는다.

1. 담당 조세심판관은 심판청구에 관한 조사와 심리를 위하여 필요하면 직권으로 또는 심판청구인의 신청에 의하여 다음의 행위를 할 수 있다.
   ㉠ 심판청구인, 처분청, 관계인 또는 참고인에 대한 질문
   ㉡ 심판청구인, 처분청, 관계인 또는 참고인의 장부, 서류 그 밖의 물건의 제출 요구
   ㉢ 심판청구인, 처분청, 관계인 또는 참고인의 장부, 서류 그 밖의 물건의 검사 또는 감정기관에 대한 감정 의뢰
2. 담당 조세심판관 외의 조세심판원 소속 공무원은 조세심판원장의 명에 따라 1.의 ㉠과 ㉢의 행위를 할 수 있다.

정답 03 ④ 04 ①

05 「국세기본법」상 불복에 대한 설명으로 옳지 않은 것은? 2016년 7급 변형

① 국세청의 감사결과로서 시정지시에 따른 처분은 이의신청 없이 심사청구 또는 심판청구를 하여야 한다.

② 이의신청, 심사청구 또는 심판청구의 재결청은 결정서에 그 결정서를 받은 날부터 90일 이내에 이의신청인은 심사청구 또는 심판청구를, 심사청구인 또는 심판청구인은 행정소송을 제기할 수 있다는 내용을 적어야 한다.

③ 대리인은 본인을 위하여 그 신청 또는 청구에 관한 모든 행위를 할 수 있으므로 그 신청 또는 청구의 취하에 있어서도 특별한 위임을 받을 필요는 없다.

④ 이의신청, 심사청구 또는 심판청구는 세법에 특별한 규정이 있는 것을 제외하고는 해당 처분의 집행에 효력을 미치지 아니하나 해당 재결청이 필요하다고 인정할 때에는 그 처분의 집행을 중지하게 하거나 중지할 수 있다.

05
대리인은 본인을 위하여 그 신청 또는 청구에 관한 모든 행위를 할 수 있지만 신청 또는 청구의 취하는 특별한 위임을 받은 경우에만 할 수 있다.

06 「국세기본법」상 심판청구제도에 대한 설명으로 옳지 않은 것은? 2015년 9급

① 심판청구에 대한 결정을 할 때에는 심판청구를 한 처분보다 청구인에게 불리한 결정을 하지 못한다.

② 청구금액이 3천만 원 이상이고 청구기간 내에 심판청구가 이루어진 때에는 조세심판관회의가 심리를 거쳐 결정한다.

③ 심판청구인은 자신의 심판청구와 관련하여 법령이 정하는 바에 따라 해당 재결청에 의견진술을 할 수 있지만, 처분청은 그러하지 않다.

④ 조세심판관회의에서 종전에 조세심판원에서 한 세법의 해석 · 적용을 변경하는 의결을 할 때에는 조세심판관합동회의가 심리할 수 있다.

06
처분청도 심판청구에 한하여 의견진술이 가능하다. 이의신청인 · 심사청구인 · 심판청구인 또는 처분청(처분청의 경우 심판청구에 한함)은 그 신청 또는 청구에 관계되는 서류를 열람할 수 있으며 해당 재결청에 의견을 진술할 수 있다.

정답 05 ③ 06 ③

07 「국세기본법」상 불복절차에 대한 설명으로 옳지 않은 것은? 2013년 9급

① 세법상의 처분에 의해 권리나 이익의 침해를 당한 자가 행정소송을 제기하기 위해서는 「국세기본법」상의 심사청구 또는 심판청구를 거치거나 「감사원법」상의 심사청구를 거쳐야 한다.
② 제2차 납세의무자로서 납부고지서를 받은 자나 보증인도 이해관계인으로서 위법한 처분을 받은 자의 처분에 대하여 취소 또는 변경을 청구할 수 있다.
③ 국세청장의 과세표준 조사결정에 따른 처분에 대하여 불복하려는 자는 이의신청을 거친 후에 또는 이의신청을 거치지 아니하고, 심사청구 또는 심판청구를 제기할 수 있다.
④ 세법상의 처분에 대한 불복으로 「행정심판법」상의 행정심판을 청구할 수 없다.

07
국세청장의 과세표준 조사결정에 따른 처분은 이의신청을 할 수 없다.

08 「국세기본법」상 조세불복에 따른 권리구제에 대한 설명으로 옳지 않은 것은? 2013년 7급

① 세법에 따른 처분으로서 위법한 처분에 대한 행정소송은 「국세기본법」상의 심사청구 또는 심판청구와 그에 대한 결정을 거치지 아니하면 제기할 수 없다.
② 「국세기본법」상 불복청구의 대상인 「국세기본법」 또는 세법에 따른 처분에는 소득금액변동통지는 포함되나 세무조사결정은 포함되지 않는다.
③ 「감사원법」에 따라 심사청구를 한 처분이나 그 심사청구에 대한 처분은 「국세기본법」상 불복청구의 대상이 아니다.
④ 세법에 따른 처분에 의하여 권리를 침해당하게 될 제2차 납세의무자로서 납부고지서를 받은 자는 위법 또는 부당한 처분을 받은 자의 처분에 대하여 그 처분의 취소 또는 변경을 청구하거나 그 밖에 필요한 처분을 청구할 수 있다.

08
법인에 대한 소득금액변동통지는 불복청구의 대상이 되나 개인에 대한 소득금액변동통지는 불복청구의 대상이 되지 않는다. 세무조사결정은 불복청구의 대상이 된다.

정답 07 ③ 08 ②

09 「국세기본법」상 조세심판에 관한 설명으로 옳지 않은 것은? 2010년 9급

① 「감사원법」에 따라 심사청구를 한 처분이나 그 심사청구에 대한 처분은 심판청구의 대상이 되는 처분에 포함되지 아니한다.
② 심판청구인은 변호사 이외에도 세무사 또는 「세무사법」의 규정에 따라 등록한 공인회계사를 대리인으로 선임할 수 있다.
③ 심판청구는 세법에 특별한 규정이 있는 것을 제외하고는 그 결정이 있기 전까지 당해 과세처분의 집행을 중지시킨다.
④ 조세심판관회의는 심판청구에 대한 결정을 할 때 심판청구를 한 처분보다 청구인에게 불리한 결정을 하지 못한다.

09
이의신청 · 심사청구 또는 심판청구는 세법에 특별한 규정이 있는 경우를 제외하고는 집행이 정지되지 않는다.

10 「국세기본법」상 조세불복제도에 관한 설명으로 옳지 않은 것은? 2008년 7급

① 불복청구인의 대리인은 본인의 특별한 위임 없이도 불복의 신청 또는 청구의 취하를 할 수 있다.
② 조세심판관회의는 심판청구에 대한 결정을 함에 있어서 심판청구를 한 처분보다 청구인에게 불이익이 되는 결정을 할 수 없다.
③ 조세심판관합동회의는 심판청구에 대한 결정을 함에 있어서 심판청구를 한 처분 이외의 처분에 대하여는 그 처분의 전부 또는 일부를 취소 또는 변경하거나 새로운 처분의 결정을 하지 못한다.
④ 이의신청에 대한 결정기간 내에 결정통지를 받지 못한 경우에는 결정통지를 받기 전이라도 그 결정기간이 지난 날부터 심사청구를 할 수 있다.

10
불복청구인의 대리인은 본인의 특별한 위임 없이도 불복의 신청 또는 청구를 할 수 있지만, 불복의 신청 또는 청구의 취하는 특별한 위임이 있는 경우에만 할 수 있다.

11 「국세기본법」상 국세불복제도에 대한 설명으로 옳지 않은 것은? 2007년 9급

① 「조세범 처벌절차법」에 의한 통고처분에 대하여는 「국세기본법」에 의한 이의신청은 가능하나 심판청구는 제기할 수 없다.
② 「국세기본법」 또는 세법에 의한 처분으로서 위법 또는 부당한 처분을 받거나 필요한 처분을 받지 못함으로써 권리 또는 이익의 침해를 당한 자는 「국세기본법」에 의한 심사청구 또는 심판청구를 제기할 수 있다.
③ 「국세기본법」에 의한 불복은 동일한 처분에 대하여는 심사청구와 심판청구를 중복하여 제기할 수 없다.
④ 불복의 대상인 처분이 국세청장이 조사 · 결정 또는 처리하거나 하였어야 할 것인 경우에는 이의신청이 배제된다.

11
「조세범 처벌절차법」에 따른 통고처분에 대하여는 「국세기본법」에 따른 불복을 제기할 수 없다.

정답 09 ③ 10 ① 11 ①

12 「국세기본법」상 국세의 불복절차에 대한 설명으로 옳지 않은 것은?

2022년 7급

① 조세심판관회의는 심판청구에 대한 결정을 할 때 심판청구를 한 처분 외의 처분에 대해서는 그 처분의 전부 또는 일부를 취소 또는 변경하거나 새로운 처분의 결정을 하지 못한다.

② 심사청구 또는 심판청구의 대상이 된 처분에 대한 재조사 결정에 따른 처분청의 처분에 대해서는 해당 재조사 결정을 한 재결청에 대하여 심사청구 또는 심판청구를 제기할 수 있다.

③ 담당 조세심판관에게 공정한 심판을 기대하기 어려운 사정이 있다고 의심될 때에는 심판청구인은 그 조세심판관의 제척을 신청할 수 있다.

④ 「감사원법」에 따른 심사청구를 한 처분에 대하여는 「국세기본법」에 따른 취소 또는 변경을 청구할 수 없다.

12
담당 조세심판관에게 공정한 심판을 기대하기 어려운 사정이 있다고 의심될 때에는 심판청구인은 그 조세심판관의 기피를 신청할 수 있다.

13 「국세기본법」상 심사청구에 대한 결정에 관한 설명으로 옳은 것만을 모두 고르면?

2023년 9급

ㄱ. 심판청구를 제기한 후 심사청구를 제기(같은 날 제기한 경우도 포함한다)한 경우에는 그 심사청구를 각하하는 결정을 한다.
ㄴ. 심사청구 후 보정기간에 필요한 보정을 하지 아니한 경우에는 그 청구를 기각하는 결정을 한다.
ㄷ. 심사청구가 이유 없다고 인정될 때에는 그 청구를 기각하는 결정을 한다.
ㄹ. 심사청구가 적법하지 아니한 경우에는 그 청구를 각하하는 결정을 한다.

① ㄱ, ㄴ
② ㄴ, ㄷ
③ ㄱ, ㄴ, ㄹ
④ ㄱ, ㄷ, ㄹ

13
옳은 것은 ㄱ, ㄷ, ㄹ이다.

오답체크

ㄴ. 보정기간에 보정을 하지 아니한 경우는 그 청구를 각하하는 결정을 한다.

정답 12 ③ 13 ④

10 납세자의 권리

1 납세자권리헌장

1. 제정

국세청장은 아래 규정된 사항과 납세자의 권리보호에 관한 사항을 포함하는 납세자권리헌장을 제정하여 고시하여야 한다.

2. 교부

세무공무원은 다음 중 어느 하나에 해당하는 경우에는 이러한 납세자권리헌장의 내용이 수록된 문서를 납세자에게 내주어야 한다.

(1) 세무조사(「조세범 처벌절차법」에 따른 조세범칙조사를 포함)
(2) 사업자등록증을 발급하는 경우
(3) 그 밖에 대통령령이 정하는 경우

3. 세무조사

세무공무원이 세무조사를 시작할 때 조사원증을 납세자 또는 관련인에게 제시한 후 납세자권리헌장을 교부하고 그 요지를 직접 낭독하여 주어야 하며, 조사사유 · 조사기간 · 납세자보호위원회에 대한 심의 요청사항 · 절차, 권리구제절차 등을 설명하여야 한다.

2 납세자의 성실성 추정

세무공무원은 납세자가 다음에 해당하는 경우를 제외하고는 납세자가 성실하며 납세자가 제출한 신고서 등이 진실한 것으로 추정하여야 한다.

(1) 세법에서 정하는 신고, 성실신고확인서의 제출, 세금계산서 또는 계산서의 작성 · 교부 · 제출, 지급명세서의 작성 · 제출 등의 납세협력의무를 이행하지 않은 경우
(2) 무자료거래, 위장 · 가공거래 등 거래내용이 사실과 다른 혐의가 있는 경우
(3) 납세자에 대한 구체적인 탈세제보가 있는 경우
(4) 신고내용에 탈루나 오류의 혐의를 인정할 만한 명백한 자료가 있는 경우
(5) 납세자가 세무공무원에게 직무와 관련하여 금품을 제공하거나 금품제공을 알선한 경우

기출 OX

납세자에 대한 구체적 탈세제보가 있는 경우는 세무공무원이 납세자의 성실성을 추정해야 하는 경우에서 제외된다. (○) 15. 7급

3 세무조사권 남용금지

1. 재조사금지

(1) 세무공무원은 적정하고 공평한 과세를 실현하기 위하여 필요한 최소한의 범위에서 세무조사(「조세범 처벌절차법」에 따른 조세범칙조사를 포함)를 하여야 하며, 다른 목적 등을 위하여 조사권을 남용하여서는 아니 된다.

(2) 그리고 세무공무원은 다음 중 어느 하나에 해당하는 경우가 아니면 같은 세목 및 같은 과세기간에 대하여 재조사를 할 수 없다.

① 조세탈루의 혐의를 인정할 만한 명백한 자료가 있는 경우

② 거래상대방에 대한 조사가 필요한 경우

③ 2개 이상의 사업연도와 관련하여 잘못이 있는 경우

④ 불복청구 또는 과세전적부심사청구 재조사결정에 따라 조사를 하는 경우(결정서 주문에 기재된 범위의 조사에 한정)

⑤ 납세자가 세무공무원에게 직무와 관련하여 금품을 제공하거나 금품제공을 알선한 경우

⑥ 부동산투기 등 경제질서 교란 등을 통한 탈세혐의가 있는 자에 대하여 일제조사를 하는 경우

⑦ 과세관청 외의 기관이 직무상 목적을 위해 작성하거나 취득해 과세관청에 제공한 자료의 처리를 위해 조사하는 경우

⑧ 국세환급금의 결정을 위한 확인조사 등을 하는 경우

⑨ 「조세범 처벌절차법」에 따른 조세범칙행위의 혐의를 인정할 만한 명백한 자료가 있는 경우(다만, 조세범칙조사심의위원회가 조세범칙조사의 실시에 관한 심의를 한 결과 조세범칙행위의 혐의가 없다고 의결한 경우에는 조세범칙행위의 혐의를 인정할 만한 명백한 자료로 인정하지 아니한다)

⑩ 부분조사(확인을 위하여 필요한 부분에 한정한 세무조사)를 실시한 후 해당 조사에 포함되지 아니한 부분에 대하여 조사하는 경우

기출 OX

세무공무원은 국세환급금의 결정을 위한 확인조사를 하는 경우에는 같은 세목 및 같은 과세기간에 대하여 재조사를 할 수 있다. (○) 19. 7급

2. 불필요한 자료제출 요구금지

세무공무원은 세무조사를 하기 위하여 필요한 최소한의 범위에서 장부 등의 제출을 요구하여야 하며, 조사대상 세목 및 과세기간의 과세표준과 세액의 계산과 관련 없는 장부 등의 제출을 요구하여서는 아니 된다.

4 세무조사 저해행위금지

누구든지 세무공무원으로 하여금 법령을 위반하게 하거나 지위 또는 권한을 남용하게 하는 등 공정한 세무조사를 저해하는 행위를 하여서는 아니 된다.

5 세무조사시 조력을 받을 권리

납세자는 세무조사(「조세범 처벌절차법」에 따른 조세범칙조사를 포함)를 받는 경우에 변호사 · 공인회계사 · 세무사로 하여금 조사에 참여하게 하거나 의견을 진술하게 할 수 있다.

6 세무조사대상자 선정

세무조사는 납세지 관할세무서장 또는 지방국세청장이 수행한다. 다만, 납세자의 주된 사업장 등이 납세지와 관할을 달리하거나 납세지 관할세무서장 또는 지방국세청장이 세무조사를 수행하는 것이 부적절한 경우 등 대통령령으로 정하는 사유에 해당하는 경우에는 국세청장(같은 지방국세청 소관 세무서 관할 조정의 경우에는 지방국세청장)이 그 관할을 조정할 수 있다.

1. 정기선정에 의한 세무조사

(1) 세무공무원은 다음 중 어느 하나에 해당하는 경우 정기적으로 신고의 적정성을 검증하기 위하여 대상을 선정, 즉 정기선정하여 세무조사를 할 수 있다. 이 경우 세무공무원은 객관적인 기준에 따라 공정하게 그 대상을 선정하여야 한다.

① 국세청장이 납세자의 신고내용에 대하여 과세자료, 세무정보 및 「주식회사의 외부감사에 관한 법률」에 따른 감사의견, 외부감사 실시내용 등 회계성실도 자료 등을 고려하여 정기적으로 성실도를 분석한 결과 불성실 혐의가 있다고 인정하는 경우

② 최근 4과세기간(또는 4사업연도) 이상 같은 세목의 세무조사를 받지 않은 납세자(장기미조사자)에 대하여 업종 · 규모 · 경제력 집중 등을 고려하여 신고내용이 적정한지를 검증할 필요가 있는 경우

③ 무작위추출방식으로 표본조사를 하려는 경우

(2) 세무공무원은 다음의 요건을 모두 충족한 자에 대하여는 정기선정에 따른 세무조사를 하지 않을 수 있다. 다만, 객관적인 증거자료에 의하여 과소신고한 것이 명백한 경우에는 그렇지 않다.

① 업종별 수입금액이 다음의 금액 이하인 사업자

㉠ 개인: 「소득세법」상 간편장부대상자

㉡ 법인: 법인세과세표준 및 세액신고서에 적어야 할 해당 법인의 수입금액(과세기간이 1년 미만인 경우에는 1년으로 환산한 수입금액)이 3억 원 이하인 자

② 다음의 요건을 모두 갖춘 자

㉠ 모든 거래사실이 객관적으로 파악될 수 있도록 복식부기방식으로 장부를 기록 · 관리할 것

㉡ 과세기간 개시 이전에 「여신전문금융업법」에 따른 신용카드가맹점으로 가입하고 해당 과세기간에 발급거부 및 허위발급의 행위를 하지 아니할 것(「소득세법」 및 「법인세법」에 따라 현금영수증가맹점으로 가입하여야 하는 사업자만 해당)

㉢ 과세기간 개시 이전에 「조세특례제한법」에 따른 현금영수증가맹점으로 가입하고 해당 과세기간에 발급거부 및 허위발급의 행위를 하지 아니할 것(「소득세법」 및 「법인세법」에 따라 현금영수증가맹점으로 가입하여야 하는 사업자만 해당)

㉣ 「소득세법」에 따른 사업용계좌를 개설하여 사용할 것(개인인 경우만 해당)

㉤ 업종별 평균수입금액 증가율 등을 고려하여 국세청장이 정하여 고시하는 수입금액 등의 신고기준에 해당할 것

㉥ 해당 과세기간의 법정신고납부기한 종료일 현재 최근 3년간 조세범으로 처벌받은 사실이 없을 것

㉦ 해당 과세기간의 법정신고납부기한 종료일 현재 국세의 체납사실이 없을 것

2. 정기선정 외 세무조사(수시선정조사)

세무공무원은 정기선정에 의한 조사 외(수시선정조사)에 다음 중 어느 하나에 해당하는 경우에는 세무조사를 할 수 있다.

(1) 세법에서 정하는 신고, 성실신고확인서의 제출, 세금계산서 또는 계산서의 작성 · 교부 · 제출, 지급명세서의 작성 · 제출 등의 납세협력의무를 이행하지 않은 경우

(2) 무자료거래, 위장 · 가공거래 등 거래내용이 사실과 다른 혐의가 있는 경우

(3) 납세자에 대한 구체적인 탈세제보가 있는 경우

(4) 신고내용에 탈루나 오류의 혐의를 인정할 만한 명백한 자료가 있는 경우

(5) 납세자가 세무공무원에게 직무와 관련하여 금품을 제공하거나 금품제공을 알선한 경우

기출 OX

납세자가 세법이 정하는 신고 등의 납세협력의무를 이행하지 아니한 경우 정기선정에 의한 조사 외에 세무조사를 실시할 수 있다. (○) 14. 7급

3. 결정을 위한 세무조사

세무공무원은 과세관청의 조사결정에 따라 과세표준과 세액이 확정되는 세목의 경우 과세표준과 세액을 결정하기 위하여 세무조사를 할 수 있다.

7 세무조사관할

세무조사는 납세지 관할세무서장 또는 지방국세청장이 수행한다. 다만, 납세자의 주된사업장 등이 납세지와 관할을 달리하거나 납세지 관할세무서장 또는 지방국세청장이 세무조사를 수행하는 것이 부적절한 경우 등 다음의 사유에 해당하는 경우에는 국세청장(같은 지방국세청 소관세무서 관할조정의 경우에는 지방국세청장)이 그 관할을 조정할 수 있다.

1. 납세자가 사업을 실질적으로 관리하는 장소의 소재지와 납세지가 관할을 달리하는 경우
2. 조사대상 납세자와 출자관계에 있는 자, 거래가 있는 자 또는 특수관계에 있는 자 등에 대한 조사가 필요한 경우
3. 세무관서별 업무량과 조사인력 등을 감안하여 관할조정이 필요한 경우
4. 관할지방국세청장 · 세무서장이 세무조사를 수행하는 것이 부적절한 경우

8 세무조사의 사전통지와 연기신청

1. 사전통지

세무공무원은 세무조사를 하는 경우에는 조사를 받을 납세자(납세자가 납세관리인을 정하여 관할세무서장에게 신고한 경우에는 납세관리인)에게 조사를 시작하기 15일 전에 조사대상세목 · 조사기간 및 조사사유 · 부분세무조사 시 부분세무조사의 범위 등을 문서로 통지(이하 '사전통지'라 함)하여야 한다. 다만, 사전통지하면 증거인멸 등으로 조사목적을 달성할 수 없다고 인정되는 경우에는 통지하지 않는다.

기출 OX
증거인멸 등으로 조사 목적을 달성할 수 없다고 인정되는 경우를 제외하고, 세무공무원은 세무조사를 하는 경우에는 조사를 받을 납세자에게 조사를 시작하기 15일 전에 조사대상 세목, 조사기간 및 조사사유, 그 밖에 법령이 정하는 사항을 통지하여야 한다. (○) 19. 7급

2. 연기신청

(1) 신청

사전통지를 받은 납세자가 다음 중 어느 하나에 해당하는 사유로 인하여 조사를 받기 곤란한 경우에는 관할세무관서의 장에게 조사를 연기하여 줄 것을 신청할 수 있다.

① 천재지변

② 화재, 그 밖의 재해로 사업상 심각한 어려움이 있을 때

③ 납세자 또는 납세관리인의 질병 · 장기출장 등으로 세무조사가 곤란하다고 판단될 때

④ 권한 있는 기관에 장부 · 증거서류가 압수되거나 영치되었을 때

⑤ 위 ②~④에 준하는 사유가 있을 때

기출 OX
세무조사의 사전통지를 받은 납세자가 장기출장을 사유로 조사를 받기 곤란한 경우에는 조사의 연기를 신청할 수 있다. (○) 16. 9급

(2) 승인

세무조사의 연기신청을 받은 세무공무원은 연기신청 승인 여부를 결정하고 그 결과(연기 결정 시 연기한 기한을 포함)를 조사개시 전까지 통지하여야 한다.

(3) 연장기간만료 전 조사개시

관할 세무관서의 장은 다음의 어느 하나에 해당하는 사유가 있는 경우에는 세무조사 연기신청 결과통지에 따라 연기한 기간이 만료되기 전에 조사를 개시할 수 있다.

① 세무조사연기 사유가 소멸한 경우

② 조세채권을 확보하기 위하여 조사를 긴급히 개시할 필요가 있다고 인정되는 경우

(4) 세무조사연기 사유가 소멸한 경우 통지

관할 세무관서의 장은 세무조사연기 사유가 소멸하여 조사를 개시하려는 경우에는 조사를 개시하기 5일 전까지 조사를 받을 납세자에게 연기 사유가 소멸한 사실과 조사기간을 통지하여야 한다.

3. 사전통지하지 않은 경우 세무조사통지서 교부

세무공무원은 사전통지를 하지 아니하고 조사를 개시하거나 조세채권을 확보하기 위하여 조사를 긴급히 개시할 필요가 있다고 인정되는 경우로 조사를 개시할 때 다음의 구분에 따른 사항이 포함된 세무조사통지서를 세무조사를 받을 납세자에게 교부하여야 한다. 다만, 폐업 등 일정한 경우에는 그러하지 아니하다.

(1) 사전통지를 하면 증거인멸 등으로 조사 목적을 달성할 수 없다고 인정되는 경우로 사전통지를 하지 아니하고 조사를 개시하는 경우

① 사전통지 사항

② 사전통지를 하지 아니한 사유

③ 그 밖에 세무조사의 개시와 관련된 사항으로서 대통령령으로 정하는 사항

(2) 조세채권을 확보하기 위하여 조사를 긴급히 개시할 필요가 있다고 인정되는 경우로 조사를 개시하는 경우

조사를 긴급히 개시하여야 하는 사유

심화 | 폐업 등 일정한 경우

1. 폐업
2. 납세관리인 없이 국내에 주소 등을 두지 않은 경우
3. 세무조사통지서 수령을 회피하거나 거부하는 경우

9 세무조사기간

1. 원칙

(1) 세무공무원은 조사대상 세목 · 업종 · 규모 · 조사 난이도 등을 고려하여 세무조사기간이 최소한이 되도록 하여야 한다. 다만, 다음 중 어느 하나에 해당하는 경우에는 세무조사기간을 연장할 수 있다.

① 납세자가 장부 · 서류 등을 은닉하거나 제출을 지연하거나 거부하는 등 조사를 기피하는 행위가 명백한 경우

② 거래처 조사 또는 거래처 현지확인 및 금융거래 현지확인이 필요한 경우

③ 세금탈루 혐의가 포착되거나 조사 과정에서 조사유형이 「조세범 처벌절차법」에 따른 조세범칙조사로 전환되는 경우

④ 천재지변이나 노동쟁의로 조사가 중단되는 경우

⑤ 납세자보호관 또는 담당관(이하 '납세자보호관 등'이라 함)이 세금탈루혐의와 관련하여 추가적인 사실 확인이 필요하다고 인정하는 경우

⑥ 세금탈루혐의에 대한 해명 등을 위하여 조사대상자가 세무조사기간의 연장을 신청한 경우로서 납세자보호관 등이 이를 인정하는 경우

(2) 이 경우 세무공무원은 세무조사기간을 연장하는 연장사유와 기간을 납세자에게 문서로 통지하여야 한다.

기출 OX

납세자가 조사를 기피하는 행위가 명백한 경우 세무공무원은 세무조사기간을 연장할 수 있다. (○) 14. 9급

2. 제한

(1) 세무공무원은 세무조사기간을 정할 경우 조사대상 과세기간 중 연간 수입금액 또는 양도가액이 가장 큰 과세기간의 연간 수입금액 또는 양도가액이 100억원 미만인 납세자에 대한 세무조사기간은 20일 이내로 한다.

(2) 이처럼 기간을 정한 세무조사를 1.의 (1)의 사유로 연장하는 경우로서 최초로 연장하는 경우에는 관할세무관서의 장의 승인을 받아야 하고, 2회 이후 연장의 경우에는 관할상급세무관서의 장의 승인을 받아 각각 20일 이내에서 연장할 수 있다.

(3) 다만, 다음에 해당하는 사유가 있을 경우에는 세무조사기간의 제한 및 세무조사연장기간의 제한을 받지 않는다.

① 무자료거래, 위장 · 가공거래 등 거래내용이 사실과 다른 혐의가 있어 실제 거래내용에 대한 조사가 필요한 경우

② 「국제조세조정에 관한 법률」에 따른 역외거래를 이용하여 세금을 탈루하거나 국내 탈루소득을 해외로 변칙유출한 혐의로 조사하는 경우

③ 명의위장 · 이중장부의 작성 · 차명계좌의 이용 · 현금거래의 누락 등의 방법을 통하여 세금을 탈루한 혐의로 조사하는 경우

기출 OX

01 조사대상 과세기간 중 연간 수입금액 또는 양도가액이 가장 큰 과세기간의 연간 수입금액 또는 양도가액이 100억 원 미만인 납세자에 대한 세무조사기간은 20일 이내로 하는 것을 원칙으로 한다. (○) 10. 7급

02 세무공무원은 거래처 현지확인이 필요한 경우로서 「국세기본법」 제81조의8 제2항에 따라 기간을 정한 세무조사를 최초로 연장하는 경우에는 관할세무관서의 장의 승인만으로 세무조사 기간을 연장할 수 있다. (○) 19. 7급

03 국제거래를 이용하여 세금을 탈루하거나 국내 탈루소득을 해외로 변칙유출한 혐의로 조사하는 경우에는 「국세기본법」 제81조의8 제2항에 따른 세무조사 기간의 제한 및 같은 조 제3항에 따른 세무조사 연장기간의 제한을 받지 아니한다. (○) 19. 7급

④ 거짓계약서 작성 · 미등기양도 등을 이용한 부동산 투기 등을 통하여 세금을 탈루한 혐의로 조사하는 경우

⑤ 상속세 · 증여세조사, 주식변동조사, 범칙사건조사 및 출자 · 거래관계에 있는 관련자에 대하여 동시조사를 하는 경우

3. 중지

(1) 세무공무원은 다음에 해당하는 사유로 세무조사를 진행하기 어려운 경우에는 세무조사를 중지할 수 있다. 이 경우 그 중지기간은 세무조사기간 및 세무조사연장기간에 산입하지 않는다. 이처럼 세무조사를 중지한 경우에는 그 중지사유가 소멸하게 되면 즉시 조사를 재개하여야 한다.

① 세무조사 연기신청사유에 해당하는 사유가 있어 납세자가 조사중지를 신청한 경우

② 국외자료의 수집 · 제출 또는 상호합의절차 개시에 따라 외국 과세기관과의 협의가 필요한 경우

③ 납세자가 장부 · 서류 등을 은닉하거나 그 제출을 지연 또는 거부하는 등으로 인하여 세무조사를 정상적으로 진행하기 어려운 경우

㉠ 납세자의 소재가 불명한 경우

㉡ 납세자가 해외로 출국한 경우

㉢ 납세자가 장부 · 서류 등을 은닉하거나 그 제출을 지연 또는 거부한 경우

㉣ 노동쟁의가 발생한 경우

㉤ 그 밖에 이와 유사한 사유가 있는 경우

④ 납세자보호관 등이 세무조사의 일시중지를 요청하는 경우

(2) 다만, 조세채권의 확보 등 긴급히 조사를 재개하여야 할 필요가 있는 경우에는 세무조사를 재개할 수 있다.

(3) 세무공무원은 세무조사의 중지기간 중에는 납세자에 대하여 국세의 과세표준과 세액을 결정 또는 경정하기 위한 질문을 하거나 장부 등의 검사 · 조사 또는 그 제출을 요구할 수 없다.

4. 조기종료

세무공무원은 세무조사기간을 단축하기 위하여 노력하여야 하며, 장부기록 및 회계처리의 투명성 등 납세성실도를 검토하여 더 이상 조사할 사항이 없다고 판단될 때에는 조사기간 종료 전이라도 조사를 조기에 종결할 수 있다.

10 세무조사범위 확대의 제한

세무공무원은 다음의 경우를 제외하고는 조사진행 중 세무조사의 범위를 확대할 수 없다. 세무조사의 범위를 확대하는 경우에는 그 사유와 범위를 납세자에게 문서로 통지하여야 한다.

1. 다른 과세기간 · 세목 또는 항목에 대한 구체적인 세금탈루 증거자료가 확인되어 다른 과세기간 · 세목 또는 항목에 대한 조사가 필요한 경우
2. 명백한 세금탈루 혐의 또는 세법 적용의 착오 등이 있는 조사대상 과세기간의 특정 항목이 다른 과세기간에도 있어 동일하거나 유사한 세금탈루 혐의 또는 세법 적용 착오 등이 있을 것으로 의심되어 다른 과세기간의 그 항목에 대한 조사가 필요한 경우

기출 OX

세무공무원은 특정 항목의 명백한 세금탈루 혐의 또는 세법적용 착오 등이 다른 과세기간으로 연결되어 그 항목에 대한 다른 과세기간의 조사가 필요한 경우에는 조사 진행 중 세무조사의 범위를 확대할 수 있다. (○) 15. 7급

11 장부 · 서류 보관금지

1. 원칙

세무공무원은 세무조사(「조세범 처벌절차법」에 따른 조세범칙조사를 포함)의 목적으로 납세자의 장부 등을 세무관서에 임의로 보관할 수 없다.

2. 예외

세무공무원은 정기선정 외 세무조사사유(성실성 추정 배제사유)에 해당하는 경우에는 조사목적에 필요한 최소한의 범위에서 납세자 · 소지자 또는 보관자 등 정당한 권한이 있는 자가 임의로 제출한 장부 등을 납세자의 동의를 얻어 세무관서에 일시 보관할 수 있다.

3. 보관절차

(1) 세무공무원은 납세자의 장부 등을 세무관서에 일시 보관하려는 경우 납세자로부터 일시 보관 동의서를 받아야 하며, 일시 보관증을 교부하여야 한다.

(2) 세무공무원은 일시 보관하고 있는 장부 등에 대하여 납세자가 반환을 요청한 경우에는 그 반환을 요청한 날부터 14일 이내에 장부 등을 반환하여야 한다. 다만, 조사목적을 달성하기 위하여 필요한 경우에는 1회에 한하여 납세자보호위원회의 심의를 거쳐 14일 이내의 범위에서 보관 기간을 연장할 수 있다.

(3) 세무공무원은 장부 등을 일시 보관하려는 경우에는 납세자에게 사전고지를 하여야 한다.

(4) 납세자 등은 조사목적이나 조사범위와 관련이 없는 등의 사유로 일시 보관에 동의하지 않는 장부 등에 대하여는 세무공무원에게 일시 보관할 장부 등에서 제외할 것을 요청할 수 있다. 이 경우 세무공무원은 정당한 사유 없이 해당 장부 등을 일시 보관할 수 없다.

(5) **3.**의 (2)와 **4.**의 (1)에 따라 장부 등을 반납한 경우를 제외하고 세무조사를 종결할 때까지 일시 보관한 장부 등을 모두 반환하여야 한다.

4. 반환

(1) 세무공무원은 납세자가 일시 보관하고 있는 장부 등의 반환을 요청한 경우로서 세무조사에 지장이 없다고 판단될 때에는 위 **3.**의 (2)규정에도 불구하고 요청한 장부 등을 즉시 반환하여야 한다.

(2) 납세자에게 장부 등을 반환하는 경우 세무공무원은 장부 등의 사본을 보관할 수 있고, 그 사본이 원본과 다름없다는 사실을 확인하는 납세자의 서명 또는 날인을 요구할 수 있다.

12 통합조사원칙

1. 원칙

세무조사는 납세자의 사업과 관련하여 세법에 따라 신고 · 납부의무가 있는 세목을 통합하여 실시하는 것을 원칙으로 한다.

2. 예외

다음의 어느 하나에 해당하는 경우에는 특정한 세목만을 조사할 수 있다.

(1) 세목의 특성, 납세자의 신고유형, 사업규모 또는 세금탈루 혐의 등을 고려하여 특정 세목만을 조사할 필요가 있는 경우

(2) 조세채권의 확보 등을 위하여 특정 세목만을 긴급히 조사할 필요가 있는 경우

(3) 그 밖에 세무조사의 효율성 및 납세자의 편의 등을 고려하여 특정 세목만을 조사할 필요가 있는 경우로서 대통령령으로 정하는 경우

3. 부분조사

(1) 통합조사원칙에도 불구하고 다음의 어느 하나에 해당하는 경우에는 해당 사항에 대한 확인을 위하여 필요한 부분에 한정한 조사(부분조사)를 실시할 수 있다.

(2) 아래 ③~⑥까지에 해당하는 사유로 인한 부분조사는 같은 세목 및 같은 과세기간에 대하여 2회를 초과하여 실시할 수 없다.

① 「국세기본법」상의 경정 등의 청구에 대한 처리, 「소득세법」상 비거주자 및 「법인세법」상 외국법인의 조세조약 적용을 위한 경정청구에 대한 처리 또는 국세환급금의 결정을 위하여 확인이 필요한 경우

② 이의신청 · 심사청구 · 심판청구 또는 과세전적부심사에 따른 재조사결정에 따라 사실관계의 확인 등이 필요한 경우

③ 거래상대방에 대한 세무조사 중에 거래 일부의 확인이 필요한 경우

④ 납세자에 대한 구체적인 탈세 제보가 있는 경우로서 해당 탈세 혐의에 대한 확인이 필요한 경우

⑤ 명의위장 · 차명계좌의 이용을 통하여 세금을 탈루한 혐의에 대한 확인이 필요한 경우

⑥ 그 밖에 세무조사의 효율성 및 납세자의 편의 등을 고려하여 특정 사업장 · 특정 항목 또는 특정 거래에 대한 확인이 필요한 경우로서 대통령령으로 정하는 경우

심화 | 부분조사가 가능한 대통령령이 정하는 경우

1. 법인이 주식 또는 출자지분을 시가보다 높거나 낮은 가액으로 거래하거나 자본거래로 인하여 해당 법인의 특수관계인인 다른 주주 등에게 이익을 분여하거나 분여받은 구체적인 혐의가 있는 경우로서 해당 혐의에 대한 확인이 필요한 경우
2. 무자료거래, 위장 · 가공거래 등 특정 거래내용이 사실과 다른 구체적인 혐의가 있는 경우로서 조세채권의 확보 등을 위하여 긴급한 조사가 필요한 경우
3. 과세관청 외의 기관이 직무상 목적을 위해 작성하거나 취득하여 과세관청에 제공한 자료의 처리를 위해 조사하는 경우
4. 「소득세법」에 따른 비거주자 및 「법인세법」에 따른 외국법인의 조세조약상 비과세 또는 면제 적용 신청에 대한 내용을 확인할 필요가 있는 경우

13 세무조사의 결과통지

1. 원칙

세무공무원은 세무조사를 마쳤을 때에는 그 조사를 마친 날부터 20일(공시송달 사유에 해당하는 경우는 40일) 이내에 조사내용, 결정 또는 경정할 과세표준 · 세액 및 산출근거 등이 포함된 조사결과를 납세자에게 설명하고, 이를 서면으로 통지하여야 한다.

심화 | 세무조사의 결과통지내용

1. 세무조사내용
2. 결정 또는 경정할 과세표준, 세액 및 산출근거
3. 세무조사대상 세목 및 과세기간
4. 과세표준 및 세액을 결정 또는 경정하는 경우 그 사유(근거 법령 및 조항, 과세표준 및 세액 계산의 기초가 되는 구체적 사실 등을 포함)
5. 관할세무서장이 결정 또는 경정하여 통지하기 전까지 수정신고 · 납부가 가능한 사실
6. 과세전적부심사를 청구할 수 있다는 사실
7. 가산세의 종류, 금액 및 산출근거

2. 부분통지

(1) 세무공무원은 다음의 어느 하나에 해당하는 사유로 20일(공시송달 40일)이내에 조사결과를 통지할 수 없는 부분이 있는 경우에는 납세자가 동의하는 경우에 한정하여 조사결과를 통지할 수 없는 부분을 제외한 조사결과를 납세자에게 설명하고, 이를 서면으로 통지할 수 있다.

① 「국제조세조정에 관한 법률」 및 조세조약에 따른 국외자료의 수집 · 제출 또는 상호합의절차 개시에 따라 외국 과세기관과의 협의가 진행 중인 경우

② 해당 세무조사와 관련하여 세법의 해석 또는 사실관계 확정을 위하여 기획재정부장관 또는 국세청장에 대한 질의 절차가 진행 중인 경우

(2) 상호합의절차 종료, 세법의 해석 또는 사실관계 확정을 위한 질의에 대한 회신 등으로 앞의 (1)의 사유가 해소된 때에는 그 사유가 해소된 날부터 20일(공시송달의 경우에는 40일) 이내에 통지한 부분 외에 대한 조사결과를 납세자에게 설명하고, 이를 서면으로 통지하여야 한다.

3. 예외

다음 중 어느 하나에 해당하는 경우에는 이러한 결과통지를 요하지 않는다.

(1) 납세관리인을 정하지 않고 국내에 주소 또는 거소를 두지 않은 경우

(2) 불복청구 · 과세전적부심사가 이유가 있다고 인정되어 그 청구의 대상이 된 처분의 취소 · 경정 또는 필요한 처분을 하기 위한 사실관계 확인 등 추가적으로 조사가 필요한 경우에 행한 재조사결정에 따른 세무조사인 경우

(3) 세무조사결과통지서 수령을 회피하거나 거부하는 경우

14 비밀유지

1. 원칙

(1) 세무공무원은 납세자가 세법에서 정한 납세의무를 이행하기 위하여 제출한 자료나 국세의 부과 · 징수를 위하여 업무상 취득한 자료 등을 타인에게 제공 또는 누설하거나 목적 외의 용도로 사용하여서는 아니 된다.

(2) 세무공무원은 이러한 규정을 위반하여 과세정보의 제공을 요구받으면 그 요구를 거부하여야 한다.

(3) 과세정보를 제공받아 알게 된 사람 중 공무원이 아닌 사람은 벌칙을 적용할 때에는 공무원으로 본다.

(4) 과세정보를 제공받은 자는 과세정보의 유출을 방지하기 위한 시스템의 구축 등 다음의 과세정보의 안전성 확보를 위한 조치를 하여야 한다. 그리고 국세청장은 과세정보를 제공받은 자에게 점검결과의 제출을 요청할 수 있으며, 해당 요청을 받은 자는 그 점검결과를 국세청장에게 제출해야 한다.

기출 OX

국세청장이 심사청구에 대하여 처분청으로 하여금 사실관계를 재조사하여 그 결과에 따라 필요한 처분을 하도록 하는 재조사 결정에 따라, 세무공무원이 재조사결정에 의한 조사를 마친 경우에는 세무조사 내용 등이 포함된 조사결과를 납세자에게 서면으로 통지할 의무가 있다. (×) 19. 7급

▶ 재조사 결정에 따른 세무조사인 경우는 세무조사 결과통지를 하지 않는다.

① 과세정보의 유출 · 변조 등을 방지하기 위한 정보보호시스템의 구축
② 과세정보 이용이 가능한 업무담당자 지정 및 업무담당자 외의 자에 대한 과세정보 이용 금지
③ 과세정보 보관기간 설정 및 보관기간 경과 시 과세정보의 파기
④ 과세정보를 제공받은 자는 위 ①부터 ③의 조치의 이행 여부를 주기적으로 점검해야 한다.

2. 예외

다음 중 어느 하나에 해당하는 경우에는 그 사용 목적에 맞는 범위에서 납세자의 과세정보를 제공할 수 있다. 해당 세무관서 장에게 정보의 제공을 요구할 때 다음 (3) · (4)의 경우를 제외한 나머지 경우는 문서로 정보의 제공을 요구하여야 한다.

(1) 국가행정기관, 지방자치단체 등이 법률에서 정하는 조세, 과징금의 부과 · 징수 등을 위하여 사용할 목적으로 과세정보를 요구하는 경우
(2) 국가기관이 조세쟁송이나 조세범 소추를 위하여 과세정보를 요구하는 경우
(3) 법원의 제출명령 또는 법관이 발부한 영장에 의하여 과세정보를 요구하는 경우
(4) 세무공무원간에 국세의 부과 · 징수 또는 질문 · 검사에 필요한 과세정보를 요구하는 경우
(5) 통계청장이 국가통계작성 목적으로 과세정보를 요구하는 경우
(6)「사회보장기본법」에 따른 사회보험의 운영을 목적으로 설립된 기관이 관계 법률에 따른 소관 업무를 수행하기 위하여 과세정보를 요구하는 경우
(7) 국가행정기관, 지방자치단체 또는「공공기관의 운영에 관한 법률」에 따른 공공기관이 급부 · 지원 등을 위한 자격의 조사 · 심사 등에 필요한 과세정보를 당사자의 동의를 받아 요구하는 경우
(8) 다른 법률의 규정에 따라 과세정보를 요구하는 경우
(9)「국정감사 및 조사에 관한 법률」에 따른 조사위원회가 국정조사의 목적을 달성하기 위하여 조사위원회의 의결로 비공개회의에 과세정보의 제공을 요청하는 경우

기출 OX
세무공무원 상호 간에 국세의 부과 · 징수 또는 질문 · 검사상의 필요에 의하여 요구하는 경우에는 납세자의 정보를 제공할 수 있다. (○) 01. 7급

15 정보제공

세무공무원은 납세자가 납세자의 권리 행사에 필요한 정보를 요구하면 신속하게 정보를 제공하여야 한다.

16 납세자협력의무

납세자는 세무공무원의 적법한 질문 · 조사, 제출명령에 대하여 성실하게 협력하여야 한다.

17 과세전적부심사

1. 개념

과세전적부심사란 국세처분을 받기 전에 납세자의 청구에 의하여 그 국세처분의 타당성을 미리 심사하는 제도로 사전적 권리구제제도에 해당한다.

2. 청구

(1) 세무서장(또는 지방국세청장)에게 청구하는 경우

세무조사 결과에 대한 서면통지나 그 밖에 과세예고통지[1]를 받은 자는 통지를 받은 날부터 30일 이내에 통지를 한 세무서장이나 지방국세청장에게 통지 내용의 적법성에 관한 과세전적부심사를 청구할 수 있다.

(2) 국세청장에게 청구하는 경우

다음 중 어느 하나에 해당하는 사항에 대하여는 국세청장에게 청구할 수 있다.

① 법령과 관련하여 국세청장의 유권해석을 변경하여야 하거나 새로운 해석이 필요한 것

② 국세청장의 훈령 · 예규 · 고시 등과 관련하여 새로운 해석이 필요한 것

③ 세무서 또는 지방국세청에 대한 국세청장의 업무감사 결과(현지에서 시정조치하는 경우를 포함)에 따라 세무서장 또는 지방국세청장이 행하는 과세예고통지에 관한 것

④ 위 ①~③에 해당하지 않는 사항 중 과세전적부심사 청구금액이 10억 원 이상에 해당하는 것

⑤ 「감사원법」에 따른 시정요구에 따라 세무서장 또는 지방국세청장이 과세처분하는 경우로서 시정 요구 전에 과세처분 대상자가 감사원의 지적사항에 대한 소명안내를 받지 못한 것

(3) 관할을 위배하여 청구한 경우

과세전적부심사청구서가 통지를 한 세무서장 이외의 세무서장에게 제출된 때에는 당해 과세전적부심사청구서를 소관 세무서장에게 지체 없이 송부하고 그 뜻을 당해 청구인에게 통지하여야 한다.

3. 배제사유

다음 중 어느 하나에 해당하는 경우에는 과세전적부심사를 청구할 수 없다.

(1) 납부기한전징수 또는 수시부과의 사유가 있는 경우

(2) 「조세범 처벌법」 위반으로 고발 또는 통고처분하는 경우

(3) 세무조사결과통지 및 과세예고통지를 하는 날부터 국세부과제척기간의 만료일까지의 기간이 3개월 이하인 경우

---

[1] 과세예고통지

세무서장 또는 지방국세청장은 다음 어느 하나에 해당하는 경우에는 미리 납세자에게 그 내용을 서면으로 통지하여야 한다.

1. 세무서 또는 지방국세청에 대한 지방국세청장 또는 국세청장의 업무감사 결과(현지에서 시정조치하는 경우를 포함)에 따라 세무서장 또는 지방국세청장이 하는 과세예고통지
2. 범칙사건의 조사, 국세과세표준과 세액을 결정하거나 경정하기 위한 조사에서 확인된 해당 납세자 외의 자에 대한 과세자료 및 현지확인조사에 따라 세무서장 또는 지방국세청장이 하는 과세예고통지
3. 납부고지하려는 세액이 100만 원 이상인 과세예고통지. 다만, 감사위원회가 결정한 「감사원법」의 시정요구에 따라 과세처분하는 경우로서 세무서장 또는 지방국세청장이 충분한 소명절차가 진행된 것으로 판단하는 경우는 제외

기출 OX

01 납부고지하려는 세액이 1백만 원 이상인 과세예고통지를 받은 자는 그 통지를 받은 날부터 30일 이내에 당해 세무서장 또는 지방국세청장에게 과세전적부심사를 청구할 수 있다. (○) 09. 9급

02 법령과 관련하여 국세청장의 유권해석을 변경하여야 하거나 새로운 해석이 필요한 경우 및 과세전적부심사 청구금액이 10억 원 이상에 해당하는 경우에는 국세청장에게 과세전적부심사를 청구할 수 있다. (○) 06. 7급

(4) 「국제조세조정에 관한 법률」에 따라 조세조약을 체결한 상대국이 상호합의절차의 개시를 요청한 경우

(5) 불복청구 또는 과세전적부심사청구 재조사결정에 따른 세무조사인 경우

4. 청구의 효력

(1) 원칙

과세전적부심사청구서를 제출받은 세무서장 · 지방국세청장 또는 국세청장은 그 청구부분에 대하여 과세전적부심사에 대한 결정이 있을 때까지 과세표준 및 세액의 결정이나 경정결정을 유보하여야 한다.

기출 OX

과세전적부심사청구의 배제사유에 해당하는 경우가 아니라면 과세전적부심사의 청구부분에 대하여는 과세전적부심사에 대한 결정이 있을 때까지 과세표준 및 세액의 결정이나 경정결정이 유보된다. (○)

08. 9급

(2) 예외

위 3.의 과세전적부심사의 배제사유에 해당하는 경우에는 제외한다.

5. 과세전적부심사에 대한 결정

(1) 결정기간

과세전적부심사청구를 받은 세무서장 · 지방국세청장 또는 국세청장은 각각 국세심사위원회의 심사를 거쳐 결정하고 그 결과를 청구를 받은 날부터 30일 이내에 청구인에게 통지하여야 한다.

심화 | 납부지연가산세 감면

과세전적부심사의 결정 · 통지기간 내에 결과를 통지하지 않아 지연된 경우에는 그 지연된 기간에 대한 납부지연가산세를 50% 감면한다.

(2) 결정종류

결정	내용
① 채택하지 아니한다는 결정	청구에 이유 없다고 인정되는 경우
② 채택하거나 일부 채택하는 결정[1]	청구가 이유 있다고 인정되는 경우
③ 심사하지 아니한다는 결정	청구기간이 지났거나 보정기간에 보정하지 아니한 경우

[1] 구체적인 채택의 범위를 정하기 위하여 사실관계 확인 등 추가적으로 조사가 필요한 경우에는 세무조사 결과에 대한 서면통지 · 과세예고 통지를 한 세무서장이나 지방국세청장으로 하여금 이를 재조사하여 그 결과에 따라 당초 통지 내용을 수정하여 통지하도록 하는 재조사결정을 할 수 있다.

심화 | 조기결정신청

세무조사에 대한 서면통지 또는 과세예고통지를 받은 자는 과세전적부심사를 청구하지 않고 통지를 한 세무서장이나 지방국세청장에게 통지받은 내용의 전부 또는 일부에 대하여 과세표준 및 세액을 조기에 결정하거나 경정결정하여 줄 것을 신청할 수 있다. 이 경우 해당 세무서장이나 지방국세청장은 신청받은 내용대로 즉시 결정이나 경정결정을 하여야 한다.

(3) 불복청구에 관한 규정의 준용

과세전적부심사에 관하여는 불복청구에 관한 다음의 규정을 준용한다.

① 청구인의 관계서류의 열람 및 의견진술권

② 대리인의 관한 규정

③ 청구기간 준수 여부의 판정기준(청구기간 경과 후 도달한 우편청구서)

④ 청구서의 보정(20일), 보정기간은 결정기간에 불산입

⑤ 위원회의 회의 비공개

⑥ 정보통신망을 이용한 불복청구

18 국세청장의 납세자 권리보호

1. 납세자보호관 · 납세자보호담당관

(1) 국세청장은 직무를 수행함에 있어 납세자의 권리가 보호되고 실현될 수 있도록 성실하게 노력하여야 한다.

(2) 납세자의 권리보호를 위하여 국세청에 납세자 권리보호업무를 총괄하는 납세자보호관을 두고, 세무서 및 지방국세청에 납세자 권리보호업무를 수행하는 담당관을 각각 1인을 둔다.

(3) 국세청장은 납세자보호관을 개방형직위로 운영하고 납세자보호관 및 납세자보호담당관이 업무를 수행함에 있어 독립성이 보장될 수 있도록 하여야 한다. 이 경우 납세자보호관은 조세 · 법률 · 회계 분야의 전문지식과 경험을 갖춘 사람으로서 다음의 어느 하나에 해당하지 아니하는 사람을 대상으로 공개모집한다.

① 세무공무원

② 세무공무원으로 퇴직한 지 3년이 지나지 아니한 사람

(4) 국세청장은 납세자 권리보호업무의 추진실적 등의 자료를 일반 국민에게 정기적으로 공개하여야 한다.

2. 납세자보호관 · 납세자보호담당관의 직무 및 권한

(1) 납세자보호관의 직무 및 권한

① 위법 · 부당한 세무조사 및 세무조사 중 세무공무원의 위법 · 부당한 행위에 대한 일시중지 및 중지, 세무조사 과정에서 위법 · 부당한 행위를 한 세무공무원 교체 명령 및 징계 요구

② 위법 · 부당한 처분(세법에 따른 납부의 고지는 제외)에 대한 시정요구

③ 위법 · 부당한 처분이 행하여질 수 있다고 인정되는 경우 그 처분절차의 일시중지 및 중지

④ 납세서비스 관련 제도 · 절차 개선에 관한 사항

⑤ 납세자의 권리보호업무에 관하여 세무서 및 지방국세청의 담당관(세무서 및 지방국세청에 납세자 권리보호업무를 수행하기 위하여 두는 담당관. 이하 '납세자보호담당관'이라 함)에 대한 지도 · 감독

⑥ 세금 관련 고충민원의 해소 등 납세자 권리보호에 관한 사항

⑦ 그 밖에 납세자의 권리보호와 관련하여 국세청장이 정하는 사항

납세자보호관은 위의 업무를 효율적으로 수행하기 위하여 납세자보호담당관에게 그 직무와 권한의 일부를 위임할 수 있다.

(2) **납세자보호담당관의 직무 및 권한**

① 납세자보호담당관은 국세청 소속 공무원 중에서 그 직급 · 경력 등을 고려하여 국세청장이 정하는 기준에 해당하는 사람으로 한다.

납세자보호담당관의 직무 및 권한은 다음과 같다.

㉠ 세금 관련 고충민원의 해소 등 납세자 권리보호에 관한 사항

㉡ 세무조사 과정에서 세무공무원의 세무조사권남용금지(재조사금지) 규정 준수 여부에 대한 점검

㉢ 조사대상 과세연도의 수입금액이 「소득세법 시행령」에 따른 외부조사기준수입금액 이하인 개인사업자 및 내국법인에 대한 세무조사 입회

㉣ 납세자보호관에게 위임받은 업무

㉤ 그 밖에 납세자 권리보호에 관하여 국세청장이 정하는 사항

② 납세자보호담당관은 위 ①의 ㉡의 규정 준수 여부를 점검한 결과 세무공무원의 세무조사권 남용 행위가 발견된 경우에는 납세자보호위원회의 심의를 거쳐 이를 납세자보호관에게 보고해야 한다.

③ 이러한 보고를 받은 납세자보호관은 납세자보호위원회의 심의과정에서 중요 사실관계의 누락 등이 있는 경우 해당 납세자보호위원회에 다시 심의할 것을 요청할 수 있으며, 세무조사권 남용행위가 인정되는 세무공무원을 해당 세무조사에서 배제시키는 명령을 해야 한다.

기출문제

01 「국세기본법」상 세무조사 중 통합조사의 원칙에 대한 설명으로 옳지 않은 것은? 2022년 9급

① 세금탈루 혐의 등을 고려하여 특정 세목만을 조사할 필요가 있는 경우에는 특정한 세목만을 조사할 수 있다.
② 조세채권의 확보 등을 위하여 특정 세목만을 긴급히 조사할 필요가 있는 경우에는 특정한 세목만을 조사할 수 있다.
③ 명의위장, 차명계좌의 이용을 통하여 세금을 탈루한 혐의에 대한 확인이 필요한 경우에 해당하는 사유로 인한 부분조사는 같은 세목 및 같은 과세기간에 대하여 2회를 초과하여 실시할 수 있다.
④ 「국세기본법」에 따른 경정 등의 청구에 대한 처리를 위하여 확인이 필요한 경우에는 부분조사를 실시할 수 있다.

01
명의위장, 차명계좌의 이용을 통하여 세금을 탈루한 혐의에 대한 확인이 필요한 경우에 해당하는 사유로 인한 부분조사는 같은 세목 및 같은 과세기간에 대하여 2회를 초과할 수 없다.

02 「국세기본법」상 세무조사에 대한 설명으로 옳지 않은 것은? 2021년 7급

① 과세전적부심사에 따른 재조사 결정에 의한 조사(결정서 주문에 기재된 범위의 조사에 한정)를 하는 경우 같은 세목 및 같은 과세기간에 대하여 재조사를 할 수 없다.
② 상속세 · 증여세 조사, 주식변동 조사, 범칙사건 조사 및 출자 · 거래관계에 있는 관련자에 대하여 동시조사를 하는 경우에는 세무조사 기간의 제한 및 세무조사 연장기간의 제한을 받지 아니한다.
③ 세무공무원은 납세자에 대한 구체적인 탈세 제보가 있는 경우에는 조사 목적에 필요한 최소한의 범위에서 납세자 등 정당한 권한이 있는 자가 임의로 제출한 장부등을 납세자의 동의를 받아 세무관서에 일시 보관할 수 있다.
④ 세무조사는 납세지 관할 세무서장 또는 지방국세청장이 수행하지만, 납세자의 주된 사업장이 납세지와 관할을 달리하는 경우에는 국세청장(같은 지방국세청 소관 세무서 관할 조정의 경우에는 지방국세청장)이 그 관할을 조정할 수 있다.

02
재조사 결정에 따른 조사는 같은 세목 및 같은 과세기간에 대하여 재조사를 할 수 있다.

정답 01 ③ 02 ①

03 「국세기본법」상 재조사 결정에 대한 설명으로 옳은 것은? 2021년 7급

① 재조사 결정은 「국세기본법」에 규정되어 있지 아니하나 실무상 사용하고 있는 결정의 한 방식이다.
② 과세전적부심사 청구에 따른 재조사 결정에 따라 조사를 하는 경우 과세전적부심사의 청구대상이 된다.
③ 재조사 결정이 있는 경우 처분청은 재조사 결정일로부터 60일 이내에 결정서 주문에 기재된 범위에 한정하여 조사하고, 그 결과에 따라 취소 · 경정하거나 필요한 처분을 하여야 한다.
④ 심사청구 또는 심판청구에 대한 재조사 결정에 따른 처분청의 처분에 대해서는 해당 재조사 결정을 한 재결청에 대하여 심사청구 또는 심판청구를 제기할 수 없다.

03
오답체크
① 재조사 결정은 「국세기본법」에 규정되어 있다.
② 재조사 결정에 따른 조사는 다시 과세전적부심사를 할 수 없다.
④ 심사청구 또는 심판청구에 따른 재조사결정에 따른 처분청의 처분에 대해서 다시 심사청구 또는 심판청구를 할 수 있다.

04 국세기본법령상 세무조사 기간의 연장사유에 해당하지 않는 것은?

2021년 9급

① 납세자가 장부 · 서류 등을 은닉하거나 제출을 지연하거나 거부하는 등 조사를 기피하는 행위가 명백한 경우
② 거래처 조사, 거래처 현지확인 또는 금융거래 현지확인이 필요한 경우
③ 세금탈루 혐의가 포착되거나 조사 과정에서 「조세범 처벌절차법」에 따른 조세범칙조사를 개시하는 경우
④ 국외자료의 수집 · 제출 또는 상호합의절차 개시에 따라 외국 과세기관과의 협의가 필요한 경우

04
국외자료의 수집 · 제출 또는 상호합의절차 개시에 따라 외국 과세기관과의 협의가 필요한 경우는 세무조사 중지사유에 해당된다.

정답 03 ③ 04 ④

05 「국세기본법」상 세무조사권 남용 금지에 대한 설명으로 옳지 않은 것은?

2020년 7급

① 세무공무원은 부분조사를 실시한 후 해당 조사에 포함되지 아니한 부분에 대하여 조사하는 경우에는 같은 세목 및 같은 과세기간에 대하여 재조사를 할 수 있다.

② 세무공무원은 과세전적부심사청구가 이유 있다고 인정되어 행한 재조사 결정에 따라 조사를 하는 경우에 결정서 주문에 기재된 범위의 조사를 넘어 같은 세목 및 같은 과세기간에 대하여 재조사를 할 수 있다.

③ 세무공무원은 세무조사를 하기 위하여 필요한 최소한의 범위에서 장부등의 제출을 요구하여야 하며, 조사대상 세목 및 과세기간의 과세표준과 세액의 계산과 관련 없는 장부등의 제출을 요구해서는 아니 된다.

④ 세무공무원은 적정하고 공평한 과세를 실현하기 위하여 필요한 최소한의 범위에서 세무조사(「조세범 처벌절차법」에 따른 조세범칙조사를 포함한다)를 하여야 하며, 다른 목적 등을 위하여 조사권을 남용해서는 아니 된다.

05
세무공무원은 과세전적부심사청구가 이유 있다고 인정되어 행한 재조사 결정에 따라 조사를 하는 경우에 결정서 주문에 기재된 범위 범위에 한하여 조사할 수 있다.

06 「국세기본법」상 납세자의 권리에 대한 설명으로 옳지 않은 것은? 2019년 9급

① 세무공무원은 법령에서 정한 경우를 제외하고는 납세자가 성실하며 납세자가 제출한 신고서 등이 진실한 것으로 추정하여야 한다.

② 납세자는 세무조사를 받는 경우에 세무사로 하여금 조사에 참여하게 하거나 의견을 진술하게 할 수 있다.

③ 세무조사는 납세자의 사업과 관련하여 세법에 따라 신고·납부의무가 있는 세목별로 나누어 실시하는 것이 원칙이다.

④ 세무공무원은 납세자가 세무공무원에게 직무와 관련하여 금품을 제공한 경우에는 같은 세목 및 같은 과세기간에 대해서 재조사할 수 있다.

06
세무조사는 납세자의 사업과 관련된 세목을 통합하여 조사하는 것을 원칙으로 한다.

정답 05 ② 06 ③

07 「국세기본법」상 세무조사에 대한 설명으로 옳지 않은 것은? 2018년 7급

① 세무공무원이 세무조사를 실시하기 전 조사기간, 조사대상 세목 등을 납세자에게 사전통지해야 하는 경우에는 조사를 시작하기 15일 전에 그 통지를 해야 한다.

② 세무조사는 통합조사가 원칙이지만 차명계좌를 이용하여 세금을 탈루한 혐의에 대한 확인이 필요한 경우 그 확인을 위해 필요한 부분에 한정하여 조사를 실시할 수도 있는데, 그러한 조사의 경우에도 같은 세목 및 같은 과세기간에 대하여 2회까지만 실시할 수 있다.

③ 세무공무원은 세무조사를 마쳤을 때에는 그 조사를 마친 날부터 30일 이내에 조사결과를 납세자에게 통지해야 하는데, 「조세범 처벌절차법」에 따른 조세범칙조사를 한 경우에는 결과통지를 하지 않는다.

④ 세무조사 중 납세자의 장부 등을 납세자의 동의를 받아 적법하게 세무관서에 일시보관하는 경우, 세무공무원은 납세자가 그 장부 등의 반환을 요청한 경우로서 세무조사에 지장이 없다고 판단될 때에는 요청한 장부 등을 즉시 반환하여야 한다.

07
세무공무원은 세무조사를 마쳤을 때에는 그 조사를 마친 날부터 20일 이내(공시송달의 경우는 40일 이내) 조사결과를 납세자에게 통지하여야 하며, 조세범칙조사에 대해서 결과통지를 제외하지 않는다.

08 「국세기본법」상 세무공무원이 납세자권리헌장의 내용이 수록된 문서를 납세자에게 내주어야 하는 경우에 해당하지 않는 것은? 2018년 7급

① 「조세범 처벌절차법」에 따른 조세범칙조사를 하는 경우
② 납세자가 경정청구를 하는 경우
③ 사전통지 없이 세무조사를 하는 경우
④ 사업자등록증을 발급하는 경우

08
납세자가 경정청구를 하는 경우는 납세자권리헌장의 내용이 수록된 문서를 내주어야 하는 경우에 해당하지 않는다.

정답 07 ③ 08 ②

09 「국세기본법」에서 규정하고 있는 납세자의 권리에 대한 설명으로 옳지 않은 것은? 2016년 9급

① 세무조사의 사전통지를 받은 납세자가 장기출장을 사유로 조사를 받기 곤란한 경우에는 조사의 연기를 신청할 수 있다.
② 세무공무원은 납세자가 세법에서 정하는 신고 등의 납세협력의무를 이행하지 아니한 경우에도 납세자가 성실하며 납세자가 제출한 신고서 등이 진실한 것으로 추정하여야 한다.
③ 납세자의 과세정보에 대한 비밀유지원칙에 불구하고 지방자치단체가 지방세 부과 · 징수 등을 위하여 사용할 목적으로 과세정보를 요구하는 경우 세무공무원은 이를 제공할 수 있다.
④ 납세자 본인의 권리행사에 필요한 정보를 납세자가 요구하는 경우 세무공무원은 이를 신속하게 제공하여야 한다.

09
세무공무원은 납세자가 세법에서 정하는 신고 등의 납세협력의무를 이행하지 아니한 경우는 성실성 추정 배제사유에 해당한다.

10 「국세기본법」상 납세자의 권리에 대한 설명으로 옳지 않은 것은? 2015년 7급

① 세무공무원은 특정 항목의 명백한 세금탈루 혐의 또는 세법적용 착오 등이 다른 과세기간으로 연결되어 그 항목에 대한 다른 과세기간의 조사가 필요한 경우에는 조사 진행 중 세무조사의 범위를 확대할 수 있다.
② 세무공무원은 무자료거래 등 거래 내용이 사실과 다른 혐의가 있어 실제 거래 내용에 대한 조사가 필요한 경우 관할세무관서의 장의 승인을 받아 세무조사기간을 연장할 수 있으나, 그 기한은 20일 이내여야 한다.
③ 납세자에 대한 구체적 탈세제보가 있는 경우는 세무공무원이 납세자의 성실성을 추정해야 하는 경우에서 제외된다.
④ 세무공무원은 조세탈루의 혐의를 인정할 만한 명백한 자료가 있는 경우 같은 세목 및 같은 과세기간에 대해서 재조사를 할 수 있다.

10
세무공무원은 무자료거래 등 거래내용이 사실과 다른 혐의가 있어 실제 거래내용에 대한 조사가 필요한 경우에는 기간에 제한이 없이 세무조사가 가능하다.

정답 09 ② 10 ②

11 「국세기본법」상 세무조사에 대한 설명으로 옳지 않은 것은? 2014년 9급

① 정기선정하여 세무조사를 하는 경우 세무공무원은 객관적 기준에 따라 공정하게 그 대상을 선정하여야 한다.
② 세무공무원은 과세관청의 조사결정에 의하여 과세표준과 세액이 확정되는 세목의 경우 과세표준과 세액을 결정하기 위하여 세무조사를 할 수 있다.
③ 납세자가 조사를 기피하는 행위가 명백한 경우 세무공무원은 세무조사기간을 연장할 수 있다.
④ 세무공무원은 거래상대방에 대한 조사가 필요한 경우에도 같은 세목에 대하여 재조사를 할 수 없다.

11
세무공무원은 거래상대방에 대한 조사가 필요한 경우에도 같은 세목에 대하여 재조사를 할 수 있다.

12 「국세기본법」상 납세자의 성실성 추정에서 제외되는 사유로 옳지 않은 것은? 2013년 7급

① 무자료거래, 위장가공거래 등 거래내용이 사실과 다른 혐의가 있는 경우
② 납세자에 대한 구체적인 탈세제보가 있는 경우
③ 납세자가 세법이 정하는 신고를 이행하지 아니한 경우
④ 국세청장이 납세자의 신고내용에 대한 정기적인 성실도 분석결과 불성실혐의가 있다고 인정하는 경우

12
국세청장이 납세자의 신고내용에 대한 정기적인 성실도 분석결과 불성실혐의가 있다고 인정하는 경우는 정기선정 조사사유에 해당한다.

정답 11 ④ 12 ④

13 「국세기본법」상 납세자의 권리에 대한 설명으로 옳지 않은 것은? 2012년 9급

① 세무공무원은 납세자 갑에 대한 구체적인 탈세제보가 있는 경우 갑이 제출한 신고서를 진실한 것으로 추정할 수 없다.
② 납세자는 세무조사시에 변호사, 공인회계사, 세무사 등으로 하여금 조사에 참여하게 하거나 의견을 진술하게 할 수 있다.
③ 세무공무원은 조사대상 세목 · 업종 · 규모, 조사난이도 등을 고려하여 세무조사기간이 최소한이 되도록 정하여야 하되, 거래처 조사가 필요한 경우에는 세무조사기간을 연장할 수 있다.
④ 세무공무원은 납세자 을의 거래상대방에 대한 조사가 필요한 경우에도 을의 같은 세목과 같은 과세기간에 대하여 재조사를 할 수 없다.

13
거래상대방에 대한 조사가 필요한 경우에는 같은 세목과 같은 과세기간에 대하여 재조사를 할 수 있다.

14 「국세기본법」상 세무공무원이 세무조사시 같은 세목 및 같은 과세기간에 대하여 재조사를 할 수 있는 경우에 해당하지 않는 것은? 2011년 7급

① 조세탈루가 의심되는 경우
② 거래상대방에 대한 조사가 필요한 경우
③ 2개 이상의 사업연도와 관련하여 잘못이 있는 경우
④ 국세환급금의 결정을 위한 확인조사를 하는 경우

14
조세탈루가 의심되는 경우는 같은 세목 및 같은 과세기간에 대한 재조사사유에 해당하지 않는다.

정답 13 ④ 14 ①

15 「국세기본법」상 과세전적부심사의 청구를 할 수 있는 경우는 모두 몇 개인가?

2011년 7급

ㄱ. 「국세징수법」에 규정된 납부기한전징수의 사유가 있는 경우
ㄴ. 납부고지하려는 세액이 500만 원인 과세예고통지를 받은 경우
ㄷ. 「조세범 처벌법」 위반으로 통고처분을 하는 경우
ㄹ. 세무조사 결과에 대한 서면통지를 받은 경우
ㅁ. 국세청장의 훈령 · 예고 · 고시 등과 관련하여 새로운 해석이 필요한 경우
ㅂ. 「국세조세조정에 관한 법률」에 따라 조세조약을 체결한 상대국이 상호합의절차의 개시를 요청한 경우

① 2개
② 3개
③ 4개
④ 5개

15
과세전적부심사의 청구를 할 수 있는 경우는 3개(ㄴ, ㄹ, ㅁ)이다.

✓ 오답체크

다음의 경우는 과세전적부심사 청구를 할 수 없다.

1. 「국세징수법」상 납부기한전징수사유가 있거나 세법상 수시부과사유가 있는 경우
2. 세무조사 통지일부터 국세부과제척기간 만료일까지의 기간이 3월 이하인 경우
3. 「조세범 처벌법」 위반으로 고발 또는 통고처분 하는 경우
4. 조세조약을 체결한 상대국이 상호합의절차의 개시를 요청한 경우

16 「국세기본법」상 세무조사에 관한 설명으로 옳지 않은 것은?

2010년 7급

① 조사대상 과세기간 중 연간 수입금액 또는 양도가액이 가장 큰 과세기간의 연간 수입금액 또는 양도가액이 100억 원 미만인 납세자에 대한 세무조사 기간은 20일 이내로 하는 것을 원칙으로 한다.
② 세무공무원은 구체적인 세금탈루 혐의가 여러 과세기간 또는 다른 세목까지 관련되는 것으로 확인되는 경우에는 조사진행 중 세무조사의 범위를 확대할 수 있다.
③ 세무공무원은 세무조사 수시선정사유에 해당하는 경우로 납세자의 동의가 있는 경우에는 세무조사기간 동안 세무조사의 목적으로 납세자의 장부 또는 서류 등을 세무관서에 일시 보관할 수 있다.
④ 납세자의 사업과 관련된 세목이 여러 가지인 경우 이를 통합하지 않고 특정한 세목만을 조사하는 것을 원칙으로 한다.

16
세무조사는 납세자의 사업과 관련하여 세법에 따라 신고 · 납부의무가 있는 세목을 통합하여 실시하는 것을 원칙으로 한다.

정답 15 ② 16 ④

17 「국세기본법」상 납세자의 권리에 대한 설명으로 옳지 않은 것은? 2022년 7급

① 세무공무원은 사업자등록증을 발급하는 경우에는 납세자권리헌장의 내용이 수록된 문서를 납세자에게 내주어야 한다.

② 납세자 본인의 권리 행사에 필요한 정보를 납세자(세무사 등 납세자로부터 세무업무를 위임받은 자를 포함한다)가 요구하는 경우 세무공무원은 신속하게 정보를 제공하여야 한다.

③ 세무공무원은 세무조사를 시작할 때 조사원증을 납세자 또는 관련인에게 제시한 후 납세자권리헌장을 교부하고 그 요지를 직접 낭독해 주어야 하며, 조사사유, 조사기간, 납세자보호위원회에 대한 심의 요청사항 · 절차 및 권리구제 절차 등을 설명하여야 한다.

④ 세무공무원은 납세자가 자료의 제출을 지연하는 등 대통령령으로 정하는 사유로 세무조사를 진행하기 어려운 경우에는 세무조사를 중지할 수 있으며, 세무조사의 중지기간 중에도 납세자에 대하여 국세의 과세표준과 세액을 결정 또는 경정하기 위한 질문을 하거나 장부등의 검사 · 조사 또는 그 제출을 요구할 수 있다.

17
세무조사 중지기간 중에는 질문을 하거나 장부 등의 검사 · 조사 또는 제출을 요구할 수 없다.

18 「국세기본법」상 과세전적부심사에 대한 설명으로 옳지 않은 것은? 2022년 7급

① 세무서장은 세무서에 대한 지방국세청장의 업무감사 결과(현지에서 시정조치하는 경우를 포함한다)에 따라 세무서장이 과세하는 경우에는 미리 납세자에게 그 내용을 서면으로 통지하여야 한다.

② 세무서장은 세무조사에서 확인된 것으로 조사대상자 외의 자에 대한 과세자료 및 현지 확인조사에 따라 세무서장이 과세하는 경우에는 미리 납세자에게 그 내용을 서면으로 통지하여야 한다.

③ 세무서장은 납부고지하려는 세액이 100만 원 미만인 경우에는 미리 납세자에게 그 내용을 서면으로 통지하지 않아도 된다.

④ 세무조사 결과 통지 및 과세예고통지를 하는 날부터 국세부과 제척기간의 만료일까지의 기간이 3개월 이하인 경우, 해당하는 통지를 받은 자는 통지를 받은 날부터 30일 이내에 통지를 한 세무서장이나 지방국세청장에게 통지 내용의 적법성에 관한 심사를 청구할 수 있다.

18
세무조사 결과 통지 및 과세예고통지를 하는 날부터 국세부과제척기간의 만료일까지의 기간이 3개월 이하인 경우에는 과세전적부심사의 청구를 할 수 없다.

정답 17 ④ 18 ④

19 **「국세기본법」상 같은 세목 및 같은 과세기간에 대하여 재조사를 할 수 있는 경우에 해당하지 않는 것은?** 2022년 7급

① 납세자가 세무공무원에게 직무와 관련 없이 금품을 제공하거나 금품제공을 알선한 경우

② 거래상대방에 대한 조사가 필요한 경우

③ 조세탈루의 혐의를 인정할 만한 명백한 자료가 있는 경우

④ 「국세기본법」 제81조의11 제3항에 따른 부분조사를 실시한 후 해당 조사에 포함되지 아니한 부분에 대하여 조사하는 경우

19
①은 재조사 사유에 해당하지 않는다.

정답 19 ①

11 보칙

1 납세관리인

1. 납세자가 국내에 주소 또는 거소를 두지 아니하거나 국외로 주소 또는 거소를 이전할 때에는 국세에 관한 사항을 처리하기 위하여 납세관리인을 정하여야 한다.

2. 납세자는 국세에 관한 사항을 처리하게 하기 위하여 변호사 · 세무사 또는 「세무사법」에 따라 등록한 공인회계사를 납세관리인으로 둘 수 있다.

3. 납세관리인을 정한 납세자는 대통령령으로 정하는 바에 따라 관할세무서장에게 신고하여야 한다. 납세관리인을 변경하거나 해임할 때에도 또한 같다.

4. 관할세무서장은 납세자가 3.에 따라 신고를 하지 아니할 때에는 납세자의 재산이나 사업의 관리인을 납세관리인으로 정할 수 있다.

5. 세무서장이나 지방국세청장은 「상속세 및 증여세법」에 따라 상속세를 부과할 때에 납세관리인이 있는 경우를 제외하고 상속인이 확정되지 아니하였거나 상속인이 상속재산을 처분할 권한이 없는 경우에는 특별한 규정이 없으면 추정상속인, 유언집행자 또는 상속재산관리인에 대하여 「상속세 및 증여세법」 중 상속인 또는 수유자에 관한 규정을 적용할 수 있다.

참고

납세관리인 세부사항

1. 세무서장은 납세관리인이 부적당하다고 인정될 때에는 기한을 정하여 납세자에게 그 변경을 요구할 수 있다. 이러한 요구를 받은 납세자가 정해진 기한까지 납세관리인 변경의 신고를 하지 아니하면 납세관리인의 설정은 없는 것으로 본다.
2. 납세관리인은 다음의 사항에 관하여 납세자를 대리할 수 있다.
   ① 「국세기본법」 및 세법에 따른 신고 · 신청 · 청구 · 그 밖의 서류의 작성 및 제출
   ② 세무서장 등이 발급한 서류의 수령
   ③ 국세 등의 납부 또는 국세환급금의 수령

2 고지금액의 최저한도

고지할 국세(인지세는 제외) 또는 강제징수비를 합친 금액이 1만 원 미만일 때에는 그 금액은 없는 것으로 본다. 여기서 고지할 국세란 본세 및 그와 함께 고지하는 교육세 및 농어촌특별세를 합한 것을 말한다.

3 국세행정에 대한 협조

1. 세무공무원은 직무를 집행할 때 필요하면 국가기관 · 지방자치단체 또는 그 소속 공무원에게 협조를 요청할 수 있으며, 이러한 요청을 받은 자는 정당한 사유가 없으면 협조하여야 한다.
2. 한편 정부는 납세지도를 담당하는 단체에 그 납세지도 경비의 전부 또는 일부를 교부금으로 지급할 수 있다.

4 포상금의 지급

국세청장은 다음 중 어느 하나에 해당하는 자에게는 20억 원(탈루세액에 대한 포상금은 40억 원, 은닉재산에 대한 포상금은 30억 원)의 범위에서 포상금을 지급할 수 있다. 다만, 같은 사안에 대하여 중복신고가 있으면 최초로 신고한 자에게만 포상금을 지급한다.

1. 탈루세액 및 은닉재산에 대한 포상금

(1) 탈루세액에 대한 포상금

조세를 탈루한 자에 대한 탈루세액 또는 부당하게 환급 · 공제받은 세액을 산정하는 데 중요한 자료를 제공한 자

심화 | 탈루세액의 중요한 자료

1. 조세탈루 또는 부당하게 환급 · 공제받은 내용을 확인할 수 있는 거래처 · 거래일 또는 거래기간 · 거래품목 · 거래수량 및 금액 등 구체적 사실이 기재된 자료 또는 장부(자료 또는 장부 제출 당시에 세무조사가 진행 중인 것은 제외)
2. 1.에 해당하는 자료의 소재를 확인할 수 있는 구체적인 정보
3. 그 밖에 조세탈루 또는 부당하게 환급 · 공제받은 수법 · 내용 · 규모 등의 정황으로 보아 중요한 자료로 인정할 만한 자료로서 대통령령으로 정하는 자료

(2) 은닉재산에 대한 포상금

체납자의 은닉재산을 신고한 자

심화 | 은닉재산

은닉한 현금 · 예금 · 주식 · 그 밖에 재산적 가치가 있는 유형 · 무형의 재산을 말한다. 다만, 다음의 어느 하나에 해당하는 재산은 제외한다.
1. 「국세징수법」에 따른 사해행위 취소소송의 대상이 되어 있는 재산
2. 세무공무원이 은닉사실을 알고 조사 또는 강제징수 절차에 착수한 재산
3. 그 밖에 체납자의 은닉재산을 신고받을 필요가 없다고 인정되는 재산으로서 대통령령으로 정하는 것

(3) 포상금 지급

조세탈루제보자 또는 은닉재산신고자가 포상금 지급 요건을 갖춘 경우에는 탈루하였거나 부당하게 환급·공제받은 세액(이하 '탈루세액'이라 함) 또는 은닉재산의 신고를 통하여 징수된 금액(이하 '징수금액'이라 함)에 지급률을 각각 적용하여 계산한 금액(조세탈루제보자에 대해서는 40억 원, 은닉재산신고자에 대해서는 30억 원을 한도로 함)을 포상금으로 지급할 수 있다.

① 지급 요건: 다음의 기간이 모두 지나 해당 불복 절차가 모두 종료되고, 탈루세액 등이 납부되었거나 재산은닉자의 체납액에 해당하는 금액이 징수되었을 것

㉠ 심사청구기간과 심판청구기간

㉡ 「감사원법」에 따른 심사청구의 제척기간과 행정소송 제기기간

㉢ 「행정소송법」에 따른 제소기간

② 지급률

탈루세액 등	지급률
5천만 원 이상 5억 원 이하	100분의 20
5억 원 초과 20억 원 이하	1억 원+5억 원 초과 금액의 100분의 15
20억 원 초과 30억 원 이하	3억 2천 5백만 원+ 20억 원 초과 금액의 100분의 10
30억 원 초과	4억 2천 5백만 원+ 30억 원 초과 금액의 100분의 5

(4) 포상금지급 신청의 통지

과세관청이 포상금을 지급(탈루세액 등이 일부납부된 경우로 포상금을 지급하는 경우도 포함)하려는 경우에는 조세탈루제보자 또는 은닉재산신고자에게 포상금 지급요건을 갖춘 날부터 15일 이내에 포상금 지급대상이라는 사실과 지급 절차, 포상금을 지급하기 위해 제보자 또는 신고자가 제출해야 하는 서류 등을 안내해야 한다.

2. 신용카드 및 현금영수증 미발급 등에 대한 포상금

(1) 신용카드

다음 중 어느 하나에 해당하는 경우로서 그 행위를 한 신용카드가맹점(가입요건에 해당하는 가맹점)을 신고한 자. 다만, 신용카드(직불카드·선불카드 포함) 결제대상 거래금액이 5천 원 미만인 경우에는 제외한다.

① 신용카드로 결제할 것을 요청하였으나 이를 거부하는 경우

② 신용카드매출전표(직불카드영수증·선불카드영수증 포함)를 사실과 다르게 발급하는 경우

(2) **현금영수증**

다음 중 어느 하나에 해당하는 경우로 그 행위를 한 현금영수증가맹점을 신고한 자. 다만, 현금영수증 발급대상 거래금액이 5천 원 미만인 경우에는 제외한다.

① 현금영수증의 발급을 거부하는 경우

② 현금영수증을 사실과 다르게 발급하는 경우

(3) **지급액**

신용카드 · 현금영수증의 결제 · 발급을 거부하거나 사실과 다르게 발급한 금액(사실과 다르게 발급한 경우 발급하여야 할 금액과의 차액을 말함. 이하 '거부금액'이라 함)에 따라 다음의 금액을 포상금으로 지급할 수 있다. 다만, 포상금으로 지급할 금액 중 1천 원 미만의 금액은 없는 것으로 하고, 동일인이 받을 수 있는 포상금은 연간 200만 원을 한도로 한다.

거래금액	지급금액
5천 원 이상 5만 원 이하	1만 원
5만 원 초과 250만 원 이하	거부금액의 20%
250만 원 초과	50만 원

3. 타인의 명의를 사용하여 사업을 경영하는 자를 신고한 자

(1) 타인의 명의를 사용하여 사업을 경영하는 자를 신고한 자는 신고건별로 200만 원을 포상으로 지급할 수 있다.

(2) 다만, 타인의 명의를 사용하는 자가 조세를 회피할 목적이 없거나 강제집행을 면탈할 목적이 없다고 인정되는 경우로 다음에 해당하는 자에 대한 신고는 포상금을 지급하지 않는다.

① 배우자 · 직계존속 또는 직계비속의 명의로 사업자등록을 하고 사업을 경영하거나 배우자 · 직계존속 또는 직계비속 명의의 사업자등록을 이용하여 사업을 경영하는 경우

② 약정한 기일 내에 채무를 변제하지 아니하여 「신용정보의 이용 및 보호에 관한 법률」에 따른 종합신용정보집중기관에 등록된 경우

4. 「국제조세조정에 관한 법률」에 따른 해외금융계좌 신고의무 위반행위를 적발하는 데 중요한 자료를 제공한 자

해외금융계좌 신고의무 불이행에 따른 과태료금액에 다음의 지급률을 곱하여 계산한 금액을 포상금으로 지급할 수 있다. 다만, 20억 원을 초과하는 부분은 지급하지 않는다.

과태료금액	지급률
2천만 원 이상 2억 원 이하	15%
2억 원 초과 5억 원 이하	3천만 원+2억 원 초과액의 10%
5억 원 초과	6천만 원+5억 원 초과액의 5%

5. 타인명의로 되어 있는 법인 또는 「소득세법」상 복식부기의무자의 금융자산을 신고한 자

해당 금융자산을 통한 탈루세액 등이 1,000만 원 이상인 신고 건별로 200만 원을 포상금으로 지급할 수 있다. 다만, 동일인이 지급받을 수 있는 포상금은 연간 5,000만 원을 한도로 한다.

5 포상금의 지급시기

국세청장은 다음의 구분에 따른 날이 속하는 달의 말일부터 2개월 이내에 포상금을 지급하여야 한다.

구분	해당하는 날
탈세자료 제보자 및 은닉재산 신고자에 대한 포상금	조세탈루제보자 또는 은닉재산신고자에게 포상금의 지급을 신청할 수 있다는 사실과 그 절차 등을 통지해야 하는 기간의 마지막 날
신용카드매출전표 · 현금영수증발급 거부행위 신고자에 대한 포상금	신고내용이 사실로 확인된 날
현금영수증 발급의무를 위반한 자를 신고한 자	
타인명의사용자 신고자에 대한 포상금	
해외금융계좌 신고의무 위반행위 자료 제공자	① 과태료금액이 납부되고 「질서위반행위규제법」에 따른 이의제기기간이 지났거나 「비송사건절차법」에 따른 불복청구절차가 종료되어 과태료 부과처분이 확정된 날 ② 징역형 또는 벌금형에 해당하는 경우에는 재판에 의하여 형이 확정된 날
타인명의로 되어 있는 법인 또는 소득세법상 복식부기의무자의 금융자산을 신고한 자	탈루세액 등이 확인된 날

6 포상금을 지급하지 않는 경우

다음 중 어느 하나에 해당하는 때에는 포상금을 지급하지 않는다.

1. 탈루세액 또는 징수금액이 5천만 원 미만인 경우
2. 해외금융계좌 신고의무 불이행에 따른 과태료금액이 2천만 원 미만인 경우
3. 공무원이 그 직무와 관련하여 자료를 제공하거나 은닉재산을 신고한 경우

7 비밀유지

포상금 지급과 관련된 업무를 담당하는 공무원은 신고자 또는 자료 제공자의 신원 등 신고 또는 제보와 관련된 사항을 그 목적 외의 용도로 사용하거나 타인에게 제공 또는 누설하여서는 아니 된다.

8 과세자료의 제출과 그 수집에 대한 협조

세법에 따라 과세자료를 제출할 의무가 있는 자는 과세자료를 성실하게 작성하여 정해진 기한까지 소관 세무서장에게 제출하여야 한다. 그리고 국가기관 · 지방자치단체 · 금융회사 등 또는 전자계산 · 정보처리시설을 보유한 자는 과세에 관계되는 자료 또는 통계를 수집하거나 작성하였을 때에는 국세청장에게 통보하여야 한다.

9 장부 등의 비치 및 보존

1. 원칙

(1) 납세자는 각 세법에서 규정하는 바에 따라 모든 거래에 관한 장부 및 증거서류를 성실하게 작성하여 갖추어 두어야 한다.

(2) 납세자는 장부와 증거서류의 전부 또는 일부를 전산조직을 이용하여 작성할 수 있다. 이 경우 그 처리과정 등을 자기테이프 · 디스켓 또는 그 밖의 정보보존장치에 의하여 보존하여야 한다.

(3) 이러한 장부 및 증거서류는 그 거래사실이 속하는 과세기간에 대한 해당 국세의 법정신고기한이 지난 날부터 5년간 보존(역외거래와 관련된 장부 및 증거서류는 7년간 보존)하여야 한다.

2. 예외

제척기간특례규정에 따라 이월결손금을 공제한 과세기간의 법정신고기한으로부터 1년간 제척기간이 연장되는 경우 그 연장되는 날까지 보전하여야 한다.

10 서류접수증의 발급

1. 원칙

납세자 또는 세법에 따라 과세자료를 제출할 의무가 있는 자로부터 다음 중 어느 하나에 해당하는 서류를 받는 경우에 세무공무원은 납세자 등에게 접수증을 발급하여야 한다. 이 경우 납세자 등으로부터 신고서 등을 국세정보통신망을 통하여 받은 경우에는 그 접수사실을 전자적 형태로 통보할 수 있다.

(1) 과세표준신고서 · 과세표준수정신고서 · 경정청구서 및 이들 신고 · 청구와 관련된 서류
(2) 과세표준 및 세액의 결정(경정)청구서
(3) 이의신청서 · 심사청구서 · 심판청구서
(4) 세법에 따른 제출기한이 정해진 서류, 그 밖에 국세청장이 납세자의 권익보호에 필요하다고 인정하여 지정한 서류

2. 예외

다음 중 어느 하나에 해당하는 경우에는 접수증을 발급하지 않을 수 있다.
(1) 납세자가 신고서 등의 서류를 우편이나 팩스로 제출하는 경우
(2) 납세자가 신고서 등을 세무공무원을 거치지 않고 지정된 신고함에 직접 투입하는 경우

11 불성실기부금수령단체 등의 명단공개

1. 명단공개 대상자

다음에 해당하는 자의 인적사항 · 체납액 · 국세추징명세 등을 공개할 수 있다.

공개 대상자	구체적인 내용
불성실기부금 수령단체	기부금을 수령한 단체로서 다음 중 어느 하나에 해당하는 단체 ① 명단 공개일이 속하는 연도의 직전 연도 12월 31일을 기준으로 최근 2년 이내에 「상속세 및 증여세법」에 따른 의무의 불이행으로 추징당한 세액의 합계액이 1천만 원 이상인 경우 ② 명단공개일을 기준으로 최근 3년간의 「소득세법」에 따른 기부자별 발급명세 또는 「법인세법」에 따른 기부법인별 발급명세를 작성하여 보관하고 있지 않은 경우 ③ 명단공개일을 기준으로 최근 3년 이내에 기부금액 또는 기부자의 인적사항이 사실과 다르게 발급된 기부금영수증을 5회 이상 교부하였거나 그 발급금액이 5천만 원 이상인 경우 ④ 명단공개일이 속하는 연도의 직전 연도 12월 31일을 기준으로 「법인세법」에 따른 지정기부금단체가 지정기부금단체의 의무를 위반하는 등에 해당하는 사실이 2회 이상 확인되는 경우
조세포탈범	「조세범 처벌법」에 따른 범죄로 유죄판결이 확정된 자로서 포탈세액 등이 연간 2억 원 이상인 자(조세포탈범)의 인적사항 · 포탈세액 등
해외금융계좌 신고의무 위반자	「국제조세조정에 관한 법률」에 따른 해외금융계좌정보의 신고의무자로서 신고기한 내에 신고하지 아니하거나 과소 신고한 금액이 50억 원을 초과하는 자의 인적사항 · 신고의무위반금액 등
세금계산서발급 의무등위반자	「특정범죄 가중처벌 등에 관한 법률」에 따른 범죄(세금계산서 교부의무 위반 등의 가중처벌)로 유죄판결이 확정된 사람(이하 '세금계산서발급의무등위반자'라 함)의 인적사항, 부정 기재한 공급가액 등의 합계액 등

2. 명단공개 제외 대상

다음 중 어느 하나에 해당하는 경우에는 명단공개를 하지 않는다.

(1) 불성실기부금수령단체 명단공개 제외 대상

① 국세정보공개심의위원회가 공개할 실익이 없거나 공개하는 것이 부적절하다고 인정하는 경우

② 불성실기부금수령단체 지정처분에 대하여 이의신청 · 심사청구 등 불복청구 중에 있는 경우

(2) 조세포탈범 및 세금계산서 발급의무 등 위반자 명단공개 제외 대상

국세정보공개심의위원회가 공개할 실익이 없거나 공개하는 것이 부적절하다고 인정하는 경우

(3) 해외금융계좌 신고의무 위반자 명단공개 제외 대상

① 국세정보공개심의위원회가 신고의무자의 신고의무 위반에 정당한 사유가 있다고 인정하는 경우

② 「국제조세조정에 관한 법률」에 따라 수정신고 및 기한 후 신고를 한 경우(해당 해외금융계좌와 관련하여 세무공무원이 조사에 착수한 것을 알았거나 과세자료 해명 통지를 받고 수정신고 및 기한후신고를 한 경우는 제외)

3. 명단공개절차

(1) 불성실기부금수령단체, 조세포탈범, 해외금융계좌 신고의무 위반자 또는 세금계산서 발급의무 등 위반자의 인적사항, 국세추징명세, 포탈세액, 신고의무 위반금액 등 등에 대한 공개 여부를 심의하고 「국세징수법」에 따른 체납자에 대한 감치 필요성 여부를 의결하기 위하여 국세청에 국세정보위원회(이하 '위원회'라 함)를 둔다.

(2) 국세청장은 위원회의 심의를 거친 공개 대상자에게 불성실기부금수령단체 또는 해외금융계좌 신고의무 위반자 명단공개 대상자임을 통지하여 소명 기회를 주어야 하며, 통지일부터 6개월이 지난 후 위원회로 하여금 기부금영수증 발급명세의 작성 · 보관 의무 이행 또는 해외금융계좌의 신고의무 이행 등을 고려하여 불성실기부금수령단체 또는 해외금융계좌 신고의무 위반자 명단 공개 여부를 재심의하게 한 후 공개대상자를 선정한다.

(3) 국세청장은 위원회의 심의를 거친 공개 대상자에게 불성실기부금수령단체 또는 해외금융계좌 신고의무 위반자 명단공개 대상자임을 통지하여 소명 기회를 주어야 하며, 통지일부터 6개월이 지난 후 위원회로 하여금 기부금영수증 발급명세의 작성 · 보관 의무 이행 또는 해외금융계좌의 신고의무 이행 등을 고려하여 불성실기부금수령단체 또는 해외금융계좌 신고의무 위반자 명단 공개 여부를 재심의하게 한 후 공개대상자를 선정한다.

(4) 정보공개는 관보에 게재하거나 국세정보통신망 또는 관할세무서 게시판에 게시하는 방법으로 한다.

12 지급명세서 자료이용

「금융실명거래 및 비밀보장에 관한 법률」에 불구하고 세무서장(지방국세청장 · 국세청장 포함)은 「소득세법」 및 「법인세법」의 규정에 따라 제출받은 이자소득 또는 배당소득에 대한 지급명세서를 다음 중 어느 하나에 해당하는 용도에 이용할 수 있다.

1. 상속 · 증여재산의 확인
2. 조세탈루의 혐의를 인정할 만한 명백한 자료의 확인
3. 「조세특례제한법」에 따른 근로장려금 신청자격 확인

13 통계자료의 작성 및 공개

1. 국세청장은 조세정책의 수립 및 평가 등에 활용하기 위하여 과세정보를 분석 · 가공한 통계자료(이하 '통계자료'라 함)를 작성 · 관리하여야 한다. 이 경우 통계자료는 납세자의 과세정보를 직접적 방법 또는 간접적인 방법으로 확인할 수 없도록 작성되어야 한다.

2. 세원의 투명성 · 국민의 알 권리 보장 및 국세행정의 신뢰증진을 위하여 국세청장은 통계자료를 국세정보공개심의위원회의 심의를 거쳐 일반 국민에게 정기적으로 공개하여야 한다.

3. 국세청장은 국세정보를 공개하기 위하여 예산의 범위 안에서 국세정보시스템을 구축 · 운용할 수 있다.

4. 국세청장은 다음의 경우에 그 목적의 범위에서 통계자료를 제공하여야 하고 제공한 통계자료의 사본을 기획재정부장관에게 송부하여야 한다.

(1) 국회 소관 상임위원회가 의결로 세법의 제정법률안 · 개정법률안, 세입예산안의 심사 및 국정감사 기타 의정활동에 필요한 통계자료를 요구하는 경우

(2) 국회예산정책처장이 의장의 허가를 받아 세법의 제정법률안 · 개정법률안에 대한 세수추계 또는 세입예산안의 분석을 위하여 필요한 통계자료를 요구하는 경우

5. 국세청장은 비밀유지규정에도 불구하고 국회 소관 상임위원회가 의결로 국세의 부과 · 징수 · 감면 등에 관한 자료를 요구하는 경우에는 그 사용목적에 맞는 범위 안에서 과세정보를 납세자 개인정보를 직접적인 방법 또는 간접적인 방법으로 확인할 수 없도록 가공하여 제공하여야 한다.

6. 국세청장은 「정부출연연구기관 등의 설립 · 운영 및 육성에 관한 법률」에 따라 설립된 연구기관의 장이 조세정책의 연구를 목적으로 통계자료를 요구하는 경우 그 사용 목적에 맞는 범위 안에서 제공할 수 있다. 이 경우 통계자료의 범위 · 제공 절차 · 비밀유지 등에 관하여 필요한 사항은 대통령령으로 정한다.

14 가족관계등록 전산정보의 공동이용

국세청장 · 지방국세청장 · 세무서장 및 조세심판원장은 심사 · 심판 및 과세전적부심사 업무를 처리할 때 「행정심판법」에 따른 청구인 지위 승계의 신고 또는 허가 업무를 처리하기 위하여 「전자정부법」에 따라 「가족관계의 등록 등에 관한 법률」에 따른 전산정보자료를 공동이용할 수 있다.

15 벌칙

1. 직무집행 거부 등에 대한 과태료

관할세무서장은 세법의 질문 · 조사권 규정에 따른 세무공무원의 질문에 대하여 거짓으로 진술하거나 그 직무집행을 거부 또는 기피한 자에게 5천만 원 이하의 과태료를 부과 · 징수한다.

2. 금품 수수 및 공여에 대한 과태료

관할세무서장 또는 세관장은 세무공무원에게 금품을 공여한 자에게 그 금품 상당액의 2배 이상 5배 이하의 과태료를 부과 · 징수한다. 다만, 「형법」 등 다른 법률에 따라 형사처벌을 받은 경우에는 과태료를 부과하지 아니하고, 과태료를 부과한 후 형사처벌을 받은 경우에는 과태료 부과를 취소한다.

3. 비밀유지 의무 위반에 대한 과태료

국세청장은 비밀유지 규정에 따라 알게 된 과세정보를 타인에게 제공 또는 누설하거나 그 목적 외의 용도로 사용한 자에게 2천만 원 이하의 과태료를 부과 · 징수한다. 다만, 「형법」 등 다른 법률에 따라 형사처벌을 받은 경우에는 과태료를 부과하지 아니하고, 과태료를 부과한 후 형사처벌을 받은 경우에는 과태료 부과를 취소한다.

MEMO

Ⅱ

국세징수법

01 총칙
02 보칙
03 신고납부, 납부고지 등
04 강제징수

01 총칙

1. 목적

「국세징수법」은 국세의 징수에 필요한 사항을 규정함으로써 국민의 납세의무의 적정한 이행을 통하여 국세수입을 확보하는 것을 목적으로 한다.

2. 정의

「국세징수법」에서 사용하는 용어의 뜻은 다음과 같다.

(1) "납부기한"이란 납세의무가 확정된 국세(가산세를 포함)를 납부하여야 할 기한으로서 다음의 구분에 따른 기한을 말한다.

① **법정납부기한**: 국세의 종목과 세율을 정하고 있는 법률, 「국세기본법」, 「조세특례제한법」 및 「국제조세조정에 관한 법률」에서 정한 기한을 말한다.

② **지정납부기한**: 관할세무서장이 납부고지를 하면서 지정한 기한을 말한다.

> **심화 | 지정납부기한**
>
> 다음의 기한은 지정납부기한으로 본다. 다만, 「소득세법」에 따른 중간예납세액의 결정이 없었던 것으로 보는 경우, 「부가가치세법」에 따른 예정고지세액 또는 예정부과세액의 결정이 없었던 것으로 보는 경우, 「종합부동산세법」에 따라 세액의 결정이 없었던 것으로 보는 경우는 제외한다.
>
> 1. 관할세무서장이 「소득세법」에 따라 중간예납세액을 징수하여야 하는 기한
> 2. 관할세무서장이 「부가가치세법」의 예정고지납부 및 예정부과납부에 따라 부가가치세액을 징수하여야 하는 기한
> 3. 관할세무서장이 「종합부동산세법」에 따라 종합부동산세액을 징수하여야 하는 기한

(2) "체납"이란 국세를 지정납부기한까지 납부하지 아니하는 것을 말한다. 다만, 지정납부기한 후에 납세의무가 성립·확정되는 「국세기본법」에 따른 납부지연가산세 및 원천징수 등 납부지연가산세의 경우 납세의무가 확정된 후 즉시 납부하지 아니하는 것을 말한다.

(3) "체납자"란 국세를 체납한 자를 말한다.

(4) "체납액"이란 체납된 국세와 강제징수비를 말한다.

(5) 위의 규정에서 정하는 것 외에 「국세징수법」에서 사용하는 용어의 뜻은 「국세기본법」에서 정하는 바에 따른다.

3. 징수의 순위

체납액의 징수 순위는 다음의 순서에 따른다.

(1) 강제징수비

(2) 국세(가산세는 제외)[1]

(3) 가산세

4. 다른 법률과의 관계

국세의 징수에 관하여 「국세기본법」이나 다른 세법에 특별한 규정이 있는 경우를 제외하고는 「국세징수법」에서 정하는 바에 따른다.

[1] 국세는 교육세, 농어촌특별세, 교통 · 에너지 · 환경세, 기타 국세의 순으로 징수하며 국세에는 「상속세 및 증여세법」에 따른 연부연납 이자세액을 포함한다.

기출문제

01 「국세징수법」에 대한 설명으로 옳은 것은? 2019년 9급

① 「국세징수법」에서 규정한 사항 중 「국세기본법」이나 다른 세법에 특별한 규정이 있는 것에 관하여는 그 법률에서 정하는 바에 따른다.

② 체납자란 납세자의 국세 또는 강제징수비의 납부를 보증한 자를 말한다.

③ 체납액의 징수 순위는 강제징수비, 가산세, 국세로 한다.

④ 세무서장은 체납된 국세와 관련하여 「국세기본법」에 따른 심사청구가 계류 중인 경우라 하더라도 신용정보회사가 체납발생일로부터 1년이 지나고 체납액이 5백만 원 이상인 자의 체납자료를 요구한 경우 이를 제공할 수 있다.

01

✔ 오답체크

② 보증인이란 납세자의 국세 또는 강제징수비의 납부를 보증한 자를 말한다.

③ 체납액의 징수순위는 강제징수비, 국세, 가산세로 한다.

④ 조세불복 중인 경우에는 정보를 제공할 수 없다.

정답 01 ①

02 보칙

1 납세증명서

1. 개념

납세증명서는 발급일 현재 다음의 금액을 제외하고 다른 체납액이 없다는 사실을 증명하는 문서를 말하며, 지정납부기한이 연장된 경우 그 사실도 기재하여야 한다.

(1) 독촉장에서 정하는 기간의 연장에 관계된 금액

(2) 압류 · 매각의 유예액

(3) 납부고지의 유예액

(4) 「채무자 회생 및 파산에 관한 법률」에 따른 징수유예액 또는 강제징수에 따라 압류된 재산의 환가유예에 관련된 체납액

(5) 「부가가치세법」에 따라 물적납세의무를 부담하는 수탁자가 그 물적납세의무와 관련하여 체납한 부가가치세 또는 강제징수비

(6) 「종합부동산세법」에 따라 물적납세의무를 부담하는 수탁자가 그 물적납세의무와 관련하여 체납한 종합부동산세 또는 강제징수비

(7) 「국세기본법」에 따라 물적납세의무를 부담하는 양도담보권자가 그 물적납세의무와 관련하여 체납한 국세 또는 강제징수비

(8) 「조세특례제한법」 제99조의6(재기중소기업의 체납액 등에 대한 과세특례)에 따른 압류 또는 매각이 유예된 체납액

(9) 「조세특례제한법」 제99조의8(재기중소기업에 대한 납부고지의 유예 등의 특례)에 따른 납부고지의 유예 또는 지정납부기한 등의 연장에 관계된 국세 또는 체납액

(10) 「조세특례제한법」 제99조의10(영세개인사업자의 체납액 징수특례)에 따른 체납액 징수특례를 적용받은 징수곤란 체납액

2. 제출사유

납세자는 다음의 어느 하나에 해당하는 경우 납세증명서를 제출하여야 한다. 다만, 납세자가 납세증명서를 제출해야 하는 경우 해당 주무관서 등이 국세청장 또는 관할세무서장에게 조회(국세청장에게 조회하는 경우에는 국세정보통신망을 통한 방법으로 한정)하거나 납세자의 동의를 받아 「전자정부법」에 따른 행정정보의 공동이용을 통하여 그 체납사실 여부를 확인하는 경우에는 납세증명서를 제출받은 것으로 볼 수 있다.

(1) 국가, 지방자치단체 또는 정부 관리기관(감사원의 검사 대상이 되는 법인 또는 단체 등을 말함)으로부터 대금을 지급받을 경우(체납액이 없다는 사실의 증명이 필요하지 아니한 경우로서 "4. 납세증명서 제출의 예외"에 해당하는 경우는 제외)

(2) 「출입국관리법」에 따른 외국인등록 또는 「재외동포의 출입국과 법적 지위에 관한 법률」에 따른 국내거소신고를 한 외국인이 체류기간 연장허가 등 체류 관련 허가 등을 법무부장관에게 신청하는 경우

(3) 내국인이 해외이주 목적으로 「해외이주법」에 따라 재외동포청장에게 해외이주신고를 하는 경우

> **심화 |**
>
> "체류기간 연장허가 등 체류 관련 허가 등"이란 다음의 어느 하나에 해당하는 것을 말한다.
> 1. 「재외동포의 출입국과 법적 지위에 관한 법률」에 따른 국내거소신고
> 2. 「출입국관리법」에 따른 체류자격 외 활동허가
> 3. 「출입국관리법」에 따른 근무처 변경 · 추가에 관한 허가 또는 신고
> 4. 「출입국관리법」에 따른 체류자격 부여
> 5. 「출입국관리법」에 따른 체류자격 변경허가
> 6. 「출입국관리법」에 따른 체류기간 연장허가
> 7. 「출입국관리법」에 따른 외국인등록

3. 납세증명서의 제출

국가, 지방자치단체 등으로부터 대금을 지급받는 자가 원래의 계약자가 아닌 자인 경우 다음의 구분에 따른 납세증명서를 제출하여야 한다.

구분	납세증명서
채권양도로 인한 경우	양도인과 양수인의 납세증명서
법원의 전부명령(轉付命令)에 따르는 경우	압류채권자의 납세증명서
「하도급거래 공정화에 관한 법률」에 따라 건설공사의 하도급대금을 직접 지급받는 경우	수급사업자의 납세증명서

4. 납세증명서 제출의 예외

납세자는 국가, 지방자치단체 등으로부터 대금을 지급받을 경우라도 다음의 어느 하나에 해당하는 경우에는 납세증명서를 제출하지 않을 수 있다.

(1) 「국가를 당사자로 하는 계약에 관한 법률 시행령」 및 「지방자치단체를 당사자로 하는 계약에 관한 법률 시행령」에 해당하는 수의계약에 따라 대금을 지급받는 경우

(2) 국가 또는 지방자치단체가 대금을 지급받아 그 대금이 국고 또는 지방자치단체 금고에 귀속되는 경우

(3) 국세 강제징수에 따른 채권 압류로 관할세무서장이 그 대금을 지급받는 경우

(4) 「채무자 회생 및 파산에 관한 법률」에 따른 파산관재인이 납세증명서를 발급받지 못하여 관할 법원이 파산절차를 원활하게 진행하기 곤란하다고 인정하는 경우로서 관할세무서장에게 납세증명서 제출의 예외를 요청하는 경우
(5) 납세자가 계약대금 전액을 체납세액으로 납부하거나 계약대금 중 일부 금액으로 체납세액 전액을 납부하려는 경우

5. 납세증명서의 발급 신청

납세증명서를 발급받으려는 자는 다음의 사항을 적은 문서를 개인의 경우에는 주소지(주소가 없는 외국인의 경우에는 거소지를 말함) 또는 사업장 소재지를 관할하는 세무서장에게 제출(국세정보통신망을 통한 제출을 포함)하고, 법인의 경우에는 본점(외국법인인 경우에는 국내 주사업장을 말함) 소재지를 관할하는 세무서장에게 제출하여야 한다. 다만, 국세청장이 납세자의 편의를 위하여 발급 세무서를 달리 정하는 경우에는 그 발급 세무서의 장에게 제출하여야 한다.

(1) 납세자의 주소 또는 거소와 성명
(2) 납세증명서의 사용 목적
(3) 납세증명서의 수량

6. 발급

관할세무서장은 납세자로부터 납세증명서의 발급을 신청받은 경우 그 사실을 확인한 후 즉시 납세증명서를 발급하여야 한다.

7. 납세증명서의 유효기간

(1) 납세증명서의 유효기간은 그 증명서를 발급한 날부터 30일간으로 한다. 다만, 발급일 현재 해당 신청인에게 납부고지된 국세가 있는 경우에는 해당 국세의 지정납부기한까지로 할 수 있다.
(2) 관할세무서장은 유효기간을 지정납부기한까지로 정하는 경우 해당 납세증명서에 그 사유와 유효기간을 분명하게 적어야 한다.

2 미납국세 등의 열람

1. 미납국세 등의 열람

(1) 임대인의 동의가 필요한 경우

「주택임대차보호법」에 따른 주거용 건물 또는 「상가건물 임대차보호법」에 따른 상가건물을 임차하여 사용하려는 자는 해당 건물에 대한 임대차계약을 하기 전 또는 임대차계약을 체결하고 임대차 기간이 시작하는 날까지 임대인의 동의를 받아 그 자가 납부하지 아니한 다음의 국세 또는 체납액의 열람을 임차할 건물 소재지의 관할 세무서장에게 신청할 수 있다. 이 경우 열람 신청은 관할 세무서장이 아닌 다른 세무서장에게도 할 수 있으며, 신청을 받은 세무서장은 열람 신청에 따라야 한다.

① 세법에 따른 과세표준 및 세액의 신고기한까지 신고한 국세 중 납부하지 아니한 국세

② 납부고지서를 발급한 후 지정납부기한이 도래하지 아니한 국세

③ 체납액

(2) 임대인의 동의가 필요없는 경우

임대차계약을 체결한 임차인으로서 해당 계약에 따른 보증금이 1천만 원을 초과하는 자는 임대차 기간이 시작하는 날까지 임대인의 동의 없이도 임대인의 미납국세 등의 열람을 신청할 수 있다. 이 경우 신청을 받은 세무서장은 열람 내역을 지체 없이 임대인에게 통지하여야 한다.

2. 임대인이 신고한 국세의 열람

세무서장은 열람신청을 받은 경우 각 세법에 따른 과세표준 및 세액의 신고기한까지 임대인이 신고한 국세 중 납부하지 않은 국세에 대해서는 신고기한부터 30일(종합소득세의 경우에는 60일)이 지났을 때부터 열람 신청에 따라 열람할 수 있게 해야 한다.

3 체납자료의 제공

1. 정보제공하는 경우

관할세무서장(지방국세청장을 포함)은 국세징수 또는 공익 목적을 위하여 필요한 경우로서 「신용정보의 이용 및 보호에 관한 법률」에 따른 신용정보집중기관 등이 다음의 어느 하나에 해당하는 체납자의 인적사항 및 체납액에 관한 자료(이하 '체납자료'라 함)를 요구한 경우 이를 제공할 수 있다. 이러한 체납자료를 제공받은 자는 이를 누설하거나 업무 목적 외의 목적으로 이용할 수 없다.

(1) 체납 발생일부터 1년이 지나고 체납액이 500만 원 이상인 자

(2) 1년에 3회 이상 체납하고 체납액이 500만 원 이상인 자

2. 정보제공할 수 없는 경우

다음에 해당하는 경우에는 체납자료를 제공할 수 없다.

(1) 체납된 국세와 관련하여 심판청구 등이 계속 중인 경우

(2) 납세자가 재난 또는 도난으로 재산에 심한 손실을 입은 경우

(3) 납세자가 경영하는 사업에 현저한 손실이 발생하거나 부도 또는 도산의 우려가 있는 경우

(4) 압류 또는 매각이 유예된 경우

(5) 「부가가치세법」에 따라 물적납세의무를 부담하는 수탁자가 그 물적납세의무와 관련한 부가가치세 또는 강제징수비를 체납한 경우

(6) 「종합부동산세법」에 따라 물적납세의무를 부담하는 수탁자가 그 물적납세의무와 관련한 종합부동산세 또는 강제징수비를 체납한 경우

(7) 「국세기본법」에 따라 물적납세의무를 부담하는 양도담보권자가 그 물적납세의무와 관련하여 체납한 국세 또는 강제징수비

4 재산조회 및 강제징수를 위한 지급명세서 등의 사용

국세청장 · 지방국세청장 또는 관할세무서장은 「금융실명거래 및 비밀보장에 관한 법률」에도 불구하고 「소득세법」에 따른 지급명세서의 제출 및 「법인세법」의 지급명세서 제출의무 규정에 따라 제출받은 이자소득 또는 배당소득에 대한 지급명세서 등 금융거래에 관한 정보를 체납자의 재산조회와 강제징수를 위하여 사용할 수 있다.

5 사업에 관한 허가 등의 제한

1. 사업 허가 등의 갱신과 신규 허가 등 제한

관할세무서장(지방국세청장을 포함. 이하에서 같음)은 납세자가 허가 · 인가 · 면허 및 등록 등(이하 '허가 등'이라 함)을 받은 사업과 관련된 소득세, 법인세 및 부가가치세를 체납한 경우 해당 사업의 주무관청에 그 납세자에 대하여 허가 등의 갱신과 그 허가 등의 근거 법률에 따른 신규 허가 등을 하지 아니할 것을 요구할 수 있다. 다만, 재난, 질병 또는 사업의 현저한 손실, 그 밖에 일정한 사유가 있는 경우에는 그러하지 아니하다.

❶

3회의 체납횟수는 납부고지서 1통을 1회로 보아 계산한다.

2. 사업의 정지 또는 허가 등의 취소

관할세무서장은 허가 등을 받아 사업을 경영하는 자가 해당 사업과 관련된 소득세, 법인세 및 부가가치세를 3회❶ 이상 체납하고 그 체납된 금액의 합계액이 500만 원 이상인 경우 해당 주무관청에 사업의 정지 또는 허가 등의 취소를 요구할 수 있다. 다만, 재난, 질병 또는 사업의 현저한 손실, 그 밖에 일정한 사유가 있는 경우에는 그러하지 아니하다.

3. 체납에 정당한 사유

(1) 사업 허가 등의 갱신과 신규 허가 등 제한

다음의 어느 하나에 해당하는 경우로서 관할세무서장이 인정하는 사유를 말한다.

① 공시송달의 방법으로 납부고지된 경우

② 납세자가 재난 또는 도난으로 재산에 심한 손실을 입은 경우

③ 납세자가 경영하는 사업에 현저한 손실이 발생하거나 부도 또는 도산의 우려가 있는 경우

④ 납세자 또는 그 동거가족이 질병이나 중상해로 6개월 이상의 치료가 필요한 경우 또는 사망하여 상중(喪中)인 경우

⑤ 「민사집행법」에 따른 강제집행 및 담보권 실행 등을 위한 경매가 시작되거나 「채무자회생 및 파산에 관한 법률」에 따른 파산선고를 받은 경우

⑥ 「어음법」 및 「수표법」에 따른 어음교환소에서 거래정지처분을 받은 경우

⑦ 납세자의 총 재산 추산(推算)가액이 강제징수비(압류에 관계되는 국세에 우선하는 채권금액이 있는 경우 이를 포함)를 징수하면 남을 여지가 없어 강제징수를 종료할 필요가 있는 경우

⑧ 위 ①~⑦까지의 규정에 준하는 사유가 있는 경우

⑨ 「부가가치세법」에 따라 물적납세의무를 부담하는 수탁자가 그 물적납세의무와 관련한 부가가치세 또는 강제징수비를 체납한 경우

⑩ 「종합부동산세법」에 따라 물적납세의무를 부담하는 수탁자가 그 물적납세의무와 관련한 종합부동산세 또는 강제징수비를 체납한 경우

⑪ 「국세기본법」에 따라 물적납세의무를 부담하는 양도담보권자가 그 물적납세의무와 관련하여 체납한 국세 또는 강제징수비

(2) **사업의 정지 또는 허가 등의 취소**

다음의 어느 하나에 해당하는 경우를 말한다.

① 위 (1)의 어느 하나에 해당하는 경우로서 관할세무서장이 인정하는 경우

② 그 밖에 관할세무서장이 납세자에게 납부가 곤란한 사정이 있다고 인정하는 경우

4. 제한요구의 철회

관할세무서장은 사업에 관한 허가 등의 제한요구를 한 후 해당 국세를 징수한 경우 즉시 그 요구를 철회하여야 한다.

5. 주무관청의 조치

해당 주무관청은 관할세무서장의 사업에 관한 허가 등의 제한요구가 있는 경우 정당한 사유가 없으면 요구에 따라야 하며, 그 조치 결과를 즉시 관할세무서장에게 알려야 한다.

6 출국금지

1. 출국금지 대상

국세청장은 정당한 사유 없이 5천만 원 이상의 국세를 체납한 자 중 다음의 어느 하나에 해당하는 사람으로서 관할세무서장이 압류 · 공매, 담보 제공, 보증인의 납세보증서 등으로 조세채권을 확보할 수 없고, 강제징수를 회피할 우려가 있다고 인정하는 사람에 대하여 법무부장관에게 「출입국관리법」에 따라 출국금지를 요청하여야 한다.

(1) 배우자 또는 직계존비속이 국외로 이주(국외에 3년 이상 장기체류 중인 경우를 포함)한 사람

(2) 출국금지 요청일 현재 최근 2년간 미화 5만 달러 상당액 이상을 국외로 송금한 사람

(3) 미화 5만 달러 상당액 이상의 국외자산이 발견된 사람

(4) 「국세징수법」 규정에 따라 명단이 공개된 고액 · 상습체납자

(5) 출국금지 요청일을 기준으로 최근 1년간 체납된 국세가 5천만 원 이상인 상태에서 사업 목적, 질병 치료, 직계존비속의 사망 등 정당한 사유 없이 국외 출입 횟수가 3회 이상이거나 국외 체류 일수가 6개월 이상인 사람

(6) 「국세징수법」에 따라 사해행위(詐害行爲) 취소소송 중이거나 「국세기본법」에 따라 제3자와 짜고 한 거짓계약에 대한 취소소송 중인 사람

2. 출국금지 통보

법무부장관은 국세청장의 요청에 따라 출국금지를 한 경우 국세청장에게 그 결과를 정보통신망 등을 통하여 통보하여야 한다.

3. 출국금지의 해제요청

(1) 필수적 해제요건

국세청장은 출국금지 중인 사람에게 다음의 어느 하나에 해당하는 사유가 발생한 경우 지체 없이 법무부장관에게 출국금지의 해제를 요청하여야 한다.

① 체납액의 납부 또는 부과결정의 취소 등에 따라 체납된 국세가 5천만 원 미만으로 된 경우

② 위 1.의 출국금지 요청의 요건이 해소된 경우

(2) 임의적 해제요건

국세청장은 출국금지 중인 사람에게 다음의 어느 하나에 해당하는 사유가 발생한 경우로서 강제징수를 회피할 목적으로 국외로 도피할 우려가 없다고 인정하는 경우에는 법무부장관에게 출국금지의 해제를 요청할 수 있다.

① 국외건설계약 체결, 수출신용장 개설, 외국인과의 합작사업 계약 체결 등 구체적인 사업계획을 가지고 출국하려는 경우

② 국외에 거주하는 직계존비속이 사망하여 출국하려는 경우

③ 위 ① 및 ②의 사유 외에 본인의 신병(身病) 치료 등 불가피한 사유로 출국금지를 해제할 필요가 있다고 인정되는 경우

7 고액 · 상습체납자의 명단 공개

1. 고액 · 상습체납자의 명단 공개

국세청장은 「국세기본법」의 비밀유지 규정에도 불구하고 체납 발생일부터 1년이 지난 국세의 합계액이 2억 원 이상인 경우 체납자의 인적사항 및 체납액 등을 공개할 수 있다.

2. 명단공개 제외

다음의 어느 하나에 해당하는 경우에는 공개할 수 없다.

(1) 체납된 국세와 관련하여 심판청구 등이 계속 중인 경우

(2) 다음 계산식에 따라 계산한 최근 2년 간의 체납액 납부비율이 100분의 50 이상인 경우

> 최근 2년간의 체납액의 납부비율 = $\frac{B}{A+B}$
>
> A: 명단 공개 예정일이 속하는 연도의 직전연도 12월 31일 당시 명단 공개 대상 예정자의 체납액
>
> B: 명단 공개 예정일이 속하는 연도의 직전 2개 연도 동안 명단 공개 대상 예정자가 납부한 금액

(3) 「채무자 회생 및 파산에 관한 법률」에 따른 회생계획인가의 결정에 따라 체납된 국세의 징수를 유예받고 그 유예기간 중에 있거나 체납된 국세를 회생계획의 납부일정에 따라 납부하고 있는 경우

(4) 재산 상황, 미성년자 해당 여부 및 그 밖의 사정 등을 고려할 때 「국세기본법」에 따른 국세정보위원회(이하 '위원회'라 함)가 공개할 실익이 없거나 공개하는 것이 부적절하다고 인정하는 경우

(5) 「부가가치세법」에 따라 물적납세의무를 부담하는 수탁자가 물적납세의무와 관련된 부가가치세 또는 강제징수비를 체납한 경우

(6) 「종합부동산세법」에 따라 물적납세의무를 부담하는 수탁자가 물적납세의무와 관련된 종합부동산세 또는 강제징수비를 체납한 경우

(7) 「국세기본법」에 따라 물적납세의무를 부담하는 양도담보권자가 그 물적납세의무와 관련하여 체납한 국세 또는 강제징수비

3. 기타 규정

(1) 명단 공개 대상자의 선정 절차, 명단 공개 방법, 그 밖에 명단 공개와 관련하여 필요한 사항은 「국세기본법」의 불성실기부금수령단체 등의 명단 공개 규정을 준용한다.

(2) 국세청장은 체납자에게 명단 공개 대상자임을 통지하는 경우 체납된 국세를 납부하도록 촉구하고, 공개 제외 사유에 해당되는 경우에는 그 사유에 관한 소명자료를 제출하도록 안내하여야 한다.

8 고액 · 상습체납자의 감치

1. 감치사유

법원은 검사의 청구에 따라 체납자가 다음의 사유에 모두 해당하는 경우 결정으로 30일의 범위에서 체납된 국세가 납부될 때까지 그 체납자를 감치(監置)에 처할 수 있다.

(1) 국세를 3회 이상 체납하고 있고, 체납 발생일부터 각 1년이 경과하였으며, 체납된 국세의 합계액이 2억 원 이상인 경우

(2) 체납된 국세의 납부능력이 있음에도 불구하고 정당한 사유 없이 체납한 경우

(3) 「국세기본법」에 따른 국세정보위원회의 의결에 따라 해당 체납자에 대한 감치 필요성이 인정되는 경우

2. 국세청장의 감치신청

(1) 국세청장은 체납자가 감치사유에 모두 해당하는 경우 체납자의 주소 또는 거소를 관할하는 지방검찰청 또는 지청의 검사에게 체납자의 감치를 신청할 수 있다.

(2) 국세청장은 체납자의 감치를 신청하기 전에 체납자에게 소명자료를 제출하거나 의견을 진술할 수 있는 기회를 주어야 한다.

3. 기타

(1) 감치결정에 대해서는 즉시항고를 할 수 있다.

(2) 감치에 처하여진 체납자는 동일한 체납 사실로 인하여 다시 감치되지 아니한다.

(3) 감치에 처하는 재판을 받은 체납자가 그 감치의 집행 중에 체납된 국세를 납부한 경우 감치 집행을 종료하여야 한다.

(4) 세무공무원은 감치 집행 시 감치대상자에게 감치 사유, 감치기간 및 감치 집행의 종료 등 감치결정에 대한 사항을 설명하고 그 밖에 감치집행에 필요한 절차에 협력하여야 한다.

기출문제

01 **「국세징수법」상 고액 · 상습체납자의 감치 사유와 관련이 없는 것은?**

2021년 7급

① 국세를 3회 이상 체납하고 있고, 체납 발생일부터 각 1년이 경과하였으며, 체납된 국세의 합계액이 2억 원 이상인 경우
② 체납된 국세의 납부능력이 있음에도 불구하고 정당한 사유 없이 체납한 경우
③ 국세정보위원회의 의결에 따라 해당 체납자에 대한 감치 필요성이 인정되는 경우
④ 5천만 원의 국세를 체납한 자로서 직계존비속이 국외로 이주한 경우

01
④는 출국금지 사유에 해당된다.

02 **국세징수법령상 국세를 납부하도록 강제하는 제도에 대한 설명으로 옳지 않은 것은?**

2019년 9급

① 세무서장은 허가 등을 받아 사업을 경영하는 자가 사업과 관련된 소득세를 3회 이상 체납한 경우로서 그 체납액이 5백만 원 이상이면 공시송달의 방법으로 납세가 고지된 경우에도 그 주무관서에 사업의 정지를 요구할 수 있다.
② 납세자는 「국가를 당사자로 하는 계약에 관한 법률 시행령」에 따른 수의계약(비상재해가 발생한 경우에 국가가 소유하는 복구용 자재를 재해를 당한 자에게 매각하는 경우는 제외)과 관련하여 국가로부터 대금을 지급받는 경우 납세증명서를 제출하지 아니하여도 된다.
③ 세무서장은 이자소득에 대한 지급명세서 등 금융거래에 관한 정보를 체납자의 재산조회와 강제징수를 위하여 사용할 수 있다.
④ 국세청장은 정당한 사유 없이 5천만 원 이상의 국세를 체납한 자 중 미화 5만 달러 상당액 이상의 국외자산이 발견되었으나, 관할세무서장이 압류 등으로 조세채권을 확보할 수 없고, 강제징수를 회피할 우려가 있다고 인정되는 자에 대하여 법무부장관에게 법령에 따라 출국금지를 요청하여야 한다.

02
세무서장은 허가를 받아 사업을 경영하는 자가 사업과 관련된 소득세, 법인세 및 부가가치세를 3회 이상 체납한 경우로서 그 체납액이 5백만 원 이상인 경우에는 그 사업의 정지 또는 허가의 취소를 그 주무관서에 요구할 수 있다. 다만, 정당한 사유로 인한 체납의 경우는 제외한다. 정당한 사유에는 공시송달이 해당되므로 주무관서에 사업의 정지 또는 허가의 취소를 요구할 수 없다.

정답 01 ④ 02 ①

03 「국세징수법」상 체납자로 하여금 간접적으로 국세를 납부하도록 유인하는 제도에 대한 설명으로 옳지 않은 것은? 2014년 9급

① 세무서장은 허가 등을 받아 사업을 경영하는 자가 해당 사업과 관련된 소득세, 법인세 및 부가가치세를 3회 이상 체납한 경우로서 그 체납액이 500만 원 이상일 때에는 법령으로 정하는 경우를 제외하고 그 주무관서에 사업의 정지 또는 허가 등의 취소를 요구할 수 있다.

② 「주택임대차보호법」에 따른 주거용 건물 또는 「상가건물 임대차보호법」에 따른 상가건물을 임차하여 사용하려는 자는 해당 건물에 대한 임대차계약을 하기 전 또는 임대차계약을 체결하고 임대차 기간이 시작하는 날까지 임대인의 동의를 받아 그 자가 납부하지 국세 또는 체납액의 열람을 임차할 건물 소재지의 관할 세무서장에게 신청할 수 있다.

③ 국세청장은 정당한 사유 없이 5천만 원 이상의 국세를 체납한 자 중 배우자 또는 직계존비속이 국외로 이주(국외에 3년 이상 장기체류 중인 경우를 포함한다)한 사람에 대하여 법무부장관에게 출국금지를 요청하여야 한다.

④ 체납된 국세가 이의신청 · 심사청구 등 불복청구 중에 있는 경우에도 체납발생일부터 1년이 지나고 국세가 2억 원 이상인 체납자의 인적사항은 공개할 수 있다.

03
체납된 국세가 불복청구 중에 있는 경우에는 명단공개대상에서 제외된다.

04 「국세징수법」상 납세증명서 제도에 관한 설명으로 옳은 것은? 2013년 9급

① 납세증명서는 발급일 현재 독촉장에서 정하는 기간의 연장에 관계된 금액, 압류 · 매각의 유예액, 납부고지의 유예액, 물적납세의무를 지는 수탁자가 체납한 부가가치세 등을 포함한 체납액이 없다는 사실을 증명하는 것이다.

② 외국인이 체류기간 연장허가 등 체류 관련 허가를 법무부장관에게 신청하는 경우에는 납세증명서를 제출하여야 한다.

③ 지방자치단체가 국가로부터 대금을 지급받아 그 대금이 지방자치단체 금고에 귀속되는 경우 납세증명서를 제출하여야 한다.

④ 법원의 전부명령에 따라 원래의 계약자 외의 자가 지방자치단체로부터 대금을 지급받는 경우 압류채권자와 채무자의 납세증명서를 제출하여야 한다.

04
✓ 오답체크
① 납세증명서는 발급일 현재 독촉장에서 정하는 기간의 연장에 관계된 금액, 압류 · 매각의 유예액, 납부고지의 유예액, 물적납세의무를 지는 수탁자가 체납한 부가가치세 등을 제외하고 체납액이 없다는 사실을 증명하는 것이다.
③ 지방자치단체가 국가로부터 대금을 지급받아 그 대금이 지방자치단체 금고에 귀속되는 경우에는 납세증명서를 제출하지 아니하여도 된다.
④ 법원의 전부명령에 따라 원래의 계약자 외의 자가 지방자치단체로부터 대금을 지급받는 경우 압류채권자의 납세증명서를 제출하여야 한다.

정답 03 ④ 04 ②

05 「국세징수법」상 관허사업의 제한에 관한 설명으로 옳지 않은 것은?

2011년 7급

① 납세자에게 공시송달의 방법으로 납부고지된 때에는 납세자가 국세를 체납하였더라도 세무서장은 허가 등을 요하는 사업의 주무관서에 그 허가 등을 하지 아니할 것을 요구할 수 없다.
② 국세의 체납을 이유로 세무서장이 허가 등을 요하는 사업의 주무관서에 관허사업의 제한을 요구한 후 납세자가 당해 국세를 납부하더라도 세무서장이 그 관허사업의 제한 요구를 반드시 철회하여야 하는 것은 아니다.
③ 허가 등을 받아 사업을 경영하는 자가 해당 사업과 관련된 소득세, 법인세 및 부가가치세를 3회 이상 체납한 경우로서 그 체납액이 500만 원 이상인 때에는 법령이 정하는 예외사유에 해당하지 않는 한 세무서장은 그 주무관서에 사업의 정지 또는 허가 등을 취소를 요구할 수 있다.
④ 세무서장의 적법한 관허사업의 제한 요구가 있는 때에 당해 주무관서는 정당한 사유가 없는 한 이에 응하여야 한다.

05
국세의 체납을 이유로 세무서장이 허가 등을 요하는 사업의 주무관서에 관허사업의 제한을 요구한 후 납세자가 당해 국세를 납부한 경우 세무서장은 그 관허사업의 제한 요구를 반드시 철회하여야 한다.

06 「국세징수법」상 납세자가 국세를 체납한 때에 세무서장이 허가 등을 요하는 사업의 주무관서에 당해 납세자에 대하여 그 허가 등을 하지 아니할 것을 요구할 수 있는 사유로 옳은 것은?

2010년 9급

① 국세를 포탈하고자 하는 행위가 있다고 인정되는 때
② 공시송달의 방법에 의하여 납부고지된 때
③ 납세자의 질병으로 납세가 곤란한 때
④ 납세자가 그 사업에 심한 손해를 입어 납세가 곤란한 때

06
국세를 포탈하고자 하는 행위가 있다고 인정되는 때는 체납의 정당한 사유에 해당하지 않는다.

정답 05 ② 06 ①

03 신고납부, 납부고지 등

1 신고납부

납세자는 세법에서 정하는 바에 따라 국세를 관할세무서장에게 신고납부하는 경우 그 국세의 과세기간, 세목(稅目), 세액 및 납세자의 인적사항을 납부서에 적어 납부하여야 한다.

2 납부고지

1. 납세자에 대한 납부고지 등

(1) 납부고지서

관할세무서장은 납세자로부터 국세를 징수하려는 경우 국세의 과세기간, 세목, 세액, 산출 근거, 납부하여야 할 기한(납부고지를 하는 날부터 30일 이내의 범위로 정함) 및 납부장소를 적은 납부고지서를 납세자에게 발급하여야 한다. 다만, 「국세기본법」에 따른 납부지연가산세 및 원천징수 등 납부지연가산세 중 지정납부기한이 지난 후의 가산세를 징수하는 경우에는 납부고지서를 발급하지 아니할 수 있다.

(2) 강제징수비고지서

관할세무서장은 납세자가 체납액 중 국세만을 완납하여 강제징수비를 징수하려는 경우 강제징수비의 징수와 관계되는 국세의 과세기간, 세목, 강제징수비의 금액, 산출 근거, 납부하여야 할 기한(강제징수비 고지를 하는 날부터 30일 이내의 범위로 정함) 및 납부장소를 적은 강제징수비고지서를 납세자에게 발급하여야 한다.

(3) 제2차 납세의무자 등에 대한 납부고지

① 관할세무서장은 납세자의 체납액을 다음의 어느 하나에 해당하는 자(이하 '제2차 납세의무자 등'이라 함)로부터 징수하는 경우 징수하려는 체납액의 과세기간, 세목, 세액, 산출 근거, 납부하여야 할 기한(납부고지를 하는 날부터 30일 이내의 범위로 정함), 납부장소, 제2차 납세의무자 등으로부터 징수할 금액, 그 산출 근거, 그 밖에 필요한 사항을 적은 납부고지서를 제2차 납세의무자 등에게 발급하여야 한다.

㉠ 제2차 납세의무자

㉡ 보증인

㉢ 「국세기본법」 및 세법에 따라 물적납세의무를 부담하는 자(이하 '물적납세의무를 부담하는 자'라 함)

② 관할세무서장은 제2차 납세의무자 등에게 납부고지서를 발급하는 경우 납세자에게 그 사실을 통지하여야 하고, 물적납세의무를 부담하는 자로부터 납세자의 체납액을 징수하는 경우 물적납세의무를 부담하는 자의 주소 또는 거소(居所)를 관할하는 세무서장에게도 그 사실을 통지하여야 한다.

2. 납부고지서의 발급시기

납부고지서는 징수결정 즉시 발급하여야 한다. 다만, 재난 등으로 납부고지를 유예한 경우 유예기간이 끝난 날의 다음날에 발급한다.

3. 납부기한 전 징수

(1) 납부기한 전 징수의 사유

관할세무서장은 다음의 어느 하나에 해당하는 사유가 있어 납부기한까지 기다려서는 국세를 징수할 수 없는 경우 납부기한 전이라도 이미 납세의무가 확정된 국세를 징수할 수 있다.

① 국세, 지방세 또는 공과금의 체납으로 강제징수 또는 체납처분이 시작된 경우

② 「민사집행법」에 따른 강제집행 및 담보권 실행 등을 위한 경매가 시작되거나 「채무자 회생 및 파산에 관한 법률」에 따른 파산선고를 받은 경우

③ 법인이 해산한 경우

④ 「어음법」 및 「수표법」에 따른 어음교환소에서 거래정지처분을 받은 경우

⑤ 국세를 포탈(逋脫)하려는 행위가 있다고 인정되는 경우

⑥ 납세관리인을 정하지 아니하고 국내에 주소 또는 거소를 두지 아니하게 된 경우

심화 | 교부청구 사유

1. 국세, 지방세 또는 공과금의 체납으로 강제징수 또는 체납처분이 시작된 경우
2. 「민사집행법」에 따른 강제집행 및 담보권 실행 등을 위한 경매가 시작되거나 「채무자 회생 및 파산에 관한 법률」에 따른 파산선고를 받은 경우
3. 법인이 해산한 경우

(2) 징수절차

① 관할세무서장은 납부기한 전에 국세를 징수하려는 경우 당초의 납부기한보다 단축된 기한을 정하여 납세자에게 납부고지를 하여야 한다.

② 관할세무서장은 납부고지를 하는 경우 납부고지서에 다음의 사항을 적어 납부기한 전에 징수한다는 것을 알려야 한다.

㉠ 당초의 납부기한

㉡ 단축된 납부기한

㉢ 납부기한 전 징수 사유

(3) **납부기한 전 징수에 대한 기타 규정**

① 납부기한 전 징수의 고지를 받고 지정된 기한까지 국세 또는 체납액을 완납하지 아니한 경우 재산의 압류(교부청구 · 참가압류를 포함), 압류재산의 매각 · 추심 및 청산의 절차에 따라 강제징수를 한다(즉, 납부기한 전 징수의 경우에는 독촉을 하지 않고 압류할 수 있음).

② 납부기한 전에 납부고지를 하는 경우에는 다음의 구분에 따른 날을 납부하여야 할 기한으로 한다.

㉠ 단축된 기한 전에 도달한 경우: 단축된 기한

㉡ 단축된 기한이 지난 후에 도달한 경우: 도달한 날

3 독촉

1. 독촉장 발급

관할세무서장은 납세자가 국세를 지정납부기한까지 완납하지 아니한 경우 지정납부기한이 지난 후 10일 이내에 체납된 국세에 대한 독촉장을 발급하여야 한다.

2. 독촉장 발급 제외

다음 중 어느 하나의 경우에는 독촉장을 발급하지 아니할 수 있다.

(1) 국세를 납부기한 전에 징수하는 경우

(2) 체납된 국세가 1만 원 미만인 경우

(3) 「국세기본법」 및 세법에 따라 물적납세의무를 부담하는 경우

3. 독촉장 납부기한

관할세무서장은 독촉장을 발급하는 경우 독촉을 하는 날부터 20일 이내의 범위에서 납부기한을 정하여 발급한다.

심화 | 납부고지서 발급시기 및 독촉장의 납부기한

납부고지서의 발급시기와 독촉장의 발급시기 및 납부기한은 훈시규정에 해당하므로 기간 내 발급하지 않더라도 그 효력에는 영향을 미치지 않는다.

4 체납액 징수 관련 사실행위의 위탁

1. 징수의 위탁

관할세무서장은 독촉에도 불구하고 납부되지 아니한 체납액을 징수하기 위하여 한국자산관리공사에 다음의 징수 관련 사실행위를 위탁할 수 있다. 이 경우 한국자산관리공사는 위탁받은 업무를 제3자에게 다시 위탁할 수 없다.

(1) 체납자의 주소 또는 거소 확인

(2) 체납자의 재산 조사

(3) 체납액의 납부를 촉구하는 안내문 발송과 전화 또는 방문 상담

(4) 위 (1)부터 (3)까지의 규정에 준하는 단순 사실행위에 해당하는 업무로서 대통령령으로 정하는 사항

2. 체납액 징수 관련 사실행위의 위탁 사유

관할세무서장은 다음의 어느 하나에 해당하는 경우 한국자산관리공사에 체납액 징수 관련 사실행위를 위탁할 수 있다.

(1) 체납자별 체납액이 1억 원 이상인 경우

(2) 관할세무서장이 체납자 명의의 소득 또는 재산이 없는 등의 사유로 징수가 어렵다고 판단한 경우

3. 체납액 징수 관련 사실행위의 위탁 방법

(1) 관할세무서장은 체납액 징수 관련 사실행위를 위탁하는 경우 한국자산관리공사에 위탁의뢰서를 보내야 한다.

(2) 관할세무서장은 체납액 징수 관련 사실행위를 위탁한 경우 즉시 그 위탁 사실을 체납자에게 통지해야 한다.

4. 위탁 수수료

한국자산관리공사에 위탁한 경우 그 위탁 수수료는 체납액 징수 관련 사실행위를 위탁받은 체납액 중 다음의 구분에 따른 금액에 100분의 25를 초과하지 않는 범위에서 기획재정부령으로 정하는 비율을 곱한 금액으로 한다.

구분	금액
① 체납자가 체납액의 전부 또는 일부를 납부한 경우	해당 금액
② 한국자산관리공사가 체납자의 소득 또는 재산을 발견하여 관할세무서장에게 통보한 경우	통보한 금액 중 징수한 금액

5. 위탁 해지

관할세무서장은 다음의 어느 하나에 해당하는 사유가 발생한 경우 해당 체납액에 대하여 체납액 징수 관련 사실행위의 위탁을 해지해야 한다.

(1) 「국세기본법」에 따라 체납자의 납부의무가 소멸된 경우

(2) 체납자가 납세담보를 제공하여 체납액 징수가 가능하게 된 경우

6. 위탁된 체납액 징수 관련 사실행위의 감독

국세청장은 위탁된 체납액 징수 관련 사실행위의 관리를 위하여 필요하다고 인정하는 경우 한국자산관리공사로 하여금 관할세무서장이 위탁한 사항을 보고하게 하거나, 필요한 조치를 하도록 요구할 수 있다. 이 경우 한국자산관리공사는 특별한 사유가 없으면 국세청장의 요구에 따라야 한다.

5 납부의 방법

1. 납부의 방법

국세 또는 강제징수비는 다음의 방법으로 납부한다.

(1) 현금(계좌이체하는 경우[1]를 포함)

(2) 「증권에 의한 세입납부에 관한 법률」에 따른 증권

(3) 대통령령으로 정하는 바에 따라 지정된 국세납부대행기관(이하 '국세납부대행기관'이라 함)을 통해 처리되는 다음의 어느 하나에 해당하는 결제수단

① 「여신전문금융업법」에 따른 신용카드 또는 직불카드

② 「정보통신망 이용촉진 및 정보보호 등에 관한 법률」에 따른 통신과금서비스

③ 그 밖에 ① 또는 ②와 유사한 것

[1] 납세자는 납부고지를 받은 국세 중 기획재정부령으로 정하는 국세를 금융회사 등에 개설된 예금계좌로부터 자동이체하는 방법으로 납부할 수 있다. 다만, 지정납부기한이 지난 국세는 자동이체하는 방법으로 납부할 수 없다.

2. 신용카드 등 납부일

신용카드, 직불카드 및 통신과금서비스 등으로 국세를 납부하는 경우에는 국세납부대행기관의 승인일을 납부일로 본다.

3. 신용카드 등 납부대행 수수료

국세납부대행기관의 납부 대행 수수료는 해당 납부세액의 1천분의 10(1%) 이내에서 기획재정부령으로 정한다.

4. 제3자의 납부

(1) 제3자는 납세자를 위하여 납세자의 명의로 국세 및 강제징수비를 납부할 수 있다.

(2) 제3자가 국세 및 강제징수비를 납부한 경우 국가에 대하여 그 납부한 금액의 반환을 청구할 수 없다.

6 납부기한 등의 연장 등

1. 재난 등으로 인한 납부기한 등의 연장

관할세무서장은 납세자가 다음의 어느 하나에 해당하는 사유로 국세를 납부기한 또는 독촉장에서 정하는 기한(이하 '납부기한 등'이라 함)까지 납부할 수 없다고 인정되는 경우 납부기한 등을 연장(세액을 분할하여 납부하도록 하는 것을 포함)할 수 있다.

(1) 납세자가 재난 또는 도난으로 재산에 심한 손실을 입은 경우

(2) 납세자가 경영하는 사업에 현저한 손실이 발생하거나 부도 또는 도산의 우려가 있는 경우

(3) 납세자 또는 그 동거가족이 질병이나 중상해로 6개월 이상의 치료가 필요한 경우 또는 사망하여 상중(喪中)인 경우

(4) 그 밖에 납세자가 국세를 납부기한 등까지 납부하기 어렵다고 인정되는 경우로서 다음의 어느 하나에 해당하는 경우

① 권한 있는 기관에 장부나 서류 또는 그 밖의 물건이 압수 또는 영치된 경우 및 이에 준하는 경우

② 정전, 프로그램의 오류, 그 밖의 부득이한 사유로 「한국은행법」에 따른 한국은행(그 대리점을 포함) 및 「우체국예금 · 보험에 관한 법률」에 따른 체신관서의 정보처리장치나 시스템을 정상적으로 가동시킬 수 없는 경우

③ 금융회사등 · 체신관서의 휴무, 그 밖에 부득이한 사유로 정상적인 국세 납부가 곤란하다고 국세청장이 인정하는 경우

④ 「세무사법」에 따라 납세자의 장부 작성을 대행하는 세무사(「세무사법」에 따라 등록한 세무법인을 포함) 또는 「세무사법」에 따라 세무대리업무등록부에 등록한 공인회계사(「공인회계사법」에 따라 등록한 회계법인을 포함)가 화재, 전화(戰禍), 그 밖의 재해를 입거나 해당 납세자의 장부(장부 작성에 필요한 자료를 포함)를 도난당한 경우

⑤ 위 (1)부터 (3)까지의 규정에 준하는 사유가 있는 경우

2. 납부고지의 유예

관할세무서장은 납세자가 "재난 등으로 인한 납부기한 등의 연장"의 사유 중 어느 하나에 해당하는 사유로 국세를 납부할 수 없다고 인정되는 경우 납부고지를 유예(세액을 분할하여 납부고지하는 것을 포함)할 수 있다.

3. 납부기한 등의 연장 및 납부고지의 유예 신청

(1) 신청

납세자는 납부기한 등의 연장 또는 납부고지의 유예를 신청하려는 경우 기한(납부기한 등 또는 납부고지 예정인 국세를 납부하여야 할 기한을 말함) 만료일 3일 전까지 다음의 사항을 적은 신청서를 관할세무서장에게 제출(「국세기본법」에 따른 국세정보통신망을 통한 제출을 포함)하여야 한다. 다만, 관할세무서장이 납세자가 기한 만료일 3일 전까지 신청서를 제출할 수 없다고 인정하는 경우에는 기한 만료일까지 제출할 수 있다.

① 납세자의 주소 또는 거소와 성명

② 납부할 국세의 과세기간, 세목, 세액과 기한

③ 연장 또는 유예를 받으려는 이유와 기간

④ 분할납부의 방법으로 연장 또는 유예를 받으려는 경우에는 그 분납액 및 분납 횟수

(2) 승인

① 관할세무서장은 납부기한 등의 연장을 받으려는 납세자의 신청을 받은 경우 납부기한 등의 만료일까지 납세자에게 납부기한 등의 연장 승인 여부를 통지하여야 하며, 납부고지의 유예를 신청받은 경우에는 납부고지 예정인 국세의 납부하여야 할 기한의 만료일까지 납세자에게 납부고지 유예의 승인 여부를 통지하여야 한다.

② 납부기한 등의 연장을 받으려는 납세자가 납부기한 등의 만료일(납부고지의 유예는 납부고지 예정인 국세의 납부하여야 할 기한의 만료일) 10일 전까지 신청을 하였으나 관할세무서장이 그 신청일부터 10일 이내에 승인 여부를 통지하지 아니한 경우에는 신청일부터 10일이 되는 날에 신청을 승인한 것으로 본다.

4. 납부기한 등 연장 및 납부고지의 유예의 통지

(1) 관할세무서장은 신청을 받아 납부기한을 연장하는 경우 및 납부고지를 유예하는 경우 즉시 납세자에게 그 사실을 통지하여야 한다. 관할세무서장은 납부기한 등의 연장 또는 납부고지의 유예를 통지하는 경우 다음의 사항을 적은 문서로 하여야 한다.

① 연장 또는 유예를 한 국세의 과세기간, 세목, 세액 및 기한

② 연장 또는 유예 기간

③ 분할납부의 방법으로 연장 또는 유예를 한 경우에는 분납금액 및 분납횟수

(2) 관할세무서장은 납부기한 등의 연장 또는 납부고지의 유예를 승인하는 경우 문서로 통지하고, 기각하는 경우 그 사유를 적은 문서로 통지하여야 한다.

(3) 관할세무서장은 위의 규정에도 불구하고 다음의 어느 하나에 해당하는 경우에는 관보, 일간신문 또는 정보통신망을 통하여 공고하는 방법으로 통지를 갈음할 수 있다.

① 정전, 프로그램의 오류, 그 밖의 부득이한 사유로 은행 등의 정보처리장치나 시스템을 정상적으로 가동시킬 수 없는 경우 사유가 전국적으로 일시에 발생하는 경우

② 연장 또는 유예의 통지 대상자가 불특정 다수인 경우

③ 연장 또는 유예의 사실을 그 대상자에게 개별적으로 통지할 시간적 여유가 없는 경우

5. 납부지연가산세 부과 제외

관할세무서장은 납부기한 등을 연장하거나 납부고지를 유예한 경우 그 연장 또는 유예 기간 동안 「국세기본법」에 따른 납부지연가산세 및 원천징수 등 납부지연가산세를 부과하지 않는다. 납세자가 납부고지 또는 독촉을 받은 후에 「채무자 회생 및 파산에 관한 법률」에 따른 징수의 유예를 받은 경우에도 또한 같다.

6. 납부기한 등 연장 및 납부고지의 유예의 기간과 분납 한도

(1) 원칙

관할세무서장은 납부기한 등의 연장을 하는 경우 그 연장기간을 연장한 날(또는 납부고지의 유예를 하는 경우 그 유예 기간을 유예한 날)의 다음날부터 9개월 이내로 정하며, 연장 또는 유예 기간 중의 분납기한 및 분납금액을 정할 수 있다. 이 경우 관할세무서장은 연장 또는 유예 기간이 6개월을 초과하는 경우에는 가능한 한 연장 또는 유예 기간 시작 후 6개월이 지난 날부터 3개월 이내에 균등액을 분납할 수 있도록 정해야 한다.

(2) 특례

위 규정에도 불구하고 관할세무서장은 다음의 어느 하나에 해당하는 지역에 사업장을 가진 자가 "1. 재난 등으로 인한 납부기한 등의 연장" 사유 중 (1)부터 (3)까지 및 (4)의 ⑤에 해당하는 사유로 소득세, 법인세, 부가가치세 및 이에 부가되는 세목에 대하여 납부기한 등의 연장 또는 납부고지의 유예를 신청하는 경우(같은 사유로 원칙에 해당하는 납부기한 등의 연장 또는 납부고지의 유예를 받고 그 연장 또는 유예 기간 중에 신청하는 경우를 포함) 그 연장 또는 유예의 기간을 연장 또는 유예한 날의 다음날부터 2년(원칙에 해당하는 연장 또는 유예받은 기간에 대해서는 연장 또는 유예를 받은 기간을 포함하여 산정) 이내로 정할 수 있고, 연장 또는 유예 기간 중의 분납기한 또는 분납금액을 관할세무서장이 정할 수 있다.

① 「고용정책 기본법」에 따라 선포된 고용재난지역
② 「고용정책 기본법 시행령」에 따라 지정 · 고시된 지역
③ 「국가균형발전 특별법」에 따라 지정된 산업위기대응특별지역
④ 「재난 및 안전관리 기본법」에 따라 선포된 특별재난지역(선포된 날부터 2년으로 한정)

7. 납부기한 등 연장 및 납부고지 유예에 관한 담보

관할세무서장은 납부기한 등의 연장 또는 납부고지의 유예를 하는 경우 그 연장 또는 유예와 관계되는 금액에 상당하는 납세담보의 제공을 요구할 수 있다. 다만, 다음의 어느 하나에 해당하는 경우에는 그러하지 아니하다.

(1) 납세자가 사업에서 심각한 손해를 입거나 그 사업이 중대한 위기에 처한 경우로서 관할세무서장이 납부해야 할 금액, 납부기한 등의 연장기간, 납부고지의 유예 기간 및 납세자의 과거 국세 납부명세 등을 고려하여 납세자가 그 연장 또는 유예 기간 내에 해당 국세를 납부할 수 있다고 인정하는 경우

(2) 납세자가 재난 또는 도난으로 재산에 심한 손실을 입은 경우

(3) 정전, 프로그램의 오류, 그 밖의 부득이한 사유로 「한국은행법」에 따른 한국은행(그 대리점을 포함) 및 「우체국예금 · 보험에 관한 법률」에 따른 체신관서의 정보처리장치나 시스템을 정상적으로 가동시킬 수 없는 경우

(4) 금융회사 등 · 체신관서의 휴무, 그 밖에 부득이한 사유로 정상적인 국세 납부가 곤란하다고 국세청장이 인정하는 경우

(5) 위 (1)부터 (4)까지와 유사한 사유에 해당하는 경우

8. 납부기한 등 연장 및 납부고지의 유예의 취소

(1) 취소 사유

관할세무서장은 납부기한 등의 연장 또는 납부고지의 유예를 한 후 해당 납세자가 다음의 어느 하나의 사유에 해당하게 된 경우 그 납부기한 등의 연장 또는 납부고지의 유예를 취소하고 연장 또는 유예와 관계되는 국세를 한꺼번에 징수할 수 있다. 관할세무서장은 ①, ② 또는 ④에 따라 지정납부기한 또는 독촉장에서 정한 기한(이하 '지정납부기한 등'이라 함)의 연장을 취소한 경우 그 국세에 대하여 다시 지정납부기한 등의 연장을 할 수 없다.

① 국세를 분할납부하여야 하는 각 기한까지 분할납부하여야 할 금액을 납부하지 아니한 경우

② 관할세무서장의 납세담보물의 추가 제공 또는 보증인의 변경 요구에 따르지 아니한 경우

③ 다음의 사유로 납부기한 등의 연장 또는 납부고지의 유예를 할 필요가 없다고 인정되는 경우

㉠ 재산 상황의 변동

㉡ 정전, 프로그램의 오류, 그 밖의 부득이한 사유로 「한국은행법」에 따른 한국은행(그 대리점을 포함)이나 「우체국예금 · 보험에 관한 법률」에 따른 체신관서의 정보처리장치나 시스템을 정상적으로 가동시킬 수 없는 사유로 납부기한 등의 연장 또는 납부고지의 유예를 한 경우 그 사유의 소멸

㉢ 금융회사 등 · 체신관서의 휴무, 그 밖에 부득이한 사유로 정상적인 국세 납부가 곤란하다고 국세청장이 인정하는 사유로 납부기한 등의 연장 또는 납부고지의 유예를 한 경우 그 사유의 소멸

㉣ 그 밖에 납부기한 등의 연장 또는 납부고지의 유예를 한 당시의 사정이 변화된 경우

④ 납부기한 전 징수 사유가 있어 그 연장 또는 유예한 기한까지 연장 또는 유예와 관계되는 국세의 전액을 징수할 수 없다고 인정되는 경우

(2) **취소 통지**

관할세무서장은 납부기한 등의 연장 또는 납부고지의 유예를 취소한 경우 납세자에게 그 사실을 통지하여야 한다.

9. 납부기한 등 연장 및 납부고지의 유예의 기타사항

(1) 세무서장은 지정납부기한이 연장된 경우에는 그 유예한 국세에 대하여 강제징수(교부청구는 제외)를 할 수 없다.

(2) 세법에 따른 납부고지의 유예, 지정납부기한 · 독촉장에서 정하는 기한의 연장, 징수 유예기간 중에는 국세징수권의 소멸시효가 정지된다.

(3) 독촉에 따른 지정납부기한이 지난 경우에는 압류 · 매각의 유예 대상에 해당한다.

(4) 납부기한 등 연장 또는 납부고지의 유예는 납세자의 신청 및 세무서장의 직권으로 할 수 있다.

7 송달 지연으로 인한 지정납부기한 등의 연장

1. 일반적인 송달지연

납부고지서 또는 독촉장의 송달이 지연되어 다음의 어느 하나에 해당하는 경우에는 도달한 날부터 14일이 지난 날을 지정납부기한 등으로 한다.

(1) 도달한 날에 이미 지정납부기한 등이 지난 경우

(2) 도달한 날부터 14일 이내에 지정납부기한 등이 도래하는 경우

2. 납부기한 전 징수사유로 인한 납부고지

납부기한 전에 납부고지를 하는 경우에는 위 규정에도 불구하고 다음의 구분에 따른 날을 납부하여야 할 기한으로 한다.

단축된 기한 전에 도달한 경우	단축된 기한
단축된 기한이 지난 후에 도달한 경우	도달한 날

8 납세담보

1. 담보의 종류

「국세징수법」 및 다른 세법에 따라 제공하는 담보(이하 '납세담보'라 함)는 다음의 어느 하나에 해당하는 것이어야 한다(담보는 열거된 것만 가능하며 열거되지 않은 자동차, 보석 등은 담보로 제공할 수 없음).

❶ 담보제공금액

납세담보를 제공하는 경우에는 담보할 국세의 100분의 120(금전, 납세보증보험증권 또는 은행의 납세보증서로 제공하는 경우에는 100분의 110) 이상의 가액에 상당하는 담보를 제공하여야 한다. 다만, 국세가 확정되지 아니한 경우에는 국세청장이 정하는 가액에 상당하는 담보를 제공하여야 한다.

❷ 공탁

공탁이란 금전, 유가증권, 기타의 물품을 공탁법의 공탁절차에 따라 공탁서를 작성하고 공탁관에게 제출한 후 공탁물을 지정된 은행이나 창고업자에게 납입하는 것을 말한다.

❸ 유가증권

유가증권이란 다음의 것을 말한다.

1. 「자본시장과 금융투자업에 관한 법률」에 따른 국채증권, 지방채증권 및 특수채증권
2. 「자본시장과 금융투자업에 관한 법률」에 따른 수익증권으로서 무기명 수익증권이거나 환매청구가 가능한 수익증권
3. 「자본시장과 금융투자업에 관한 법률」에 따른 증권시장에 주권을 상장한 법인이 발행한 사채권 중 보증사채 및 전환사채
4. 증권시장에 상장된 유가증권으로서 매매사실이 있는 것
5. 양도성 예금증서

❹ 납세보증보험증권 제출

납세보증보험증권을 납세담보로 제공하는 경우에는 그 보험증권의 보험기간은 납세담보를 필요로 하는 기간에 30일 이상을 더한 것이어야 한다. 다만, 납부해야 할 기한이 확정되지 않은 국세의 경우 그 보험증권의 보험기간은 국세청장이 정하는 기간 이상이어야 한다.

❺ 납세보증서

납세보증서란 「은행법」에 따른 은행, 신용보증기금, 보증채무를 이행할 수 있는 자금능력이 충분하다고 관할세무서장이 인정하는 자의 납세보증서를 말한다.

❻

화재보험에 든 건물, 공장재단, 광업재단, 선박, 항공기 또는 건설기계를 납세담보로 제공하려는 자는 그 화재보험증권을 제출해야 한다. 이 경우 그 보험기간은 납세담보를 필요로 하는 기간에 30일 이상을 더한 것이어야 한다.

담보종류	담보평가	담보제공금액❶	담보제공방법
금전	평가대상 아님	110% 이상	공탁❷하고 공탁수령증 제출
유가증권❸	담보로 제공하는 날의 전날을 평가기준일로 하여 「상속세 및 증여세법 시행령」을 준용하여 계산한 가액	120% 이상	① 공탁하고 공탁수령증 제출 ② 등록된 유가증권은 등록하고 등록확인증 제출
납세보증보험증권	보험금액	110% 이상	납세보증보험증권 제출❹
납세보증서❺	보증금액	120% 이상(은행의 납세보증서는 110% 이상)	보증서 제출
• 토지 • 보험에 든 등기·등록된 건물, 공장재단(工場財團), 광업재단(鑛業財團), 선박, 항공기 또는 건설기계❻	① 토지·건물: 「상속세 및 증여세법」의 시가 및 보충적 평가방법에 따라 평가한 가액 ② 그 외 재산: 감정평가법인 등의 평가액 또는 지방세법에 따른 시가표준액	120% 이상	등기필증, 등기완료통지서 또는 등록필증을 관할세무서장에게 제시하여야 하며, 관할세무서장은 이에 따라 저당권 설정을 위한 등기 또는 등록 절차를 밟아야 함❼

2. 담보의 변경과 보충

(1) 담보의 변경

납세담보를 제공한 자는 관할세무서장의 승인을 받아 그 담보를 변경할 수 있다. 이 경우 관할세무서장은 납세자가 다음의 어느 하나에 해당하여 이미 제공한 납세담보의 변경승인을 신청하는 경우 그 변경을 승인해야 한다.

① 보증인의 납세보증서를 갈음하여 다른 담보재산을 제공한 경우

② 제공한 납세담보의 가액이 변동되어 지나치게 많아진 경우

③ 납세담보로 제공한 유가증권 중 상환기간이 정해진 것이 그 상환시기에 이른 경우

(2) 담보의 보충

관할세무서장은 납세담보물의 가액 감소, 보증인의 자력(資力) 감소 또는 그 밖의 사유로 그 납세담보로는 국세 및 강제징수비의 납부를 담보할 수 없다고 인정할 때에는 담보를 제공한 자에게 담보물의 추가 제공 또는 보증인의 변경을 요구할 수 있다.

3. 담보에 의한 납부와 징수

(1) 담보에 의한 납부

납세담보로서 금전을 제공한 자는 그 금전으로 담보한 국세 및 강제징수비를 납부할 수 있다. 이러한 납세담보로 제공한 금전으로 국세 및 강제징수비를 납부하려는 자는 그 뜻을 적은 문서로 관할세무서장에게 납부를 신청해야 한다. 이 경우 신청한 금액에 상당하는 국세 및 강제징수비를 납부한 것으로 본다.

(2) 담보에 의한 징수

관할세무서장은 납세담보를 제공받은 국세 및 강제징수비가 그 담보기간에 납부되지 않는 경우 납세담보가 금전이면 그 금전으로 해당 국세 및 강제징수비를 징수하고, 납세담보가 금전 외의 것이면 다음의 구분에 따른 방법으로 현금화하거나 징수한 금전으로 해당 국세 및 강제징수비를 징수한다. 그리고 납세담보를 현금화한 금전으로 징수해야 할 국세 및 강제징수비를 징수하고 남은 금전이 있는 경우 공매대금의 배분방법에 따라 배분한 후 납세자에게 지급한다.

① 유가증권, 토지, 건물, 공장재단, 광업재단, 선박, 항공기 또는 건설기계인 경우: 공매절차에 따라 매각

② 납세보증보험증권인 경우: 해당 납세보증보험사업자에게 보험금의 지급을 청구

③ 납세보증서인 경우: 보증인으로부터 징수절차에 따라 징수

4. 담보의 해제

① 관할세무서장은 납세담보를 제공받은 국세 및 강제징수비가 납부되면 지체 없이 담보 해제 절차를 밟아야 한다.

② 관할세무서장은 납세담보의 해제를 하려는 경우 그 뜻을 납세담보를 제공한 자에게 통지하여야 한다. 이 경우 통지는 문서로 하여야 하며, 납세자가 납세담보를 제공할 때 제출한 관계 서류가 있으면 그 서류를 첨부하여야 한다.

③ 납세담보 제공에 따라 저당권의 설정을 위한 등기 또는 등록을 촉탁하여 그 저당권이 설정된 경우에는 문서를 관할등기소 등에 제출하는 방법으로 저당권 말소의 등기 또는 등록을 촉탁하여야 한다.

❼ 등기필증 등 확인 및 변경

관할 세무서장은 건물, 공장재단 등을 담보를 제공하면서 제시한 등기필증, 등기완료통지서 또는 등록필증이 사실과 일치하는지를 조사하여 다음의 어느 하나에 해당하는 경우에는 다른 담보를 제공하게 하여야 한다.

1. 법령에 따라 담보 제공이 금지되거나 제한된 경우(관계 법령에 따라 주무관청의 허가를 받아 제공하는 경우는 제외)
2. 법령에 따라 사용 · 수익이 제한되어 있는 등의 사유로 담보의 목적을 달성할 수 없다고 인정되는 경우

기출문제

01 **「국세징수법」상 세무서장이 집행법원 등에 체납액의 교부를 청구하여야 하는 사유로 옳지 않은 것은?** 2018년 7급

① 납세관리인을 정하지 아니하고 국내에 주소 또는 거소를 두지 아니하게 된 때
② 강제집행을 받을 때
③ 국세의 체납으로 강제징수를 받을 때
④ 법인이 해산한 때

01
교부청구의 사유는 다음과 같다.

1. 국세, 지방세 또는 공과금의 체납으로 강제징수 또는 체납처분이 시작된 경우
2. 「민사집행법」에 따른 강제집행 및 담보권 실행 등을 위한 경매가 시작되거나 「채무자 회생 및 파산에 관한 법률」에 따른 파산선고를 받은 경우
3. 법인이 해산한 경우

02 **「국세징수법」상 국세징수절차에 대한 설명으로 옳지 않은 것은?** 2016년 9급

① 세무서장은 국세를 징수하려면 납세자에게 그 국세의 과세기간, 세목, 세액 및 그 산출근거, 납부기한과 납부장소를 적은 납부고지서를 발급하여야 한다.
② 납부고지서는 징수결정 즉시 발급하여야 한다. 다만, 재난 등으로 납부고지를 유예한 경우 유예기간이 끝난 날의 다음날에 발급한다.
③ 세무서장은 국세의 납부기한을 납세의 고지를 하는 날부터 30일 내로 지정할 수 있다.
④ 연대납세의무자에게 납세의 고지에 관한 서류를 송달할 때에는 그 대표자를 명의인으로 하며, 대표자가 없을 때에는 연대납세의무자 중 국세를 징수하기에 유리한 자를 명의인으로 한다.

02
납세의 고지와 독촉에 관한 서류는 연대납세의무자 모두에게 각각 송달하여야 한다.

정답 01 ① 02 ④

03 「국세징수법」상 징수절차에 대한 설명으로 옳지 않은 것은? 2014년 7급

① 납부고지는 일반적으로 부과처분으로서의 성질과 징수처분으로서의 성질을 동시에 가진다.
② 납세자의 우편에 의한 세금 신고는 발송한 때에 효력이 발생하지만, 우편에 의한 납부고지는 납세자에게 도달함으로써 효력이 발생한다.
③ 「국세기본법」에 따른 납부지연가산세 및 원천징수 등 납부지연가산세 중 지정납부기한이 지난 후의 가산세를 징수하는 경우에는 납부고지서를 발급하여야 한다.
④ 양도담보권자로부터 납세자의 체납액을 징수하고자 할 때에는 납부고지서에 의하여 고지하여야 한다.

03
「국세기본법」에 따른 납부지연가산세 및 원천징수 등 납부지연가산세 중 지정납부기한이 지난 후의 가산세를 징수하는 경우에는 납부고지서를 발급하지 아니할 수 있다.

04 「국세기본법」 및 국세징수법령상 지정납부기한과 관련된 설명으로 옳지 않은 것은? 2022년 9급

① 「국세기본법」에 따른 납부지연가산세 및 원천징수 등 납부지연가산세 중 지정납부기한이 지난 후의 가산세를 징수하는 경우에는 납부고지서를 발급하지 아니할 수 있다.
② 납세자가 국세를 지정납부기한까지 완납하지 아니하였다 하더라도 「국세기본법」 및 세법에 따라 물적납세의무를 부담하는 경우에는 독촉장을 발급하지 아니할 수 있다.
③ 납부고지서의 송달이 지연되어 도달한 날에 이미 지정납부기한이 지난 경우에는 도달한 날부터 14일이 지난 날을 지정납부기한으로 한다.
④ 국세징수권의 소멸시효는 지정납부기한의 연장으로 중단된다.

04
지정납부기한이 법에 따라 연장된 경우에는 소멸시효가 정지된다.

정답 03 ③ 04 ④

05 「국세징수법」상 납부기한 전에 국세를 징수할 수 있는 사유에 해당하는 것은 모두 몇 개인가?

2012년 7급

ㄱ. 세무서장의 통고처분을 받은 때
ㄴ. 법인이 해산한 때
ㄷ. 경매가 시작된 때
ㄹ. 기업의 구조조정 절차가 시작된 때
ㅁ. 국세의 체납으로 강제징수를 받을 때
ㅂ. 「어음법」 및 「수표법」에 따른 어음교환소에서 거래정지처분을 받은 때
ㅅ. 납세자의 사업이 중대한 위기에 처한 때
ㅇ. 강제집행을 받을 때

① 4개 ② 5개
③ 6개 ④ 7개

05
납부기한 전 징수사유에 해당하는 것은 5개(ㄴ, ㄷ, ㅁ, ㅂ, ㅇ)이다.
납부기한 전 징수사유는 다음과 같다.

1. 국세, 지방세 또는 공과금의 체납으로 강제징수 또는 체납처분이 시작된 경우
2. 「민사집행법」에 따른 강제집행 및 담보권 실행 등을 위한 경매가 시작되거나 「채무자 회생 및 파산에 관한 법률」에 따른 파산선고를 받은 경우
3. 법인이 해산한 경우
4. 「어음법」 및 「수표법」에 따른 어음교환소에서 거래정지처분을 받은 경우
5. 국세를 포탈(逋脫)하려는 행위가 있다고 인정되는 경우
6. 납세관리인을 정하지 아니하고 국내에 주소 또는 거소를 두지 아니하게 된 경우

06 「국세징수법」상 납세의무가 확정된 국세에 대하여 납부기한 전에 징수할 수 있는 사유로 옳지 않은 것은?

2009년 7급

① 사업이 중대한 위기에 처한 때
② 「어음법」에 의한 어음교환소에서 거래정지처분을 받은 때
③ 국세를 포탈하고자 하는 행위가 있다고 인정되는 때
④ 지방세의 체납으로 체납처분을 받을 때

06
사업이 중대한 위기에 처한 때는 납부기한전 징수사유에 해당하지 않는다.

정답 05 ② 06 ①

07 「국세징수법」상 납부기한 등의 연장 및 납부고지의 유예에 대한 설명으로 옳지 않은 것은? 2012년 7급 변형

① 세무서장은 납세자가 일정한 사유로 국세를 납부 할 수 없다고 인정할 때에는 대통령령이 정하는 바에 따라 납부고지를 유예하거나 결정한 세액을 분할하여 고지할 수 있다.
② 납부고지의 유예의 신청을 받은 세무서장은 고지 예정인 국세의 납부기한의 만료일까지 해당 납세자에게 승인 여부를 통지할 수 있다.
③ 관할세무서장은 납부기한 등의 연장을 하는 경우 그 연장기간을 연장한 날(또는 납부고지의 유예를 하는 경우 그 유예 기간을 유예한 날)의 다음 날부터 9개월 이내로 정하며, 연장 또는 유예 기간 중의 분납기한 및 분납금액을 정할 수 있다.
④ 세무서장은「국세징수법」에 따라 납부기한 등을 유예할 때에는 그 유예에 관계되는 금액에 상당하는 납세담보의 제공을 요구할 수 있다.

07
납부고지의 유예의 신청을 받은 세무서장은 고지 예정인 국세의 납부기한의 만료일까지 해당 납세자에게 승인 여부를 통지하여야 한다.

08 「국세징수법」상 납부기한 전 징수에 관한 설명으로 옳지 않은 것은? 2010년 7급

① 세무서장은 국세를 납부기한 전에 징수하고자 할 때에는 납부기한을 정하여 납세자에게 그 뜻을 고지하여야 한다. 이 경우에 이미 납부고지를 한 때에는 납부기한의 변경을 고지하여야 한다.
② 관할세무서장은 납부기한 등의 연장을 하는 경우 그 연장기간을 연장한 날(또는 납부고지의 유예를 하는 경우 그 유예 기간을 유예한 날)의 다음 날부터 9개월 이내로 정하며, 연장 또는 유예 기간 중의 분납기한 및 분납금액을 정할 수 있다.
③ 세무서장은 납세자가 지방세 또는 공과금의 체납으로 강제징수를 받았을 때에는 납부기한 전이라도 이미 납세의무가 성립된 국세(납세의무의 확정 여부와는 무관)는 이를 징수할 수 있다.
④ 세무서장은 납세자의 사업이 중대한 위기에 처하여 국세를 납부할 수 없다고 인정하는 때에는 법령이 정하는 바에 의하여 납부의 고지를 유예하거나 세액을 분할하여 고지할 수 있다.

08
납세의무가 성립만 되고 아직 확정되지 않은 국세는 납부기한 전 징수 대상이 될 수 없다.

정답 07 ② 08 ③

09 국세징수법령상 납세담보에 대한 설명으로 옳지 않은 것은? 2022년 9급

① 증권시장에 상장된 유가증권으로서 매매사실이 있는 것은 납세담보로 인정하고 있다.

② 보석 또는 자동차와 같이 자산적 가치가 있는 것은 법에 열거되지 않더라도 납세담보로 인정한다.

③ 납세담보로서 금전을 제공한 자는 그 금전으로 담보한 국세 및 강제징수비를 납부할 수 있다.

④ 관할 세무서장은 납세담보를 제공받은 국세 및 강제징수비가 그 담보기간에 납부되지 않는 경우 납세담보가 납세보증서이면 보증인으로부터 징수절차에 따라 징수한 금전으로 해당 국세 및 강제징수비를 징수한다.

09
납세담보를 법에서 열거한 것만 대상으로 하기 때문에 열거되지 않은 자동차나 보석은 담보로 제공할 수 없다.

10 「국세징수법」상 송달지연으로 인한 지정납부기한 등의 연장에 대한 설명으로 옳지 않은 것은? 2022년 7급

① 납부고지서 또는 독촉장의 송달이 지연되어 도달한 날에 이미 지정납부기한 등이 지난 경우에는 도달한 날부터 14일이 지난 날을 지정납부기한 등으로 한다. (단, 납부 기한 전에 납부고지를 하는 경우를 제외한다)

② 납부고지서 또는 독촉장의 송달이 지연되어 도달한 날부터 14일 이내에 지정납부기한 등이 도래하는 경우에는 도달한 날부터 14일이 지난 날을 지정납부기한 등으로 한다. (단, 납부 기한 전에 납부고지를 하는 경우를 제외한다)

③ 납부기한 전에 납부고지를 하는 경우에 납부고지서가 단축된 기한 전에 도달한 경우에는 그 단축된 기한을 납부하여야 할 기한으로 한다.

④ 납부기한 전에 납부고지를 하는 경우에 납부고지서가 단축된 기한이 지난 후에 도달한 경우에는 도달한 날의 다음 날을 납부기한으로 한다.

10
납부기한 전에 납부고지 하는 경우에 납부고지서가 단축된 기한이 지난 후에 도달한 경우에는 도달한 날을 납부기한으로 한다.

정답 09 ② 10 ④

11 **국세징수법령상 납세담보에 대한 설명으로 옳지 않은 것은?** 2023년 9급

① 토지, 건물, 공장재단, 광업재단, 선박, 항공기 또는 건설기계를 납세담보로 제공하려는 자는 그 등기필증, 등기완료통지서 또는 등록필증을 관할 세무서장에게 제시하여야 한다.

② 관할 세무서장은 납세담보물의 가액 감소로 그 납세담보로는 국세 및 강제징수비의 납부를 담보할 수 없다고 인정할 때에는 담보를 제공한 자에게 담보물의 추가 제공을 요구할 수 있다.

③ 납세담보로서 유가증권을 제공한 자는 그 유가증권으로 담보한 국세 및 강제징수비를 납부할 수 있으며, 이 경우 납부하려는 자는 그 뜻을 적은 문서로 관할 세무서장에게 신청해야 한다.

④ 「은행법」 제2조 제1항 제2호에 따른 은행의 납세보증서로 납세담보를 제공하는 경우에는 담보할 국세의 100분의 110 이상의 가액에 상당하는 담보를 제공하여야 하되, 그 국세가 확정되지 아니한 경우에는 국세청장이 정하는 가액에 상당하는 담보를 제공하여야 한다.

11

납세담보로서 금전으로 제공한 자는 그 유가증권으로 담보한 국세 및 강제징수비를 납부할 수 있으며, 이 경우 납부하려는 자는 그 뜻을 적은 문서로 관할 세무서장에게 신청해야 한다.

정답 11 ③

04 강제징수

1 통칙

1. 강제징수

관할세무서장(체납 발생 후 1개월이 지나고 체납액이 5천만 원 이상인 체납자의 경우에는 지방국세청장을 포함)은 납세자가 독촉 또는 납부기한 전 징수의 고지를 받고 지정된 기한까지 국세 또는 체납액을 완납하지 아니한 경우 재산의 압류(교부청구 · 참가압류를 포함), 압류재산의 매각 · 추심 및 청산의 절차에 따라 강제징수를 한다.

2. 사해행위의 취소 및 원상회복

(1) **개념**

관할세무서장은 강제징수를 할 때 납세자가 국세의 징수를 피하기 위하여 한 재산의 처분이나 그 밖에 재산권을 목적으로 한 법률행위(「신탁법」에 따른 사해신탁을 포함)에 대하여 「신탁법」(사해신탁) 및 「민법」(채권자취소권 · 채권자취소의 효력)을 준용하여 사해행위(詐害行爲)의 취소 및 원상회복을 법원에 청구할 수 있다.

(2) **사해행위의 취소 요건**

① 사해행위의 취소를 요구할 수 있는 경우는 압류를 면하고자 양도한 재산 이외에 다른 자력이 없어 국세를 완납할 수 없는 경우로 한다.

② 제2차납세의무자, 보증인 등으로부터 국세의 전액을 징수할 수 있는 경우에는 납세의무자를 무자력으로 인정하지 아니한다.

(3) **강제징수 후 잔여분 반환**

반환을 받은 재산에 대하여 강제징수를 하고 국세에 충당한 후 잔여가 있는 경우에는 그 잔여분은 체납자에게 주지 아니하고 그 재산의 반환을 한 수익자 또는 전득자에게 반환한다.

3. 가압류 · 가처분 재산에 대한 강제징수

(1) 관할세무서장은 재판상의 가압류 또는 가처분 재산이 강제징수 대상인 경우에도 「국세징수법」에 따른 강제징수를 한다.

(2) 관할세무서장은 재판상의 가압류 또는 가처분을 받은 재산을 압류하려는 경우 그 뜻을 해당 법원, 집행공무원 또는 강제관리인에게 통지하여야 한다. 그 압류를 해제하려는 경우에도 또한 같다.

4. 강제징수의 속행 등

(1) 합병 및 사망

① 체납자의 재산에 대하여 강제징수를 시작한 후 체납자가 사망하였거나 체납자인 법인이 합병으로 소멸된 경우에도 그 재산에 대한 강제징수는 계속 진행하여야 한다.

② 체납자가 사망한 후 체납자 명의의 재산에 대하여 한 압류는 그 재산을 상속한 상속인에 대하여 한 것으로 본다.

(2) 파산

관할세무서장은 체납자가 파산선고를 받은 경우라도 이미 압류한 재산이 있을 때에는 강제징수를 계속 진행하여야 한다.

5. 제3자의 소유권 주장

(1) 압류한 재산에 대하여 소유권을 주장하고 반환을 청구하려는 제3자는 그 재산의 매각 5일 전까지 소유자로 확인할 만한 증거서류를 관할세무서장에게 제출하여야 한다.

(2) 관할세무서장은 제3자가 소유권을 주장하고 반환을 청구하는 경우 그 재산에 대한 강제징수를 정지하여야 한다.

(3) 관할세무서장은 제3자의 소유권 주장 및 반환 청구가 정당하다고 인정되는 경우 즉시 압류를 해제하여야 하고, 부당하다고 인정되면 즉시 그 뜻을 제3자에게 통지하여야 한다.

(4) 관할세무서장은 통지를 받은 제3자가 통지를 받은 날부터 15일 이내에 그 재산에 대하여 체납자를 상대로 소유권에 관한 소송을 제기한 사실을 증명하지 아니하면 즉시 강제징수를 계속하여야 한다.

(5) 관할세무서장은 통지를 받은 제3자가 체납자를 상대로 소유권에 관한 소송을 제기하여 승소 판결을 받고 그 사실을 증명한 경우 압류를 즉시 해제하여야 한다.

6. 인지세와 등록면허세의 면제

(1) 압류재산을 보관하는 과정에서 작성하는 문서에 관하여는 인지세를 면제한다.

(2) 다음의 등기 또는 등록에 관하여는 등록면허세를 면제한다.

① 압류의 등기 또는 등록

② 압류 말소의 등기 또는 등록

③ 공매공고의 등기 또는 등록

④ 공매공고 말소의 등기 또는 등록

7. 고액 · 상습체납자의 수입물품에 대한 강제징수의 위탁

(1) 관할세무서장은 체납 발생일부터 1년이 지난 국세의 합계액이 2억 원 이상인 경우 체납자의 수입물품에 대한 강제징수를 세관장에게 위탁할 수 있다.

(2) 관할세무서장은 체납자에 대하여 1개월 이내의 기간을 정하여 그 기간에 체납된 국세를 납부하지 않을 경우 체납자의 수입물품에 대한 강제징수가 세관장에게 위탁될 수 있다는 사실을 알려야 한다.

(3) 관할세무서장은 세관장에게 강제징수를 위탁한 경우 즉시 그 위탁 사실을 체납자에게 통지하여야 한다.

(4) 관할세무서장은 체납자가 고액 · 상습체납자의 명단 공개 대상에서 제외되는 경우 즉시 해당 체납자의 수입물품에 대한 강제징수의 위탁을 철회하여야 한다.

2 압류

1. 압류의 요건 등

(1) 압류요건

관할세무서장은 다음의 어느 하나에 해당하는 경우 납세자의 재산을 압류한다.

① 납세자가 독촉을 받고 독촉장에서 정한 기한까지 국세를 완납하지 아니한 경우

② 납세자가 납부기한 전 징수를 위한 납부고지를 받고 단축된 기한까지 국세를 완납하지 아니한 경우

(2) 확정 전 보전압류

① 개념: 관할세무서장은 납세자에게 납부기한 전 징수의 어느 하나에 해당하는 사유가 있어 국세가 확정된 후 그 국세를 징수할 수 없다고 인정할 때에는 국세로 확정되리라고 추정되는 금액의 한도에서 납세자의 재산을 압류할 수 있다.

② 사전 승인: 관할세무서장은 확정 전 보전압류에 따라 재산을 압류하려는 경우 미리 지방국세청장의 승인을 받아야 하고, 압류 후에는 납세자에게 문서로 그 압류 사실을 통지하여야 한다.

③ 필수적 압류해제사유: 관할세무서장은 확정 전 보전 압류에 따라 재산을 압류한 경우 다음의 어느 하나에 해당하면 즉시 압류를 해제하여야 한다.

㉠ 납세자가 납세담보를 제공하고 압류 해제를 요구한 경우

㉡ 압류를 한 날부터 3개월(국세 확정을 위하여 실시한 세무조사가 「국세기본법」에 따라 중지된 경우에 그 중지 기간은 빼고 계산)이 지날 때까지 압류에 따라 징수하려는 국세를 확정하지 아니한 경우

④ 신청에 의한 충당: 관할세무서장은 확정 전 보전압류에 따라 압류를 한 후 압류에 따라 징수하려는 국세를 확정한 경우 압류한 재산이 다음의 어느 하나에 해당하고 납세자의 신청이 있으면 압류한 재산의 한도에서 확정된 국세를 징수한 것으로 볼 수 있다.

㉠ 금전

㉡ 납부기한 내 추심 가능한 예금 또는 유가증권

(3) 초과압류의 금지

관할세무서장은 국세를 징수하기 위하여 필요한 재산 외의 재산을 압류할 수 없다. 다만 불가분물(不可分物) 등 부득이한 경우에는 압류할 수 있다.

(4) 압류재산 선택 시 제3자의 권리보호

관할세무서장은 압류재산을 선택하는 경우 강제징수에 지장이 없는 범위에서 전세권 · 질권 · 저당권 등 체납자의 재산과 관련하여 제3자가 가진 권리를 침해하지 아니하도록 하여야 한다.

(5) 공유물에 대한 압류

압류할 재산이 공유물인 경우 각자의 지분이 정해져 있지 않으면 그 지분이 균등한 것으로 보아 압류한다.

(6) 종물에 대한 압류효과

주물을 압류한 때에는 그 압류의 효력은 종물에도 미친다.

2. 압류절차

(1) 압류조서

① 세무공무원은 체납자의 재산을 압류하는 경우 압류조서를 작성하여야 한다. 다만, 참가압류에 압류의 효력이 생긴 경우에는 압류조서를 작성하지 아니할 수 있다.

② 압류재산이 다음의 어느 하나에 해당하는 경우 압류조서 등본을 체납자에게 내주어야 한다.

㉠ 동산 또는 유가증권

㉡ 채권

㉢ 채권과 소유권을 제외한 그 밖의 재산권(이하 '그 밖의 재산권'이라 함)

③ 압류조서에는 압류에 참여한 세무공무원이 참여자와 함께 서명날인을 하여야 한다. 다만, 참여자가 서명날인을 거부한 경우에는 그 사실을 압류조서에 적는 것으로 참여자의 서명날인을 갈음할 수 있다.

④ 세무공무원은 질권이 설정된 동산 또는 유가증권을 압류한 경우 그 동산 또는 유가증권의 질권자에게 압류조서의 등본을 내주어야 한다.

⑤ 압류조서에는 압류한 재산에 관하여 양도, 제한물권의 설정, 채권의 영수(領收) 및 그 밖의 처분을 할 수 없다는 뜻이 기재되어야 한다.

(2) **수색**

① 세무공무원은 재산을 압류하기 위하여 필요한 경우에는 체납자의 주거 · 창고 · 사무실 · 선박 · 항공기 · 자동차 또는 그 밖의 장소(이하 '주거 등'이라 함)를 수색할 수 있고, 해당 주거 등의 폐쇄된 문 · 금고 또는 기구를 열게 하거나 직접 열 수 있다.

② 세무공무원은 다음의 어느 하나에 해당하는 경우 제3자의 주거 등을 수색할 수 있고, 해당 주거 등의 폐쇄된 문 · 금고 또는 기구를 열게 하거나 직접 열 수 있다.

㉠ 체납자 또는 제3자가 제3자의 주거 등에 체납자의 재산을 감춘 혐의가 있다고 인정되는 경우

㉡ 체납자의 재산을 점유 · 보관하는 제3자가 재산의 인도(引渡) 또는 이전을 거부하는 경우

③ 수색은 해가 뜰 때부터 해가 질 때까지만 할 수 있다. 다만, 해가 지기 전에 시작한 수색은 해가 진 후에도 계속할 수 있다.

④ 주로 야간에 영업을 하는 장소에 대해서는 해가 진 후에도 영업 중에는 수색을 시작할 수 있다.

⑤ 세무공무원은 수색을 하였으나 압류할 재산이 없는 경우 수색조서를 작성하고 수색조서에 참여자와 함께 서명날인하여야 한다. 다만, 참여자가 서명날인을 거부한 경우에는 그 사실을 수색조서에 적는 것으로 참여자의 서명날인을 갈음할 수 있다.

⑥ 세무공무원은 수색조서를 작성한 경우 그 등본을 수색을 받은 체납자 또는 참여자에게 내주어야 한다.

(3) **질문 · 검사**

① 세무공무원은 강제징수를 하면서 압류할 재산의 소재 또는 수량을 알아내기 위해 필요한 경우 다음의 어느 하나에 해당하는 자에게 구두(口頭) 또는 문서로 질문하거나 장부, 서류 및 그 밖의 물건을 검사할 수 있다.

㉠ 체납자

㉡ 체납자와 거래관계가 있는 자

㉢ 체납자의 재산을 점유하는 자

㉣ 체납자와 채권 · 채무 관계가 있는 자

㉤ 체납자가 주주 또는 사원인 법인

㉥ 체납자인 법인의 주주 또는 사원

㉦ 체납자와 「국세기본법」에 따른 친족관계나 경제적 연관관계가 있는 자 중에서 체납자의 재산을 감춘 혐의가 있다고 인정되는 자

② 구두로 질문한 내용이 중요한 사항인 경우 그 내용을 기록하고 기록한 서류에 답변한 자와 함께 서명날인하여야 한다. 다만, 답변한 자가 서명날인을 거부한 경우 그 사실을 본문의 서류에 적는 것으로 답변한 자의 서명날인을 갈음할 수 있다.

(4) 참여자

① 세무공무원은 수색 또는 검사를 하는 경우 그 수색 또는 검사를 받는 사람, 그 가족 · 동거인이나 사무원 또는 그 밖의 종업원을 참여시켜야 한다.

② 참여시켜야 할 자가 없거나 참여 요청에 따르지 아니하는 경우 성인 2명 이상 또는 특별시 · 광역시 · 특별자치시 · 특별자치도 · 시 · 군 · 자치구의 공무원이나 경찰공무원 1명 이상을 증인으로 참여시켜야 한다.

(5) 증표 등의 제시

세무공무원은 압류 · 수색 · 질문 및 검사를 하는 경우 그 신분을 나타내는 증표 및 압류 · 수색 등 통지서를 지니고 이를 관계자에게 보여 주어야 한다.

(6) 압류, 수색 또는 질문 · 검사 중의 출입 제한

세무공무원은 다음 중 어느 하나를 하는 경우로서 강제징수를 위하여 필요하다고 인정하는 경우 체납자 및 참여자 등 관계자를 제외한 사람에 대하여 해당 장소에서 나갈 것을 요구하거나 그 장소에 출입하는 것을 제한할 수 있다.

(7) 저당권자 등에 대한 압류 통지

① 관할세무서장은 재산을 압류한 경우 전세권, 질권, 저당권 또는 그 밖에 압류재산 위의 등기 또는 등록된 권리자(이하 '저당권자 등'이라 함)에게 그 사실을 통지하여야 한다.

② 국세에 대하여 우선권을 가진 저당권자 등이 위 ①의 통지를 받고 그 권리를 행사하려는 경우 통지를 받은 날부터 10일 이내에 그 사실을 관할세무서장에게 신고하여야 한다.

3. 압류재산

(1) 압류재산

① 압류의 대상이 되기 위하여는 납세자의 소유재산이어야 한다.

② 압류의 대상이 되기 위하여는 양도가 가능하고 금전적 가치가 있는 재산이어야 한다.

③ 압류대상 재산이 우리나라의 과세권이 미치는 지역 내에 소재하는 재산이어야 한다.

(2) 압류금지 재산

다음의 재산은 압류할 수 없다.

① 체납자 또는 그와 생계를 같이 하는 가족(사실상 혼인관계에 있는 사람을 포함하며, 이하 '동거가족'이라 함)의 생활에 없어서는 아니 될 의복, 침구, 가구, 주방기구, 그 밖의 생활필수품

② 체납자 또는 그 동거가족에게 필요한 3개월간의 식료품 또는 연료

③ 인감도장이나 그 밖에 직업에 필요한 도장

④ 제사 또는 예배에 필요한 물건, 비석 또는 묘지

⑤ 체납자 또는 그 동거가족의 장례에 필요한 물건

⑥ 족보 · 일기 등 체납자 또는 그 동거가족에게 필요한 장부 또는 서류

⑦ 직무 수행에 필요한 제복

⑧ 훈장이나 그 밖의 명예의 증표

⑨ 체납자 또는 그 동거가족의 학업에 필요한 서적과 기구

⑩ 발명 또는 저작에 관한 것으로서 공표되지 아니한 것

⑪ 주로 자기의 노동력으로 농업을 하는 사람에게 없어서는 아니 될 기구, 가축, 사료, 종자, 비료, 그 밖에 이에 준하는 물건

⑫ 주로 자기의 노동력으로 어업을 하는 사람에게 없어서는 아니 될 어망, 기구, 미끼, 새끼 물고기, 그 밖에 이에 준하는 물건

⑬ 전문직 종사자 · 기술자 · 노무자, 그 밖에 주로 자기의 육체적 또는 정신적 노동으로 직업 또는 사업에 종사하는 사람에게 없어서는 아니 될 기구, 비품, 그 밖에 이에 준하는 물건

⑭ 체납자 또는 그 동거가족의 일상생활에 필요한 안경 · 보청기 · 의치 · 의수족 · 지팡이 · 장애보조용 바퀴의자, 그 밖에 이에 준하는 신체보조기구 및 「자동차관리법」에 따른 경형자동차

⑮ 재해의 방지 또는 보안을 위하여 법령에 따라 설치하여야 하는 소방설비, 경보기구, 피난시설, 그 밖에 이에 준하는 물건

⑯ 법령에 따라 지급되는 사망급여금 또는 상이급여금(傷痍給與金)

⑰ 「주택임대차보호법」에 따라 우선변제를 받을 수 있는 금액

⑱ 체납자의 생계 유지에 필요한 소액금융재산으로서 다음의 구분에 따른 보장성보험의 보험금, 해약환급금 및 만기환급금과 개인별 잔액이 185만 원 미만인 예금(적금, 부금, 예탁금과 우편대체를 포함)을 말한다.

㉠ 사망보험금 중 1천만 원 이하의 보험금

㉡ 상해 · 질병 · 사고 등을 원인으로 체납자가 지급받는 보장성보험의 보험금 중 다음에 해당하는 보험금

ⓐ 진료비, 치료비, 수술비, 입원비, 약제비 등 치료 및 장애 회복을 위하여 실제 지출되는 비용을 보장하기 위한 보험금

ⓑ 치료 및 장애 회복을 위한 보험금 중 ⓐ에 해당하는 보험금을 제외한 보험금의 2분의 1에 해당하는 금액

ⓒ 보장성보험의 해약환급금 중 150만 원 이하의 금액

ⓓ 보장성보험의 만기환급금 중 150만 원 이하의 금액

(3) 급여채권의 압류 제한

① 급료, 연금, 임금, 봉급, 상여금, 세비, 퇴직연금, 그 밖에 이와 비슷한 성질을 가진 급여채권에 대해서는 그 총액[1]의 2분의 1에 해당하는 금액은 압류가 금지되는 금액으로 한다.

② 위 ①의 규정에도 불구하고 다음의 경우 압류가 금지되는 금액은 각각 다음의 구분에 따른 금액으로 한다.

㉠ **급여채권 총액의 2분의 1에 해당하는 금액이 월 185만 원에 미달하는 경우:** 월 185만 원

㉡ **급여채권 총액의 2분의 1에 해당하는 금액이 월 300만 원을 초과하는 경우:** 월 300만 원 + (압류금지 금액 - 300만 원) × 1/2

③ 퇴직금이나 그 밖에 이와 비슷한 성질을 가진 급여채권에 대해서는 그 총액[2]의 2분의 1에 해당하는 금액은 압류하지 못한다.

[1] 「소득세법」에 해당하는 근로소득의 금액의 합계액(비과세소득의 금액은 제외)에서 그 근로소득에 대한 소득세 및 소득세분 지방소득세를 뺀 금액을 말한다.

[2] 「소득세법」에 해당하는 퇴직소득의 금액의 합계액(비과세소득의 금액은 제외)에서 그 퇴직소득에 대한 소득세 및 소득세분 지방소득세를 뺀 금액을 말한다.

4. 압류의 효력

(1) 처분의 제한

① 세무공무원이 재산을 압류한 경우 체납자는 압류한 재산에 관하여 양도, 제한물권의 설정, 채권의 영수, 그 밖의 처분을 할 수 없다. 다만, 전세권해제 · 임대차계약의 해제 또는 저당권 권리말소 등 국가에 유리한 처분은 압류 후에 발생한 처분도 인정하고 있다.

② 세무공무원이 채권 또는 그 밖의 재산권을 압류한 경우 해당 채권의 채무자 및 그 밖의 재산권의 채무자 또는 이에 준하는 자(이하 '제3채무자'라 함)는 체납자에 대한 지급을 할 수 없다.

(2) 과실에 대한 압류의 효력

① 압류의 효력은 압류재산으로부터 생기는 천연과실(天然果實) 또는 법정과실(法定果實)에도 미친다.

② 위 ①의 규정에도 불구하고 체납자 또는 제3자가 압류재산의 사용 또는 수익을 하는 경우 그 재산의 매각으로 인하여 권리를 이전하기 전까지 이미 거두어들인 천연과실에 대해서는 압류의 효력이 미치지 아니한다.

③ 천연과실(天然果實) 중 성숙한 것은 토지 또는 입목(立木)과 분리하여 동산으로 볼 수 있다.

④ 원본에 대한 압류의 효력은 그 압류 후에 생긴 법정과실에도 미치는 것이나 압류 시까지 이미 발생한 법정과실에 대하여는 별도의 압류를 하지 아니하는 한 압류의 효력이 미치지 아니한다.

5. 부동산 등의 압류

(1) 부동산 등의 압류 절차

① **부동산 등의 압류**: 관할세무서장은 다음의 재산을 압류하려는 경우 압류조서를 첨부하여 압류등기를 관할 등기소에 촉탁하여야 한다. 그 변경등기에 관하여도 또한 같다.

㉠ 「부동산 등기법」 등에 따라 등기된 부동산

㉡ 「공장 및 광업재단 저당법」에 따라 등기된 공장재단 및 광업재단

㉢ 「선박등기법」에 따라 등기된 선박

② **자동차 등의 압류**: 관할세무서장은 다음의 재산을 압류하려는 경우 압류의 등록을 관계 행정기관의 장 또는 지방자치단체의 장에게 촉탁하여야 한다. 그 변경 등록에 관하여도 또한 같다.

㉠ 「자동차관리법」에 따라 등록된 자동차

㉡ 「선박법」에 따라 등록된 선박(「선박등기법」에 따라 등기된 선박은 제외한다)

㉢ 「항공안전법」에 따라 등록된 항공기 또는 경량항공기(이하 '항공기'라 함)

㉣ 「건설기계관리법」에 따라 등록된 건설기계

③ 기타 압류절차

㉠ 관할세무서장은 압류를 하기 위하여 부동산, 공장재단 및 광업재단의 재산을 분할하거나 구분하려는 경우 분할 또는 구분의 등기를 관할 등기소에 촉탁하여야 한다. 그 합병 또는 변경 등기에 관하여도 또한 같다.

㉡ 관할세무서장은 등기되지 아니한 부동산을 압류하려는 경우 토지대장 등본, 건축물대장 등본 또는 부동산종합증명서를 갖추어 보존등기를 관할 등기소에 촉탁하여야 한다.

㉢ 관할세무서장은 압류한 자동차, 선박, 항공기 또는 건설기계가 은닉 또는 훼손될 우려가 있다고 인정되는 경우 체납자에게 인도를 명하여 이를 점유할 수 있다.

㉣ 관할세무서장은 위 규정에 따라 압류한 경우 그 사실을 체납자에게 통지하여야 한다.

(2) 부동산 등의 압류의 효력

① 부동산 등의 압류의 효력은 그 압류등기 또는 압류의 등록이 완료된 때에 발생한다.

② 부동산 등의 압류의 효력은 해당 압류재산의 소유권이 이전되기 전에 「국세기본법」에 따른 법정기일이 도래한 국세의 체납액에 대해서도 미친다.

(3) 압류 부동산 등의 사용 · 수익

① 체납자는 압류된 부동산, 공장재단, 광업재단, 선박, 항공기, 자동차 또는 건설기계(이하 '부동산 등'이라 함)를 사용하거나 수익할 수 있다. 다만, 관할세무서장은 그 가치가 현저하게 줄어들 우려가 있다고 인정할 경우에는 그 사용 또는 수익을 제한할 수 있다.

② 압류된 부동산 등을 사용하거나 수익할 권리를 가진 제3자의 사용 · 수익에 관하여는 위 ①을 준용한다.

③ 관할세무서장은 자동차, 선박, 항공기 또는 건설기계에 대하여 강제징수를 위하여 필요한 기간 동안 정박 또는 정류를 하게 할 수 있다. 다만, 출항준비(出航準備)를 마친 선박 또는 항공기에 대해서는 정박 또는 정류를 하게 할 수 없다.

④ 관할세무서장은 정박 또는 정류를 하게 하였을 경우 그 감시와 보존에 필요한 처분을 하여야 한다.

6. 동산과 유가증권의 압류

(1) 동산과 유가증권의 압류절차와 효력

① 동산 또는 유가증권의 압류는 세무공무원이 점유함으로써 하고, 압류의 효력은 세무공무원이 점유한 때에 발생한다.

② 세무공무원은 제3자가 점유하고 있는 체납자 소유의 동산 또는 유가증권을 압류하기 위해서는 먼저 그 제3자에게 문서로 해당 동산 또는 유가증권의 인도를 요구하여야 한다.

③ 세무공무원은 인도를 요구받은 제3자가 해당 동산 또는 유가증권을 인도하지 아니하는 경우 제3자의 주거 등에 대한 수색을 통하여 이를 압류할 수 있다.

④ 세무공무원은 체납자와 그 배우자의 공유재산으로서 체납자가 단독 점유하거나 배우자와 공동 점유하고 있는 동산 또는 유가증권을 위 ①에 따라 압류할 수 있다.

(2) 압류 동산의 사용 · 수익

① 운반하기 곤란한 동산은 체납자 또는 제3자에게 보관하게 할 수 있다. 이 경우 봉인(封印)이나 그 밖의 방법으로 압류재산임을 명백히 하여야 한다.

② 관할세무서장은 압류한 동산을 체납자 또는 이를 사용하거나 수익할 권리를 가진 제3자에게 보관하게 한 경우 강제징수에 지장이 없다고 인정되면 그 동산의 사용 또는 수익을 허가할 수 있다.

③ 압류한 동산의 사용 또는 수익의 허가를 받은 자는 압류 동산을 사용하거나 수익하는 경우 선량한 관리자의 주의 의무를 다하여야 하며, 관할세무서장이 해당 재산의 인도를 요구하는 경우 즉시 이에 따라야 한다.

(3) 금전의 압류 및 유가증권에 관한 채권의 추심

① 관할세무서장이 금전을 압류한 경우에는 그 금전 액수만큼 체납자의 압류에 관계되는 체납액을 징수한 것으로 본다.

② 관할세무서장은 유가증권을 압류한 경우 그 유가증권에 따라 행사할 수 있는 금전의 급부를 목적으로 한 채권을 추심할 수 있다. 이 경우 관할세무서장이 채권을 추심하였을 때에는 추심한 채권의 한도에서 체납자의 압류와 관계되는 체납액을 징수한 것으로 본다.

7. 채권의 압류

(1) 채권의 압류 절차

① 관할세무서장은 채권을 압류하려는 경우 그 뜻을 제3채무자에게 통지하여야 한다.

② 관할세무서장은 채권을 압류한 경우 그 사실을 체납자에게 통지하여야 한다.

(2) 채권 압류의 효력 및 추심

① 채권 압류의 효력은 채권 압류 통지서가 제3채무자에게 송달된 때에 발생한다.

② 관할세무서장은 제3채무자에게 채권 압류 통지를 한 경우 체납액을 한도로 하여 체납자인 채권자를 대위(代位)한다.

③ 관할세무서장은 채권자를 대위하는 경우 압류 후 1년 이내에 제3채무자에 대한 이행의 촉구와 채무 이행의 소송을 제기하여야 한다. 다만, 체납된 국세와 관련하여 「국세기본법」에 따른 이의신청 · 심사청구 · 심판청구, 「감사원법」에 따른 심사청구 또는 「행정소송법」에 따른 행정소송(이하 '심판청구 등'이라 함)이 계속 중이거나 그 밖에 이에 준하는 사유로 법률상 · 사실상 추심이 불가능한 경우에는 그러하지 아니하다.

④ 관할세무서장은 심판청구 등이 계속 중이거나 그 밖에 이에 준하는 사유로 법률상 · 사실상 추심이 불가능한 경우의 사유가 해소되어 추심이 가능해진 때에는 지체 없이 제3채무자에 대한 이행의 촉구와 채무 이행의 소송을 제기하여야 한다.

(3) 채권 압류의 범위

관할세무서장은 채권을 압류하는 경우 체납액을 한도로 하여야 한다. 다만, 압류하려는 채권에 국세보다 우선하는 질권이 설정되어 있어 압류에 관계된 체납액의 징수가 확실하지 아니한 경우 등 필요하다고 인정되는 경우 채권 전액을 압류할 수 있다.

(4) 계속적 거래관계에서 발생하는 채권의 압류

급료, 임금, 봉급, 세비, 퇴직연금 또는 그 밖에 계속적 거래관계에서 발생하는 이와 유사한 채권에 대한 압류의 효력은 체납액을 한도로 하여 압류 후에 발생할 채권에도 미친다.

8. 그 밖의 재산권의 압류

(1) 그 밖의 재산권의 압류 절차 등

① 관할세무서장은 권리의 변동에 등기 또는 등록이 필요한 그 밖의 재산권을 압류하려는 경우 압류의 등기 또는 등록을 관할 등기소, 관계 행정기관의 장, 지방자치단체의 장(이하 '관할 등기소 등'이라 함)에게 촉탁하여야 한다. 그 변경의 등기 또는 등록에 관하여도 또한 같다.

② 관할세무서장은 권리의 변동에 등기 또는 등록이 필요하지 아니한 그 밖의 재산권을 압류하려는 경우 그 뜻을 다음의 구분에 따른 자에게 통지하여야 한다.

㉠ 제3채무자가 있는 경우: 제3채무자

㉡ 제3채무자가 없는 경우: 체납자

③ 관할세무서장은 위 ① 및 ②의 ㉠에 따라 압류를 한 경우 그 사실을 체납자에게 통지하여야 한다.

④ 관할 세무서장은 가상자산을 압류하려는 경우 체납자(가상자산사업자 등 제3자가 체납자의 가상자산을 보관하고 있을 때에는 그 제3자를 말함)에게 해당 가상자산의 이전을 문서로 요구할 수 있고, 요구받은 체납자 또는 그 제3자는 이에 따라야 한다.

(2) 국가 또는 지방자치단체의 재산에 관한 권리의 압류

① 관할세무서장은 체납자가 국가 또는 지방자치단체(지방자치단체조합을 포함)의 재산을 매수한 경우 소유권 이전 전이라도 그 재산에 관한 체납자의 국가 또는 지방자치단체에 대한 권리를 압류한다.

② 관할세무서장은 압류를 한 경우 그 사실을 체납자에게 통지하여야 한다.

③ 압류재산을 매각함에 따라 이를 매수한 자는 그 대금을 완납한 때에 그 재산에 관한 체납자의 국가 또는 지방자치단체에 대한 모든 권리 · 의무를 승계한다.

(3) **조건부채권의 압류**

① 관할세무서장은 신원보증금, 계약보증금 등의 조건부채권을 그 조건 성립 전에도 압류할 수 있다.

② 위 ①에 따라 압류한 채권이 성립되지 않는 것이 확정된 때에는 그 압류를 지체 없이 해제해야 한다.

(4) **채무불이행에 따른 절차**

① 관할세무서장은 채권 압류의 통지를 받은 제3채무자가 채무이행의 기한이 지나도 이행하지 않은 경우 체납자인 채권자를 대위(代位)하여 이행의 촉구를 하여야 한다.

② 관할세무서장은 이행의 촉구를 받은 제3채무자가 촉구한 기한까지 채무를 이행하지 않는 경우 체납자인 채권자를 대위하여 제3채무자를 상대로 소송을 제기하여야 한다. 다만, 채무이행의 자력(資力)이 없다고 인정하는 경우에는 소송을 제기하지 않고 채권의 압류를 해제할 수 있다.

(5) **가상자산의 압류**

① 관할 세무서장은 가상자산의 이전을 문서로 요구하는 경우에는 다음의 구분에 따라 이전하도록 요구해야 한다.

㉠ 체납자나 제3자가 체납자의 가상자산을 보관하고 있는 경우(아래 ㉡의 경우는 제외): 체납자 또는 제3자에게 해당 가상자산을 관할 세무서장이 지정하는 가상자산주소(「특정 금융거래정보의 보고 및 이용 등에 관한 법률 시행령」에 따른 가상자산주소를 말하며, 아래 ㉡에 따른 계정은 제외)로 이전하도록 요구

㉡ 가상자산사업자가 체납자의 가상자산을 보관하고 있는 경우: 가상자산사업자에게 해당 가상자산을 체납자의 계정(가상자산사업자가 가상자산의 거래 · 보관 등의 서비스 제공을 위해 고객에게 부여한 고유식별부호를 말함)에서 관할 세무서장이 지정하는 계정으로 이전하도록 요구

② 가상자산의 이전을 요구하는 문서에는 다음의 사항이 포함되어야 한다.

㉠ 체납자의 성명 또는 명칭과 주소

㉡ 체납자의 가상자산을 보관하고 있는 자의 성명 또는 명칭과 주소(제3자가 체납자의 가상자산을 보관하고 있는 경우로 한정)

㉢ 이전하여야 할 가상자산 및 그 규모

㉣ 이전 기한

㉤ 관할 세무서장이 지정한 가상자산주소 또는 계정

㉥ 그 밖에 가상자산의 이전에 필요한 사항

③ 관할 세무서장은 체납자의 가상자산이 두 종류 이상인 경우에는 매각의 용이성 및 가상자산의 종류별 규모 등을 고려하여 특정 가상자산을 우선하여 이전하도록 요구할 수 있다.

9. 압류의 해제

(1) 압류 해제의 요건

① **필요적 해제요건**: 관할세무서장은 다음의 어느 하나에 해당하는 경우 압류를 즉시 해제하여야 한다.

㉠ 압류와 관계되는 체납액의 전부가 납부 또는 충당(국세환급금, 그 밖에 관할세무서장이 세법상 납세자에게 지급할 의무가 있는 금전을 체납액과 대등액에서 소멸시키는 것을 말함)된 경우

㉡ 국세 부과의 전부를 취소한 경우

㉢ 여러 재산을 한꺼번에 공매(公賣)하는 경우로서 일부 재산의 공매대금으로 체납액 전부를 징수한 경우

㉣ 총 재산의 추산(推算)가액이 강제징수비(압류에 관계되는 국세에 우선하는 「국세기본법」에 따른 채권 금액이 있는 경우 이를 포함)를 징수하면 남을 여지가 없어 강제징수를 종료할 필요가 있는 경우. 다만, 교부청구 또는 참가압류가 있는 경우로서 교부청구 또는 참가압류와 관계된 체납액을 기준으로 할 경우 남을 여지가 있는 경우는 제외한다.[1]

㉤ 그 밖에 ㉠부터 ㉣까지의 규정에 준하는 사유로 압류할 필요가 없게 된 경우

② **임의적 해제요건**: 관할세무서장은 다음의 어느 하나에 해당하는 경우 압류재산의 전부 또는 일부에 대하여 압류를 해제할 수 있다.

㉠ 압류 후 재산가격이 변동하여 체납액 전액을 현저히 초과한 경우

㉡ 압류와 관계되는 체납액의 일부가 납부 또는 충당된 경우

㉢ 국세 부과의 일부를 취소한 경우

㉣ 체납자가 압류할 수 있는 다른 재산을 제공하여 그 재산을 압류한 경우

(2) 압류 해제의 절차 등

① 관할세무서장은 재산의 압류를 해제한 경우 그 사실을 그 재산의 압류 통지를 한 체납자, 제3채무자 및 저당권자 등에게 통지하여야 한다.

② 관할세무서장은 압류를 해제한 경우 압류의 등기 또는 등록을 한 것에 대해서는 압류 해제 조서를 첨부하여 압류 말소의 등기 또는 등록을 관할 등기소 등에 촉탁하여야 한다.

[1] 관할세무서장은 필요적 해제요건 중 ㉣의 사유로 압류를 해제하려는 경우 국세체납정리위원회의 심의를 거쳐야 한다.

③ 관할세무서장은 제3자에게 보관하게 한 압류재산의 압류를 해제한 경우 그 보관자에게 압류 해제 통지를 하고 압류재산을 체납자 또는 정당한 권리자에게 반환하여야 한다. 이 경우 관할세무서장이 받았던 압류재산의 보관증은 보관자에게 반환하여야 한다.

④ 관할세무서장은 위 ③을 적용할 때 필요하다고 인정하는 경우 보관자가 체납자 또는 정당한 권리자에게 그 압류재산을 직접 인도하게 할 수 있다. 이 경우 체납자 또는 정당한 권리자에게 보관자로부터 압류재산을 직접 인도받을 것을 통지하여야 한다.

⑤ 관할세무서장은 보관 중인 재산을 반환하는 경우 영수증을 받아야 한다. 다만, 체납자 또는 정당한 관리자에게 압류조서에 영수 사실을 적고 서명날인하게 함으로써 영수증을 받는 것에 갈음할 수 있다.

(3) 가상자산의 압류 해제

관할 세무서장은 가상자산의 압류를 해제하는 경우에는 해당 가상자산을 체납자의 가상자산주소(가상자산을 가상자산사업자가 아닌 제3자가 보관했던 경우에는 그 제3자의 가상자산주소를 말함) 또는 계정으로 이전해야 한다.

10. 교부청구 및 참가압류

(1) 교부청구

① **교부청구 사유**: 관할세무서장은 다음의 어느 하나에 해당하는 경우 해당 관할세무서장, 지방자치단체의 장, 「공공기관의 운영에 관한 법률」에 따른 공공기관의 장, 「지방공기업법」에 따른 지방공사 또는 지방공단의 장, 집행법원, 집행공무원, 강제관리인, 파산관재인 또는 청산인에 대하여 다음에 따른 절차의 배당·배분 요구의 종기(終期)까지 체납액(지정납부기한이 연장된 국세를 포함)의 교부를 청구하여야 한다.

㉠ 국세, 지방세 또는 공과금의 체납으로 체납자에 대한 강제징수 또는 체납처분이 시작된 경우

㉡ 체납자에 대하여 「민사집행법」에 따른 강제집행 및 담보권 실행 등을 위한 경매가 시작되거나 체납자가 「채무자 회생 및 파산에 관한 법률」에 따른 파산선고를 받은 경우

㉢ 체납자인 법인이 해산한 경우

② **교부청구의 효력**

㉠ 강제환가를 하고 있는 집행기관에 매각대금의 배분을 요구하여 배분순위에 따라 매각대금을 배분받을 수 있는 권리가 있다.

㉡ 교부청구는 국세징수권의 소멸시효를 중단시킨다.

ⓒ 교부청구 후 교부청구를 받은 집행기관의 체납처분, 강제집행 또는 경매의 절차가 해제되거나 취소되는 경우에는 교부청구는 그 효력을 상실한다.

③ 파산선고에 따른 교부청구: 관할세무서장은 파산관재인에게 교부청구를 하는 경우 다음의 구분에 따른 방법으로 하여야 한다.

㉠ 압류한 재산의 가액이 징수할 금액보다 적거나 적다고 인정될 경우: 재단채권(財團債權)으로서 파산관재인에게 그 부족액을 교부청구하는 방법

㉡ 납세담보물 제공자가 파산선고를 받아 강제징수에 의하여 그 담보물을 공매하려는 경우: 「채무자 회생 및 파산에 관한 법률」에 따른 채권신고 절차를 거친 후 별제권(別除權)을 행사해도 부족하거나 부족하다고 인정되는 금액을 교부청구하는 방법. 다만, 파산관재인이 그 재산을 매각하려는 경우에는 징수할 금액을 교부청구하는 방법으로 하여야 함

④ 교부청구의 해제

㉠ 관할세무서장은 납부, 충당, 국세 부과의 취소나 그 밖의 사유로 교부를 청구한 체납액의 납부의무가 소멸된 경우 그 교부청구를 해제하여야 한다.

㉡ 관할세무서장은 교부청구를 해제하려는 경우 그 사실을 교부청구를 받은 기관에 통지하여야 한다.

(2) 참가압류

① 참가압류

㉠ 관할세무서장은 압류하려는 재산이 이미 다른 기관에 압류되어 있는 경우 참가압류 통지서를 그 재산을 이미 압류한 기관(이하 '선행압류기관'이라 함)에 송달함으로써 교부청구를 갈음하고 그 압류에 참가할 수 있다.

㉡ 관할세무서장은 참가압류를 한 경우 그 사실을 체납자, 제3채무자 및 저당권자 등에게 통지하여야 한다.

ⓒ 관할세무서장은 권리의 변동에 등기 또는 등록이 필요한 재산에 대하여 참가압류를 하려는 경우 참가압류의 등기 또는 등록을 관할 등기소 등에 촉탁하여야 한다.

② 참가압류의 효력 등

㉠ 참가압류를 한 후에 선행압류기관이 그 재산에 대한 압류를 해제한 경우 그 참가압류는 다음의 구분에 따른 시기로 소급하여 압류의 효력을 가진다.

ⓐ 권리의 변동에 등기 또는 등록이 필요한 재산: 참가압류의 등기 또는 등록이 완료된 때

ⓑ 권리의 변동에 등기 또는 등록이 필요하지 아니한 재산: 참가압류 통지서가 선행압류기관에 송달된 때

㉡ 둘 이상의 참가압류가 있는 경우에는 다음의 구분에 따른 시기로 소급하여 압류의 효력이 생긴다.

ⓐ **권리의 변동에 등기 또는 등록을 필요로 하는 재산**: 가장 먼저 참가압류의 등기 또는 등록이 완료된 때

ⓑ **권리의 변동에 등기 또는 등록을 필요로 하지 아니한 재산**: 가장 먼저 참가압류 통지서가 송달된 때

㉢ 선행압류기관은 압류를 해제한 경우 압류가 해제된 재산 목록을 첨부하여 그 사실을 참가압류를 한 관할세무서장에게 통지하여야 한다.

㉣ 선행압류기관은 압류를 해제한 재산이 동산 또는 유가증권 등인 경우로서 해당 재산을 선행압류기관이 점유하고 있거나 제3자에게 보관하게 한 경우 참가압류를 한 관할세무서장에게 직접 인도하여야 한다. 다만, 제3자가 보관하고 있는 재산에 대해서는 그 제3자가 발행한 해당 보관증을 인도함으로써 재산을 직접 인도하는 것을 갈음할 수 있다.

㉤ 참가압류를 한 관할세무서장은 선행압류기관이 그 압류재산을 장기간이 지나도록 매각하지 아니한 경우 이에 대한 매각을 선행압류기관에 촉구할 수 있다.

㉥ 참가압류를 한 관할세무서장은 매각의 촉구를 받은 선행압류기관이 촉구를 받은 날부터 3개월 이내에 다음의 어느 하나에 해당하는 행위를 하지 아니한 경우 해당 압류재산을 매각할 수 있다.

ⓐ 수의계약으로 매각하려는 사실의 체납자 등에 대한 통지

ⓑ 공매공고

ⓒ 공매 또는 수의계약을 대행하게 하는 의뢰서의 송부

㉦ 참가압류를 한 관할세무서장은 위 ㉥에 따라 압류재산을 매각하려는 경우 그 내용을 선행압류기관에 통지하여야 한다.

㉧ 선행압류기관은 위 ㉦의 통지를 받은 경우 점유하고 있거나 제3자에게 보관하게 하고 있는 동산 또는 유가증권 등 압류재산의 매각을 촉구한 관할세무서장에게 인도하여야 한다.

③ **참가압류의 해제**: 참가압류의 해제에 관하여는 인지세와 등록면허세의 면제, 압류해제의 요건 및 압류 해제의 절차 등을 준용한다.

3 압류재산의 매각

1. 통칙

(1) 매각의 착수시기

관할세무서장은 압류 후 1년 이내에 매각을 위한 다음의 어느 하나에 해당하는 행위를 하여야 한다. 다만, 체납된 국세와 관련하여 심판청구 등이 계속 중인 경우, 「국세징수법」 또는 다른 세법에 따라 압류재산의 매각을 유예한 경우, 압류재산의 감정평가가 곤란한 경우, 그 밖에 이에 준하는 사유로 법률상 · 사실상 매각이 불가능한 경우[❶]에는 그러하지 아니하다.

① 수의계약으로 매각하려는 사실의 체납자 등에 대한 통지

② 공매공고

③ 공매 또는 수의계약을 대행하게 하는 의뢰서의 송부

(2) 매각 방법

① 압류재산은 공매 또는 수의계약으로 매각한다.

② 공매는 다음의 어느 하나에 해당하는 방법(정보통신망을 이용한 것을 포함)으로 한다.

㉠ 경쟁입찰: 공매를 집행하는 공무원이 공매예정가격을 제시하고, 매수신청인에게 문서로 매수신청을 하게 하여 공매예정가격 이상의 신청가격 중 최고가격을 신청한 자(이하 '최고가 매수신청인'이라 함)를 매수인으로 정하는 방법

㉡ 경매: 공매를 집행하는 공무원이 공매예정가격을 제시하고, 매수신청인에게 구두 등의 방법으로 신청가격을 순차로 올려 매수신청을 하게 하여 최고가 매수신청인을 매수인으로 정하는 방법

③ 경매의 방법으로 매각하는 경우 경매의 성질에 반하지 아니하는 범위에서 경쟁입찰에 관한 규정을 준용한다.

(3) 공매

① 관할세무서장은 압류한 부동산 등, 동산, 유가증권, 그 밖의 재산권과 체납자를 대위하여 받은 물건(금전은 제외)을 공매한다.

② 위 ①에도 불구하고 관할 세무서장은 다음의 어느 하나에 해당하는 압류재산의 경우에는 다음의 구분에 따라 직접 매각할 수 있다.

㉠ 「자본시장과 금융투자업에 관한 법률」에 따른 증권시장에 상장된 증권: 증권시장에서의 매각

㉡ 가상자산사업자를 통해 거래되는 가상자산: 가상자산사업자를 통한 매각

③ 관할 세무서장은 압류재산을 직접 매각하려는 경우에는 매각 전에 그 사실을 다음의 자에게 통지하여야 한다.

❶ 관할세무서장은 심판청구 등 매각이 불가능한 사유가 해소되어 매각이 가능해진 때에는 지체 없이 (1)의 어느 하나에 해당하는 행위를 하여야 한다.

㉠ 체납자

㉡ 납세담보물소유자

㉢ 압류재산에 질권 또는 그 밖의 권리를 가진 자

④ 확정 전 보전 압류한 재산은 그 압류와 관계되는 국세의 납세 의무가 확정되기 전에는 공매할 수 없다.

⑤ 심판청구 등이 계속 중인 국세의 체납으로 압류한 재산은 그 신청 또는 청구에 대한 결정이나 소(訴)에 대한 판결이 확정되기 전에는 공매할 수 없다. 다만, 그 재산이 부패 · 변질 또는 감량되기 쉬운 재산으로서 속히 매각하지 아니하면 그 재산가액이 줄어들 우려가 있는 경우에는 그러하지 아니하다.

(4) 수의계약

① 대상: 관할세무서장은 압류재산이 다음의 어느 하나에 해당하는 경우 수의계약[1]으로 매각할 수 있다.

㉠ 수의계약으로 매각하지 아니하면 매각대금이 강제징수비 금액 이하가 될 것으로 예상되는 경우

㉡ 부패 · 변질 또는 감량되기 쉬운 재산으로서 속히 매각하지 아니하면 그 재산가액이 줄어들 우려가 있는 경우

㉢ 압류한 재산의 추산가격이 1천만 원 미만인 경우

㉣ 법령으로 소지(所持) 또는 매매가 금지 및 제한된 재산인 경우

㉤ 제1회 공매 후 1년간 5회 이상 공매하여도 매각되지 아니한 경우

㉥ 공매가 공익(公益)을 위하여 적절하지 아니한 경우

② 절차: 관할세무서장은 압류재산을 수의계약으로 매각하려는 경우 추산가격조서를 작성하고 2인 이상으로부터 견적서를 받아야 한다. 다만, 제1회 공매 후 1년간 5회 이상 공매하여도 매각되지 아니한 경우에 해당하여 수의계약을 하는 경우로서 그 매각금액이 최종 공매 시의 공매예정가격 이상인 경우에는 견적서를 받지 않을 수 있다.

2. 공매의 준비

(1) 공매예정가격의 결정

① 관할세무서장은 압류재산을 공매하려면 그 공매예정가격을 결정하여야 한다.

② 관할세무서장은 공매예정가격을 결정하기 어려운 경우 감정인(鑑定人)에게 평가를 의뢰하여 그 가액을 참고할 수 있다.

③ 감정인은 평가를 위하여 필요한 경우 조사를 위하여 건물에 출입할 수 있고, 체납자 또는 건물을 점유하는 제3자에게 공매재산의 현황과 관련된 질문을 하거나 문서의 제시를 요구할 수 있다.

❶ 수의계약

"수의계약"이라 함은 압류재산의 매각을 입찰 · 경매 등의 경쟁방법에 의하지 아니하고 세무서장 또는 한국자산관리공사가 매수인과 가액을 결정하여 매각하는 계약을 말한다.

④ 관할세무서장은 감정인에게 공매대상 재산의 평가를 의뢰한 경우 수수료를 지급할 수 있다.

(2) **공매재산에 대한 현황조사**

① 관할세무서장은 공매예정가격을 결정하기 위하여 공매재산의 현 상태, 점유관계, 임차료 또는 보증금의 액수, 그 밖의 현황을 조사하여야 한다.

② 세무공무원은 현황조사를 위하여 건물에 출입할 수 있고, 체납자 또는 건물을 점유하는 제3자에게 공매재산의 현황과 관련된 질문을 하거나 문서의 제시를 요구할 수 있다.

③ 세무공무원은 건물에 출입하기 위하여 필요한 경우 잠긴 문을 여는 등 적절한 처분을 할 수 있다.

(3) **공매장소**

공매는 지방국세청, 세무서, 세관 또는 공매재산이 있는 특별자치시 · 특별자치도 · 시 · 군 · 자치구에서 한다. 다만, 관할세무서장이 필요하다고 인정하는 경우에는 다른 장소에서 공매할 수 있다.

(4) **공매보증**

① 공매보증

㉠ 관할세무서장은 압류재산을 공매하는 경우 필요하다고 인정하면 공매에 참여하려는 자에게 공매보증을 받을 수 있다.

㉡ 공매보증금액은 공매예정가격의 100분의 10 이상으로 한다.

㉢ 공매보증은 다음의 어느 하나에 해당하는 것으로 한다.

ⓐ 금전

ⓑ 국공채

ⓒ 증권시장에 상장된 증권

ⓓ 「보험업법」에 따른 보험회사가 발행한 보증보험증권

② 공매보증 반환: 관할세무서장은 다음의 경우 다음의 구분에 따른 자가 제공한 공매보증을 반환한다.

㉠ 개찰(開札) 후: 최고가 매수신청인을 제외한 다른 매수신청인

㉡ 매수인이 매수대금 납부 전 체납자가 매수인의 동의를 받아 압류와 관련된 체납액을 납부하여 압류재산의 매각결정이 취소된 경우: 매수인

㉢ 차순위 매수신청인이 있는 경우로서 매수인이 대금을 모두 지급한 경우: 차순위 매수신청인

③ 매각취소: 관할세무서장은 다음의 어느 하나에 해당하는 경우 공매보증을 강제징수비, 압류와 관계되는 국세의 순으로 충당한 후 남은 금액은 체납자에게 지급한다.

㉠ 최고가 매수신청인이 개찰 후 매수계약을 체결하지 아니한 경우

㉡ 납부를 촉구하여도 매수인이 매수대금을 지정된 기한까지 납부하지 아니한 사유로 압류재산의 매각결정이 취소된 경우

(5) **공매공고**

① 관할세무서장은 공매를 하려는 경우 다음의 사항을 공고하여야 한다.

㉠ 매수대금을 납부하여야 할 기한(이하 '대금납부기한'이라 함)

㉡ 공매재산의 명칭, 소재, 수량, 품질, 공매예정가격, 그 밖의 중요한 사항

㉢ 입찰서 제출 또는 경매의 장소와 일시(기간입찰의 경우 그 입찰서 제출 기간)

㉣ 개찰의 장소와 일시

㉤ 공매보증을 받을 경우 그 금액

㉥ 공매재산이 공유물의 지분 또는 부부공유의 동산 · 유가증권인 경우 공유자(체납자는 제외. 이하 같음) · 배우자에게 각 우선매수권이 있다는 사실

㉦ 배분요구의 종기

㉧ 배분요구의 종기까지 배분을 요구하여야 배분받을 수 있는 채권

㉨ 매각결정기일

㉩ 매각으로 소멸하지 아니하고 매수인이 인수하게 될 공매재산에 대한 지상권, 전세권, 대항력 있는 임차권 또는 가등기가 있는 경우 그 사실

㉪ 공매재산의 매수인으로서 일정한 자격이 필요한 경우 그 사실

㉫ 공매재산명세서의 제공 내용 및 기간

㉬ 차순위 매수신청의 기간과 절차

② 관할세무서장은 공매공고를 하는 경우 동일한 재산에 대한 향후의 여러 차례의 공매에 관한 사항을 한꺼번에 공고할 수 있다.

③ 공매공고는 정보통신망을 통하여 하되, 다음의 구분에 따른 게시 또는 게재도 함께 하여야 한다.

㉠ 지방국세청, 세무서, 세관, 특별자치시 · 특별자치도 · 시 · 군 · 자치구, 그 밖의 적절한 장소에 게시

㉡ 관보 또는 일간신문에 게재

④ 배분요구의 종기는 절차 진행에 필요한 기간을 고려하여 정하되, 최초의 입찰서 제출 시작일 이전으로 하여야 한다. 다만, 공매공고에 대한 등기 또는 등록이 지연되거나 누락되는 등의 사유로 공매 절차가 진행되지 못하는 경우에는 관할세무서장은 배분요구의 종기를 최초의 입찰서 제출 마감일 이후로 연기할 수 있다.

⑤ 매각결정기일은 개찰일부터 7일(토요일, 일요일, 공휴일 및 대체공휴일은 제외) 이내로 정하여야 한다.

⑥ 관할세무서장은 경매의 방법으로 재산을 공매하는 경우 경매인을 선정하여 이를 취급하게 할 수 있다.

(6) 공매공고 기간

공매공고 기간은 10일 이상으로 한다. 다만, 그 재산을 보관하는 데에 많은 비용이 들거나 재산의 가액이 현저히 줄어들 우려가 있으면 이를 단축할 수 있다.

(7) 공매공고에 대한 등기 또는 등록의 촉탁

관할세무서장은 공매공고를 한 압류재산이 권리의 변동에 등기 또는 등록이 필요한 경우 공매공고 즉시 그 사실을 등기부 또는 등록부에 기입하도록 관할 등기소 등에 촉탁하여야 한다.

(8) 공매통지

① 공매통지 대상: 관할세무서장은 공매공고를 한 경우 즉시 그 내용을 다음의 자에게 통지하여야 한다.

㉠ 체납자

㉡ 납세담보물 소유자

㉢ 공매재산이 공유물의 지분인 경우: 공매공고의 등기 또는 등록 전 날 현재의 공유자

㉣ 공매재산이 부부공유의 동산 · 유가증권인 경우: 배우자

㉤ 공매공고의 등기 또는 등록 전 날 현재 공매재산에 대하여 전세권 · 질권 · 저당권 또는 그 밖의 권리를 가진 자

② 송달 불능 등으로 인한 재공고: 공매통지의 송달 불능 등의 사유로 동일한 공매재산에 대하여 다시 공매공고를 하는 경우 그 이전 공매공고 당시 공매통지가 도달되었던 위 ①의 ㉢부터 ㉤에 해당하는 자에 대하여 다시 하는 공매통지는 주민등록표 등본 등 공매 집행기록에 표시된 주소, 거소, 영업소 또는 사무소에 등기우편을 발송하는 방법으로 할 수 있다. 이 경우 그 공매통지는 「국세기본법」에도 불구하고 송달받아야 할 자에게 발송한 때부터 효력이 발생한다.

(9) 배분요구 등

① 배분요구: 공매공고의 등기 또는 등록 전까지 등기 또는 등록되지 아니한 다음의 채권을 가진 자가 배분을 받으려는 경우 배분요구의 종기까지 관할세무서장에게 배분을 요구하여야 한다.

㉠ 압류재산과 관계되는 체납액

㉡ 교부청구와 관계되는 체납액 · 지방세 또는 공과금

ⓒ 압류재산에 설정된 전세권 · 질권 · 저당권 또는 가등기담보권에 의하여 담보된 채권

ⓓ 「주택임대차보호법」 또는 「상가건물 임대차보호법」에 따라 우선변제권이 있는 임차보증금 반환채권

ⓔ 「근로기준법」 또는 「근로자퇴직급여 보장법」에 따라 우선변제권이 있는 임금, 퇴직금, 재해보상금 및 그 밖에 근로관계로 인한 채권

ⓕ 압류재산과 관계되는 가압류채권

ⓖ 집행문이 있는 판결 정본에 의한 채권

② 기타 사항

㉠ 매각으로 소멸되지 아니하는 전세권을 가진 자는 배분을 받으려는 경우 배분요구의 종기까지 배분을 요구하여야 한다.

㉡ 체납자의 배우자는 공매재산이 압류한 부부공유의 동산 또는 유가증권인 경우 공유지분에 따른 매각대금의 지급을 배분요구의 종기까지 관할세무서장에게 요구할 수 있다.

(10) 국세에 우선하는 제한물권 등의 인수 등

관할세무서장은 공매재산에 압류와 관계되는 국세보다 우선하는 제한물권 등이 있는 경우 제한물권 등을 매수인에게 인수하게 하거나 매수대금으로 그 제한물권 등에 의하여 담보된 채권을 변제하는 데 충분하다고 인정된 경우가 아니면 그 재산을 공매하지 못한다.

(11) 공유자 · 배우자의 우선매수권

① **공유자의 우선매수:** 공유자는 공매재산이 공유물의 지분인 경우 매각결정기일 전까지 공매보증을 제공하고 다음의 구분에 따른 가격으로 공매재산을 우선매수하겠다는 신청을 할 수 있다.

㉠ 최고가 매수신청인이 있는 경우: 최고가 매수신청가격

㉡ 최고가 매수신청인이 없는 경우: 공매예정가격

② **체납자의 배우자 우선매수:** 체납자의 배우자는 공매재산이 압류한 부부공유의 동산 또는 유가증권인 경우 공유자의 우선매수를 준용하여 공매재산을 우선매수하겠다는 신청을 할 수 있다.

③ 공유자 또는 체납자의 배우자의 매각결정

㉠ 관할세무서장은 공유자 또는 체납자의 배우자에 따른 우선매수 신청이 있는 경우 최고가 매수신청인을 정하는 규정에도 불구하고 그 공유자 또는 체납자의 배우자에게 매각결정을 하여야 한다.

㉡ 관할세무서장은 여러 사람의 공유자가 우선매수 신청을 하고 매각절차를 마친 경우 공유자 간의 특별한 협의가 없으면 공유지분의 비율에 따라 공매재산을 매수하게 한다.

ⓒ 관할세무서장은 공유자 또는 체납자의 배우자에 따른 우선매수 규정에 따라 매각결정 후 매수인이 매수대금을 납부하지 아니한 경우 최고가 매수신청인에게 다시 매각결정을 할 수 있다.

⑿ **매수인의 제한**

다음의 어느 하나에 해당하는 자는 자기 또는 제3자의 명의나 계산으로 압류재산을 매수하지 못한다.

① 체납자

② 세무공무원

③ 매각 부동산을 평가한 「감정평가 및 감정평가사에 관한 법률」에 따른 감정평가법인 등(감정평가법인의 경우 그 감정평가법인 및 소속 감정평가사를 말함)

⒀ **공매참가의 제한**

관할세무서장은 다음의 어느 하나에 해당한다고 인정되는 사실이 있는 자에 대해서는 그 사실이 있은 후 2년간 공매장소 출입을 제한하거나 입찰에 참가시키지 아니할 수 있다. 그 사실이 있은 후 2년이 지나지 아니한 자를 사용인이나 그 밖의 종업원으로 사용한 자와 이러한 자를 입찰 대리인으로 한 자에 대해서도 또한 같다.

① 입찰을 하려는 자의 공매참가, 최고가 매수신청인의 결정 또는 매수인의 매수대금 납부를 방해한 사실

② 공매에서 부당하게 가격을 낮출 목적으로 담합한 사실

③ 거짓 명의로 매수신청을 한 사실

⒁ **가족관계등록 전산정보의 공동이용**

관할 세무서장(한국자산관리공사가 공매를 대행하는 경우에는 한국자산관리공사를 말함)은 공매를 위하여 필요한 경우 「전자정부법」에 따라 「가족관계의 등록 등에 관한 법률」에 따른 전산정보자료를 공동이용(「개인정보 보호법」에 따른 처리를 포함)할 수 있다.

3. 공매의 실시

(1) **입찰서 제출과 개찰**

① 공매를 입찰의 방법으로 하는 경우 공매재산의 매수신청인은 그 성명 · 주소 · 거소, 매수하려는 재산의 명칭, 매수신청가격, 공매보증, 그 밖에 필요한 사항을 입찰서에 적어 개찰이 시작되기 전에 공매를 집행하는 공무원에게 제출하여야 한다.

② 개찰은 공매를 집행하는 공무원이 공개적으로 각각 적힌 매수신청가격을 불러 입찰조서에 기록하는 방법으로 한다.

③ 공매를 집행하는 공무원은 최고가 매수신청인을 정한다. 이 경우 최고가 매수신청가격이 둘 이상이면 즉시 추첨으로 최고가 매수신청인을 정한다.

④ 공매를 집행하는 공무원은 최고가 매수신청가격이 둘 이상이면 즉시 추첨으로 최고가 매수신청인을 정할 때 매수신청인 중 출석하지 아니한 자 또는 추첨을 하지 아니한 자가 있는 경우 입찰 사무와 관계없는 공무원으로 하여금 대신하여 추첨하게 할 수 있다.

⑤ 공매를 집행하는 공무원은 공매예정가격 이상으로 매수신청한 자가 없는 경우 즉시 그 장소에서 재입찰을 실시할 수 있다.

(2) **차순위 매수신청**

① 최고가 매수신청인이 결정된 후 해당 최고가 매수신청인 외의 매수신청인은 매각결정기일 전까지 공매보증을 제공하고 납부를 촉구하여도 매수인이 매수대금을 지정된 기한까지 납부하지 아니한 경우에 해당하는 사유로 매각결정이 취소되는 경우 최고가 매수신청가격에서 공매보증을 뺀 금액 이상의 가격으로 공매재산을 매수하겠다는 신청(이하 '차순위 매수신청'이라 함)을 할 수 있다.

② 관할세무서장은 차순위 매수신청을 한 자가 둘 이상인 경우 최고액의 매수신청인을 차순위 매수신청인으로 정하고, 최고액의 매수신청인이 둘 이상인 경우에는 추첨으로 차순위 매수신청인을 정한다.

③ 관할세무서장은 차순위 매수신청이 있는 경우 납부를 촉구하여도 매수인이 매수대금을 지정된 기한까지 납부하지 않는 사유로 매각결정을 취소한 날부터 3일(토요일, 일요일, 공휴일 및 대체공휴일은 제외) 이내에 차순위 매수신청인을 매수인으로 정하여 매각결정을 할 것인지 여부를 결정하여야 한다. 다만, 다음의 사유가 있는 경우에는 차순위 매수신청인에게 매각결정을 할 수 없다.

㉠ 공유자 · 배우자의 우선매수 신청이 있는 경우

㉡ 차순위 매수신청인이 매수인의 제한 또는 공매참가의 제한을 받는 자에 해당하는 경우

㉢ 매각결정 전에 공매 취소 · 정지 사유가 있는 경우

㉣ 그 밖에 매각결정을 할 수 없는 중대한 사실이 있다고 관할세무서장이 인정하는 경우

(3) **매각결정 및 대금납부기한 등**

① 매각결정: 관할세무서장은 다음의 사유가 없으면 매각결정기일에 최고가 매수신청인을 매수인으로 정하여 매각결정을 하여야 한다.

㉠ 공유자 · 배우자의 우선매수 신청이 있는 경우

ⓛ 최고가 매수신청인이 매수인의 제한 또는 공매참가의 제한을 받는 자에 해당하는 경우

ⓒ 매각결정 전에 공매 취소 · 정지 사유가 있는 경우

ⓓ 그 밖에 매각결정을 할 수 없는 중대한 사실이 있다고 관할세무서장이 인정하는 경우

② **매각효력발생 시기**: 매각결정의 효력은 매각결정기일에 매각결정을 한 때에 발생한다.

③ **매각결정 통지 및 납부**

㉠ 관할세무서장은 매각결정을 한 경우 매수인에게 대금납부기한을 정하여 매각결정 통지서를 발급하여야 한다. 다만, 권리 이전에 등기 또는 등록이 필요 없는 재산의 매수대금을 즉시 납부시킬 경우에는 구두로 통지할 수 있다.

ⓛ 대금납부기한은 매각결정을 한 날부터 7일 이내로 한다. 다만, 관할세무서장이 필요하다고 인정하는 경우에는 그 대금납부기한을 30일의 범위에서 연장할 수 있다.

(4) 매수대금 납부의 촉구

관할세무서장은 매수인이 매수대금을 지정된 대금납부기한까지 납부하지 아니한 경우 다시 대금납부기한을 지정하여 납부를 촉구하여야 한다.

(5) 매각결정의 취소

관할세무서장은 다음의 어느 하나에 해당하는 경우 압류재산의 매각결정을 취소하고 그 사실을 매수인에게 통지하여야 한다.

① 매각결정을 한 후 매수인이 매수대금을 납부하기 전에 체납자가 압류와 관련된 체납액을 납부하고 매각결정의 취소를 신청하는 경우. 이 경우 체납자는 매수인의 동의를 받아야 한다.

② 납부를 촉구하여도 매수인이 매수대금을 지정된 기한까지 납부하지 아니한 경우

(6) 재공매

① **재공매 사유**: 관할세무서장은 다음의 어느 하나에 해당하는 경우 재공매를 한다.

㉠ 재산을 공매하여도 매수신청인이 없거나 매수신청가격이 공매예정가격 미만인 경우

ⓛ 납부를 촉구하여도 매수인이 매수대금을 지정된 기한까지 납부하지 아니한 경우로 매각결정을 취소한 경우

② 재공매 절차: 관할세무서장은 재공매를 할 때마다 최초의 공매예정가격의 100분의 10에 해당하는 금액을 차례로 줄여 공매하며, 최초의 공매예정가격의 100분의 50에 해당하는 금액까지 차례로 줄여 공매하여도 매각되지 아니할 때에는 새로 공매예정가격을 정하여 재공매를 할 수 있다. 다만, 공매예정가격 이상으로 매수신청한 자가 없어 즉시 재입찰을 실시한 경우에는 최초의 공매예정가격을 줄이지 아니한다.

③ 재공매 공고기간: 관할세무서장은 공매공고 기간을 5일까지 단축할 수 있다.

(7) 공매의 취소 및 정지

① 공매의 취소: 관할세무서장은 다음의 어느 하나에 해당하는 경우 공매를 취소하여야 한다.

㉠ 해당 재산의 압류를 해제한 경우

㉡ 그 밖에 공매를 진행하기 곤란한 경우로서 관할세무서장이 직권으로 또는 한국자산관리공사의 요구에 따라 해당 재산에 대한 공매대행 의뢰를 해제한 경우

② 공매의 정지: 관할세무서장은 다음의 어느 하나에 해당하는 경우 공매를 정지하여야 한다.

㉠ 압류 또는 매각을 유예한 경우

㉡ 「국세기본법」 또는 「행정소송법」에 따라 강제징수에 대한 집행정지의 결정이 있는 경우

㉢ 그 밖에 공매를 정지하여야 할 필요가 있는 경우로서 대통령령으로 정하는 경우

③ 공매취소 공고: 관할세무서장은 매각결정기일 전에 공매를 취소한 경우 공매취소 사실을 공고하여야 한다.

④ 공매의 속행: 관할세무서장은 공매를 정지한 후 그 사유가 소멸되어 공매를 계속할 필요가 있다고 인정하는 경우 즉시 공매를 속행하여야 한다.

(8) 공매공고의 등기 또는 등록 말소

관할세무서장은 다음의 어느 하나에 해당하는 경우 공매공고의 등기 또는 등록을 말소할 것을 관할 등기소 등에 촉탁하여야 한다.

① 매각결정을 취소한 경우

② 공매취소의 공고를 한 경우

4. 매수대금의 납부와 권리의 이전

(1) 공매보증과 매수대금 납부

① 매수인이 공매보증으로 금전을 제공한 경우 그 금전은 매수대금으로서 납부된 것으로 본다.

② 관할세무서장은 매수인이 공매보증으로 국공채 등을 제공한 경우 그 국공채 등을 현금화하여야 한다. 이 경우 그 현금화에 사용된 비용을 뺀 금액은 공매보증 금액을 한도로 매수대금으로서 납부된 것으로 본다.

③ 관할세무서장은 현금화한 금액(현금화에 사용된 비용을 뺀 금액을 말함)이 공매보증 금액보다 적으면 다시 대금납부기한을 정하여 매수인에게 그 부족액을 납부하게 하여야 하고, 공매보증 금액보다 많으면 그 차액을 매수인에게 반환하여야 한다.

(2) 매수대금 납부의 효과

① 매수인은 매수대금을 완납한 때에 공매재산을 취득한다.

② 관할세무서장이 매수대금을 수령한 때에는 체납자로부터 매수대금만큼의 체납액을 징수한 것으로 본다.

(3) 공매재산에 설정된 제한물권 등의 소멸과 인수 등

① 공매재산에 설정된 모든 질권 · 저당권 및 가등기담보권은 매각으로 소멸된다.

② 지상권 · 지역권 · 전세권 및 등기된 임차권 등은 압류채권(압류와 관계되는 국세를 포함) · 가압류채권 및 매각으로 소멸하는 담보물권에 대항할 수 없는 경우 매각으로 소멸된다.

③ 위 ② 외의 경우 지상권 · 지역권 · 전세권 및 등기된 임차권 등은 매수인이 인수한다. 다만, 전세권자가 배분요구를 한 전세권의 경우에는 매각으로 소멸된다.

④ 매수인은 유치권자(留置權者)에게 그 유치권(留置權)으로 담보되는 채권을 변제할 책임이 있다.

(4) 매각재산의 권리이전 절차

관할세무서장은 매각재산에 대하여 체납자가 권리이전의 절차를 밟지 아니한 경우 체납자를 대신하여 그 절차를 밟는다.

4 청산

1. 배분

(1) 배분금전의 범위

배분금전은 다음의 금전으로 한다.

① 압류한 금전

② 채권 · 유가증권 · 그 밖의 재산권의 압류에 따라 체납자 또는 제3채무자로부터 받은 금전

③ 압류재산의 매각대금 및 그 매각대금의 예치 이자

④ 교부청구에 따라 받은 금전

(2) 배분기일의 지정

① 관할세무서장은 위 (1)의 ② 또는 ③의 금전을 배분하려면 체납자, 제3채무자 또는 매수인으로부터 해당 금전을 받은 날부터 30일 이내에서 배분기일을 정하여 배분하여야 한다. 다만, 30일 이내에 배분계산서를 작성하기 곤란한 경우에는 배분기일을 30일 이내에서 연기할 수 있다.

② 관할세무서장은 배분기일을 정한 경우 체납자, 채권신고대상채권자 및 배분요구를 한 채권자(이하 '체납자 등'이라 한다)에게 그 사실을 통지하여야 한다. 다만, 체납자 등이 외국에 있거나 있는 곳이 분명하지 아니한 경우 통지하지 아니할 수 있다.

(3) 배분방법

① **체납액과 채권에 배분**: 채권 · 유가증권 · 그 밖의 재산권의 압류에 따라 체납자 또는 제3채무자로부터 받은 금전 및 압류재산의 매각대금 및 그 매각대금의 예치 이자에 해당하는 금전은 다음의 체납액과 채권에 배분한다. 이 경우 배분요구의 종기까지 배분요구를 하여야 하는 채권의 경우에는 배분요구를 한 채권에 대해서만 배분한다.

㉠ 압류재산과 관계되는 체납액

㉡ 교부청구를 받은 체납액 · 지방세 또는 공과금

㉢ 압류재산과 관계되는 전세권 · 질권 · 저당권 또는 가등기담보권에 의하여 담보된 채권

㉣ 「주택임대차보호법」 또는 「상가건물 임대차보호법」에 따라 우선변제권이 있는 임차보증금 반환채권

㉤ 「근로기준법」 또는 「근로자퇴직급여 보장법」에 따라 우선변제권이 있는 임금, 퇴직금, 재해보상금 및 그 밖에 근로관계로 인한 채권

㉥ 압류재산과 관계되는 가압류채권

㉦ 집행문이 있는 판결정본에 의한 채권

② **체납액에 배분**: 압류한 금전 및 교부청구에 따라 받은 금전은 각각 그 압류 또는 교부청구와 관계되는 체납액에 배분한다.

③ **배분후 잔액**: 관할세무서장은 배분방법에 따라 금전을 배분하고 남은 금액이 있는 경우 체납자에게 지급한다.

④ **매각대금이 체납액 등 보다 적은 경우**: 관할세무서장은 매각대금이 체납액 및 채권의 총액보다 적은 경우 「민법」이나 그 밖의 법령에 따라 배분할 순위와 금액을 정하여 배분하여야 한다.

⑤ **순위 착오에 따른 지급**: 관할세무서장은 배분을 할 때 국세보다 우선하는 채권이 있음에도 불구하고 배분 순위의 착오나 부당한 교부청구 또는 그 밖에 이에 준하는 사유로 체납액에 먼저 배분한 경우 그 배분한 금액을 국세보다 우선하는 채권의 채권자에게 국세환급금 환급의 예에 따라 지급한다.

(4) 국가 또는 지방자치단체의 재산에 관한 권리의 매각대금의 배분

① 압류한 국가 또는 지방자치단체의 재산에 관한 체납자의 권리를 매각한 경우 다음의 순서에 따라 매각대금을 배분한다.

㉠ 국가 또는 지방자치단체가 체납자로부터 지급받지 못한 매각대금

㉡ 체납액

② 관할세무서장은 배분하고 남은 금액은 체납자에게 지급한다.

(5) 배분계산서의 작성

① 관할세무서장은 금전을 배분하는 경우 배분계산서 원안(原案)을 작성하고, 이를 배분기일 7일 전까지 갖추어 두어야 한다.

② 체납자 등은 관할세무서장에게 교부청구서, 감정평가서, 채권신고서, 배분요구서, 배분계산서 원안 등 배분금액 산정의 근거가 되는 서류의 열람 또는 복사를 신청할 수 있다.

③ 관할세무서장은 열람 또는 복사의 신청을 받은 경우 이에 따라야 한다.

(6) 배분계산서에 대한 이의 등

① 배분기일에 출석한 체납자 등은 배분기일이 끝나기 전까지 자기의 채권과 관계되는 범위에서 배분계산서 원안에 기재된 다른 채권자의 채권 또는 채권의 순위에 대하여 이의제기를 할 수 있다.

② 체납자는 배분기일에 출석하지 아니한 경우에도 배분계산서 원안이 갖추어진 이후부터 배분기일이 끝나기 전까지 문서로 이의제기를 할 수 있다.

③ 관할세무서장은 다음의 구분에 따라 배분계산서를 확정하여 배분을 실시하고, 확정되지 아니한 부분에 대해서는 배분을 유보한다.

㉠ 채권의 배분 순위 등 이의제기가 있는 경우

ⓐ 관할세무서장이 이의제기가 정당하다고 인정하거나 배분계산서 원안과 다른 내용으로 체납자 등이 한 합의가 있는 경우: 정당하다고 인정된 이의제기의 내용 또는 합의에 따라 배분계산서를 수정하여 확정

ⓑ 관할세무서장이 이의제기가 정당하다고 인정하지 아니하고 배분계산서 원안과 다른 내용으로 체납자 등이 한 합의도 없는 경우: 배분계산서 중 이의제기가 없는 부분에 한정하여 확정

㉡ 채권의 배분 순위 등 이의제기가 없는 경우: 배분계산서 원안대로 확정

㉢ 배분기일에 출석하지 아니한 채권자는 배분계산서 원안과 같이 배분을 실시하는 데에 동의한 것으로 보고, 그가 다른 체납자 등이 제기한 이의에 관계된 경우 그 이의제기에 동의하지 아니한 것으로 본다.

(7) 배분계산서에 대한 이의의 취하간주

배분계산서 중 이의제기가 있어 확정되지 아니한 부분이 있는 경우 이의를 제기한 체납자 등이 관할세무서장의 배분계산서 작성에 관하여 심판청구 등을 한 사실을 증명하는 서류를 배분기일부터 1주일 이내에 제출하지 아니하면 이의제기가 취하된 것으로 본다.

(8) 배분금전의 예탁

관할세무서장은 다음의 어느 하나에 해당하는 사유가 있는 경우 그 채권에 관계되는 배분금전을 「한국은행법」에 따른 한국은행(국고대리점을 포함)에 예탁(預託)하여야 하며 예탁한 경우 그 사실을 체납자 등에게 통지하여야 한다.

① 채권에 정지조건 또는 불확정기한이 붙어 있는 경우

② 가압류채권자의 채권인 경우

③ 체납자 등이 배분계산서 작성에 대하여 심판청구 등을 한 사실을 증명하는 서류를 제출한 경우

④ 그 밖의 사유로 배분금전을 체납자 등에게 지급하지 못한 경우

(9) 예탁금의 배분실시

① 관할세무서장은 배분금전을 예탁한 후 다음의 어느 하나에 해당하는 사유가 있는 경우 예탁금을 당초 배분받을 체납자 등에게 지급하거나 배분계산서 원안을 변경하여 예탁금에 대한 추가 배분을 실시하여야 한다.

㉠ 배분계산서 작성에 관한 심판청구 등의 결정 · 판결이 확정된 경우

㉡ 그 밖에 예탁의 사유가 소멸한 경우

② 관할세무서장은 예탁금의 추가 배분을 실시하려는 경우 당초의 배분계산서에 대하여 이의를 제기하지 아니한 체납자 등을 위해서도 배분계산서를 변경하여야 한다.

③ 체납자 등은 추가 배분기일에 이의를 제기할 경우 종전의 배분기일에서 주장할 수 없었던 사유만을 주장할 수 있다.

2. 공매 등의 대행 등

(1) 공매 등의 대행

① 한국자산관리공사의 대행: 관할세무서장은 다음의 업무(이하 '공매 등'이라 함)에 전문지식이 필요하거나 그 밖에 직접 공매 등을 하기에 적당하지 아니하다고 인정되는 경우 한국자산관리공사에 공매 등을 대행하게 할 수 있다. 이 경우 공매 등은 관할세무서장이 한 것으로 본다.

㉠ 공매

㉡ 수의계약

ⓒ 매각재산의 권리이전

ⓓ 금전의 배분

② **수료 지급**: 관할세무서장은 한국자산관리공사가 공매 등을 대행하는 경우 수수료를 지급할 수 있다.

③ **기타사항**: 한국자산관리공사가 업무를 대행하는 경우 한국자산관리공사의 직원은 「형법」이나 그 밖의 법률에 따른 벌칙을 적용할 때 세무공무원으로 본다.

(2) 전문매각기관의 매각 관련 사실행위 대행 등

① **개념**: 관할세무서장은 압류한 재산이 예술적 · 역사적 가치가 있어 가격을 일률적으로 책정하기 어렵고, 그 매각에 전문적인 식견이 필요하여 직접 매각을 하기에 적당하지 아니한 물품(이하 '예술품 등'이라 함)인 경우 직권이나 납세자의 신청에 따라 예술품 등의 매각에 전문성과 경험이 있는 기관 중에서 전문매각기관을 선정하여 예술품 등의 감정, 매각기일 · 기간의 진행 등 매각에 관련된 사실행위(이하 '매각 관련 사실행위'이라 함)를 대행하게 할 수 있다.

② **매수제한**: 선정된 전문매각기관(이하 '전문매각기관'이라 함) 및 전문매각기관의 임직원은 직접적으로든 간접적으로든 매각 관련 사실행위 대행의 대상인 예술품 등을 매수하지 못한다.

③ **수수료 지급**: 관할세무서장은 전문매각기관이 매각 관련 사실행위를 대행하는 경우 수수료를 지급할 수 있다.

④ **전문매각기관**: 국세청장은 다음의 요건을 모두 충족하는 기관 중에서 전문매각기관으로 선정될 수 있는 대상 기관을 지정하여 관보 및 국세청 홈페이지에 공고하여야 한다.

㉠ 공고일이 속하는 연도의 직전 2년 동안 예술품 등을 경매를 통하여 매각한 횟수가 연평균 10회 이상일 것

㉡ 정보통신망을 이용해서 예술품 등의 매각이 가능할 것

⑤ **담보의 제공**: 관할 세무서장은 전문매각기관에 매각관련사실행위의 대행을 의뢰하는 경우에 예술품 등의 감정가액에 상응하는 담보로서 담보를 제공할 것을 요구할 수 있다. 이 경우 '납세보증보험증권'은 '이행보증보험증권'으로 한다.

⑥ **직권에 의한 선정**: 관할 세무서장은 직권으로 공고된 기관 중 하나의 기관을 전문매각기관으로 선정하여 예술품 등의 감정, 매각기일 · 기간의 진행 등 매각에 관련된 사실행위(이하 '매각관련사실행위'라 함)의 대행을 의뢰할 수 있다. 이 경우 관할 세무서장은 매각 대상인 예술품 등을 소유한 납세자에게 그 사실을 통지해야 한다.

⑦ 납세자의 신청

㉠ 납세자는 관할 세무서장에게 전문매각기관을 선정하여 매각관련사실행위를 대행하도록 신청하려는 경우 기획재정부령으로 정하는 신청서를 작성하여 관할 세무서장에게 제출해야 한다.

㉡ 관할 세무서장은 신청서를 제출받은 경우 공고된 기관 중 하나의 기관을 전문매각기관으로 선정하여 매각관련사실행위의 대행을 의뢰할 수 있으며, 신청서를 제출한 납세자에게 그 사실을 통지해야 한다.

⑧ 기타: 전문매각기관이 매각 관련 사실행위를 대행하는 경우 전문매각기관의 임직원은 「형법」 제129조에서 제132조까지의 규정(수뢰·사전수뢰, 제삼자뇌물제공, 수뢰후부정처사·사후수뢰, 알선수뢰)을 적용할 때에는 공무원으로 본다.

3. 압류·매각의 유예

(1) 대상

관할세무서장은 체납자가 다음의 어느 하나에 해당하는 경우 체납자의 신청 또는 직권으로 그 체납액에 대하여 강제징수에 따른 재산의 압류 또는 압류재산의 매각을 유예할 수 있다.

① 국세청장이 성실납세자로 인정하는 기준에 해당하는 경우

② 재산의 압류나 압류재산의 매각을 유예함으로써 체납자가 사업을 정상적으로 운영할 수 있게 되어 체납액의 징수가 가능하게 될 것이라고 관할세무서장이 인정하는 경우

(2) 압류해제

관할세무서장은 압류·매각의 유예를 하는 경우 필요하다고 인정하면 이미 압류한 재산의 압류를 해제할 수 있다.

(3) 담보제공

관할세무서장은 재산의 압류를 유예하거나 압류를 해제하는 경우 그에 상당하는 납세담보의 제공을 요구할 수 있다. 다만, 성실납세자가 체납세액 납부계획서를 제출하고 국세체납정리위원회가 체납세액 납부계획의 타당성을 인정하는 경우에는 그러하지 아니하다.

(4) 유예기간

압류 또는 매각의 유예의 기간은 그 유예한 날의 다음날부터 1년 이내로 한다.

(5) 기타 효력

① 관할세무서장은 압류 또는 매각이 유예된 체납세액을 압류 또는 매각의 유예기간 이내에 분할하여 징수할 수 있다.

② 압류 · 매각의 유예 취소와 체납액의 일시징수에 관하여는 "납부기한 등 연장 등의 취소"를 준용한다.

③ 압류 · 매각의 유예기간은 납부지연가산세 및 원천징수 등 납부지연가산세 계산 기간에 산입한다.

참고

관할세무서장은 다음의 요건을 모두 갖춘 자가 소득세, 법인세, 부가가치세 및 이에 부가되는 세목에 대한 압류 또는 매각의 유예를 신청하는 경우(압류 또는 매각의 유예를 받고 그 유예기간 중에 신청하는 경우를 포함) 그 압류 또는 매각의 유예기간을 유예한 날의 다음날부터 2년(압류 또는 매각의 유예를 받은 기간에 대해서는 그 기간을 포함하여 산정) 이내로 정할 수 있다.

1. 「조세특례제한법 시행령」에 따른 중소기업에 해당할 것
2. 다음의 어느 하나에 해당하는 지역에 사업장이 소재할 것
   ① 「고용정책 기본법」에 따라 선포된 고용재난지역
   ② 「고용정책 기본법 시행령」에 따라 지정 · 고시된 지역
   ③ 「국가균형발전 특별법」에 따라 지정된 산업위기대응특별지역
   ④ 「재난 및 안전관리 기본법」에 따라 선포된 특별재난지역(선포된 날부터 2년으로 한정)

4. 국세체납정리위원회

국세의 체납정리에 관한 사항을 심의하기 위하여 지방국세청과 1급지세무서에 국세체납정리위원회를 둔다.

기출문제

01 국세징수법령상 신고납부 및 강제징수에 대한 설명으로 옳은 것은? 2021년 7급

① 국세의 징수에 관하여 「국세기본법」에 특별한 규정이 있는 경우에도 「국세징수법」에서 정한 바에 따른다.
② 금전을 납세담보로 제공하는 경우에는 담보할 확정된 국세의 100분의 120 이상의 가액에 상당하는 담보를 제공해야 한다.
③ 공매재산에 설정된 저당권은 매각으로 소멸되지 아니한다.
④ 「여신전문금융업법」에 따른 신용카드 또는 직불카드로 국세를 납부하는 경우에는 국세납부대행기관의 승인일을 납부일로 본다.

01
오답체크
① 「국세징수법」보다 「국세기본법」을 우선적으로 적용한다.
② 금전을 납세담보로 제공하는 경우에는 국세의 110% 이상의 가액을 담보로 제공해야 한다.
③ 공매재산에 설정된 저당권은 매각으로 소멸된다.

02 「국세징수법」상 강제징수에 대한 설명으로 옳지 않은 것은? 2021년 9급

① 관할세무서장은 재판상의 가압류 또는 가처분 재산이 강제징수 대상인 경우에는 「국세징수법」에 따른 강제징수를 할 수 없다.
② 관할세무서장은 강제징수를 할 때 납세자가 국세의 징수를 피하기 위하여 한 재산의 처분이나 그 밖에 재산권을 목적으로 한 법률행위(「신탁법」 제8조에 따른 사해신탁을 포함한다)에 대하여 「신탁법」 및 「민법」을 준용하여 사해행위의 취소 및 원상회복을 법원에 청구할 수 있다.
③ 관할세무서장은 납세자가 독촉 또는 납부기한 전 징수의 고지를 받고 지정된 기한까지 국세를 완납하지 아니한 경우 재산의 압류, 압류재산의 매각 · 추심 및 청산의 절차에 따라 강제징수를 한다.
④ 체납자의 재산에 대하여 강제징수를 시작한 후 체납자가 사망한 경우에도 그 재산에 대한 강제징수는 계속 진행하여야 한다.

02
관할세무서장은 재판상의 가압류 또는 가처분 재산이 강제징수 대상인 경우에는 「국세징수법」에 따른 강제징수를 할 수 있다.

정답 01 ④ 02 ①

03 「국세징수법」상 강제징수의 절차에 대한 설명으로 옳지 않은 것은?

2016년 9급

① 세무공무원이 재산을 압류하기 위하여 필요하다 하더라도 폐쇄된 문이나 금고를 직접 열 수 없다.
② 세무공무원은 제3자의 가옥에 체납자의 재산을 은닉한 혐의가 있다고 인정되는 때에는 제3자의 가옥을 수색할 수 있다.
③ 주로 야간에 주류를 제공하는 영업을 하는 장소에 대하여는 해가 진 후에도 영업 중에는 수색을 시작할 수 있다.
④ 세무공무원이 강제징수를 하기 위하여 재산을 압류할 때에는 그 신분을 표시하는 증표를 지니고 이를 관계자에게 보여 주어야 한다.

03
세무공무원이 재산을 압류하기 위하여 필요한 경우에는 폐쇄된 문이나 금고를 직접 열 수 있다.

04 「국세징수법」상 강제징수에 대한 설명으로 옳지 않은 것은? 2013년 7급

① 납세자가 독촉장을 받고 지정된 기한까지 국세를 완납하지 아니한 경우에는 세무서장은 납세자의 재산을 압류한다.
② 압류의 대상이 되는 재산은 체납자의 소유가 아니더라도 무방하며, 금전적 가치를 가지고 양도성을 가져야 하고, 압류금지 재산이 아니어야 한다.
③ 세무서장은 채권을 압류할 때에는 그 뜻을 해당 채권의 채무자에게 통지하여야 하고, 그 통지를 한 때에는 체납액을 한도로 하여 체납자인 채권자를 대위한다.
④ 압류와 관계되는 체납액의 전부가 납부 또는 충당된 경우에는 압류를 해제하여야 한다.

04
압류의 대상이 되는 재산은 압류 당시에 체납자의 소유이여야 한다.

정답 03 ① 04 ②

05 「국세징수법」상 압류에 대한 설명으로 옳지 않은 것은? 2021년 9급

① 관할세무서장은 납세자에게 국세를 포탈하려는 행위가 있다고 인정되어 국세가 확정된 후 그 국세를 징수할 수 없다고 인정할 때에는 국세로 확정되리라고 추정되는 금액의 한도에서 납세자의 재산을 압류할 수 있다.
② 세무공무원은 재산을 압류하기 위하여 필요한 경우에는 체납자의 주거 등의 폐쇄된 문 · 금고 또는 기구를 열게 할 수는 있으나 직접 열 수는 없다.
③ 세무공무원은 강제징수를 하면서 압류할 재산의 소재 또는 수량을 알아내기 위하여 필요한 경우 체납자와 채권 · 채무 관계가 있는 자에게 구두 또는 문서로 질문하거나 장부, 서류 및 그 밖의 물건을 검사할 수 있다.
④ 세무공무원은 수색을 하는 경우 그 신분을 나타내는 증표 및 수색 통지서를 지니고 이를 관계자에게 보여 주어야 한다.

05
세무공무원은 재산을 압류하기 위하여 필요한 경우에는 체납자의 주거 등의 폐쇄된 문 · 금고 또는 기구를 열게 할 수는 있으며 직접 열 수 있다.

06 「국세징수법」상 재산의 압류에 대한 설명으로 옳은 것은? 2018년 7급

① 발명 또는 저작에 관한 것으로서 공표되지 아니한 것이라도 압류할 수 있다.
② 퇴직금과 퇴직연금은 동일하게 그 총액의 3분의 2에 해당하는 금액까지만 압류할 수 있다.
③ 체납자가 압류재산을 사용하는 경우 그 재산으로부터 생기는 천연과실과 법정과실에 대해서는 압류의 효력이 미치지 아니한다.
④ 세무서장은 체납자가 국유재산을 매수한 것이 있을 때에는 소유권 이전 전이라도 그 재산에 관한 체납자의 정부에 대한 권리를 압류한다.

06
✓ 오답체크
① 발명 또는 저작에 관한 것으로서 공표되지 아니한 것은 압류할 수 없다.
② 퇴직금은 그 총액의 2분의 1에 해당하는 금액까지만 압류할 수 있으며 퇴직연금은 그 총액의 2분의 1에 해당하는 금액으로 해당 연금 중 최저생계비수준의 금액을 제외한 금액까지만 압류할 수 있다.
③ 체납자가 압류재산을 사용하는 경우 그 재산으로부터 생기는 천연과실에 대해서는 압류의 효력이 미치지 않는다.

정답 05 ② 06 ④

07 「국세징수법」상 세무서장이 압류를 해제하여야 하는 경우에 해당하지 않는 것은? 2016년 7급

① 압류와 관계되는 체납액의 전부가 납부 또는 충당(국세환급금, 그 밖에 관할세무서장이 세법상 납세자에게 지급할 의무가 있는 금전을 체납액과 대등액에서 소멸시키는 것을 말한다)된 경우
② 세무서장에게 소유권을 주장하고 반환을 청구하려는 증거서류를 제출한 제3자의 소유권 주장이 상당한 이유가 있다고 인정하는 경우
③ 제3자가 체납자를 상대로 소유권에 관한 소송을 제기하여 승소 판결을 받고 그 사실을 증명한 경우
④ 압류 후 재산가격이 변동하여 징수할 체납액 전액을 현저히 초과하는 경우

07
압류 후 재산가격이 변동하여 징수할 체납액 전액을 현저히 초과하는 경우는 세무서장이 압류를 해제할 수 있는 사유에 해당한다.

08 「국세징수법」상 관할 세무서장이 압류를 즉시 해제하여야 하는 경우에 해당하지 않는 것은? 2022년 7급

① 국세 부과의 전부를 취소한 경우
② 압류 후 재산가격이 변동하여 체납액 전액을 현저히 초과한 경우
③ 압류와 관계되는 체납액의 전부가 납부된 경우
④ 여러 재산을 한꺼번에 공매(公賣)하는 경우로서 일부 재산의 공매대금으로 체납액 전부를 징수한 경우

08
②는 압류를 해제할 수 있는 사유에 해당된다(선택적 사항).

정답 07 ④ 08 ②

09 **「국세징수법」상 세무공무원이 납세자의 체납된 세금 10억 원을 이유로 그의 재산을 압류하려고 함에 있어서 그 재산이 다음과 같은 경우 세무공무원이 압류할 수 있는 재산의 총액은?** 2015년 7급

> • 법령에 따라 급여하는 상이급여금: 500만 원
> • 체납자의 생계유지에 필요한 소액금융재산: 보장성보험의 만기환급금 150만 원
> • 월급여(그에 대한 근로소득세와 소득세분 지방소득세 100만 원 포함): 800만 원

① 325만 원 ② 350만 원
③ 375만 원 ④ 450만 원

09
상이급여금과 보장성보험의 만기환급금 150만 원은 압류금지재산에 해당한다.
• 압류금지재산 300만 원+(700만 원−600만 원)×1/4=325만 원
• 압류재산 700만 원−325만 원=375만 원

10 **「국세징수법」상 납부고지의 유예와 압류 · 매각의 유예에 관한 설명으로 옳지 않은 것은?** 2014년 7급

① 국세청장이 성실납세자로 인정하는 기준에 해당하는 경우 체납자의 신청 또는 직권으로 그 체납액에 대하여 강제징수에 따른 재산의 압류 또는 압류재산의 매각을 유예할 수 있다.
② 납세자가 납부고지의 유예를 받고자 할 때에 고지 예정된 국세의 납부기한의 3일 전까지 신청서를 관할세무서장에게 제출하여야 한다.
③ 세무서장은 강제징수가 유예된 체납세액을 압류 · 매각의 유예기간 이내에 분할하여 징수할 수 있다.
④ 납부고지의 유예기간은 납부지연가산세 계산기간에 산입되나, 압류 · 매각의 유예기간은 납부지연가산세 계산기간에 산입되지 않는다.

10
납부고지의 유예기간은 납부지연가산세 계산기간에 산입되지 않으나, 압류 · 매각의 유예기간은 납부지연가산세 계산기간에 산입된다.

정답 09 ③ 10 ④

11 「국세징수법」상 세무서장이 압류를 해제하여야 하는 경우가 아닌 것은?

2013년 9급

① 체납자가 압류할 수 있는 다른 재산을 제공하고 압류 해제를 요구한 경우
② 확정전 보전압류의 통지를 받은 자가 납세담보를 제공하고 압류 해제를 요구한 경우
③ 압류한 재산에 대해 소유권을 주장하는 제3자의 주장이 상당한 이유가 있다고 인정하는 경우
④ 제3자가 체납자를 상대로 소유권에 관한 소송을 제기하여 승소 판결을 받고 그 사실을 증명한 경우

11
세무서장은 체납자가 압류할 수 있는 다른 재산을 제공하여 그 재산을 압류한 경우에 압류를 해제할 수 있다.

12 「국세징수법」상 압류의 효력에 대한 설명으로 옳지 않은 것은?

2013년 7급

① 압류의 효력은 압류재산으로부터 생기는 법정과실에 미친다.
② 채권압류의 효력은 채권압류통지서가 해당 채권의 채무자에게 송달된 때에 발생한다.
③ 유가증권에 대한 압류의 효력은 세무공무원이 그 재산을 점유한 때에 발생한다.
④ 부동산에 대한 압류의 효력은 그 압류대상을 점유한 때에 발생한다.

12
부동산에 대한 압류의 효력은 그 압류의 등기 또는 등록이 완료된 때에 발생한다.

13 「국세징수법」상 압류의 효력에 대한 설명으로 옳지 않은 것은?

2011년 9급

① 동산에 대한 압류의 효력은 세무공무원이 그 재산을 점유한 때에 발생한다.
② 광업재단에 대한 압류는 당해 압류재산의 소유권이 이전되기 전에 법정기일이 도래한 국세에 대한 체납액에 대하여도 그 효력이 미친다.
③ 채권압류통지서의 송달을 받은 후에 제3채무자가 체납자에 대하여 이행을 한 경우에 그 채무이행으로서 채권압류자인 국가에 대항할 수 없다.
④ 압류의 등기 또는 등록을 요하는 특허권 등 무체재산권에 대한 압류의 효력은 무체재산권 압류통지서가 제3채무자에게 송달된 때에 발생한다.

13
세무서장은 무체재산권 등을 압류한 때에는 그 뜻을 해당 권리자에게 통지하여야 한다. 다만, 그 무체재산권 등의 이전에 관하여 등기 또는 등록을 요하는 것에 대하여는 압류의 효력은 등기 또는 등록이 완료된 때 발생한다.

정답 11 ① 12 ④ 13 ④

14 「국세징수법」상 압류에 관한 설명으로 옳은 것은 모두 몇 개인가? 2011년 7급

ㄱ. 세무서장은 국세를 징수하기 위하여 필요한 재산 이외의 재산을 압류할 수 있다.
ㄴ. 급료, 임금, 봉급, 세비, 퇴직연금 또는 그 밖에 계속적 거래관계에서 발생하는 이와 유사한 채권에 대한 압류의 효력은 체납액을 한도로 하여 압류 후에 발생할 채권에도 미친다.
ㄷ. 강제징수는 재판상의 가압류 또는 가처분으로 인하여 그 집행에 영향을 받지 아니한다.
ㄹ. 체납자가 사망한 후 체납자 명의의 재산에 대하여 한 압류는 그 재산을 상속한 상속인에 대하여 한 것으로 본다.
ㅁ. 신원보증금 · 계약보증금 등의 조건부 채권은 그 조건성립 전에도 압류할 수 있다.

① 2개 ② 3개
③ 4개 ④ 5개

14
옳은 것은 4개(ㄴ, ㄷ, ㄹ, ㅁ)이다.

오답체크

ㄱ. 세무서장은 국세를 징수하기 위하여 필요한 재산 이외의 재산을 압류할 수 없다.

15 「국세징수법」상 압류의 요건에 대한 설명으로 옳지 않은 것은 개수는? 2010년 9급

ㄱ. 세무서장은 납세자에게 납부기한전징수에 해당하는 사유가 있어 국세의 확정 후에는 당해 국세를 징수할 수 없다고 인정되는 때에는 국세로 확정되리라고 추정되는 금액의 한도 안에서 납세자의 재산을 압류할 수 있으며, 이 경우 사전에 지방국세청장의 승인을 얻어야 한다.
ㄴ. 채권압류의 효력은 채무자에게 채권압류통지서가 송달된 때에 발생한다.
ㄷ. 부동산에 대하여 압류등기를 행한 때에는 당해 압류부동산의 소유권이 제3자에게 이전되기 전에 법정기일이 도래한 국세의 체납액에 대하여도 그 효력이 미친다.
ㄹ. 압류와 관계되는 체납액의 전부가 납부 또는 충당된 경우에는 압류를 해제하여야 한다.
ㅁ. 체납자가 압류할 수 있는 다른 재산을 제공하여 그 다른 재산을 압류한 때에는 당초 압류한 재산에 대한 압류를 해제하여야 한다.

① 0개 ② 1개
③ 2개 ④ 3개

15
옳지 않은 것은 1개(ㅁ)이다.
ㅁ. 체납자가 압류할 수 있는 다른 재산을 제공하여 그 다른 재산을 압류한 때에는 당초 압류한 재산에 대한 압류를 해제할 수 있다.

정답 14 ③ 15 ②

16 「국세징수법」상 공매시 공유자 우선매수권에 대한 설명으로 옳지 않은 것은?

2016년 7급

① 공유자 우선매수 신고를 하려면 매각결정 기일 전까지 하여야 한다.
② 공유자는 최고가 매수신청인이 있는 경우 최고가 매수신청가격으로 공매재산을 우선매수하겠다고 신청할 수 있다.
③ 여러 사람이 공유자에게 매각결정을 하였을 때에는 특별한 협의가 없으면 공유지분의 비율에 따라 공매재산을 매수하게 한다.
④ 세무서장은 매수인이 매각대금을 납부하지 아니하였을 때에는 매각대금이 완납될 때까지 공매를 중지하여야 한다.

16
세무서장은 매수인이 매각대금을 납부하지 아니하였을 때에는 매각예정가격 이상인 최고가 매수신청인에게 다시 매각결정을 할 수 있다.

17 「국세징수법」상 압류재산의 매각에 대한 설명으로 옳지 않은 것은?

2015년 9급

① 압류된 재산이 「자본시장과 금융투자업에 관한 법률」에 따른 증권시장에 상장된 증권인 경우에는 해당 시장에서 직접 매각할 수 있다.
② 압류한 재산의 추산가격이 1천만 원 미만인 경우에는 공매가 아니라 수의계약으로 매각할 수 있다.
③ 체납자도 최고입찰가격 이상을 제시한 경우에는 압류재산을 매수할 수 있다.
④ 국세채권이 확정되기 전 적법하게 재산 압류가 이루어진 경우라 하더라도 해당 재산을 매각하려면 우선 납세의무가 확정되어야 한다.

17
체납자, 세무공무원 또는 감정평가법인 등은 직접적 또는 간접적으로 압류재산을 매수할 수 없다.

정답 16 ④ 17 ③

18 「국세징수법」상 공매제도에 대한 설명으로 옳지 않은 것은? 2015년 7급

① 법률적으로 납세의무가 확정되기 전에 압류가 허용되어 압류한 재산의 경우에는 그 압류에 관계되는 국세의 납세의무가 확정되기 전이라도 공매할 수 있다.
② 제1회 공매 후 1년간 5회 이상 공매하여도 매각되지 아니하였다면 압류재산을 수의계약으로 매각할 수 있다.
③ 세무서장은 압류한 재산의 공매에 전문 지식이 필요하거나 그 밖에 특수한 사정이 있어 직접 공매하기에 적당하지 아니하다고 인정할 때에는 대통령령으로 정하는 바에 따라 한국자산관리공사로 하여금 공매를 대행하게 할 수 있다.
④ 세무서장은 압류된 재산이 「자본시장과 금융투자업에 관한 법률」에 따른 증권시장에 상장된 증권일 때에는 이를 해당 시장에서 직접 매각할 수 있다.

18
법률적으로 납세의무가 확정되기 전에 압류가 허용되어 압류한 재산의 경우에도 그 압류에 관계되는 국세의 납세의무가 확정되기 전에는 공매할 수 없다.

19 「국세징수법」상 공매에 대한 설명으로 옳지 않은 것은? 2020년 7급

① 「국세기본법」에 따른 심판청구 절차가 진행 중인 국세의 체납으로 압류한 재산이 변질되기 쉬운 재산으로서 속히 매각하지 아니하면 그 재산가액이 줄어들 우려가 있는 경우에는 그 심판청구에 대한 결정이 확정되기 전에도 공매할 수 있다.
② 경매의 방법으로 재산을 공매할 때에는 경매인을 선정하여 이를 취급하게 할 수 있다.
③ 낙찰이 될 가격의 입찰을 한 자가 둘 이상일 때에는 재공매한다.
④ 공매재산이 공유물의 지분인 경우 공유자가 매각결정 기일 전까지 공매보증금을 제공하고 매각예정가격 이상인 최고입찰가격과 같은 가격으로 공매재산을 우선매수하겠다는 신고를 하면 세무서장은 그 공유자에게 매각결정을 하여야 한다.

19
낙찰될 가격의 입찰을 한 자가 둘 이상일 때에는 즉시 추첨으로 낙찰자를 정한다.

정답 18 ① 19 ③

20 「국세징수법」상 압류의 효력에 대한 설명으로 옳지 않은 것은? 2023년 9급

① 세무공무원이 재산을 압류한 경우 체납자는 압류한 재산에 관하여 양도, 제한물권의 설정, 채권의 영수, 그 밖의 처분을 할 수 없다.
② 압류의 효력은 압류재산으로부터 생기는 법정과실(法定果實)에도 미친다.
③ 체납자 또는 제3자가 압류재산의 사용 또는 수익을 하는 경우 그 재산의 매각으로 인하여 권리를 이전하기 전까지 이미 거두어들인 천연과실(天然果實)에 대해서도 압류의 효력이 미친다.
④ 세무공무원이 채권 또는 그 밖의 재산권을 압류한 경우 해당 채권의 채무자 및 그 밖의 재산권의 채무자 또는 이에 준하는 자는 체납자에 대한 지급을 할 수 없다.

20
체납자 또는 제3자가 압류재산의 사용 또는 수익을 하는 경우 그 재산의 매각으로 인하여 권리를 이전하기 전까지 이미 거두어들인 천연과실(天然果實)에 대해서도 압류의 효력이 미치지 않는다.

21 「국세징수법」상 교부청구와 참가압류에 대한 설명으로 옳지 않은 것은? 2022년 7급

① 관할 세무서장이 참가압류를 한 후에 선행압류기관이 권리의 변동에 등기가 필요한 재산에 대한 압류를 해제한 경우 그 참가압류는 참가압류 통지서가 선행압류기관에 송달된 때로 소급하여 압류의 효력을 갖는다.
② 관할 세무서장은 납부, 충당, 국세 부과의 취소나 그 밖의 사유로 교부를 청구한 체납액의 납부의무가 소멸된 경우 그 교부청구를 해제하여야 한다.
③ 관할 세무서장은 참가압류를 한 경우 그 사실을 체납자, 제3채무자 및 저당권자 등에게 통지하여야 한다.
④ 관할 세무서장은 압류하려는 재산이 이미 다른 기관에 압류되어 있는 경우 참가압류 통지서를 선행압류기관에 송달함으로써 교부청구를 갈음하고 그 압류에 참가할 수 있다.

21
권리의 변동에 등기가 필요한 재산에 대한 선행압류기관이 압류를 해제한 경우 참가압류의 등기 또는 등록이 완료된 때로 소급하여 효력이 발생한다.

정답 20 ③ 21 ①

22 「국세징수법」상 압류재산의 매각에 대한 설명으로 옳은 것은? 2022년 7급

① 체납자는 제3자의 계산으로 압류재산을 매수할 수 있다.
② 관할 세무서장이 선정한 전문매각기관의 임직원은 매각관련사실행위 대행의 대상인 예술품 등을 직접 매수할 수 있다.
③ 관할 세무서장은 공매재산에 압류와 관계되는 국세보다 우선하는 제한물권 등이 있는 경우 제한물권 등을 매수인에게 인수하게 하거나 매수대금으로 그 제한물권 등에 의하여 담보된 채권을 변제하는 데 충분하다고 인정된 경우가 아니면 그 재산을 공매하지 못한다.
④ 공매를 집행하는 공무원은 공매예정가격 이상으로 매수신청한 자가 없는 경우에 즉시 그 장소에서 재입찰을 실시할 수 없다.

22

오답체크

① 체납자는 제3자의 계산으로 압류재산을 매수할 수 없다.
② 전문매각기관의 임직원은 예술품 등을 직접적 또는 간접적으로 매수할 수 없다.
④ 공매예정가격 이상으로 매수신청한 자가 없으면 즉시 그 장소에서 재입찰을 할 수 있다.

정답 22 ③

MEMO

III

부가가치세법

01 부가가치세
02 부가가치세법 총칙
03 과세거래
04 영세율과 면세
05 세금계산서와 영수증
06 과세표준
07 차가감납부세액
08 겸영사업자의 세액계산
09 납세절차
10 간이과세

01 부가가치세

1 개념

부가가치세란 재화 또는 용역이 생산 · 유통되는 각 거래단계에서 발생한 부가가치에 대하여 과세하는 조세를 말한다. 여기서 말하는 부가가치란 각 거래단계의 사업자가 창출해낸 가치를 말한다.

2 과세방법

1. 가산법

가산법은 부가가치의 구성요소인 임금 · 이자 · 지대 · 이윤을 합산하여 구하는 방식이다. 부가가치를 해당 구성요소별로 정확하게 파악하는 것이 어려우므로 현실적으로 적용하기 어려운 방식이다.

부가가치세 = (임금 + 이자 + 지대 + 이윤) × 세율

2. 전단계거래액공제법

(1) 전단계거래액공제법은 일정기간 동안 사업자가 공급한 매출액에서 매입액을 차감하고 그 금액을 부가가치로 보아 세율을 곱하여 납부세액을 계산하는 방법이다.

(2) 전단계거래액공제법은 개별 재화나 용역별로 면세나 차등세율을 적용하기 어려우며 세부담 전가도 불확실한 방법이다.

부가가치세 = (매출액 − 매입액) × 세율

3. 전단계세액공제법

(1) 전단계세액공제법은 일정기간 발생한 매출액에 세율을 곱하여 매출세액을 구하고 매입액에 세율을 곱하여 매입세액을 구한 뒤 매출세액에서 매입세액을 공제하여 부가가치세를 구하는 간접법이다.

(2) 매출세액은 공급가액에 10%의 세율을 곱해서 계산하는데, 이때 공급가액은 해당 거래단계까지 창출된 부가가치의 누적액을 의미한다.

(3) 매입세액은 세금계산서(Tax Invoice, T/I) 등으로 확인되는 매입세액을 공제하여 계산한 금액을 부가가치세로 납부한다. 만약, 매입세액이 매출세액보다 더 큰 경우에는 부가가치세를 환급받게 된다.

부가가치세 = 매출세액(매출액 × 세율) − 매입세액

3 우리나라 부가가치세의 특징

1. 국세

국가를 과세주체로 하는 국세에 해당한다.

2. 간접세

부가가치세는 세금을 납부하는 납세의무자와 세금을 부담하는 담세자가 다른 간접세에 해당한다.

3. 일반소비세

부가가치세는 면세 재화 · 용역을 제외한 재화와 용역에 대하여 과세되는 일반소비세이다.

4. 소비형부가가치세[2]

매출세액에서 자기의 사업과 관련된 재화 또는 용역에 대하여 공제하고 있는데 소비형부가가치세를 채택하고 있어 자본재와 중간재의 매입에 대하여도 공제하고 있다.

5. 소비지국과세원칙

수출하는 재화에 영의 세율을 적용하여 부가가치세를 과세하지 않고 수입하는 재화에 대하여 세관장이 부가가치세를 과세하고 있다.

6. 전단계세액공제법

전단계세액공제법을 채택하여 매출세액에서 세금계산서에 의하여 확인되는 매입세액을 공제하고 있다.

7. 다단계거래세

최종소비자에게 도달하는 모든 단계에서 부가가치세를 과세한다.

8. 물세

인적사항을 고려하지 않는 물세에 해당한다.

9. 비례세율

부가가치세는 일정한(10% 또는 0%) 세율이 적용되는 비례세율에 해당한다.

10. 사업장별 과세제도

부가가치세는 사업장별로 과세하는 것을 원칙으로 하며 예외적으로 주사업장총괄납부와 사업자단위과세제도가 있다.

❶
매입세액
= 매입액(세금계산서 수취한 매입액) × 세율

❷ 조세이론상 과세유형

1. **총생산형**: 총매출액에서 중간재구입액을 공제한 나머지를 부가가치로 계산한다.
2. **소득형**: 총매출액에서 중간재구입액과 감가상각비를 공제한 나머지를 부가가치로 계산한다.
3. **소비형**: 총매출액에서 중간재와 자본재구입액을 공제한 나머지를 부가가치로 계산한다.

02 부가가치세법 총칙

1 납세의무자

1. 의의

다음의 어느 하나에 해당하는 자로서 개인, 법인(국가 · 지방자치단체와 지방자치단체조합을 포함), 법인격이 없는 사단 · 재단 또는 그 밖의 단체는 「부가가치세법」에 따라 부가가치세를 납부할 의무가 있다.

(1) 사업자

(2) 재화를 수입하는 자(재화를 수입하는 자이므로 사업자 여부를 불문하고 납세의무자에 해당)

2. 사업자

(1) 개념

사업자란 사업목적이 영리이든 비영리이든 관계없이 사업상 독립적으로 과세대상 재화 또는 용역을 공급하는 자를 말한다.

① **영리목적 불문**: 영리목적을 불문하므로 개인 · 법인(영리 · 비영리 포함)뿐 아니라 국가 · 지방자치단체 및 법인 아닌 사단 · 재단 또는 그 밖의 단체를 납세의무자로 규정하고 있다. 다만, 국가 · 지방자치단체에 대하여는 일부를 제외하고는 납세의무를 면제하고 있다.

② **사업상 독립성**: 자기책임 또는 자기계산하에 재화 등을 공급하는 것을 말하며 고용관계의 근로제공은 독립성이 없으므로 과세되지 않는다.

③ **계속 · 반복성**: 재화 또는 용역을 계속 · 반복적으로 공급하는 자를 사업자로 보고 있다. 따라서 일시적으로 발생한 공급에 대하여는 부가가치세 납세의무가 없다.

기출 OX

부가가치세의 납세의무자는 국가, 지방자치단체, 지방자치단체조합 및 법인격 없는 재단을 포함한다. (○) 10. 9급

사례로 이해 UP

납세의무자 판단 사례

1. 농민이 자기농지의 확장 또는 농지개량작업에서 생긴 토사석을 일시적으로 판매하는 경우에는 납세의무가 없다.
2. 청산 중에 있는 내국법인이 상법의 규정에 의한 계속등기 여부에 불구하고 사실상 사업을 계속하는 경우에는 납세의무가 있다.
3. 사업자가 부가가치세 과세되는 재화를 공급하거나 용역을 제공하는 경우에는 해당 사업자의 사업자등록 여부 및 공급시 부가가치세의 거래징수(공급하는 사업자가 거래 상대방에게 부가가치세를 징수하는 것) 여부에 불구하고 해당 재화의 공급 또는 용역의 제공에 대하여 부가가치세를 신고 · 납부할 의무가 있다.
4. 「새마을금고법」에 따라 설립된 새마을금고가 사업상 독립적으로 부가가치세가 과세되는 재화를 공급하는 경우에는 납세의무가 있다.

기출 OX

청산 중에 있는 내국법인은 상법의 규정에 의한 계속등기 여부에 불구하고 사실상 사업을 계속하는 경우에는 납세의무가 있다. (○) 10. 9급

참고

「소득세법」 농가부업에 대한 부가가치세 규정

1. **소득세가 과세되는 농가부업소득**: 독립된 사업에 해당하므로 부가가치세 납세의무가 있다.
2. **소득세가 과세되지 않는 농가부업소득**
   ① **축산 · 어로 · 양어 · 고공품제조 및 이와 유사한 활동**: 독립된 사업으로 보지 않으므로 부가가치세 납세의무가 없다.
   ② **민박 · 음식물판매 · 특산물제조 · 전통차제조 및 이와 유사한 활동**: 독립된 사업에 해당하므로 부가가치세 납세의무가 있다.

(2) 사업자의 분류

① 과세사업자

㉠ 일반과세자: 법인과 직전연도 공급대가가 8,000만 원 이상인 개인사업자의 경우 일반과세자로 적용되며 「부가가치세법」상 일반적인 규정에 의하여 과세표준과 납부세액을 계산한다.

㉡ 간이과세자: 직전연도 공급대가가 8,000만 원 미만인 개인사업자의 경우 해당하며 「부가가치세법」에서 납세의무를 일반과세자와 다르게 간편한 방법을 두고 있다.

② 면세사업자[1]: 면세되는 재화와 용역을 공급하는 사업자에 대하여 과세사업자와 달리 「부가가치세법」의 납세의무자에서 제외하고 있다.

구분		납세의무
과세사업자	일반과세자	있음
	간이과세자	있음
면세사업자		없음

[1] 과세사업과 면세사업을 겸영하는 사업자는 「부가가치세법」상 납세의무자에 해당한다.

3. 재화의 수입

재화의 수입에 있어서 재화를 수입하는 자가 부가가치세의 납세의무자가 된다. 세관장이 수입자로부터 관세징수의 예에 따라 부가가치세를 징수하고 수입하는 자가 사업자인지 여부는 불문하고 납세의무가 있다.

2 과세기간

1. 일반적인 과세기간

(1) 과세기간이란 부가가치세의 과세표준 계산에 기초가 되는 기간을 말하며, 부가가치세 과세기간은 1년을 2과세기간으로 나누어 1월 1일부터 6월 30일까지를 제1기 과세기간, 7월 1일부터 12월 31일을 제2기 과세기간으로 하여 6개월 단위로 과세하고 있다.

(2) 간이과세자의 경우 1월 1일부터 12월 31일까지를 과세기간으로 하고 있다. 다만, 간이과세자의 과세기간 중 1월 1일부터 6월 30일까지를 예정부과기간으로 하여 부가가치세를 미리 징수한다.

참고

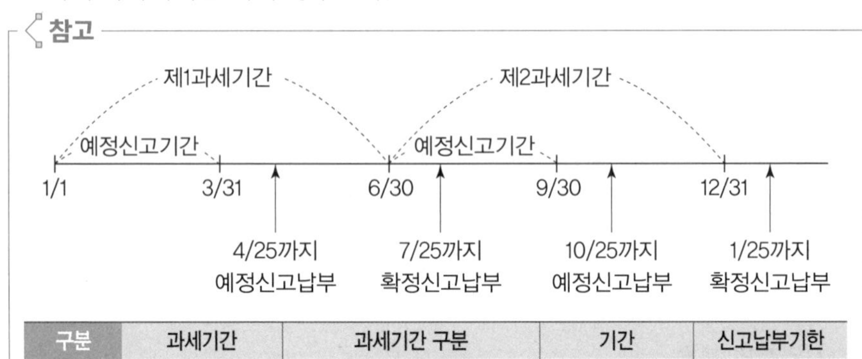

구분	과세기간	과세기간 구분	기간	신고납부기한
제1기	1/1～6/30	예정신고기간	1/1～3/31	4/25
		과세기간최종3개월 (확정신고기간)	4/1～6/30	7/25
제2기	7/1～12/31	예정신고기간	7/1～9/30	10/25
		과세기간최종3개월 (확정신고기간)	10/1～12/31	1/25

▶ 폐업하는 경우에는 폐업일이 속하는 달의 다음달 25일 이내에 신고 · 납부한다.

2. 신규사업자의 과세기간

신규로 사업을 시작하는 자에 대한 최초의 과세기간은 사업개시일❶부터 그날이 속하는 과세기간의 종료일까지로 한다. 다만, 사업개시 전에 사업자등록을 신청한 경우에는 그 신청일부터 그날이 속하는 과세기간의 종료일까지를 과세기간으로 한다.

❶ 사업개시일
1. **제조업**: 제조장별로 재화의 제조를 시작하는 날이다.
2. **광업**: 사업장별로 광물의 채취 · 채광을 시작하는 날이다.
3. **그 밖의 사업**: 재화나 용역의 공급을 시작하는 날이다.

3. 폐업자의 과세기간

사업자가 폐업하는 경우의 과세기간은 폐업일이 속하는 과세기간의 개시일부터 폐업일까지로 한다. 다만, 사업개시일 전에 사업자등록을 한 자로서 사업자등록을 한 날부터 6개월이 되는 날까지 재화와 용역의 공급실적이 없는 경우에는 그 6개월이 되는 날을 폐업일로 한다. 다만, 사업장의 설치기간이 6개월 이상이거나 그 밖의 정당한 사유가 있는 경우에는 폐업으로 보지 않는다.

> **심화 | 폐업일 기준**
>
> 1. **합병으로 인한 소멸법인의 경우:** 합병법인의 변경등기일 또는 설립등기일
> 2. **분할로 인하여 사업을 폐업하는 경우:** 분할법인의 분할변경등기일(분할법인이 소멸하는 경우에는 분할신설법인의 설립등기일)
> 3. **위 외의 경우:** 사업장별로 그 사업을 실질적으로 폐업하는 날. 다만, 폐업한 날이 분명하지 아니한 경우에는 폐업신고서의 접수일

4. 간이과세를 포기하는 경우 과세기간

사업자가 간이과세를 포기함으로써 일반사업자로 되는 경우에는 간이과세 포기의 신고일이 속하는 과세기간의 개시일부터 그 신고일이 속하는 달의 말일까지의 기간과 그 신고일이 속하는 달의 다음달 1일부터 해당 일이 속하는 과세기간의 종료일까지의 기간을 각각 1과세기간으로 한다.

5. 과세유형이 변경되는 경우 과세기간

간이과세자가 일반과세자로 과세유형이 변경되거나 일반과세자가 간이과세자로 변경되는 경우 그 변경되는 해의 간이과세자의 과세기간은 다음의 기간으로 한다.

과세유형이 변경되는 경우	과세기간
일반과세자에서 간이과세자로 변경되는 경우	그 변경 이후 7.1.~12.31.
간이과세자에서 일반과세자로 변경되는 경우	그 변경 이전 1.1.~6.30.

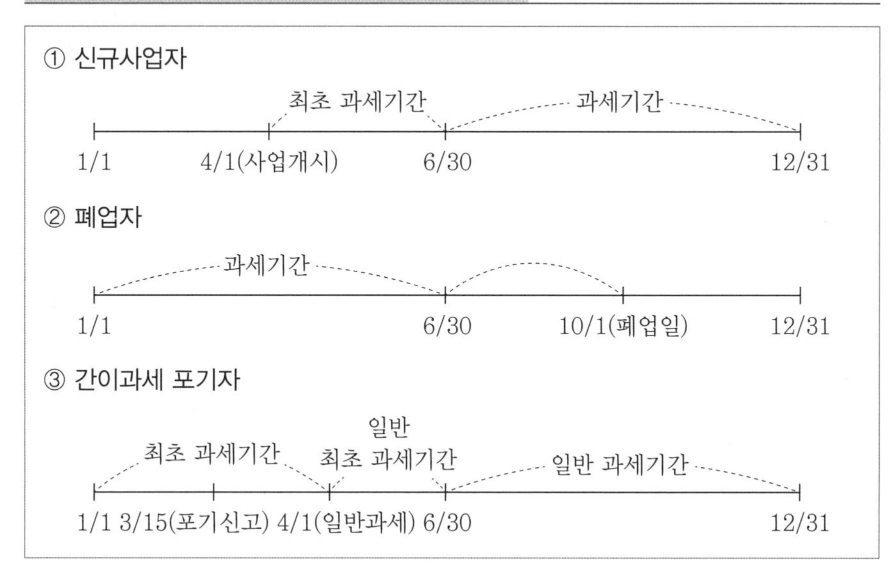

과세기간

3 납세지

1. 의의

(1) 납세지란 납세의무자가 납세의무와 협력의무를 이행하고 과세관청이 부과권과 징수권을 행사하는 기준이 되는 장소를 말한다. 「부가가치세법」에서는 사업장이 납세지가 되고 있다.

(2) 사업자는 사업장마다 사업자등록을 하여야 하며 사업장별로 신고납부와 기타 제반의무를 이행하여야 한다. 다만, 예외적으로 주사업장총괄납부와 사업자단위과세제도를 두고 있다.

(3) 재화를 수입하는 자의 부가가치세 납세지는 「관세법」에 따라 수입을 신고하는 세관의 소재지를 납세지로 한다.

기출 OX
부가가치세는 사업장마다 신고 · 납부하는 것을 원칙으로 한다. (○) 10. 9급

2. 사업장

사업장은 사업자가 사업을 하기 위하여 거래의 전부 또는 일부를 하는 고정된 장소를 말한다. 사업장의 범위는 다음과 같으며, 다음의 사업장 외에도 신청에 의하여 추가로 사업장을 등록할 수 있다. 다만, 무인자동판매기를 통하여 재화 · 용역을 공급하는 사업은 제외한다.

(1) **광업**

광업에 있어서는 광업사무소의 소재지를 사업장으로 한다. 이 경우에 광업사무소가 광구 밖에 있는 때에는 그 광업사무소에서 가장 가까운 광구에 대한 광업원부의 처음에 등록된 광구소재지에 광업사무소가 있는 것으로 본다.

(2) **제조업**

제조업에 있어서는 최종제품을 완성하는 장소를 사업장으로 한다. 다만, 따로 제품의 포장만을 하거나 용기에 충전만을 하는 장소와 「개별소비세법」에 따른 저유소는 제외한다.

(3) **건설업 · 운수업 · 부동산매매업**

① 법인인 경우: 법인의 등기부상의 소재지(등기부상의 지점소재지를 포함)
② 개인인 경우: 업무를 총괄하는 장소
③ 다만, 법인의 명의로 등록된 차량을 개인이 운용하는 경우에는 그 법인의 등기부상 소재지로 하고, 개인의 명의로 등록된 차량을 다른 개인이 운용하는 경우에는 그 등록된 개인이 업무를 총괄하는 장소로 한다.

기출 OX
건설업과 운수업에 있어서는 사업자가 법인인 경우에는 당해 법인의 등기부상 소재지를 사업장으로 한다. (○) 10. 7급

(4) **부동산임대업**

부동산의 등기부상의 소재지를 사업장으로 한다. 다만, 부동산상의 권리만을 대여하거나 국가, 지방자치단체, 한국토지주택공사, 한국철도도시시설공단, 한국도로공사, 한국자산관리공사 등에 해당하는 사업자가 부동산을 임대하는 경우에는 그 사업에 관한 업무를 총괄하는 장소로 한다.

(5) **다단계판매원이 재화 · 용역을 공급하는 사업**

다단계판매업자의 주된 사업장의 소재지를 사업장으로 한다. 다만, 다단계판매원이 상시 주재하여 거래의 전부 또는 일부를 행하는 별도의 장소가 있는 경우에는 그 장소로 한다.

(6) **무인자동판매기**

사업에 관한 업무를 총괄하는 장소를 사업장으로 한다.

(7) **비거주자 또는 외국법인의 경우**

국내사업장을 사업장으로 한다.

(8) **국가 · 지방자치단체가 공급하는 부동산임대, 도소매, 음식업, 숙박업 등**

업무를 총괄하는 장소를 사업장으로 한다.[1]

> **심화 | 주소 또는 거소를 납세지로 하는 경우**
>
> 1. 사업자가 사업장을 두지 않으면 사업자의 주소 또는 거소를 사업장으로 한다.
> 2. 사업장을 설치하지 않고 사업자등록도 하지 않은 경우에는 과세표준 및 세액을 결정하거나 경정할 당시의 사업자의 주소 또는 거소를 사업장으로 한다.

3. 직매장과 하치장

(1) **직매장**

사업자가 자기의 사업과 관련하여 생산 또는 취득한 재화를 직접 판매하기 위하여 특별히 판매시설을 갖춘 장소를 직매장이라 하고 사업장으로 본다(사업장에 해당하므로 사업자등록을 하여야 함).

(2) **하치장**

① 사업자가 재화의 보관 · 관리시설만을 갖추고 판매행위가 이루어지지 않는 장소를 하치장이라 하고 사업장으로 보지 않는다.

② 사업자는 하치장을 둔 날로부터 10일 이내에 하치장 관리세무서장에게 신고하여야 하고 신고를 받은 하치장 관할세무서장은 10일 이내에 사업장 관할세무서장에게 통보하여야 한다.

4. 임시사업장

(1) 사업장이 있는 사업자가 그 사업장 외에 각종 경기대회 · 박람회 · 국제회의 기타 이와 유사한 행사가 개최되는 장소에서 임시사업장을 개설하는 경우 그 임시사업장은 기존 사업장에 포함되는 것으로 한다(기존 사업장에 포함되는 것으로 보기 때문에 사업자등록은 하지 않음).

[1] 수탁자 등

다만, 위탁 · 위임 · 대리에 의하여 재화나 용역을 공급하는 경우에는 수임자 · 수탁자 또는 대리인이 그 업무를 총괄하는 장소로 한다.

기출 OX

사업자가 자기의 사업과 관련하여 생산한 재화를 직접 판매하기 위하여 특별히 판매시설을 갖춘 장소는 사업장으로 본다. (○) 16. 9급

(2) 임시사업장의 사업개시일부터 10일 이내에 임시사업장의 관할세무서장에게 임시사업장 개설신고서를 제출하여야 한다. 단, 임시사업장의 설치기간이 10일 이내인 경우에는 개설신고를 하지 않을 수 있다.

(3) 임시사업장을 개설한 자가 임시사업장을 폐쇄하였을 때에는 폐쇄일로부터 10일 이내에 임시사업장 폐쇄신고서를 그 임시사업장 관할세무서장에게 제출하여야 한다.

4 주사업장총괄납부와 사업자단위과세제도

1. 주사업장총괄납부[1]

❶ 총괄납부는 모든 사업장을 대상으로 하여야하는 것은 아니며 일부 종된 사업장을 제외한 부분총괄납부도 허용된다.

(1) 개념

2개 이상의 사업장이 있는 사업자의 경우 각 사업장별로 사업자등록을 하고 신고, 납부 등을 하는 것이 원칙이다. 그러나 주된 사업장의 관할세무서장에게 주사업장총괄납부를 신청하면 주된 사업장에서 각 사업장의 납부세액과 환급세액을 통산하여 납부하거나 환급받을 수 있다. 사업장이 둘 이상인 사업자(사업장이 하나이나 추가로 사업장을 개설하려는 사업자를 포함)가 주된 사업장의 관할세무서장에게 주사업장총괄납부를 신청한 경우에는 납부할 세액을 주된 사업장에서 총괄하여 납부할 수 있다.

(2) 주된 사업장

① 법인: 본점(주사무소 포함) 또는 지점(분사무소 포함) 중 선택

② 개인: 주사무소

(3) 신청

① **계속사업자**: 주된 사업장에서 납부하려는 과세기간 개시 20일 전에 주사업장총괄납부신청서를 주된 사업장의 관할세무서장에게 제출(국세정보통망에 의한 제출 포함)하여야 한다.

② **신규사업자**: 주된 사업장의 사업자등록증을 받은 날부터 20일 이내에 주사업장총괄납부신청서를 주된 사업장의 관할세무서장에게 제출(국세정보통신망에 의한 제출 포함)하여야 한다. 주사업장총괄납부를 신청하는 경우 신청일이 속하는 과세기간부터 총괄하여 납부한다.

③ 사업장이 하나인 사업자가 추가로 사업장을 개설하면서 추가 사업장의 사업 개시일이 속하는 과세기간부터 주사업장총괄납부 사업자로 적용받으려는 경우에는 추가 사업장의 사업 개시일부터 20일 이내(추가 사업장의 사업 개시일이 속하는 과세기간 이내로 한정)에 주사업장총괄납부신청서를 주된 사업장의 관할세무서장에게 제출(국세정보통신망에 의한 제출을 포함)해야 한다.

(4) **효력**

주사업장총괄납부는 각 사업장의 납부세액 또는 환급세액을 통산하여 주된 사업장에서 납부 또는 환급을 받게 되는 것이다. 주된 사업장에서 납부 또는 환급만 하는 것이고 신고 및 경정, 세금계산서 발급 등은 사업장별로 하여야 한다.

(5) **변경**

다음의 사유가 발생한 경우는 변경신청을 하여야 한다. 신청하여 변경한 때에는 그 변경한 날이 속하는 과세기간부터 총괄하여 납부한다.

변경사유	변경신고서 제출 관할세무서
종된 사업장을 신설하는 경우	신설하는 종된 사업장
종된 사업장을 주된 사업장으로 변경하는 경우	주된 사업장을 변경하고자 하는 사업장
사업자등록 정정사유가 발생하는 경우	그 정정사유가 발생한 사업장
일부 종된 사업장을 제외하려는 경우	주된 사업장 관할세무서장
기존의 사업장을 추가하려는 경우	주된 사업장 관할세무서장

(6) **적용제외 및 포기**

① 적용제외: 다음 중 어느 하나에 해당하는 경우 총괄납부를 적용하지 않을 수 있다.

㉠ 사업내용의 변경으로 총괄납부가 부적당하다고 인정되는 때

㉡ 주된 사업장의 이동이 빈번한 때

㉢ 그 밖에 사정변경으로 총괄납부가 적당하지 않게 된 때

② 포기: 각 사업장에서 납부하고자 할 때에는 그 납부하려는 과세기간 개시 20일 전에 주사업장총괄납부 포기신고서를 주된 사업장 관할세무서장에게 제출(국세정보통신망에 의한 제출을 포함)하여야 한다.

③ 적용시기: 주사업장총괄납부를 적용하지 않거나 포기한 경우에는 그 적용을 하지 아니하게 된 날 또는 포기한 날이 속하는 과세기간의 다음 과세기간부터 각 사업장에서 납부하여야 한다.

2. 사업자단위과세제도

(1) **개념**

2 이상의 사업장이 있는 사업자의 경우 각 사업장별로 사업자등록을 하고 신고 · 납부 등을 하는 것이 원칙이다. 그러나 사업자단위로 등록한 경우 세금계산서 발급 · 신고 · 납부 · 환급 · 경정 등을 본점 또는 주사무소에서 할 수 있다.

(2) **주된 사업장**

① 법인: 본점(주사무소)

② 개인: 주사무소

(3) 사업자등록

① 2 이상의 사업장(사업장이 하나이나 추가로 사업장을 개설하려는 사업자를 포함)이 있는 사업자는 사업자단위로 해당 사업자의 본점 또는 주사무소 관할세무서장에게 등록할 수 있다.

② 사업장단위로 등록한 사업자가 사업자단위로 등록하려면 사업자단위과세사업자로 적용받으려는 과세기간 개시 20일 전까지 등록하여야 한다.

③ 사업장이 하나인 사업자가 추가로 사업장을 개설하면서 추가 사업장의 사업 개시일이 속하는 과세기간부터 사업자 단위 과세 사업자로 적용받으려는 경우에는 추가 사업장의 사업 개시일부터 20일 이내(추가 사업장의 사업 개시일이 속하는 과세기간 이내로 한정)에 사업자의 본점 또는 주사무소 관할세무서장에게 변경등록을 신청해야 한다.

(4) 효력

① 신고 · 납부: 사업자단위과세사업자의 본점 또는 주사무소를 신고 · 납부 등과 관련한 「부가가치세법」의 규정을 적용할 때 각 사업장으로 본다.

② **사업자등록 및 세금계산서 발급과 수취**: 사업자등록을 본점 또는 주사무소에서 하며 세금계산서도 본점 또는 주사무소의 등록번호로 발급한다.

(5) 포기

① 사업자단위과세사업자가 각 사업장별로 신고 · 납부하거나 주사업장총괄납부를 하려는 경우에는 그 납부하려는 과세기간 개시 20일 전에 사업자단위과세포기신고서를 사업자단위과세적용사업장 관할세무서장에게 제출하여야 한다.

② 관할세무서장은 처리결과를 지체 없이 해당 사업자의 종된 사업장의 관할세무서장에게 통지하여야 하며 포기한 날이 속하는 과세기간의 다음 과세기간부터 포기신고한 내용에 따라 사업장별로 신고 · 납부하거나 주사업장총괄납부를 하여야 한다.

구분	주사업장총괄납부	사업자단위과세제도
주된 사업장	• 법인: 본점 또는 지점 • 개인: 주사무소	• 법인: 본점 • 개인: 주사무소
효력	주된 사업장에서 총괄 납부 또는 환급만 가능	사업자단위과세적용 사업장에서 신고 · 납부 · 경정 등 가능
적용절차	과세기간 개시 20일 전에 신청	과세기간 개시 20일 전에 사업자단위로 사업자등록
포기신고	납부하려는 과세기간 개시 20일 전	납부하려는 과세기간 개시 20일 전

5 사업자등록

1. 개념

(1) 사업자등록이란 납세의무자의 사업에 관한 내용을 사업장 관할세무서에 신고하여 그 관할세무서의 공부상에 등재하는 것을 말한다. 사업자등록은 「부가가치세법」상 납세의무자에게만 그 의무가 있으며 면세사업자에게는 사업자등록의무가 없다. 그러나 「소득세법」과 「법인세법」에 따라 면세사업자도 사업자등록을 하여야 한다.

(2) 과세사업자(과세 · 면세 겸영사업자 포함)는 「부가가치세법」에 따라 사업자등록을 하여야 하며 면세사업자는 「소득세법」 또는 「법인세법」에 따라 사업자등록을 하여야 한다. 「부가가치세법」에 따라 사업자등록을 한 과세사업자(과세 · 면세 겸영사업자 포함)는 「법인세법」이나 「소득세법」에 따라 사업자등록을 하지 않는다.

> **심화 | 기타 사업자등록**
>
> 1. 개별소비세 또는 교통 · 에너지 · 환경세의 납세의무가 있는 사업자가 「개별소비세법」 또는 「교통 · 에너지 · 환경세법」에 따라 다음의 구분에 따른 신고를 한 경우에는 해당 구분에 따른 등록신청 또는 신고를 한 것으로 본다.
>   ① **「개별소비세법」 또는 「교통 · 에너지 · 환경세법」에 따른 개업신고를 한 경우:** 「부가가치세법」에 따른 사업자등록의 신청
>   ② **「개별소비세법」 또는 「교통 · 에너지 · 환경세법」에 따른 휴업 · 폐업 · 변경 신고를 한 경우:** 「부가가치세법」에 따른 해당 휴업 · 폐업신고 또는 등록사항 변경신고
>   ③ **「개별소비세법」 및 「교통 · 에너지 · 환경세법」에 따른 사업자단위과세사업자 신고를 한 경우:** 「부가가치세법」에 따른 사업자단위과세사업자 등록신청 또는 사업자단위과세사업자 변경등록신청
>   ④ **「개별소비세법」 또는 「교통 · 에너지 · 환경세법」에 따른 양수, 상속, 합병 신고를 한 경우:** 「부가가치세법」에 따른 등록사항 변경신고
> 2. 「법인세법」이나 「소득세법」에 따라 사업자등록한 자로서 면세사업을 경영하는 자가 추가로 과세사업을 경영하려는 경우 사업자등록 정정신고서를 제출하면 「부가가치세법」에 따른 등록신청을 한 것으로 본다.

2. 신청

(1) 사업장단위등록

① 사업자는 사업장마다 사업개시일부터 20일 이내에 사업장 관할세무서장에게 등록하여야 한다. 다만, 신규로 사업을 시작하려는 자는 사업개시일 전이라도 등록할 수 있다.

② 사업자는 사업자등록의 신청을 사업장 관할세무서장이 아닌 다른 세무서장에게도 할 수 있다. 이 경우 사업장 관할세무서장에게 사업자등록을 신청한 것으로 본다.

(2) 사업자단위등록

2 이상의 사업장이 있는 사업자는 사업자단위로 해당 사업자의 본점 또는 주사무소 관할세무서장에게 등록할 수 있다(선택사항). 또한 사업장단위로 등록한 사업자가 사업자단위로 등록하려면 사업자단위과세사업자로 적용받으려는 과세기간 개시 20일 전까지 등록하여야 한다.

(3) 신탁재산 사업자등록

① 수탁자가 납세의무자가 되는 경우 수탁자(공동수탁자가 있는 경우 대표수탁자를 말함)는 해당 신탁재산을 사업장으로 보아 사업자등록을 신청하여야 한다.

② 수탁자가 사업자등록을 신청하는 경우로서 다음의 요건을 모두 갖춘 경우에는 둘 이상의 신탁재산을 하나의 사업장으로 보아 신탁사업에 관한 업무를 총괄하는 장소를 관할하는 세무서장에게 사업자등록을 신청할 수 있다.

㉠ 수탁자가 하나 또는 둘 이상의 위탁자와 둘 이상의 신탁계약을 체결하였을 것

㉡ 신탁계약이 수탁자가 위탁자로부터 「자본시장과 금융투자업에 관한 법률」에 따른 부동산 등의 재산[1]을 위탁자의 채무이행을 담보하기 위해 수탁으로 운용하는 내용으로 체결되는 신탁계약일 것

[1] 부동산 등의 재산
부동산, 지상권, 전세권, 부동산임차권, 부동산소유권 이전등기청구권, 그 밖의 부동산 관련 권리를 말한다.

3. 사업자등록증 발급

(1) 발급기한

신청을 받은 세무서장은 사업자의 인적사항과 그 밖에 필요한 사항을 기재한 사업자등록증을 신청일부터 2일(토요일 · 공휴일 또는 근로자의 날은 제외) 이내에 신청자에게 발급하여야 한다. 다만, 사업장시설이나 사업현황을 확인하기 위하여 국세청장이 필요하다고 인정하는 경우에는 발급기한을 5일 이내에서 연장하고 조사한 사실에 따라 사업자등록증을 발급할 수 있다.

(2) 보정요구

관할세무서장은 등록신청의 내용을 보정할 필요가 있다고 인정되는 때에는 10일 이내의 기간을 정하여 보정을 요구할 수 있다. 이 경우 해당 보정기간은 등록증발급기간에 산입하지 않는다.

(3) 직권등록

사업자가 등록을 하지 아니하는 경우에는 관할세무서장이 조사하여 등록시킬 수 있다.

(4) 등록거부

사업을 개시하기 전에 사업자등록의 신청을 받은 세무서장은 신청자가 사업을 사실상 개시하지 아니할 것이라고 인정되는 때에는 등록을 거부할 수 있다. 따라서 사업개시일 이후에는 등록거부를 할 수 없다.

4. 휴업 · 폐업신고와 등록말소 및 등록정정

(1) 휴업 · 폐업신고

① 사업자등록을 한 사업자가 휴업 또는 폐업을 하거나 사업자등록을 한 자가 사실상 사업을 시작하지 않게 되는 경우에는 지체 없이 휴업(폐업)신고서를 관할세무서장이나 그 밖에 신고인의 편의에 따라 선택한 세무서장에게 제출(국세정보통신망에 의한 제출을 포함)하여야 한다. 이 경우 폐업신고서를 제출할 때에는 사업자등록증을 첨부하여야 한다. 다만, 폐업을 하는 사업자가 부가가치세 확정신고서에 폐업 연월일과 그 사유를 적고 사업자등록증을 첨부하여 제출하는 경우에는 폐업신고서를 제출한 것으로 본다.

② 법인이 합병할 때에는 합병 후 존속하는 법인(신설합병의 경우에는 합병으로 설립된 법인) 또는 합병 후 소멸하는 법인이 법인합병신고서에 사업자등록증을 첨부하여 소멸법인의 폐업 사실을 소멸법인의 관할세무서장에게 신고하여야 한다.

(2) 등록말소

사업자가 폐업하거나 등록한 후 사실상 사업을 시작하지 아니하게 되는 경우에는 사업장 관할세무서장은 지체 없이 그 등록을 말소하여야 한다. 이 경우 관할세무서장은 지체 없이 사업자등록증을 회수하여야 하며, 등록증을 회수할 수 없는 경우에는 등록말소의 사실을 공시하여야 한다.

기출 OX

사업장 관할세무서장은 사업자가 폐업하게 되는 경우 지체 없이 사업자등록을 말소하여야 한다. (○) 12. 9급

심화 | 사실상 사업을 시작하지 않게 된 경우

사실상 사업을 시작하지 아니하게 되는 경우는 다음의 어느 하나에 해당하는 경우로 한다.

1. 사업자가 사업자등록을 한 후 정당한 사유 없이 6개월 이상 사업을 시작하지 아니하는 경우
2. 사업자가 부도발생, 고액체납 등으로 도산하여 소재 불명인 경우
3. 사업자가 인가 · 허가의 취소 또는 그 밖의 사유로 사업을 수행할 수 없어 사실상 폐업상태에 있는 경우
4. 사업자가 정당한 사유 없이 계속하여 둘 이상의 과세기간에 걸쳐 부가가치세를 신고하지 아니하고 사실상 폐업상태에 있는 경우
5. 그 밖에 사업자가 위 1.~4.까지의 규정과 유사한 사유로 사실상 사업을 시작하지 아니하는 경우

❶ 사업장과 주소지가 동일한 사업자가 사업자등록 신청서 또는 사업자등록 정정신고서를 제출하면서 「주민등록법」에 따른 주소가 변경되면 사업장의 주소도 변경되는 것에 동의한 경우에는 사업자가 「주민등록법」에 따른 전입신고를 하면 사업자등록 정정신고서를 제출한 것으로 본다.

(3) 등록정정❶

사업자가 다음의 경우에 해당하는 때에는 지체 없이 사업자등록정정신고서에 사업자등록증 및 임차한 상가건물의 해당 부분의 도면을 첨부하여 세무서장에게 제출하여야 한다.

등록정정사유	재발급 기간
① 상호를 변경하는 때	신청일 당일
② 사이버몰(부가통신사업사업자가 컴퓨터 등과 정보통신설비를 이용하여 재화 등을 거래할 수 있도록 설정한 가상의 영업장)에 인적사항 등의 정보를 등록하고 재화나 용역을 공급하는 사업을 하는 사업자(통신판매업자)가 사이버몰의 명칭 또는 인터넷 도메인이름을 변경하는 때	
③ 법인 또는 1거주자로 보는 단체의 대표자를 변경하는 때	신청일로부터 2일 내
④ 사업의 종류의 변동이 있는 때	
⑤ 사업장(사업자단위과세사업자의 경우에는 사업자단위과세적용사업장)을 이전하는 때	
⑥ 상속으로 인하여 사업자의 명의가 변경되는 때	
⑦ 공동사업자의 구성원 또는 출자지분의 변경이 있는 때	
⑧ 임대인, 임대차 목적물 · 그 면적, 보증금, 차임 또는 임대차기간의 변경이 있거나 새로 상가건물을 임차한 때	
⑨ 사업자단위과세사업자가 사업자단위과세적용사업장을 변경하는 때	
⑩ 사업자단위과세사업자가 종된 사업장을 신설 · 이전하는 때	
⑪ 사업자단위과세사업자가 종된 사업장의 사업을 휴업 · 폐업하는 때	

5. 미등록에 대한 제재

(1) 가산세

① **미등록가산세:** 사업자가 사업개시일로부터 20일 이내에 사업자등록을 신청하지 아니한 경우 사업개시일로부터 등록을 신청한 날의 직전일까지의 공급가액에 대하여 1%에 해당하는 금액을 납부세액에 더하거나 환급세액에서 뺀다.

② **타인명의등록가산세:** 사업자가 타인의 명의로 사업자등록을 하고 실제 사업을 하는 것으로 확인되는 경우에는 사업개시일부터 실제 사업을 하는 것으로 확인되는 날의 직전일까지의 공급가액에 1%에 해당하는 금액을 납부세액에 더하거나 환급세액에서 뺀다.

(2) 매입세액불공제

사업자등록을 하기 전의 매입세액은 매출세액에서 공제되지 않는다. 다만, 공급시기가 속하는 과세기간이 지난 후 20일 이내에 등록 신청한 경우 등록신청일부터 공급시기가 속하는 과세기간 기산일(1월 1일 또는 7월 1일)까지의 역산한 기간 이내의 매입세액은 공제한다.

■ 「부가가치세법」 [별지 제7호 서식(1)] 〈개정 2014.3.14〉

사 업 자 등 록 증

(   )

등록번호:

① 상　호:　　　　　　　　　　　　　　② 성　명:

③ 개업 연월일:　　　년　　　월　　　일　　④ 생년월일:

⑤ 사업장 소재지:

⑥ 사업의 종류:　　업태　　　　종목　　　　생산요소

⑦ 발급　사유:

⑧ 공동사업자:

⑨ 주류판매신고번호:

⑩ 사업자 단위 과세 적용사업자 여부: 여(　　) 부(　　)

⑪ 전자세금계산서 전용 전자우편주소:

년　　월　　일

○○ 세무서장　직인

210mm × 297mm[백상지 120g/㎡]

기출문제

01 **부가가치세법령상 납세지 및 사업자등록에 대한 설명으로 옳은 것만을 모두 고르면?** 2021년 7급

ㄱ. 국가, 지방자치단체 또는 지방자치단체조합이 공급하는 부동산 임대용역에 있어서 사업장은 그 부동산의 등기부상 소재지이다.
ㄴ. 신규로 사업을 시작하는 자가 주된 사업장에서 총괄하여 납부하려는 경우에는 주된 사업장의 사업자등록증을 받은 날부터 20일까지 주사업장 총괄 납부 신청서를 주된 사업장의 관할 세무서장에게 제출하여야 한다.
ㄷ. 무인자동판매기를 통하여 재화 또는 용역을 공급하는 사업에 있어서 사업장은 그 사업에 관한 업무를 총괄하는 장소이다. 다만, 그 이외의 장소도 사업자의 신청에 의하여 추가로 사업장으로 등록할 수 있다.
ㄹ. 법인이 주사업장 총괄 납부의 신청을 하는 경우 주된 사업장은 본점 또는 주사무소를 말하며, 지점 또는 분사무소는 주된 사업장으로 할 수 없다.

① ㄴ ② ㄱ, ㄴ
③ ㄱ, ㄷ ④ ㄷ, ㄹ

01
옳은 것은 ㄴ이다.

✓ 오답체크

ㄱ. 국가 등이 공급하는 부동산임대업은 업무총괄장소를 사업장으로 한다.
ㄷ. 무인자동판매기는 사업장을 추가 등록할 수 없다.
ㄹ. 총괄 납부사업자의 경우 법인은 본점과 지점 중에 선택할 수 있다.

02 **「부가가치세법」상 납세의무자에 관한 설명으로 옳지 않은 것은?** 2010년 9급

① 신탁재산과 관련된 재화 또는 용역을 공급하는 때에는 신탁법에 따른 위탁자가 신탁재산별로 각각 별도의 납세의무자로서 부가가치세를 납부할 의무가 있다.
② 부가가치세의 납세의무자는 국가, 지방자치단체, 지방자치단체조합 및 법인격 없는 재단을 포함한다.
③ 청산 중에 있는 내국법인은 「상법」의 규정에 의한 계속등기 여부에 불구하고 사실상 사업을 계속하는 경우에는 납세의무가 있다.
④ 농민이 자기농지의 확장 또는 농지개량 작업에서 생긴 토사석을 일시적으로 판매하는 경우에는 납세의무가 없다.

02
신탁재산과 관련된 재화 또는 용역을 공급하는 때에는 신탁법에 따른 수탁자가 신탁재산별로 각각 별도의 납세의무자로서 부가가치세를 납부할 의무가 있다.

정답 01 ① 02 ①

03 「부가가치세법」상 사업장에 관한 설명으로 옳지 않은 것은? 2010년 7급

① 부가가치세는 사업장마다 신고 · 납부하는 것을 원칙으로 한다.
② 광업에 있어서 광업사무소가 광구 안에 있는 때에는 광업사무소의 소재지를 사업장으로 한다.
③ 제조업에 있어서 따로 제품의 포장만을 하거나 용기에 충전만을 하는 장소도 사업장이 될 수 있다.
④ 건설업과 운수업에 있어서는 사업자가 법인인 경우에는 당해 법인의 등기부상 소재지를 사업장으로 한다.

03
제조업의 사업장은 최종 제품을 완성하는 장소로 한다. 따로 제품의 포장만을 하거나 용기에 충전만을 하는 장소는 사업장이 될 수 없다.

04 「부가가치세법」상 사업장에 대한 설명으로 옳지 않은 것은? 2016년 9급

① 무인자동판매기를 통하여 재화 · 용역을 공급하는 사업은 무인자동판매기가 설치된 장소를 사업장으로 한다.
② 사업장을 설치하지 아니하고 사업자등록도 하지 아니하는 경우에는 과세표준 및 세액을 결정하거나 경정할 당시의 사업자의 주소 또는 거소를 사업장으로 한다.
③ 사업자가 자기의 사업과 관련하여 생산한 재화를 직접 판매하기 위하여 특별히 판매시설을 갖춘 장소는 사업장으로 본다.
④ 재화를 보관하고 관리할 수 있는 시설만 갖춘 장소로서 법령이 정하는 바에 따라 하치장으로 신고된 장소는 사업장으로 보지 아니한다.

04
무인자동판매기를 통하여 재화 · 용역을 공급하는 사업은 업무총괄장소를 사업장으로 한다.

05 「부가가치세법」상 사업자등록에 대한 설명으로 옳지 않은 것은? 2012년 9급

① 둘 이상의 사업장이 있는 사업자는 사업개시일부터 20일 이내에 주사업장의 관할세무서장에게 등록하여야 한다.
② 둘 이상의 사업장이 있는 사업자는 해당 사업자의 본점 또는 주사무소 관할세무서장에게 사업자단위로 등록할 수 있다.
③ 사업자등록을 한 사업자가 사업자단위로 등록하려면 사업자단위 과세사업자로 적용받으려는 과세기간 개시 20일 전까지 등록하여야 한다.
④ 사업장 관할세무서장은 사업자가 폐업하게 되는 경우 지체 없이 사업자등록을 말소하여야 한다.

05
둘 이상의 사업장이 있는 사업자는 사업개시일부터 20일 이내에 주사업장의 관할세무서장에게 등록할 수 있다.

정답 03 ③ 04 ① 05 ①

06 「부가가치세법」상 사업자단위과세제도에 대한 설명으로 옳은 것은?

2009년 9급

① 사업자단위과세를 적용받는 경우에는 부가가치세 신고 · 납부 업무를 수행하는 사업자단위과세 적용사업장을 본점(주사무소 포함) 또는 지점(분사무소 포함) 중에서 선택하여 지정할 수 있다.

② 사업자단위과세제도를 적용하는 경우에도 사업자등록은 각 사업장별로 하고 각 사업장별 등록번호로 세금계산서를 발행하여야 한다.

③ 이미 사업자등록을 마친 사업자가 사업자단위로 등록하려면 사업자단위과세사업자로 적용받으려는 과세기간 개시 20일 전까지 등록하여야 한다.

④ 사업자단위과세의 포기는 사업자단위과세사업자로 등록한 날로부터 3년이 되는 날이 속하는 과세기간의 다음 과세기간부터 할 수 있다.

06

오답체크

① 사업자단위과세를 총괄하는 사업장은 법인의 지점은 될 수 없다.

② 사업자단위로 사업자등록을 한 사업자는 주된 사업장에서 세금계산서를 발급한다.

④ 사업자단위과세제도의 포기에 「부가가치세법」상 별다른 제한은 없다.

07 「부가가치세법」의 사업자등록에 대한 다음 설명 중 옳지 않은 것은?

2008년 서울시

① 사업자등록 신청자는 「부가가치세법」상의 사업자이어야만 가능하다.

② 「부가가치세법」상 면세사업자는 「부가가치세법」상의 사업자등록의무는 없으나 「법인세법」 또는 「소득세법」상의 등록의무는 있다.

③ 부가가치세 과세사업자가 사업자등록을 하더라도 「법인세법」 또는 「소득세법」상 사업자등록을 별개로 하여야 한다.

④ 부가가치세 과세사업과 면세사업을 겸영하는 사업자는 「부가가치세법」상 사업자등록을 하여야 한다.

⑤ 「소득세법」 및 「법인세법」에 의하여 사업자등록을 한 자로서 면세사업을 영위하던 자가 추가로 과세사업을 영위하는 경우 사업자등록정정신고서를 제출하면 사업자등록신청을 한 것으로 본다.

07

「부가가치세법」에 따라 사업자등록을 한 사업자는 「법인세법」 또는 「소득세법」에 따른 사업자등록을 별도로 하지 않는다.

정답 06 ③ 07 ③

08 「부가가치세법」의 주사업장총괄납부에 관한 설명으로 가장 옳지 않은 것은? 2008년 서울시

① 사업장이 2 이상인 경우에는 주사업장총괄납부신청을 하면 주된 사업장 관할세무서장에게 부가가치세액을 일괄 납부하거나 환급받을 수 있다.
② 주사업장총괄납부에서 주된 사업장은 법인인 경우에는 본점(주사무소 포함) 또는 지점(분사무소 포함) 중 선택할 수 있으며 개인은 주사무소로 하는 것이 원칙이다.
③ 주사업장총괄납부는 납부 및 환급만 주된 사업장에서 총괄하고 신고 및 세금계산서 발급 등은 각 사업장별로 하여야 한다.
④ 기존사업자로서 주사업장총괄납부하고자 하는 자는 과세기간 개시 20일 전에 주사업장총괄납부신청서를 제출하면 다음 과세기간부터 총괄납부할 수 있다.
⑤ 주사업장총괄납부사업자에 대한 과세표준 및 세액의 결정 · 경정과 그 납부고지는 주사업장 관할세무서장이 행한다.

08
주사업장총괄납부사업자에 대한 과세표준 및 세액의 결정 · 경정과 그 납세고지는 각 사업장 관할세무서장이 행한다.

09 「부가가치세법」상 사업자등록에 관한 설명으로 옳지 않은 것은? 2007년 9급

① 사업자가 사업자등록을 하지 아니한 경우에는 관할세무서장이 조사하여 등록시킬 수 있다.
② 사업자등록을 하지 아니한 사업자는 매입세액공제를 받을 수 없지만, 과세기간이 끝난 후 20일 이내에 등록을 신청한 경우에는 등록신청일부터 공급시기가 속하는 과세기간 기산일까지 역산한 기간 내의 것은 공제한다.
③ 면세사업자도 「부가가치세법」상의 사업자등록을 하여야 한다.
④ 사업종류의 변경, 사업장의 이전은 사업자등록의 정정신고사유이다.

09
면세사업자는 「부가가치세법」상 사업자등록을 하지 않는다.

10 부가가치세법령상 사업자등록에 대한 설명으로 옳지 않은 것은? 2023년 9급

① 신규로 사업을 시작하려는 자는 사업 개시일 이전이라도 사업자등록을 신청할 수 있다.
② 사업장 관할 세무서장은 등록된 사업자가 폐업한 경우에는 지체 없이 사업자등록을 말소하여야 한다.
③ 사업장을 이전하는 경우는 사업자등록의 정정신고 사유이다.
④ 사업자는 사업자등록의 신청을 사업장 관할 세무서장에게만 할 수 있으며, 관할 세무서장이 아닌 다른 세무서장에게 한 사업자등록의 신청은 효력이 없다.

10
사업자등록은 관할 세무서장 외의 세무서장에게 한 경우에도 그 효력이 있다.

정답 08 ⑤ 09 ③ 10 ④

03 과세거래

1 「부가가치세법」의 과세거래

「부가가치세법」에서는 재화의 공급 · 용역의 공급 · 재화의 수입을 과세물건으로 보며, 이를 과세거래라 한다.

구분	과세대상	과세방법
재화 · 용역의 공급	사업자의 공급	공급받는 자로부터 거래징수
재화의 수입	사업자 불문	세관장이 징수 · 납부

기출 OX

재화의 공급은 계약상 또는 법률상의 모든 원인에 따라 재화를 인도하거나 양도하는 것으로 한다. (○) 19. 7급

2 재화의 공급

재화의 공급은 계약상 또는 법률상의 모든 원인에 의하여 재화를 인도 또는 양도하는 것을 말한다.

1. 재화[1]

(1) 의의

재화란 재산 가치가 있는 모든 물건과 권리를 말한다. 따라서 재산가치가 없는 공기 등은 재화에 해당하지 않는다.

구분	구체적 범위
물건	상품 · 제품 · 원료 · 기계 · 건물과 기타 모든 유형적 물건을 포함한다.
권리	동력 · 열과 기타 관리할 수 있는 자연력 또는 권리 등으로서 재산적 가치가 있는 물건 외의 모든 것을 포함한다.

(2) 물건 중 유가증권을 공급하는 경우

물건 중 유가증권을 공급하는 경우에는 다음과 같이 처리한다.

① 화폐대용증권(수표 · 어음 · 금액상품권 등)과 증권(주식 · 출자지분 · 회사채 · 국공채 등), 물품 또는 용역을 제공받을 수 있는 상품권은 재화로 보지 아니한다.

② 창고증권 · 선하증권 · 화물상환증은 과세대상재화로 본다. 다만, 임치물이 수반되지 않는 일정한 창고증권은 재화의 공급으로 보지 아니한다.

[1] 재화나 용역을 공급하는 사업의 구분은 세법에 특별한 규정이 있는 경우를 제외하고는 통계청장이 고시하는 해당 과세기간 개시일 현재의 한국산업분류에 따른다.

2. 계약상 또는 법률상 모든 원인

(1) 계약상 원인

① 매매계약: 현금판매, 외상판매, 할부판매, 장기할부판매, 조건부 및 기한부판매, 위탁판매 및 기타 매매계약에 의하여 재화를 인도 또는 양도하는 것

② 가공계약: 자기가 주요 자재의 전부 또는 일부를 부담하고 상대방으로부터 인도받은 재화에 공작을 가해 새로운 재화를 만들어 인도하는 것

참고

가공계약

1. 주요자재의 전부 또는 일부를 부담하는 가공계약은 재화의 공급에 해당한다.
2. 주요자재를 전혀 부담하지 않고 단순가공만 해 주는 경우는 용역의 공급에 해당한다.
3. 건설업과 음식점업은 주요자재를 전부 또는 일부 부담한 경우에도 항상 용역의 공급에 해당한다.

③ 교환거래: 재화의 인도대가로서 다른 재화를 인도받거나 용역을 제공받는 것(교환거래에는 소비대차거래와 기부채납 등이 있음)

참고

기부채납과 소비대차

1. **기부채납**: 사업자가 건물 등을 신축하여 국가 또는 지방자치단체에 기부채납하고 그 대가로 일정기간 해당 건물 등에 대한 무상사용이나 수익권을 얻는 경우 해당 거래는 과세 거래에 해당한다.
2. **소비대차**: 사업자간에 재화를 차용하여 사용 · 소비하고 동종 또는 이종의 재화를 반환하는 소비대차의 경우 해당 재화를 차용하거나 반환하는 것은 각각 재화의 공급에 해당한다.

④ 현물출자: 현물출자 기타 계약상의 원인에 의하여 재화를 인도 또는 양도하는 것

참고

현물출자거래

1. **현물출자를 위해서 재화를 인도하는 것**: 재화의 공급에 해당한다.
2. **주주가 출자지분을 양도하는 것**: 공급에 해당하지 않는다.
3. **법인이 출자지분을 현물로 반환하는 것**: 재화의 공급에 해당한다.
4. **법인이 출자지분을 현금으로 반환하는 것**: 재화의 공급에 해당하지 않는다.

⑤ 보세구역 창고에서 반입: 국내로부터 보세구역에 있는 창고(조달청장이 개설한 것으로 세관장의 특허를 받은 보세창고 및 런던금속거래소의 지정창고로 한정)에 임치된 임치물을 국내로 다시 반입하는 것

(2) 법률상 원인

경매(「국세징수법」의 공매와 「민사집행법」의 경매는 제외) · 수용 · 기타 법률상의 원인에 의하여 재화를 인도 또는 양도하는 것

3. 재화의 공급으로 보지 않는 경우

(1) 담보제공

질권 · 저당권 또는 양도담보의 목적으로 동산 · 부동산 및 부동산상의 권리를 제공하는 것은 재화의 공급으로 보지 아니한다. 다만, 채무불이행으로 담보물이 채무변제에 충당된 경우에는 공급으로 본다.

기출 OX

질권, 저당권 또는 양도담보의 목적으로 동산, 부동산 및 부동산상의 권리를 제공하는 것은 재화의 공급으로 보지 않는다. (O) 16. 7급

> **기출 OX**
> 사업장별로 그 사업에 관한 모든 권리와 의무를 포괄적으로 승계하고, 그 사업을 양수받는 자가 그 대가를 지급하는 때에 그 대가를 받은 자로부터 부가가치세를 징수하여 납부한 경우에는 재화의 공급으로 본다. (○) 16. 7급

(2) 사업양도

① **사업의 포괄양도**: 사업장별(「상법」에 따라 분할 또는 분할합병하는 경우에는 같은 사업장 안에서 사업부문별로 양도하는 경우를 포함)로 그 사업에 관한 모든 권리와 의무를 포괄적으로 승계시키는 것을 말한다. 이 경우 그 사업에 관한 권리와 의무 중 다음의 것을 포함하지 아니하고 승계시킨 경우에도 해당 사업을 포괄적으로 승계시킨 것으로 본다.

㉠ 미수금에 관한 것

㉡ 미지급금에 관한 것

㉢ 사업과 직접 관련이 없는 토지 · 건물 등의 자산

> **심화 | 포괄양도**
>
> 다음의 경우에도 사업에 관한 모든 권리와 의무를 포괄적으로 승계시키는 것으로 본다.
> 1. 양수자가 승계받은 사업 외에 새로운 사업의 종류를 추가하거나 사업의 종류를 변경한 경우
> 2. 「법인세법」상 과세이연요건을 갖춘 분할의 경우, 「조세특례제한법」의 요건을 갖춘 자산의 포괄적 양도의 경우

② **사업포괄양도 후 과세유형**: 일반과세자가 사업을 양도한 경우 양수받은 사업에 대하여 간이과세의 적용을 받을 수 없다. 다만, 사업의 양수 이후 공급대가 합계액이 8,000만 원에 미달하여 간이과세자 기준을 충족하는 경우에는 간이과세의 적용이 가능한다.

③ **사업포괄양도 대리납부**

㉠ 사업의 포괄적 양도(포괄양도에 해당하는지 여부가 분명하지 않은 경우를 포함)에 따라 그 사업을 양수받은 자가 대가를 지급하는 때에 그 대가를 받은 자로부터 부가가치세를 징수하여 납부한 경우는 재화의 공급으로 본다.

㉡ 대리납부에 의하여 징수한 세액은 대가를 지급하는 날이 속하는 달의 다음달 25일까지 납부할 수 있다.

> **기출 OX**
> 01 사업용 자산을 「상속세 및 증여세법」 제73조 및 「지방세법」 제117조에 따라 물납하는 것은 재화의 공급으로 보지 아니한다. (○) 19. 7급
>
> 02 「민사집행법」에 따른 경매에 따라 재화를 인도하거나 양도하는 것은 재화의 공급으로 보지 않는다. (○) 15. 9급

(3) 물납

사업용 자산으로 상속세를 물납하는 경우는 재화의 공급으로 보지 아니한다.

(4) 공매 및 「민사집행법」상의 경매

「국세징수법」에 따른 공매(수의계약에 따라 매각하는 것을 포함) 및 「민사집행법」에 따른 경매(강제경매, 담보권실행을 위한 경매, 「민법」·「상법」 등 그 밖의 법률에 따른 경매를 포함)에 따라 재화를 인도 또는 양도하는 것은 재화의 공급으로 보지 아니한다.

(5) 임치물의 반환이 수반되지 않는 창고증권의 양도

① 창고증권의 양도는 과세대상이지만 다음의 경우는 재화의 공급으로 보지 아니한다.

㉠ 보세구역에 있는 조달청 창고에 보관된 물품에 대하여 조달청장이 발행하는 창고증권의 양도로서 임치물의 반환이 수반되지 아니하는 것

㉡ 보세구역에 있는 런던금속거래소의 지정창고에 보관된 물품에 대하여 같은 거래소의 지정창고가 발행하는 창고증권의 양도로서 임치물의 반환이 수반되지 아니하는 것

② 그러나 국내로부터 보세구역에 있는 조달청 창고 및 런던금속거래소의 지정창고에 임치된 임치물을 국내로 다시 반입하는 것은 재화의 공급으로 본다.

(6) 수용

「도시 및 주거환경정비법」, 「공익사업을 위한 토지 등의 취득 및 보상에 관한 법률」 등에 따른 수용절차에 있어서 수용대상인 재화의 소유자가 수용된 재화에 대한 대가를 받는 경우에는 재화의 공급으로 보지 않는다. 해당 재화 소유자의 직접 철거 여부에 상관없이 과세하지 않는다.

(7) 기타

① 화재 · 수재 · 도난 · 파손 등으로 인한 재화의 파손이나 멸실(계약상 또는 법률상의 원인에 해당하지 않음)

② 각종 원인으로 사업자가 받는 다음의 손해배상금

㉠ 소유재화의 파손 · 훼손 · 도난 등으로 인하여 가해자로부터 받는 손해배상금

㉡ 도급공사 및 납품계약서상 그 기일의 지연으로 인하여 발주자가 받는 지체상금

㉢ 공급받을 자의 해약으로 인하여 공급할 자가 재화 또는 용역의 공급 없이 받는 위약금 또는 이와 유사한 손해배상금

㉣ 대여한 재화의 망실에 대한 변상금

③ 사업자가 위탁가공을 위하여 원자재를 국외의 수탁가공 사업자에게 대가 없이 반출하는 것(다만, 원료를 대가 없이 국외의 수탁가공사업자에게 반출하여 가공한 재화를 양도하는 경우에 그 원료의 반출에 대하여 영세율이 적용되는 경우 제외)

④ 「한국석유공사법」에 따른 한국석유공사가 「석유 및 석유대체연료 사업법」에 따라 비축된 석유를 수입통관하지 아니하고 보세구역에 보관하면서 국내사업장이 없는 비거주자 또는 외국법인과 무위험차익거래 방식으로 소비대차하는 것

⑤ 「도시 및 주거환경정비법」에 따른 사업시행자의 매도청구에 따라 재화를 인도하거나 양도하는 것

기출 OX

사업자가 위탁가공을 위하여 원료를 대가 없이 국외의 수탁가공 사업자에게 반출하여 가공한 재화를 양도하는 경우에 그 원료를 반출하는 것은 재화의 공급으로 보지 않는다. (×) 16. 7급

▶ 공급에 해당한다.

4. 재화의 간주공급

실질적으로는 재화의 공급이 아니지만 일정한 요건에 해당하는 경우 공급으로 의제하는 것을 말한다. 간주공급은 매입 당시 매입세액공제받은 재화를 면세 등 일정한 요건에 해당하는 경우에는 과거의 공제받은 매입세액을 추징하기 위하여 또는 부가가치세를 부담하지 않는 공급의 경우 매출세액을 징수하기 위하여 공급으로 간주한다. 이러한 간주공급에는 자가공급 · 개인적 공급 · 사업상 증여 · 폐업시 잔존재화가 있다. 또한 간주공급은 실질적인 공급이 아니므로 세금계산서를 발급하지 않으며 매입세액을 공제받지 않은 경우에는 간주공급을 적용하지 않는다. 다만, 판매목적 타사업장 반출은 세금계산서를 발급하여야 하며 매입세액공제 여부를 불문하고 간주공급 규정을 적용한다.

(1) 자가공급

사업자가 자기의 사업과 관련하여 생산하거나 취득한 재화를 자기의 사업을 위하여 직접 사용하거나 소비하는 것을 말한다. 이러한 자가공급은 새로운 매출창출에 기여하므로 재화의 공급에 해당하지 않으나 다음의 경우에는 간주공급으로 과세대상이 된다.

① 면세사업에 전용: 사업자가 자기의 과세사업과 관련하여 생산하거나 취득한 재화로서 다음 중 어느 하나에 해당하는 재화(이하 '자기생산 · 취득재화'라 함)를 자기의 면세사업을 위하여 직접 사용하거나 소비하는 것을 재화의 공급으로 본다.

㉠ 매입세액이 공제된 재화

㉡ 사업의 포괄적 양도로 취득한 재화로서 사업양도자가 매입세액을 공제받은 재화

㉢ 내국신용장 또는 구매확인서에 의해 재화를 공급받아 영세율을 적용받는 재화

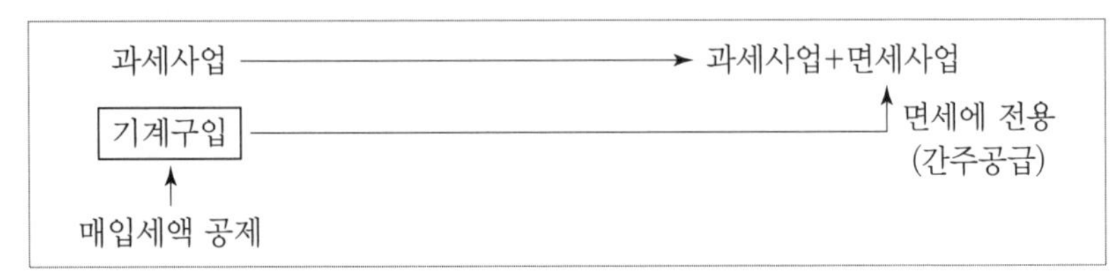

심화 | 자가공급에 해당하지 않는 것

1. 자기의 다른 사업장에서 원료 · 자재 등으로 사용하거나 소비하기 위하여 반출하는 것
2. 자기사업상의 기술개발을 위하여 시험용으로 사용하거나 소비하는 경우
3. 수선비 등 대체하여 사용하거나 소비하는 경우
4. 사후무료 서비스제공을 위하여 사용하거나 소비하는 경우
5. 불량품교환 또는 광고선전을 위한 상품진열 등의 목적으로 자기의 다른 사업장으로 반출하는 경우
6. 건설업을 영위하는 사업자가 자기의 사업과 관련하여 생산 또는 취득한 재화를 자기의 해외 건설공사에서 건설용 자재로 사용하거나 소비할 목적으로 국외로 반출하는 경우

기출 OX

01 사업자가 자기의 사업과 관련하여 생산하거나 취득한 재화(매입세액을 공제받지 않음)를 면세사업을 위하여 사용 · 소비한 경우는 간주공급에 해당되지 않는다. (○) 08. 9급

02 사업자가 자기의 과세사업과 관련하여 취득한 재화로서 「부가가치세법」 제38조에 따른 매입세액이 공제된 재화를 자기의 면세사업을 위하여 직접 사용하는 것은 재화의 공급으로 보지 아니한다. (×) 19. 7급

▶ 매입세액이 공제된 재화를 면세사업에 사용하는 경우는 간주공급에 해당된다.

② 비영업용으로 사용하는 개별소비세 과세대상 자동차와 그 유지를 위한 재화로 사용

㉠ 다음 중 어느 하나에 해당하는 자기생산 · 취득재화의 사용 또는 소비는 재화의 공급으로 본다.

ⓐ 운수업 등을 경영하는 사업자가 자기생산 · 취득재화 중 개별소비세 과세대상 자동차와 그 자동차의 유지를 위한 재화를 해당 업종에 직접 영업으로 사용하지 않고 다른 용도로 사용하는 경우

ⓑ 사업자가 자기생산 · 취득재화를 매입세액이 매출세액에서 공제되지 아니하는 개별소비세과세대상자동차로 사용 또는 소비하거나 그 자동차의 유지를 위하여 사용 또는 소비하는 경우

㉡ 단, 매입세액이 공제되지 아니한 재화인 경우는 재화의 공급으로 보지 아니한다.

사례로 이해 UP

1. 자동차제조회사에서 자기가 생산한 소형승용차를 본래 목적인 판매하지 않고 공장임원의 출퇴근용 차량으로 사용한 경우

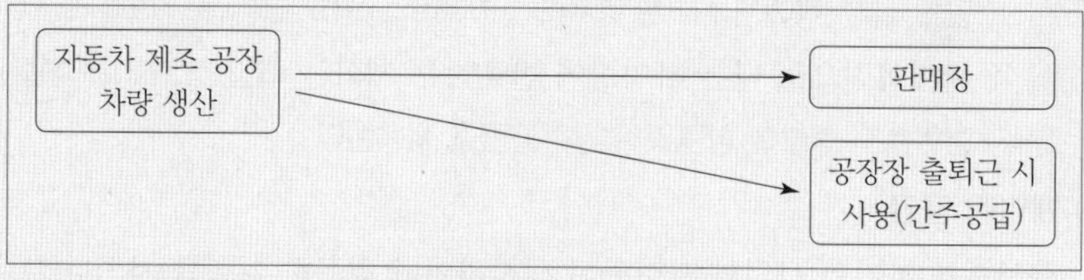

2. 택시회사가 택시를 회사의 총무팀 업무용으로 사용하는 경우
3. 타이어회사가 판매용 타이어를 임직원 업무용 승용차에 사용한 경우
4. 주유소에서 판매용 휘발유를 임직원의 승용차에 주유를 한 경우

참고

「개별소비세법」에 따른 자동차

1. 「자동차 관리법」에 따른 일반 승용자동차(정원 8인승 이하의 자동차로 한정하되, 배기량 1000cc 이하는 제외)
2. 일정한 2륜자동차
3. 캠핑용 자동차

심화 | 매입세액이 공제되는 영업용 차량

1. 운수업
2. 자동차판매업
3. 자동차임대업
4. 운전학원업
5. 경비업에 따른 기계경비업무를 하는 경비업(출동차량에 한정)

③ 판매목적 타사업장 반출

㉠ 2 이상의 사업장이 있는 사업자가 자기사업과 관련하여 생산 또는 취득한 재화를 타인에게 직접 판매할 목적으로 다른 사업장에 반출하는 것은 재화의 공급으로 본다. 직매장의 반출이 대표적인 예이다. 따라서 판매장이 아닌 하치장으로 반출하는 것은 공급에 해당하지 않는다.

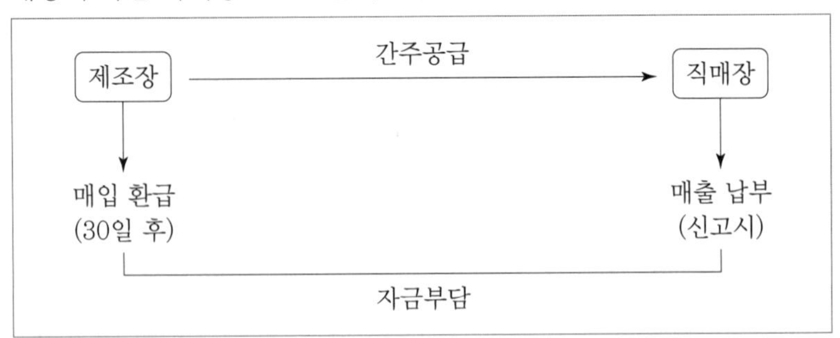

㉡ 주사업장총괄납부사업자 또는 사업자단위과세사업자가 총괄납부 또는 사업자단위과세의 적용을 받는 과세기간에 반출하는 것은 이를 재화의 공급으로 보지 아니한다. 다만, 주사업장총괄납부사업자가 세금계산서를 발급하여 관할세무서장에게 신고한 경우에는 재화의 공급으로 본다.

㉢ 판매목적으로 다른 사업장에 반출하는 재화는 매입 시 매입세액을 공제받았는지 여부에 상관없이 간주공급을 적용한다.

(2) 개인적 공급

사업자가 자기의 사업과 관련하여 생산하거나 취득한 재화를 자기나 그 사용인의 개인적인 목적 또는 그 밖의 목적으로 사용 · 소비하는 것으로 그 대가를 받지 아니하거나 시가보다 낮은 대가를 받은 경우를 말한다. 다만, 다음에 해당하는 경우는 공급으로 보지 아니한다.

① 매입세액이 공제되지 아니한 재화

② 실비변상적 목적으로 사용인에게 제공하는 작업복 · 작업모 · 작업화

③ 복리후생 목적으로 사용인에게 제공하는 직장체육비 · 직장연예비와 관련된 재화

④ 다음 중 어느 하나에 해당하는 재화를 제공하는 경우(㉠과 ㉡ 각각 사용인 1명당 연간 10만 원을 한도로 하며 10만 원을 초과하는 경우 그 초과액을 간주공급으로 함)

㉠ 경조사와 관련된 재화

㉡ 설날 · 추석, 창립기념일 및 생일 등과 관련된 재화

사례로 이해 UP

1. 체육대회를 개최하고 추첨을 통해서 당첨된 종업원에게 무상으로 지급하는 재화는 개인적 공급에 해당한다. 다만, 경품이 상품권에 해당하는 경우는 과세대상 재화가 아니므로 간주 공급에 해당하지 않는다.
2. 체육대회와 관련하여 제공하는 체육복 등은 복리후생목적으로 보아 과세대상에 해당하지 않는다.

(3) 사업상 증여[1]

사업자가 자기의 과세사업과 관련하여 생산하거나 취득한 재화를 자기의 고객이나 불특정 다수인에게 증여하는 것은 재화의 공급으로 본다. 다만, 다음에 해당하는 경우에는 과세되는 재화의 공급으로 보지 아니한다.

① 사업을 위하여 대가를 받지 아니하고 다른 사업자에게 인도 또는 양도하는 견본품

② 매입세액이 공제되지 아니하는 것

③ 광고선전용으로 불특정다수인에게 무상으로 제공하는 재화

④ 증여되는 재화의 대가가 주된 거래인 재화의 공급대가에 포함되는 것

⑤ 「재난 및 안전관리기본법」의 적용을 받아 특별재난지역에 공급하는 물품

⑥ 자기적립마일리지 등으로만 전부를 결제받고 공급하는 재화

(4) 폐업 시 잔존재화

① 사업자가 사업을 폐업하는 경우 남아 있는 재화는 자기에게 공급하는 것으로 본다. 사업개시 전 등록한 경우 사실상 사업을 시작하지 아니하게 되는 경우에도 또한 같다.

② 단, 매입세액이 공제되지 아니한 재화는 과세되는 재화의 공급으로 보지 않는다.

심화 | 폐업 시 재고재화로 과세하지 않는 경우

1. 사업자가 사업의 종류를 변경한 경우 변경 전 사업에 대한 잔존재화
2. 동일사업장 내에서 2 이상의 사업을 겸영하는 사업자가 그 중 일부사업을 폐지하는 경우 해당 폐지한 사업과 관련된 재고재화
3. 사업자가 직매장을 폐지하고 자기의 다른 사업장으로 이전하는 경우 해당 직매장의 재고재화

[1] 사업상 증여의 예

자기의 고객 중 추첨을 통하여 당첨된 자에게 재화를 경품으로 제공하는 것은 사업상 증여에 해당한다.

참고

재화의 간주공급 정리

간주공급 구분		세금계산서 발급	매입세액불공제 경우
자가공급	면세전용	×	공급 ×
	비영업용에 해당하는 개별소비세 과세대상 자동차와 그 유지를 위한 재화	×	공급 ×
	판매목적 타사업장 반출	○	공급 ○
개인적 공급		×	공급 ×
사업상 증여		×	공급 ×
폐업시 잔존재화		×	공급 ×

5. 위탁매매

위탁매매 또는 대리인에 의한 매매를 할 때에는 위탁자 또는 본인이 직접 재화를 공급하거나 공급받은 것으로 본다. 그러나 위탁자 또는 본인을 알 수 없는 경우로서 위탁매매 또는 대리인에 의한 매매를 하는 해당 거래 또는 재화의 특성상 또는 보관 · 관리상 위탁자 또는 본인을 알 수 없는 경우에는 수탁자 또는 대리인에게 재화를 공급하거나 수탁자 또는 대리인으로부터 재화를 공급받은 것으로 한다.

3 신탁재산 관련 부가가치세 규정

1. 납세의무자

(1) 원칙 – 수탁자

「신탁법」 또는 다른 법률에 따른 신탁재산(해당 신탁재산의 관리, 처분 또는 운용 등을 통하여 발생한 소득 및 재산을 포함하며, 이하 '신탁재산'이라 함)과 관련된 재화 또는 용역을 공급하는 때에는 「신탁법」에 따른 수탁자가 신탁재산별로 각각 별도의 납세의무자로서 부가가치세를 납부할 의무가 있다.[1]

(2) 예외 – 위탁자

다음의 어느 하나에 해당하는 경우에는 「신탁법」에 따른 위탁자가 부가가치세를 납부할 의무가 있다.

① 신탁재산과 관련된 재화 또는 용역을 위탁자 명의로 공급하는 경우

② 위탁자가 신탁재산을 실질적으로 지배 · 통제하는 경우로서 다음의 어느 하나에 해당하는 경우

㉠ 수탁자가 위탁자로부터 부동산 또는 부동산 관련 권리(지상권, 전세권, 부동산임차권, 부동산소유권 이전등기청구권, 그 밖의 부동산 관련 권리)를 수탁받아 부동산개발사업비의 조달의무를 수탁자가 부담하지 않는 경우.

❶ 신탁재산의 납세의무자가 수탁자인 경우 사업장

해당 신탁재산의 등기부상 소재지, 등록부상 등록지 또는 신탁사업에 관한 업무를 총괄하는 장소를 사업장으로 한다.

다만, 수탁자가 「도시 및 주거환경정비법」 및 「빈집 및 소규모주택 정비에 관한 특례법」에 따른 재개발사업 · 재건축사업 또는 가로주택정비사업 · 소규모재건축사업의 사업시행자인 경우는 제외함

ⓛ 수탁자가 「도시 및 주거환경정비법」 또는 「빈집 및 소규모주택 정비에 관한 특례법」에 따른 재개발사업 · 재건축사업 또는 가로주택정비사업 · 소규모재건축사업의 사업대행자인 경우

③ 그 밖에 신탁의 유형, 신탁설정의 내용, 수탁자의 임무 및 신탁사무 범위 등을 고려하여 대통령령으로 정하는 경우[1]

(3) 공동수탁자의 연대납세의무

수탁자가 납세의무자가 되는 신탁재산에 둘 이상의 수탁자(이하 '공동수탁자'라 함)가 있는 경우 공동수탁자는 부가가치세를 연대하여 납부할 의무가 있다. 이 경우 공동수탁자 중 신탁사무를 주로 처리하는 수탁자(이하 '대표수탁자'라 함)가 부가가치세를 신고 · 납부하여야 한다.

2. 신탁 관련 제2차 납세의무

(1) 수익자의 제2차 납세의무

수탁자가 납부하여야 하는 다음의 어느 하나에 해당하는 부가가치세 또는 강제징수비(이하 '부가가치세 등'이라 함)를 신탁재산으로 충당하여도 부족한 경우에는 그 신탁의 수익자(「신탁법」에 따라 신탁이 종료되어 신탁재산이 귀속되는 자를 포함)는 지급받은 수익과 귀속된 재산의 가액을 합한 금액을 한도로 하여 그 부족한 금액에 대하여 납부할 의무(이하 '제2차 납세의무'라 함)를 진다. 이 경우 신탁의 수익자에게 귀속된 재산의 가액은 신탁재산이 해당 수익자에게 이전된 날 현재의 시가로 한다.

① 신탁 설정일[2] 이후에 「국세기본법」에 따른 법정기일이 도래하는 부가가치세로서 해당 신탁재산과 관련하여 발생한 것

② 위 ①의 금액에 대한 강제징수 과정에서 발생한 강제징수비

(2) 제2차 납세의무자에 대한 납부고지서

부가가치세를 납부하여야 하는 수탁자의 관할세무서장은 제2차 납세의무자로부터 수탁자의 부가가치세 등을 징수하려면 납부고지서를 제2차 납세의무자에게 발급하여야 한다. 이 경우 수탁자의 관할세무서장은 제2차 납세의무자의 관할세무서장과 수탁자에게 그 사실을 통지하여야 한다.

❶ 대통령령이 정하는 경우

1. 수탁자가 위탁자로부터 「자본시장과 금융투자업에 관한 법률」에 따라 부동산개발사업을 목적으로 하는 신탁계약을 체결한 경우로서 그 신탁계약에 따른 부동산개발사업비의 조달의무를 수탁자가 부담하지 않는 경우. 다만, 수탁자가 「도시 및 주거환경정비법」 또는 「빈집 및 소규모주택 정비에 관한 특례법」에 따른 재개발사업 · 재건축사업 또는 가로주택정비사업 · 소규모재건축사업의 사업시행자인 경우는 제외한다.
2. 수탁자가 「도시 및 주거환경정비법」 또는 「빈집 및 소규모주택 정비에 관한 특례법」에 따른 재개발사업 · 재건축사업 또는 가로주택정비사업 · 소규모재건축사업의 사업대행자인 경우
3. 수탁자가 위탁자의 지시로 위탁자와 특수관계에 있는 자에게 신탁재산과 관련된 재화 또는 용역을 공급하는 경우

❷ 신탁 설정일

신탁 설정일은 「신탁법」에 따라 해당 재산이 신탁재산에 속한 것임을 제3자에게 대항할 수 있게 된 날로 한다. 다만, 다른 법률에서 제3자에게 대항할 수 있게 된 날을 신탁법과 달리 정하고 있는 경우에는 그 날로 한다.

3. 신탁재산관련 물적납세의무

(1) 수탁자의 물적납세의무

부가가치세를 납부하여야 하는 위탁자가 다음의 어느 하나에 해당하는 부가가치세 등을 체납한 경우로서 그 위탁자의 다른 재산에 대하여 강제징수를 하여도 징수할 금액에 미치지 못할 때에는 해당 신탁재산의 수탁자는 그 신탁재산으로써 「부가가치세법」에 따라 위탁자의 부가가치세 등을 납부할 의무(이하 '물적납세의무'라 함)가 있다.

① 신탁 설정일 이후에 「국세기본법」에 따른 법정기일이 도래하는 부가가치세로서 해당 신탁재산과 관련하여 발생한 것

② 위 ①의 금액에 대한 강제징수 과정에서 발생한 강제징수비

(2) 물적납세의무자에 대한 납부고지 등[1]

① 부가가치세를 납부하여야 하는 위탁자의 관할세무서장은 수탁자로부터 위탁자의 부가가치세 등을 징수하려면 납부고지서를 수탁자에게 발급하여야 한다. 이 경우 수탁자의 관할세무서장과 위탁자에게 그 사실을 통지하여야 한다.

② 고지가 있은 후 납세의무자인 위탁자가 신탁의 이익을 받을 권리를 포기 또는 이전하거나 신탁재산을 양도하는 등의 경우에도 고지된 부분에 대한 납세의무에는 영향을 미치지 아니한다.

③ 신탁재산의 수탁자가 변경되는 경우에 새로운 수탁자는 이전의 수탁자에게 고지된 납세의무를 승계한다. 또한 납세의무자인 위탁자의 관할세무서장은 최초의 수탁자에 대한 신탁 설정일을 기준으로 그 신탁재산에 대한 현재 수탁자에게 위탁자의 부가가치세 등을 징수할 수 있다.

④ 신탁재산에 대하여 「국세징수법」에 따라 강제징수를 하는 경우 「국세기본법」에도 불구하고 수탁자는 「신탁법」에 따른 신탁재산의 보존 및 개량을 위하여 지출한 필요비 또는 유익비의 우선변제를 받을 권리가 있다.

4. 공급에 해당하지 않는 경우

신탁재산의 소유권 이전으로서 다음의 어느 하나에 해당하는 것은 공급에 해당하지 않는다.

(1) 위탁자로부터 수탁자에게 신탁재산을 이전하는 경우

(2) 신탁의 종료로 인하여 수탁자로부터 위탁자에게 신탁재산을 이전하는 경우

(3) 수탁자가 변경되어 새로운 수탁자에게 신탁재산을 이전하는 경우

---

[1]

1. **강제징수**: 수탁자가 납부하여야 하는 부가가치세가 체납된 경우에는 「국세징수법」에도 불구하고 해당 신탁재산에 대해서만 강제징수를 할 수 있다.
2. **매입세액공제**: 다음에 해당하는 경우에는 매출세액에서 해당 매입세액을 공제한다.
   ① 부가가치세를 납부해야 하는 수탁자가 위탁자를 재화 또는 용역을 공급받는 자로 하여 발급된 세금계산서의 부가가치세액을 매출세액에서 공제받으려는 경우로서 그 거래사실이 확인되고 재화 또는 용역을 공급한 자가 납세지 관할세무서장에게 해당 납부세액을 신고하고 납부한 경우
   ② 부가가치세를 납부해야 하는 위탁자가 수탁자를 재화 또는 용역을 공급받는 자로 하여 발급된 세금계산서의 부가가치세액을 매출세액에서 공제받으려는 경우로서 그 거래사실이 확인되고 재화 또는 용역을 공급한 자가 납세지 관할세무서장에게 해당 납부세액을 신고하고 납부한 경우
3. **사업자등록**: 수탁자가 납세의무자가 되는 경우 수탁자(공동수탁자가 있는 경우 대표수탁자를 말한다)는 해당 신탁재산을 사업장으로 보아 사업자등록을 신청하여야 한다. 사업자등록을 신청하는 경우에는 해당 신탁재산의 등기부상 소재지, 등록부상 등록지 또는 신탁사업에 관한 업무를 총괄하는 장소를 사업장으로 한다.

5. 신탁재산의 공급특례

신탁법에 따라 신탁재산의 위탁자 지위의 이전이 있는 경우 기존 위탁자가 새로운 위탁자에게 신탁재산을 공급한 것으로 본다. 위탁자의 지위가 이전되어 기존 위탁자가 새로운 위탁자에게 신탁재산을 공급하는 것으로 보는 경우 기존 위탁자가 부가가치세를 납부할 의무가 있다. 다만, 위탁자 지위의 이전에도 불구하고 신탁재산에 대한 실질적인 소유권 변동이 있다고 보기 어려운 다음의 경우는 제외한다.

(1) 「자본시장과 금융투자업에 관한 법률」에 따른 집합투자기구의 집합투자업자가 그 위탁자의 지위를 다른 집합투자업자에게 이전하는 경우

(2) 위 (1)에 준하는 경우로서 위탁자 지위를 이전하였음에도 불구하고 신탁재산에 대한 실질적인 소유권의 변동이 없는 경우

4 용역의 공급

용역의 공급은 계약상 또는 법률상의 모든 원인에 의하여 역무를 제공하거나 재화·시설물 또는 권리를 사용하게 하는 것을 말한다. 권리의 대여는 용역의 공급에 해당하며 권리의 양도는 재화의 공급에 해당한다.

1. 용역

(1) 의의

용역은 다음의 사업에 해당하는 모든 역무 및 그 밖의 행위로 한다.

① 건설업
② 숙박 및 음식점업
③ 운수업
④ 방송통신 및 정보서비스업
⑤ 금융 및 보험업
⑥ 부동산업 및 임대업. 다만, 전·답·과수원·목장용지·임야 또는 염전임대업은 제외한다.
⑦ 전문, 과학 및 기술서비스업, 사업시설관리 및 사업지원서비스업
⑧ 공공행정, 국방 및 사회보장행정
⑨ 교육서비스업
⑩ 보건업 및 사회복지서비스업
⑪ 예술, 스포츠 및 여가관련 서비스업
⑫ 협회 및 단체, 수리 및 기타 개인서비스업
⑬ 가구 내 고용활동 및 달리 분류되지 않은 자가생산활동
⑭ 국제 및 외국기관의 사업

> **심화 | 건설업과 부동산업 중 재화의 공급으로 보는 사업**
>
> 건설업과 부동산업은 용역의 공급에 해당하나 다음의 사업은 재화를 공급하는 사업으로 본다.
> 1. 부동산의 매매(주거용 또는 비거주용 및 기타 건축물을 자영건설하여 분양 · 판매하는 경우를 포함) 또는 그 중개를 사업목적으로 나타내어 부동산을 판매하는 사업
> 2. 사업상의 목적으로 1과세기간 중에 1회 이상 부동산을 취득하고 2회 이상 판매하는 경우

기출 OX

01 건설업의 건설업자가 건설자재의 전부 또는 일부를 부담하는 것은 용역의 공급이다. (○) 15. 9급

02 산업상 · 상업상 또는 과학상의 지식 · 경험 또는 숙련에 관한 정보를 제공하는 것은 용역의 공급으로 본다. (○) 19. 7급

(2) 기타 용역의 공급

① 건설업의 경우 건설업자가 건설자재의 전부 또는 일부를 부담하는 것

② 상대방으로부터 인도받은 재화에 자기가 주요자재를 전혀 부담하지 않고 단순히 가공만 하는 것

③ 산업상 · 상업상 · 과학상의 지식 · 경험 · 숙련에 관한 정보를 제공하는 것 (노하우 제공)

2. 용역의 공급으로 보지 않는 경우

(1) 용역의 무상공급

사업자가 대가를 받지 아니하고 무상으로 제공하는 용역에 대해서는 용역의 공급으로 보지 아니한다. 다만, 특수관계인에 대한 사업용 부동산의 무상임대용역은 용역의 공급으로 보아 과세한다.

> **심화 | 특수관계인에 대한 부동산 무상임대용역**
>
> 다음의 경우는 용역의 무상공급을 과세하지 않는다.
> 1. 산학협력단과 대학간 사업용 부동산의 무상임대용역
> 2. 「공공주택 특별법」에 따른 공공주택사업자[국가, 지방자치단체, 한국토지공사(LH), 주택사업을 목적으로 설립된 지방공사(SH 등), 공공기관 중 법소정 기관]와 부동산투자회사(REITs)간 사업용 부동산의 임대용역

(2) 근로의 제공

고용관계에 의한 근로의 제공은 용역의 공급으로 보지 아니한다.

(3) 용역의 자가공급

사업자가 자신의 용역을 자기의 사업을 위하여 대가를 받지 않고 공급함으로써 다른 사업자와의 과세형평이 침해되는 경우에는 자기에게 용역을 공급하는 것으로 본다. 다만, 이 경우 그 용역의 범위를 대통령령으로 정하고 있으나 대통령령으로 정한 바가 없으므로 용역의 자가공급은 과세하지 않는다.

(4) 공익사업 관련하여 지역권 · 지상권을 설정하거나 대여하는 사업은 용역의 공급으로 과세하지 않는다.

심화 | 용역의 자가공급에 해당되어 과세하지 않는 경우

1. 사업자가 자기의 사업과 관련하여 사업장 내에서 그 사용인에게 음식용역을 무상으로 제공하는 경우
2. 사업자가 사용인의 직무상 부상 또는 질병을 무상으로 치료하는 경우
3. 사업장이 각각 다른 수개의 사업을 겸영하는 사업자가 그 중 한 사업장의 재화 또는 용역의 공급에 필수적으로 부수되는 용역을 자기의 다른 사업장에서 공급하는 경우

3. 재화의 수입

재화의 수입은 다음에 해당하는 물품을 우리나라에 반입하는 것(보세구역을 거치는 것은 보세구역에서 반입하는 것)으로 한다.

(1) 외국으로부터 우리나라에 들어온 물품으로 수입신고가 수리되기 전의 것(외국 선박에 의하여 공해에서 채취되거나 잡힌 수산물을 포함)

(2) 수출신고가 수리된 물품. 단, 선적되지 아니한 물품을 보세구역에서 반입하는 경우는 제외함

4 부수재화 또는 용역

부수재화 또는 용역이란 주된 재화의 공급에 필수적으로 부수되는 재화 또는 용역은 주된 거래인 재화의 공급에 포함되고, 주된 용역의 공급에 필수적으로 부수되는 재화 또는 용역은 주된 거래인 용역의 공급에 포함되는 것을 말한다.

1. 주된 거래에 부수되는 재화 또는 용역

(1) 유형

① 해당 대가가 주된 거래인 재화 또는 용역의 공급대가에 통상적으로 포함되어 공급되는 재화 또는 용역

② 거래의 관행으로 보아 통상적으로 주된 거래인 재화 또는 용역의 공급에 부수하여 공급되는 것으로 인정되는 재화 또는 용역

기출 OX

해당 대가가 주된 거래인 재화의 공급대가에 통상적으로 포함되어 공급되는 재화는 주된 재화의 공급에 포함되는 것으로 본다. (○) 13. 9급

사례로 이해 UP

1. 쌀을 공급하면서 부수적으로 제공하는 배달용역(배달 면세)
2. 조경공사용역을 공급하며서 제공하는 수목(수목 과세)
3. 가전제품 등을 판매한 후 일정기간 제공하는 무료서비스용역(무료서비스 과세)

(2) 과세 또는 면세 판단

① 부수재화 또는 용역은 주된 거래에 부수하는 재화 또는 용역의 공급으로서 이들은 별도의 독립된 거래로 보지 않고 주된 거래인 재화 또는 용역의 공급에 포함된다.

② 주된 재화 또는 용역의 공급이 과세대상이면 부수되는 재화 또는 용역도 과세대상이고, 주된 재화 또는 용역의 공급이 면세대상이면 부수되는 재화 또는 용역도 면세대상이다.

2. 주된 사업에 부수하는 재화 또는 용역

(1) 유형

① 주된 사업과 관련하여 우연히 또는 일시적으로 공급되는 재화 또는 용역

② 주된 사업과 관련하여 주된 재화의 생산에 필수적으로 부수하여 생산되는 재화

사례로 이해 UP

주된 사업에 부수하는 재화 · 용역의 유형

1. 은행업에서 사용하던 건축물을 매각하는 경우(건축물 매각 면세)
2. 복숭아통조림제조업자가 필수부산물인 복숭아씨를 판매하는 경우(복숭아씨 판매 과세)

(2) 과세 또는 면세 판단

① 거래에 부수되는 재화 또는 용역이 아니라 사업에 부수되는 것이기 때문에 그 거래는 독립된 거래로 인정된다.

② 과세 및 면세 여부 등은 주된 사업의 과세 및 면세 여부 등에 따른다. 다만, 주된 사업과 관련하여 우연히 또는 일시적으로 공급되는 재화 · 용역의 경우 해당 재화 · 용역이 면세대상인 경우에는 주된 사업과 무관하게 면세된다.

기출 OX

주된 사업과 관련하여 주된 재화의 생산 과정에서 필연적으로 생기는 과세대상 재화의 공급에 대한 과세 여부는 주된 사업의 과세 여부에 따른다. (○) 13. 9급

참고

주된 사업과 관련하여 우연히 또는 일시적으로 공급되는 재화 · 용역의 판단

주된 사업	부수 재화 또는 용역	과세 여부
과세사업	과세	과세
	면세	면세
면세사업	과세	면세
	면세	면세

5 공급시기

공급시기는 재화 또는 용역의 공급이 이루어지는 시기를 말한다. 공급시기는 어느 과세기간에 재화 또는 용역의 공급이 귀속되는지를 결정하는 중요한 의미를 가지고 있다. 공급시기는 세금계산서의 발급 · 신고 · 납부 등이 결정된다.

1. 재화의 공급시기

(1) 일반적인 기준

재화의 공급시기는 다음의 때로 한다.

① 재화의 이동이 필요한 경우: 재화가 인도되는 때

② 재화의 이동이 필요하지 아니한 경우: 재화가 이용 가능하게 되는 때

③ 위의 규정을 적용할 수 없는 경우: 재화의 공급이 확정되는 때

(2) 거래형태별 공급시기

거래형태		공급시기
① 현금판매 · 외상판매 · 할부판매		재화가 인도되거나 이용 가능하게 되는 때
② 상품권 등을 현금 또는 외상판매하고 그 후 상품권이 현물과 교환되는 경우		재화가 실제로 인도되는 때
③ 재화의 공급으로 보는 가공		가공된 재화를 인도하는 때
④ 반환조건부 · 동의조건부 기타 조건부 및 기한부 판매의 경우		그 조건이 성취되거나 기한이 경과되어 판매가 확정되는 때
⑤ 장기할부판매		대가의 각 부분을 받기로 한 때
⑥ 중간지급조건부 · 완성도기준지급조건부로 재화를 공급하는 경우		대가의 각 부분을 받기로 한 때(다만, 재화가 인도되거나 이용하게 되는 날 이후에 받기로 한 대가의 부분에 대해서는 재화가 인도되거나 이용 가능하게 되는 날)
⑦ 전력 기타 공급단위를 구획할 수 없는 재화의 계속적 공급(예 전기 · 도시가스 등)		대가의 각 부분을 받기로 한 때
⑧ 자가공급 · 개인적 공급		재화가 사용 또는 소비되는 때
⑨ 판매목적타사업장반출		재화를 반출하는 때
⑩ 사업상 증여		재화를 증여하는 때
⑪ 사업폐업시 잔존재화		폐업하는 때
⑫ 무인판매기에 의한 재화공급		해당 사업자가 무인판매기에서 현금을 꺼내는 때
⑬ 기타의 경우		재화가 인도되거나 인도 가능한 때
⑭ 수출재화	내국물품을 외국으로 반출하는 경우, 중계무역방식으로 수출하는 경우, 수입신고가 수리되기 전의 물품으로서 보세구역에 보관하는 물품을 외국으로 반출하는 경우	수출재화의 선(기)적일(수출재화를 장기할부조건이나 중간지급조건부로 수출하여도 공급시기는 선적일이 됨)
	원양어업 및 위탁판매수출	수출재화의 공급가액이 확정되는 때
	위탁가공무역 방식으로 수출하거나 외국인도수출의 경우 또는 원료를 대가 없이 국외의 사업자에게 반출하여 가공한 재화를 양도하는 경우의 그 원료의 반출	재화가 인도되는 때
⑮ 사업자가 보세구역 내에서 보세구역 이외의 국내에 재화를 공급하는 경우에 당해 재화가 수입재화에 해당하는 때		수입신고수리일
⑯ 폐업 전에 공급한 재화의 공급시기가 폐업일 이후 도래하는 경우		폐업일

기출 OX

전력이나 그 밖에 공급단위를 구획할 수 없는 재화를 계속적으로 공급하는 경우에는 대가의 각 부분을 받기로 한 때를 공급시기로 본다. (○) 14. 9급

기출 OX

사업자가 보세구역 안에서 보세구역 밖의 국내에 재화를 공급하는 경우가 재화의 수입에 해당할 때에는 수입신고수리일을 재화의 공급시기로 본다. (○) 14. 7급

❶ 재화의 인도일

용역의 경우에는 해당 용역의 제공이 완료되는 날을 말한다.

심화 | 기타 공급시기

1. **장기할부판매**: 다음의 요건을 모두 충족한 경우를 말한다.
   ① 2회 이상으로 분할하여 대가를 받을 것
   ② 해당 재화의 인도일❶의 다음날부터 최종 할부금 지급기일까지의 기간이 1년 이상일 것
2. **중간지급조건부**
   ① **일반적인 경우**: 다음의 요건을 모두 충족한 경우를 말한다.
      ㉠ 재화가 인도되기 전(재화가 이용 가능하게 되기 전 또는 용역제공이 완료되기 전)에 계약금 외의 대가를 분할하여 지급할 것(3회)
      ㉡ 계약금을 받기로 한 날의 다음날부터 재화가 인도되는 날까지의 기간이 6월 이상일 것
   ② **특수한 경우**
      ㉠ 사업자가 중간지급조건부로 재화 또는 용역의 공급계약을 체결하였으나 그 내용이 변경되는 경우 계약의 변경내용에 따라 대가의 각 부분을 받기로 한 때를 공급시기로 한다.
      ㉡ 사업자가 중간지급조건부로 재화 또는 용역의 공급계약을 체결하였으나 그 내용이 변경되어 대가의 각 부분을 일시에 받기로 변경한 경우에는 재화의 인도 또는 용역의 제공이 완료된 때를 공급시기로 한다.
3. **완성도기준지급조건부**: 재화가 인도되기 전 또는 재화가 이용가능하게 되기 전에 그 대가를 해당 재화의 완성도에 따라 분할하여 받기로 하는 약정에 의하여 공급하는 것을 말한다.
4. **검수조건부판매**: 검수조건부판매는 당사자의 의사, 거래형태, 거래관행 등에 비추어 검수절차의 이행을 재화인도의 필수조건으로 하며, 이러한 경우에는 조건이 성취되는 검수완료일이 재화의 공급시기가 된다.
5. **내국신용장에 의한 재화의 공급**: 내국신용장에 의하여 공급하는 재화의 공급시기는 재화를 인도하는 때로 한다. 내국신용장에 의한 재화의 공급이 검수조건부인 경우에는 조건이 성취되어 판매가 확정되는 때로 한다.

(3) 기타

① 위탁매매 또는 대리인에 의한 매매의 경우: 수탁자 또는 대리인의 공급을 기준으로 하여 공급시기를 인식한다. 그러나 위탁자 또는 본인을 알 수 없는 경우 위탁자와 수탁자 또는 본인과 대리인 사이에도 공급이 이루어진 것으로 보아 재화의 공급시기에 대한 규정을 적용한다.

② 「시설대여업법」에 의한 재화의 공급

㉠ 시설대여업자로부터 시설을 임차하고 해당 시설 등을 공급자 또는 세관장으로부터 직접 인도받은 경우 해당 사업자가 공급자로부터 직접 공급받거나 외국으로부터 재화를 직접 수입한 것으로 보아 공급시기를 판단한다.

㉡ 시설대여업자가 면세사업자에 해당하여 세금계산서를 발급하지 못하는 등의 문제점이 있어서, 사업자가 공급자 또는 세관장에게 직접 인도받는 경우에는 공급자나 세관장으로부터 공급받는 것으로 보아 매입세액을 공제받을 수 있도록 한 것이다.

2. 용역의 공급시기

(1) 일반적인 공급시기

용역의 공급시기는 다음 중 어느 하나에 해당하는 때로 한다.

① 역무의 제공이 완료되는 때

② 시설물 · 권리 등 재화가 사용되는 때

(2) 거래형태별 공급시기

거래형태	공급시기
① 장기할부조건 또는 그 밖의 조건부로 용역을 공급하는 경우	대가의 각 부분을 받기로 한 때
② 완성도기준지급 · 중간지급조건부로 용역을 공급하는 경우	대가의 각 부분을 받기로 한 때(다만, 역무의 제공이 완료되는 날 이후 받기로 한 대가의 부분에 대해서는 역무의 제공이 완료되는 날)
③ 공급단위를 구획할 수 없는 용역을 계속적으로 공급하는 경우(예 부동산임대용역, 컴퓨터유지보수 등)	대가의 각 부분을 받기로 한 때
④ 역무의 제공이 완료되는 때 또는 대가의 각 부분을 받기로 한 때를 공급시기로 볼 수 없는 경우	역무의 제공이 완료되고 그 공급가액이 확정되는 때
⑤ 간주임대료[1]	예정신고기간 또는 과세기간의 종료일
⑥ 둘 이상의 과세기간에 걸쳐 부동산임대용역을 공급하고 그 대가를 선불 또는 후불로 받는 경우에 그 임대료 총액을 계약기간의 월수로 안분계산한 임대료(초월산입 · 말월불산입)	
⑦ 다음에 해당하는 용역을 둘 이상의 과세기간에 걸쳐 계속적으로 제공하고 그 대가를 선불로 받는 경우 ㉠ 헬스클럽 등 스포츠센터를 운영하는 사업자가 연회비를 미리 받고 회원들에게 시설을 이용하게 하는 것 ㉡ 사업자가 다른 사업자와 상표권 사용계약을 할 때 사용대가 전액을 일시불로 받고 상표권을 사용하게 하는 것 ㉢ 노인복지시설(유료인 경우)을 설치 · 운영하는 사업자가 그 시설을 분양받은 자로부터 입주 후 수영장 · 헬스클럽장 등을 이용하는 대가를 입주 전에 미리 받고 시설 내 수영장 · 헬스클럽장 등을 이용하게 하는 것 ㉣ 사업자가 「사회기반시설에 대한 민간투자법」 제4조 제3호의 방식(BOT 방식[2])을 준용하여 설치한 시설에 대하여 둘 이상의 과세기간에 걸쳐 계속적으로 시설을 이용하게 하고 그 대가를 받는 경우 ㉤ 그 밖에 위와 유사한 용역	예정신고기간 또는 과세기간의 종료일
⑧ 폐업 전에 공급한 용역의 공급시기가 폐업일 이후 도래하는 경우	폐업일

3. 재화의 수입시기

재화의 수입시기는 「관세법」에 따른 수입신고가 수리된 때로 한다.

기출 OX

공급단위를 구획할 수 없는 용역을 계속적으로 공급하는 경우에는 대가의 각 부분을 받기로 한 때를 용역의 공급시기로 본다. (○) 14. 7급

❶ 간주임대료

간주임대료는 사업자가 부동산 임대용역을 공급하고 전세금이나 임대보증금을 받은 경우 보증금의 이자율만큼을 임대료로 계산하여 부가가치세를 과세하는 것을 말한다.

❷ BOT 방식

사회기반시설의 준공 후 일정기간 동안 사업시행자에게 해당 시설의 소유권이 인정되며 그 기간이 만료되면 시설소유권이 국가 또는 지방자치단체에 귀속되는 방식을 말한다.

6 세금계산서 발급과 공급시기

세금계산서는 재화 또는 용역의 공급시기에 재화 또는 용역을 공급받는 자에게 발급하여야 한다. 다만, 다음의 경우는 공급시기 전에 세금계산서를 발급할 수 있으며 해당 세금계산서 또는 영수증을 발급하는 때를 공급시기로 본다.

(1) 사업자가 재화 또는 용역의 공급시기가 되기 전에 대가의 전부나 일부를 받고 그 받은 대가에 대하여 세금계산서 또는 영수증을 발급한 경우

(2) 사업자가 공급시기 이전에 세금계산서를 발급하고 그 세금계산서 발급일로부터 7일 이내에 대가를 받는 경우

(3) 세금계산서 발급 후 7일이 지난 후 대가를 받더라도 다음 중 어느 하나의 요건을 충족하는 경우

① 거래당사자 간 계약서 · 약정서 등에 청구시기(세금계산서 발급일)와 지급시기를 따로 적고, 대금 청구시기와 지급시기가 30일 이내인 경우

② 세금계산서 발급일이 속하는 과세기간(공급받는 자가 조기환급을 받은 경우에는 세금계산서 발급일부터 30일 이내)에 재화 또는 용역의 공급시기가 도래하는 경우

(4) 재화의 장기할부판매와 전력 기타 공급단위를 구획할 수 없는 재화를 계속적으로 공급하는 경우(대가 수령 여부 불문)

(5) 용역의 장기할부 또는 통신 등 그 공급단위를 구획할 수 없는 용역을 계속적으로 공급하는 경우(대가 수령 여부 불문)

기출 OX

사업자가 재화 또는 용역의 공급시기가 되기 전에 재화 또는 용역에 대한 대가의 전부 또는 일부를 받고, 그 받은 대가에 대하여 세금계산서를 발급하면 그 세금계산서를 발급하는 때를 재화 또는 용역의 공급시기로 본다. (○) 14. 7급

7 거래장소

거래장소란 재화 또는 용역이 공급되는 장소를 말한다. 우리나라의 과세권이 미치는 거래인지 여부를 판단하는 기준이 된다.

1. 재화의 공급장소

(1) 재화의 이동이 필요한 경우

재화의 이동이 시작되는 장소

(2) 재화의 이동이 필요하지 않은 경우

재화의 공급시기에 재화가 있는 장소

2. 용역의 공급장소

(1) 일반적인 경우

역무가 제공되거나 재화 · 시설물 또는 권리가 사용되는 장소

(2) 국내외에 걸쳐 용역이 제공되는 국제운송용역의 경우

사업자가 비거주자 또는 외국법인이면 여객이 탑승하거나 화물이 적재되는 장소

(3) 전자적 용역을 공급하는 간편사업자

용역을 공급받은 자의 사업장 소재지, 주소지 또는 거소지

심화 | 국제운송용역에 대한 과세문제

1. **거주자 또는 내국법인의 경우**: 국내에서 국외, 국외에서 국외, 국외에서 국내로 국제운송용역을 제공하는 경우 우리나라 국적의 항공기 또는 선박에서 이루어지는 거래는 모두 우리나라의 과세권이 미치므로 영세율을 적용한다.
2. **비거주자 또는 외국법인의 경우**: 비거주자 또는 외국법인에 의하여 제공되는 국제운송용역의 경우 여객의 탑승 또는 화물의 적재가 국내에서 이루어지는 것만 우리나라의 과세권이 미친다(상호주의 대상이면 영세율을 적용하고 아니면 10%를 적용).

기출문제

01 **부가가치세법령상 용역의 공급시기에 대한 설명으로 옳은 것은? (단, 폐업은 고려하지 않는다)**

2022년 9급

① 역무의 제공이 완료되는 때 또는 대가를 받기로 한 때를 공급시기로 볼 수 없는 경우에는 예정신고기간 또는 과세기간의 종료일을 공급시기로 본다.
② 사업자가 용역의 공급시기가 되기 전에 세금계산서를 발급하고 그 세금계산서 발급일부터 7일 이내에 대가를 받으면 그 대가를 받은 때를 용역의 공급시기로 본다.
③ 사업자가 다른 사업자와 상표권 사용계약을 할 때 사용대가 전액을 일시불로 받고 상표권을 사용하게 하는 용역을 둘 이상의 과세기간에 걸쳐 계속적으로 제공하고 그 대가를 선불로 받는 경우에는 예정신고기간 또는 과세기간의 종료일을 공급시기로 본다.
④ 완성도기준지급조건부로 용역을 공급하는 경우 역무의 제공이 완료되는 날 이후 받기로 한 대가의 부분에 대해서는 대가의 각 부분을 받기로 한 때를 용역의 공급시기로 본다.

01
✔ 오답체크
① 역무의 제공이 완료되는 때 또는 대가를 받기로 한 때를 공급시기로 볼 수 없는 경우에는 역무제공이 완료되고 공급가액이 확정되는 때를 공급시기로 본다.
② 공급시기 전에 세금계산서를 발급하고 7일 이내 대가를 받은 경우에는 세금계산서의 발급일을 공급시기로 한다.
④ 완성도기준지급조건부로 용역을 공급하는 경우 역무의 제공이 완료되는 날 이후 받기로 한 대가의 부분에 대해서는 역무의 제공이 완료된 날을 공급시기로 본다.

02 **부가가치세법령상 용역의 공급시기에 대한 설명으로 옳지 않은 것은?**

2021년 9급

① 장기할부조건부로 용역을 공급하는 경우에는 대가의 각 부분을 받기로 한 때로 한다.
② 사업자가 부동산 임대용역을 공급하고 전세금 또는 임대보증금을 받는 경우(「부가가치세법 시행령」 제65조에 따라 계산한 금액을 공급가액으로 함)에는 예정신고기간 또는 과세기간의 종료일로 한다.
③ 중간지급조건부로 용역을 공급하는 경우 역무의 제공이 완료되는 날 이후 받기로 한 대가의 부분에 대해서는 역무의 제공이 완료되는 날 이후 그 대가를 받는 때로 한다.
④ 헬스클럽장 등 스포츠센터를 운영하는 사업자가 연회비를 미리 받고 회원들에게 시설을 이용하게 하는 것을 둘 이상의 과세기간에 걸쳐 계속적으로 제공하고 그 대가를 선불로 받는 경우에는 예정신고기간 또는 과세기간의 종료일로 한다.

02
중간지급조건부로 용역을 공급하는 경우 역무의 제공이 완료되는 날 이후 받기로 한 대가의 부분에 대해서는 역무의 제공이 완료되는 날을 공급시가로 한다.

정답 01 ③ 02 ③

03 「부가가치세법」상 부수재화 및 부수용역의 공급과 관련된 설명으로 옳지 않은 것은? 2020년 7급

① 주된 재화 또는 용역의 공급에 부수되어 공급되는 것으로서 거래의 관행으로 보아 통상적으로 주된 재화 또는 용역의 공급에 부수하여 공급되는 것으로 인정되는 재화 또는 용역의 공급은 주된 재화 또는 용역의 공급에 포함되는 것으로 본다.
② 주된 재화 또는 용역의 공급에 부수되어 공급되는 것으로서 해당 대가가 주된 재화 또는 용역의 공급에 대한 대가에 통상적으로 포함되어 공급되는 재화 또는 용역의 공급은 주된 재화 또는 용역의 공급에 포함되는 것으로 본다.
③ 면세되는 재화 또는 용역의 공급에 통상적으로 부수되는 재화 또는 용역의 공급은 그 면세되는 재화 또는 용역의 공급에 포함되는 것으로 본다.
④ 주된 사업에 부수되는 주된 사업과 관련하여 주된 재화의 생산 과정에서 필연적으로 생기는 재화의 공급은 별도의 공급으로 보지 아니한다.

03
주된 사업에 부수해서 발생하는 필수부수재화는 별도의 공급에 해당된다.

04 부가가치세법령상 재화 또는 용역의 공급에 대한 설명으로 옳지 않은 것은? 2019년 9급

① 자기가 주요자재의 일부를 부담하고 상대방으로부터 인도받은 재화를 가공하여 새로운 재화를 만드는 가공계약에 따라 재화를 인도하는 것은 용역의 공급에 해당한다.
② 건설업의 경우 건설업자가 건설자재의 전부를 부담하더라도 용역의 공급으로 본다.
③ 사업자가 자신의 용역을 자기의 사업을 위하여 대가를 받지 아니하고 공급함으로써 다른 사업자와의 과세형평이 침해되는 경우에는 자기에게 용역을 공급하는 것으로 본다.
④ 고용관계에 따라 근로를 제공하는 것은 용역의 공급으로 보지 아니한다.

04
자기가 주요자재의 일부를 부담하고 상대방으로부터 인도받은 재화를 가공하여 새로운 재화를 만드는 가공계약에 따라 재화를 인도하는 것은 재화의 공급에 해당된다.

정답 03 ④ 04 ①

05 부가가치세법령상 재화공급의 특례에 대한 설명으로 옳지 않은 것은?

2018년 9급

① 사업자가 자기의 과세사업과 관련하여 생산하거나 취득한 재화로서 매입세액이 공제된 재화를 자기의 면세사업을 위하여 직접 사용하거나 소비하는 것은 재화의 공급으로 본다.

② 사업자가 자기의 과세사업과 관련하여 생산하거나 취득한 재화로서 매입세액이 공제된 재화를 사업을 위하여 증여하는 것 중 「재난 및 안전관리 기본법」의 적용을 받아 특별재난지역에 공급하는 물품을 증여하는 것은 재화의 공급으로 보지 아니한다.

③ 사업자가 폐업할 때 자기의 과세사업과 관련하여 생산하거나 취득한 재화로서 매입세액이 공제된 재화 중 남아있는 재화는 자기에게 공급하는 것으로 본다.

④ 저당권의 목적으로 부동산을 제공하는 것은 재화의 공급으로 본다.

05
담보목적으로 제공하는 것은 공급에 해당하지 않는다.

06 「부가가치세법」상 재화의 공급에 대한 설명으로 옳지 않은 것은? 2016년 7급

① 질권, 저당권 또는 양도담보의 목적으로 동산, 부동산 및 부동산상의 권리를 제공하는 것은 재화의 공급으로 보지 않는다.

② 사업용자산을 「상속세 및 증여세법」 제73조, 「지방세법」 제117조에 따라 물납하는 것은 재화의 공급으로 보지 않는다.

③ 사업장별로 그 사업에 관한 모든 권리와 의무를 포괄적으로 승계하고, 그 사업을 양수받는 자가 그 대가를 지급하는 때에 그 대가를 받은 자로부터 부가가치세를 징수하여 납부한 경우에는 재화의 공급으로 본다.

④ 사업자가 위탁가공을 위하여 원료를 대가 없이 국외의 수탁가공 사업자에게 반출하여 가공한 재화를 양도하는 경우에 그 원료를 반출하는 것은 재화의 공급으로 보지 않는다.

06
사업자가 위탁가공을 위하여 원료를 국외의 수탁가공 사업자에게 대가 없이 반출하는 것은 재화의 공급으로 보지 않는다. 다만, 원료를 대가 없이 국외의 수탁가공 사업자에게 반출하여 가공한 재화를 양도하는 경우에 그 원료의 반출에 대하여 영세율이 적용되는 것은 재화의 공급으로 본다.

정답 05 ④ 06 ④

07 「부가가치세법」상 재화 및 용역의 공급에 대한 설명으로 옳지 않은 것은?

2015년 9급

① 건설업의 건설업자가 건설자재의 전부 또는 일부를 부담하는 것은 용역의 공급이다.
② 사업자가 위탁가공을 위하여 원자재를 국외의 수탁가공 사업자에게 대가 없이 반출하는 것(영세율이 적용되는 것 제외)은 재화의 공급으로 본다.
③ 「민사집행법」에 따른 경매에 따라 재화를 인도하거나 양도하는 것은 재화의 공급으로 보지 않는다.
④ 사업자가 특수관계인이 아닌 타인에게 대가를 받지 않고 용역을 공급하는 것은 용역의 공급으로 보지 않는다.

07
사업자가 위탁가공을 위하여 원자재를 국외의 수탁가공 사업자에게 대가 없이 반출하는 것(영세율이 적용되는 것 제외)은 재화의 공급에 해당하지 않는다.

08 「부가가치세법」상 재화의 공급시기(폐업 전에 공급한 재화의 공급시기가 폐업일 이후에 도래하는 경우에는 제외한다)로 옳지 않은 것은?

2014년 9급

① 현금판매, 외상판매 또는 할부판매의 경우에는 재화가 인도되거나 이용가능하게 되는 때
② 전력이나 그 밖에 공급단위를 구획할 수 없는 재화를 계속적으로 공급하는 경우에는 대가의 각 부분을 받기로 한 때
③ 재화의 공급으로 보는 가공의 경우에는 재화의 가공이 완료된 때
④ 무인판매기를 이용하여 재화를 공급하는 경우에는 해당 사업자가 무인판매기에서 현금을 꺼내는 때

08
재화의 공급으로 보는 가공의 경우에는 가공된 재화가 인도되는 때를 공급시기로 한다.

정답 07 ② 08 ③

09 「부가가치세법」상 재화 또는 용역의 공급시기에 관한 설명으로 옳지 않은 것은? 2014년 7급

① 사업자가 재화 또는 용역의 공급시기가 되기 전에 재화 또는 용역에 대한 대가의 전부 또는 일부를 받고, 그 받은 대가에 대하여 세금계산서를 발급하면 그 세금계산서를 발급하는 때를 재화 또는 용역의 공급시기로 본다.
② 사업자가 재화 또는 용역의 공급시기가 되기 전에 세금계산서를 발급하고 그 세금계산서를 발급일부터 7일 이내에 대가를 받으면 해당 대가를 받은 때를 재화 또는 용역의 공급시기로 본다.
③ 사업자가 보세구역 안에서 보세구역 밖의 국내에 재화를 공급하는 경우가 재화의 수입에 해당할 때에는 수입신고수리일을 재화의 공급시기로 본다.
④ 공급단위를 구획할 수 없는 용역을 계속적으로 공급하는 경우에는 대가의 각 부분을 받기로 한 때를 용역의 공급시기로 본다.

09
사업자가 재화 또는 용역의 공급시기가 되기 전에 세금계산서를 발급하고 그 세금계산서 발급일부터 7일 이내에 대가를 받으면 해당 세금계산서를 발급하는 때를 재화 또는 용역의 공급시기로 본다.

10 「부가가치세법」상 재화의 수입에 대한 설명으로 옳지 않은 것은? 2022년 9급

① 재화의 수입시기는 「관세법」에 따른 수입신고가 수리된 때로 한다.
② 외국으로부터 국가, 지방자치단체에 기증되는 재화의 수입에 대하여는 부가가치세를 면제한다.
③ 재화의 수입에 대한 부가가치세의 과세표준은 그 재화에 대한 관세의 과세가격과 관세, 개별소비세, 주세, 교육세, 농어촌특별세 및 교통·에너지·환경세를 합한 금액으로 한다.
④ 재화를 수입하는 자의 부가가치세 납세지는 수입자의 주소지로 한다.

10
재화를 수입하는 자의 부가가치세 납세지는 수입신고하는 세관의 소재지로 한다.

정답 09 ② 10 ④

11 「부가가치세법」상 부수재화의 공급에 관한 설명으로 옳지 않은 것은?

2013년 9급

① 해당 대가가 주된 거래인 재화의 공급대가에 통상적으로 포함되어 공급되는 재화는 주된 재화의 공급에 포함되는 것으로 본다.
② 거래의 관행으로 보아 통상적으로 주된 재화의 공급에 부수하여 공급되는 것으로 인정되는 재화는 주된 재화의 공급에 포함되는 것으로 본다.
③ 주된 사업과 관련하여 우연히 또는 일시적으로 공급되는 재화의 공급은 별도의 공급으로 보지 아니한다.
④ 주된 사업과 관련하여 주된 재화의 생산 과정에서 필연적으로 생기는 과세대상 재화의 공급에 대한 과세 여부는 주된 사업의 과세 여부에 따른다.

11
주된 사업과 관련하여 우연히 또는 일시적으로 공급되는 재화의 공급은 별도의 공급으로 본다.

12 「부가가치세법」상 과세대상 거래에 대한 설명으로 옳지 않은 것은? 2022년 9급

① 재화의 공급은 계약상 또는 법률상의 모든 원인에 따라 재화를 인도하거나 양도하는 것으로 한다.
② 용역의 공급은 계약상 또는 법률상의 모든 원인에 따른 것으로서 역무를 제공하는 것과 시설물, 권리 등 재화를 사용하게 하는 것 중 어느 하나에 해당하는 것으로 한다.
③ 수출신고가 수리된 물품으로서 선적되지 아니한 물품을 보세구역에서 반입하는 것은 재화의 수입에 해당한다.
④ 고용관계에 따라 근로를 제공하는 것은 용역의 공급으로 보지 아니한다.

12
수출신고가 수리된 물품으로서 선적되지 아니한 물품을 보세구역에서 반입하는 것은 재화의 수입에 해당하지 않는다.

정답 11 ③ 12 ③

13 「부가가치세법」상 과세거래인 재화의 공급으로 보지 않는 것은? 2013년 7급

① 사업자가 위탁가공을 위하여 원자재를 국외의 수탁가공사업자에게 대가 없이 반출하는 것
② 자기가 주요자재의 전부 또는 일부를 부담하고 상대방으로부터 인도받은 재화에 공작을 가하여 새로운 재화를 만드는 가공계약에 의하여 재화를 인도하는 것
③ 재화의 인도대가로서 다른 재화를 인도받거나 용역을 제공받는 교환계약에 의하여 재화를 인도 또는 양도하는 것
④ 기한부판매계약에 의하여 재화를 인도하는 것

13
사업자가 위탁가공을 위하여 원자재를 국외의 수탁가공사업자에게 대가 없이 반출하는 것은 재화의 공급으로 보지 않는다.

14 「부가가치세법」상 용역의 공급에 대한 설명으로 옳지 않은 것은? 2012년 9급

① 사업자가 법률상의 모든 원인에 의하여 역무를 제공하는 것은 용역의 공급으로 본다.
② 사업자가 거래상대방으로부터 인도받은 재화에 주요 자재를 전혀 부담하지 아니하고 단순히 가공만 하여 주는 것은 용역의 공급으로 본다.
③ 사업자가 대가를 받지 아니하고 특수관계인이 아닌 타인에게 용역을 공급하는 것은 용역의 공급으로 본다.
④ 고용관계에 의하여 근로를 제공하는 것은 용역의 공급으로 보지 아니한다.

14
사업자가 대가를 받지 아니하고 특수관계인이 아닌 타인에게 용역을 공급하는 것은 용역의 공급으로 보지 아니한다.

정답 13 ① 14 ③

15 「부가가치세법」상 총칙 규정에 대한 설명으로 옳은 것은? 2012년 9급

① 부가가치세는 재화 또는 용역의 공급 및 용역의 수입에 대하여 과세한다.
② 재화란 재산가치의 유무와 관계없이 물건과 권리를 포함한다.
③ 국가와 지방자치단체는 부가가치세의 납세의무자가 아니다.
④ 주된 거래인 재화의 공급에 필수적으로 부수되는 재화공급은 주된 거래인 재화의 공급에 포함된다.

15
✓ 오답체크
① 부가가치세는 재화 또는 용역의 공급 및 재화의 수입에 대하여 과세한다.
② 재화란 재산가치가 있는 물건과 권리를 말한다.
③ 국가와 지방자치단체는 부가가치세 납세의무자에 해당한다.

16 「부가가치세법」상 부가가치세의 과세대상이 되는 재화의 공급으로만 묶인 것은? 2010년 9급

ㄱ. 질권의 목적으로 동산을 제공하는 것
ㄴ. 사업자가 사업을 폐업하는 경우 남아있는 재화(매입세액이 공제되지 않은 재화 제외)
ㄷ. 장기할부판매 계약에 의하여 재화를 양도하는 것
ㄹ. 사업을 위하여 대가를 받지 아니하고 다른 사업자에게 인도 또는 양도하는 견본품
ㅁ. 현물출자에 의하여 재화를 양도하는 것

① ㄱ, ㄴ, ㄹ
② ㄱ, ㄷ, ㅁ
③ ㄴ, ㄷ, ㅁ
④ ㄷ, ㄹ, ㅁ

16
재화의 공급에 해당하는 것은 ㄴ, ㄷ, ㅁ이다.
✓ 오답체크
ㄱ. 질권의 목적으로 동산을 제공하는 것과 ㄹ. 대가를 받지 않고 다른 사업자에게 인도·양도하는 견본품은 공급에 해당하지 않는다.

정답 15 ④ 16 ③

17 다음은 「부가가치세법」상 재화 및 용역의 공급시기의 특례에 관한 규정이다. (가)~(다)에 들어갈 내용을 바르게 연결한 것은? 2023년 9급

> **제17조(재화 및 용역의 공급시기의 특례)**
> ③ 제2항에도 불구하고 다음 각 호의 어느 하나에 해당하는 경우에는 재화 또는 용역을 공급하는 사업자가 그 재화 또는 용역의 공급시기가 되기 전에 제32조에 따른 세금계산서를 발급하고 그 세금계산서 발급일부터 (가) 일이 지난 후 대가를 받더라도 해당 세금계산서를 발급한 때를 재화 또는 용역의 공급시기로 본다.
> 1. 거래 당사자 간의 계약서 · 약정서 등에 대금 청구시기(세금계산서 발급일을 말한다)와 지급시기를 따로 적고, 대금 청구시기와 지급시기 사이의 기간이 (나) 일 이내인 경우
> 2. 재화 또는 용역의 공급시기가 세금계산서 발급일이 속하는 과세기간 내(공급받는 자가 제59조 제2항에 따라 조기환급을 받은 경우에는 세금계산서 발급일부터 (다) 일 이내)에 도래하는 경우

	(가)	(나)	(다)
①	7	20	30
②	7	30	30
③	10	20	15
④	10	30	15

정답 17 ②

04 영세율과 면세

1 영세율과 면세

1. 개념

(1) 영세율

사업자가 공급하는 재화 또는 용역에 대하여 영의 세율을 적용하는 것을 말한다. 영의 세율을 적용하면 매출세액은 없게 되고 매입세액은 전액 환급받게 되어 완전면세제도에 해당한다.

(2) 면세

특정한 재화 또는 용역의 공급에 대하여 납세의무가 면제되는 제도를 말한다. 이러한 면세는 해당 사업자는 면세에 해당하지만 그 전단계까지 부담한 부가가치세액은 공제되거나 환급받지 않는 부분면세에 해당한다.

2. 비교

구분	영세율	면세
취지	① 소비지국과세원칙 ② 수출지원	부가가치세의 역진성 완화
대상	수출 등 외화획득사업	기초생활 필수품 등
사업자	「부가가치세법」상 과세사업자(과세사업자의 이행의무를 이행하여야 함)	「부가가치세법」상 사업자에 해당하지 않음(과세사업자에 해당하지 않으므로 신고 및 납부 등 제반의무 없음)
매입처별 세금계산서 합계표 제출	제출함	제출함(매입처별 세금계산서 합계표만 제출하고 매출처별 세금계산서 합계표는 제출하지 않음)

2 영세율

1. 적용대상자

(1) 거주자 또는 내국법인에 대하여 적용함을 원칙으로 하되, 사업자가 비거주자 또는 외국법인인 경우에는 그 외국에서 대한민국의 거주자 또는 내국법인에 대하여 동일한 면세를 하는 경우에만 영세율을 적용한다. 즉, 상호면세주의에 따른다.

(2) 면세사업자는 면세포기를 하는 경우에 영세율을 적용하며 간이과세자는 과세사업자에 해당하므로 영세율을 적용할 수 있다.

기출 OX

영세율은 사업자가 비거주자나 외국법인인 경우에는 그 외국에서 대한민국의 거주자 또는 내국법인에 대하여 동일한 면세를 하는 경우에만 적용한다. (○)

10. 9급

2. 수출하는 재화

(1) 내국물품을 외국으로 반출하는 것

① **직수출**: 내국물품을 외국으로 반출하는 직수출의 경우 영세율을 적용하며 해당 거래는 유상 또는 무상거래를 불문한다. 다만, 자기사업을 위하여 대가를 받지 않고 국외의 사업자에게 견본품을 반출하는 경우는 재화의 공급으로 보지 아니한다(T/I 발급 ×).

② **대행위탁수출**: 수출품생산업자가 수출업자와 수출대행계약에 따라 수출업자의 명의를 빌려서 외국에 수출하는 경우도 영세율이 적용된다. 다만, 수출대행수수료의 경우 10%의 세율을 적용한다(T/I 발급 ×. 다만, 대행수수료는 10%로 세금계산서를 발급).

(2) 재화의 공급은 외국에서 이루어지나 실질적인 수출에 해당하는 것

다음의 것으로 국내 사업장에서 계약과 대가수령 등 거래가 이루어지는 것에 한하여 영세율을 적용한다.

① **중계무역수출(T/I 발급 ×)**: 수출할 것을 목적으로 물품 등을 수입하여 「관세법」에 따른 보세구역 및 같은 법에 따라 보세구역 외 장치의 허가를 받은 장소 또는 「자유무역지역의 지정 및 운영에 관한 법률」에 따른 자유무역지역 외의 국내에 반입하지 아니하는 방식의 수출을 말한다.

② **위탁판매수출(T/I 발급 ×)**: 물품 등을 무환으로 수출하여 해당 물품이 판매된 범위에서 대금을 결제하는 계약에 의한 수출을 말한다.

③ **외국인도수출(T/I 발급 ×)**: 수출대금은 국내에서 영수하지만 국내에서 통관되지 아니한 수출물품 등을 외국으로 인도하거나 제공하는 수출을 말한다.

④ **위탁가공무역수출(T/I 발급 ×)**: 공임을 지급하는 조건으로 외국에서 가공(제조 · 조립 · 재성 · 개조를 포함)할 원료의 전부 또는 일부를 거래 상대방에게 수출하거나 외국에서 조달하여 이를 가공한 후 가공물품 등을 외국으로 인도하는 방식의 수출을 말한다.

⑤ 원료를 대가 없이 국외의 수탁가공 사업자에게 반출하여 가공한 재화를 양도하는 경우에 그 원료의 반출(T/I 발급 ○)

⑥ 「관세법」상 수입의 신고가 수리되기 전의 물품으로서 보세구역에 보관하는 물품을 외국으로 반출하는 것(T/I 발급 ×)

(3) 국내거래이지만 수출하는 재화에 포함하는 것(①~④ T/I 발급 ○, ⑤ T/I 발급 ×)

① 사업자가 내국신용장[1] 또는 구매확인서[2]에 의하여 공급하는 재화(금지금[3] 제외)

❶ 내국신용장(Local Letter of Credit)

한국은행총재가 정하는 바에 따라 외국환은행의 장이 발급하여 국내에서 통용되는 신용장을 말한다. 수입상으로부터 받은 원신용장(Master Letter of Credit)을 담보로 원신용장의 개설 통지은행이 국내의 공급자를 수혜자로 하여 개설하는 제2의 신용장을 말한다.

❷ 구매확인서

내국신용장와 비슷하지만 외국환은행이 납품대금의 지급보증을 하지 않는다는 점이 내국신용장과 차이가 있다.

❸ 금지금

순도 99.5% 이상의 금괴 · 골드바 등 원재료 상태의 금을 말한다.

② 사업자가 한국국제협력단에 공급하는 재화(한국국제협력단이 국제협력 등의 사업을 위하여 해당 재화를 외국에 무상으로 반출하는 경우에 한정)

③ 사업자가 한국국제보건의료재단에 공급하는 재화(한국국제보건의료재단이 외국 및 북한의 보건의료 수준의 향상을 위한 사업을 위하여 해당 재화를 외국에 무상으로 반출하는 경우만을 말함)

④ 사업자가 대한적십자사에 공급하는 재화(대한적십자사가 구호사업 · 국제협력사업을 위하여 해당 재화를 외국에 무상으로 반출하는 경우만을 말함)

⑤ 수탁가공무역 중 다음의 요건에 의하여 공급하는 재화

㉠ 국외의 비거주자 또는 외국법인과 직접 계약에 의하여 공급할 것

㉡ 대금을 외국환은행에서 원화로 받을 것

㉢ 비거주자 등이 지정하는 국내의 다른 사업자에게 인도할 것

㉣ 국내의 다른 사업자가 비거주자 등과 계약에 의하여 인도받은 재화를 그대로 반출하거나 제조 · 가공 후 반출할 것

심화 | 내국신용장에 의한 공급

1. 내국신용장 등에 의하여 공급된 후에는 그 재화를 수출 용도에 사용하였는지에 상관없이 영세율이 적용된다.
2. 내국신용장에 의하여 재화를 공급하고 그 대가의 일부(관세환급금 등)를 내국신용장에 포함하지 않고 별도로 받은 경우 해당 금액이 대가의 일부로 확인되는 때에는 영세율을 적용한다.
3. 내국신용장에 의하여 재화를 수출업자 또는 수출품생산업자에게 공급하고 해당 수출업자 또는 수출품생산업자로부터 그 대가의 일부로 받는 관세환급금은 영세율을 적용한다.
4. 사업자가 재화를 수출하고 수출금액과 신용장상의 금액과의 차액을 별도로 지급받는 경우 그 금액에 대하여도 영세율을 적용한다.
5. 재화가 공급된 후 나중에 내국신용장이 개설된 경우에는 그 공급시기가 속하는 과세기간 종료 후 25일 이내에 개설된 경우에는 영세율이 적용된다.
6. 외국으로 반출되지 아니하는 재화의 공급과 관련하여 개설된 내국신용장(주한미국군 군납계약서 등)에 의한 재화 또는 용역의 공급은 영세율을 적용하지 않는다.
7. 수탁자가 자기명의로 내국신용장을 개설받아 위탁자의 재화를 공급하는 경우에는 위탁자가 영세율을 적용받는다.

기출 OX

재화 또는 용역을 공급한 과세기간의 종료 후 25일 이내에 개설한 내국신용장에 대해서도 영세율을 적용한다. (○)

09. 9급

(4) 국외에서 제공하는 용역[1]

① 국외에서 제공하는 용역의 경우 사업장이 국내에 있는 사업자가 국외에서 용역을 공급하는 경우에는 거래상대방이 내국인인지 외국인인지 여부에 상관없이 영세율이 적용되고 대금결제방법에 영향을 받지 않는다.

② 국외에서 제공하는 용역을 공급받는 자가 국내사업장이 없는 비거주자 · 외국법인인 경우에는 세금계산서를 발급하지 않으며 공급받는 자가 국내사업장이 있는 비거주자 · 외국법인, 내국인, 국내사업자인 경우에는 세금계산서를 발급하여야 한다.

[1] 국외에 있는 부동산의 임대용역이나 외국의 광고매체에 광고게재를 의뢰하고 지급하는 광고료는 사용되는 장소가 국외이므로 부가가치세를 과세하지 않는다.

기출 OX

사업자가 국외에서 건설공사를 도급받은 사업자로부터 당해 건설공사를 재도급받아 국외에서 건설용역을 제공하고 그 대가를 원도급자인 국내사업자로부터 받는 경우에는 영세율을 적용하지 아니한다. (×) 09. 9급

▶ 국내사업자에게 대가를 받는 경우에도 영세율을 적용한다.

사례로 이해 UP

국외용역 제공 사례

1. 사업자가 국외에서 건설공사를 도급받은 사업자로부터 당해 건설공사를 재도급받아 국외에서 건설용역을 제공하고 그 대가를 원도급자인 국내사업자로부터 받는 경우 영세율을 적용한다.
2. 용역의 제공 장소가 국외이어야 하므로 국내사업장이 있는 외국법인에게 국내에서 건설용역 제공시 영세율을 적용받지 못한다.

(5) 선박 또는 항공기의 외국항행용역

① 외국항행용역이란 선박 또는 항공기에 의하여 여객이나 화물을 국내에서 국외로, 국외에서 국내로 또는 국외에서 국외로 수송하는 것을 말한다.

② 외국항행사업자가 자기의 사업에 부수하여 행하는 재화 또는 용역의 공급으로서 다음과 같은 것도 영세율 적용대상에 포함한다.

㉠ 다른 외항사업자가 운용하는 선박 또는 항공기의 탑승권을 판매하거나 화물운송계약을 체결하는 것

㉡ 외국을 항행하는 선박 내 또는 항공기 내에서 승객에게 공급하는 것

㉢ 자기의 승객만이 전용하는 버스를 탑승하는 것

㉣ 자기의 승객만이 전용하는 호텔에 투숙하게 하는 것

③ 다음 중 어느 하나에 해당하는 용역도 외국항행용역의 범위에 포함된다.

㉠ 운송주선업자가 국제복합운송계약에 의하여 화주로부터 화물을 인수하고 자기 책임과 계산으로 타인의 선박 또는 항공기 등의 운송수단을 이용하여 화물을 운송하고 화주로부터 운임을 받는 국제운송용역

㉡ 「항공사업법」에 따른 상업서류송달용역

(6) 그 밖의 외화획득 재화 또는 용역

다음의 거래는 국내거래이지만 외화획득사업을 장려하기 위하여 영세율을 적용한다.

① 국내에서 비거주자 또는 외국법인에게 공급하는 재화 또는 용역

㉠ 국내에서 국내사업장이 없는 비거주자(국내에 거소를 둔 개인, 외교공관 등의 소속직원, 우리나라에 상주하는 국제연합군 또는 미합중국군대의 군인 또는 군무원은 제외) 또는 외국법인에게 공급되는 다음에 해당하는 재화 또는 사업에 해당하는 용역으로서 그 대금을 외국환은행에서 원화로 받거나 기획재정부령으로 정하는 방법으로 받는 것을 말한다.

ⓐ 재화: 비거주자 또는 외국법인이 지정하는 국내사업자에게 인도되는 재화로서 당해 사업자의 과세사업에 사용되는 재화(면세사업에 사용하는 경우는 10%로 과세)

ⓑ 용역

㉮ 전문, 과학 및 기술 서비스업(수의업, 제조업, 회사본부 및 기타 산업회사본부는 제외). 다만, 전문 · 과학 · 기술 서비스업 중 전문서비스업과 사업시설관리 · 사업 지원 서비스업에 해당하는 용역의 경우(법률자문용역 등)에는 해당 국가에서 우리나라의 거주자 또는 내국법인에 대하여 동일하게 면세하는 경우(우리나라의 부가가치세 또는 이와 유사한 조세가 없거나 면세하는 경우)에 한정한다.

㉯ 임대업 중 무형재산권 임대업

㉰ 통신업

㉱ 컨테이너 수리업, 보세구역의 보관 및 창고업, 「해운법」에 따른 해운대리점업 및 해운중개업

㉲ 출판, 영상, 방송통신 및 정보 서비스업 중 뉴스 제공업, 영상 · 오디오 기록물 제작 및 배급업(영화관 운영업과 비디오물감상실 운영업은 제외), 소프트웨어개발업, 컴퓨터프로그래밍, 시스템통합관리업, 자료처리, 호스팅, 포털 및 기타 인터넷 정보매개서비스업, 기타 정보 서비스업

㉳ 상품중개업 및 전자상거래 소매 중개업

㉴ 사업시설관리 및 사업 지원 서비스업(조경관리 및 유지서비스업, 여행사 및 기타 여행보조 서비스업은 제외)

㉵ 교육 서비스업(교육 지원 서비스업만 해당)

㉶ 그 밖에 이와 유사한 재화 또는 용역으로서 기획재정부령으로 정하는 것

ⓛ 비거주자 또는 외국법인의 국내사업장이 있는 경우에 국내에서 국외의 비거주자 또는 외국법인과 직접 계약에 의하여 공급되는 재화 또는 용역 중 위 ㉠에 해당하는 재화 또는 사업에 해당하는 용역으로서 그 대금을 해당 국외의 비거주자 또는 외국법인으로부터 외국환은행을 통하여 원화로 받거나 기획재정부령으로 정하는 방법[1]으로 받는 것

심화 | 국내에서 비거주자 또는 외국법인에게 공급하는 재화 또는 용역의 세금계산서 발급 여부

1. **비거주자 등의 국내사업장이 있는 경우**
   ① 영세율이 적용되는 경우에는 세금계산서를 발급하지 않는다.
   ② 10%의 세율이 적용되는 경우에는 세금계산서를 발급한다.
2. **비거주자 등의 국내사업장이 없는 경우:** 국내사업장이 없으므로 영세율 적용 여부에 상관없이 세금계산서를 발급하지 않는다. 다만, 비거주자 등이 외국의 사업자임을 증명하는 서류를 제시하고 세금계산서 발급을 요구하는 경우에는 발급하여야 한다.

[1] 다음의 방법도 가능하다.
1. 국외의 비거주자 또는 외국법인으로부터 외화를 직접 송금받아 외국환은행에 매각하는 방법
2. 국내사업장이 없는 비거주자 또는 외국법인에 재화를 공급하거나 용역을 제공하고 그 대가를 해당 비거주자 또는 외국법인에 지급할 금액에서 빼는 방법

② **수출재화임가공용역**: 다음의 경우는 영세율을 적용한다(대금 결제방법에 상관없이 T/I 발급 ○).

㉠ **내국신용장 또는 구매확인서가 개설되지 않은 경우**

ⓐ 수출업자와 직접 도급계약에 의하여 수출재화를 임가공하는 수출재화임가공용역(수출재화염색임가공을 포함)은 영세율을 적용한다. 다만, 사업자가 부가가치세를 별도로 적은 세금계산서를 발급한 경우에는 영세율을 적용하지 않는다.

ⓑ 위 ⓐ의 수출업자란 직수출업자와 대행위탁수출업자를 말하며, 내국신용장에 의하여 수출재화를 수출업자에게 공급하는 사업자를 포함하지 아니한다.

ⓒ 임가공용역은 직접도급계약을 체결한 사업자 자신이 임가공하였는지의 여부에 불구하고 수출재화임가공용역으로 본다.

㉡ **내국신용장 또는 구매확인서에 의하여 공급하는 수출재화임가공용역**: 내국신용장 등에 의한 거래는 영세율을 적용한다.

③ **외국선박 등에 공급하는 재화 또는 용역**: 외국을 항행하는 선박 및 항공기 또는 원양어선에 공급하는 재화 또는 용역. 다만, 사업자가 부가가치세를 별도로 적은 세금계산서를 발급한 경우에는 영세율을 적용하지 않는다.

④ **국내 주재 외국정부기관 등에 공급하는 재화 또는 용역**: 우리나라에 상주하는 외교공관, 영사기관(명예영사관원을 장으로 하는 영사기관은 제외), 국제연합과 이에 준하는 국제기구(우리나라가 당사국인 조약과 그 밖의 국내법령에 따라 특권과 면제를 부여받을 수 있는 경우만 해당), 우리나라에 상주하는 국제연합군 또는 미합중국군대(대한민국과 아메리카합중국 간의 상호방위조약에 의한 시설과 구역 및 대한민국에서의 합중국 군대의 지위에 관한 협정에 따른 공인조달기관을 포함)에 공급하는 재화 또는 용역(대금 결제방법에 상관없이 T/I발급 ×)

⑤ **외국인 관광객 등에게 공급하는 재화 또는 용역**: 「관광진흥법」에 따른 일반여행업자가 외국인 관광객에게 공급하는 관광알선용역으로서 그 대가를 다음의 방법에 의하여 받는 경우 영세율을 적용한다.

㉠ 외국환은행에서 원화로 받은 것

㉡ 외화 현금으로 받아 외국인 관광객과의 거래임이 확인된 것(국세청장이 정하는 관광 알선수수료 명세표와 외화매입증명서에 의하여 확인되는 것만 해당)

⑥ **외국인전용 사업장의 재화 또는 용역의 공급**: 다음에 해당하는 사업자가 국내에서 공급하는 재화 또는 용역으로서 그 대가를 외화로 받고 그 외화를 외국환은행에서 원화로 환전하는 것은 영세율을 적용한다.

㉠ 「개별소비세법」에 따라 지정을 받아 외국인 전용판매장을 영위하는 자

㉡ 주한 외국 군인 및 외국인 선원 전용의 유흥음식점업을 영위하는 자

⑦ **외교관 등에게 공급하는 재화 또는 용역**: 우리나라에 상주하는 외교공관, 영사기관(명예영사관원을 장으로 하는 영사기관은 제외), 국제연합과 이에 준하는 국제기구(우리나라가 당사국인 조약과 그 밖의 국내법령에 따라 특권과 면제를 부여받을 수 있는 경우만 해당)의 소속 직원으로서 해당 국가로부터 공무원 신분을 부여받은 자 또는 외교통상부장관으로부터 이에 준하는 신분임을 확인받은 자 중 내국인이 아닌 자(이하 '외교관 등'이라 함)가 국세청장이 정하는 바에 따라 관할세무서장의 지정을 받은 사업장(이하 '외교관면세점'이라 함)에서 외교통상부장관이 발행하는 외교관면세카드를 제시하여 공급받는 음식 · 숙박용역, 석유류, 보석 · 귀금속류, 가구, 냉장고, TV, 청량음료, 주류 기타 기획재정부령으로 정하는 재화 또는 용역으로서 해당 외교관 등의 성명 · 국적 · 외교관면세카드번호 · 품명 · 수량 · 공급가액 등이 기재된 외교관면세판매기록표에 의하여 외교관 등과의 거래임이 표시되는 것. 다만, 해당 국가에서 우리나라의 외교관 등에게 동일한 면세를 하는 경우에 한하여 영의 세율을 적용한다(상호면세 주의).

3. 영세율 첨부서류

(1) 영세율이 적용된 경우 부가가치세 신고 시 영세율 적용대상임을 입증할 수 있는 서류를 첨부하여 제출하여야 한다.

① **수출하는 재화**: 수출실적명세서, 수출계약서사본 또는 외화입금증명서 등

② **국외에서 제공하는 용역**: 외화입금증명서(외국환은행이 발급) 또는 국외에서 제공하는 용역에 대한 계약서

③ **선박 · 항공기의 외국항행용역**: 선박의 경우 외국환은행이 발급하는 외화입금증명서, 항공기의 경우 공급가액확정명세서

(2) 영세율을 적용하여 재화 또는 용역을 공급한 경우에는 예정신고 또는 확정신고 시 수출실적명세서 등 영세율 첨부서류를 첨부하여 제출하여야 한다.

(3) 영세율 첨부서류를 제출하지 않은 경우에도 해당 과세표준이 영세율 적용대상임이 확인되는 경우에는 영세율을 적용한다. 다만, 예정신고 또는 확정신고 시 첨부서류를 제출하지 않은 부분에 대하여는 신고가 되지 않은 것으로 보아 가산세(영세율 과세표준 신고불성실)를 적용한다.

기출 OX

영세율은 소비지국 과세원칙의 구현에 목적이 있으나 면세는 조세부담의 역진성 완화에 목적이 있다. (○) 07. 9급

3 면세

면세란 일정한 재화 또는 용역에 대하여 부가가치세의 납세의무를 면제하는 것을 말한다. 면세사업자의 경우 거래징수당한 매입세액에 대하여 공제를 받지 못하게 되어 해당 재화 또는 용역의 원가에 포함되어 거래상대방에게 전가하게 된다. 따라서 부가가치세가 완전히 제거되지 않아 부분면세제도라고 한다. 주로 기초생활필수품 등에 면세를 두고 있는데, 단일비례세율에 따른 세부담의 역진성을 완화하기 위함이다.

1. 면세되는 재화 또는 용역

(1) 기초생활필수품

- 가공되지 아니한 식료품(식용으로 제공되는 농산물 · 축산물, 수산물과 임산물 · 소금을 포함) 및 우리나라에서 생산되어 식용으로 제공되지 아니하는 농산물 · 축산물, 수산물과 임산물
- 수돗물(전기는 과세)
- 연탄과 무연탄(유연탄 · 갈탄 · 착화탄은 과세)
- 여성용 생리처리 위생용품
- 여객운송용역. 단, 다음의 경우는 과세함
  - 항공기
  - 자동차운송사업 중 시외우등고속버스운송업(일반고속버스는 면제) · 전세버스운송사업 · 일반택시운송사업 및 개인택시운송사업 · 자동차 대여사업
  - 선박 중 수중익선 · 에어쿠션선 · 자동차운송겸용 여객선 · 항해시속 20노트 이상의 여객선
  - 고속철도에 의한 여객운송용역
  - 관광 또는 유흥 목적의 운송수단에 의한 여객운송용역에 해당하는 삭도(스키장 등 케이블카), 관광유람선, 관광순환버스 및 관광궤도차량(관광모노레일), 관광산업목적 일반철도(바다열차 등)에 의한 여객운송용역(철도사업자가 국토교통부 장관에게 신고한 여객운임 · 요금을 초과해 용역의 대가를 받는 경우로 한정)
- 주택과 이에 부수되는 토지의 임대용역
- 「주택법」에 따른 공동주택 관리규약에 따라 관리주체 또는 입주자대표회의가 복리시설인 공동주택 어린이집의 임대용역

① **미가공식료품**: 가공되지 아니한 식료품은 다음에서 규정하는 농산물 · 축산물 · 수산물 또는 임산물, 소금(천일염 및 재제소금) 등으로서 가공되지 아니하거나 탈곡 · 정미 · 정맥 · 제분 · 정육 · 건조 · 냉동 · 염장 · 포장 기타 원생산물의 본래의 성질이 변하지 아니하는 정도의 1차 가공을 거쳐 식용에 공하는 것으로 한다. 미가공 식료품의 경우 국내산과 외국산의 구별 없이 모두 면세를 적용하나 비식용 농 · 축 · 수 · 임산물의 경우는 국내산만 면세를 적용한다.

㉠ 곡류, 서류, 특용작물류, 과실류, 채소류, 수축류, 수육류, 유란류(우유 및 분유를 포함), 생선류(고래를 포함), 패류, 해조류 이외에 식용에 공하는 농산물 · 축산물 · 수산물 또는 임산물

㉡ 소금(식품의약품안전청장이 정한 식품의 기준 및 규격에 따른 천일염 및 재제소금)

심화 | 미가공식료품

1. 미가공식료품에 포함되는 것

① 김치 · 두부 등 기획재정부령이 정하는 단순 가공식료품(제조시설을 갖추고 판매목적으로 독립된 거래단위로 관입 · 병입 또는 이와 유사한 형태로 포장하여 판매하는 것과 단순하게 운반편의를 위하여 일시적으로 관입 · 병입 등의 포장을 하는 경우를 포함한다. 다만, 제조시설을 갖추고 판매목적으로 독립된 거래단위로 관입 · 병입 또는 이와 유사한 형태로 포장하여 판매하는 것은 2024년 1월 1일부터는 과세에 해당된다)

② 원생산물의 본래의 성질이 변하지 아니하는 정도로 1차 가공하는 과정에서 필수적으로 발생하는 부산물

③ 미가공식료품을 단순히 혼합한 것

④ 쌀에 식품첨가물 등을 첨가 또는 코팅하거나 버섯균 등을 배양시킨 것

2. 국내생산 비식용 농 · 축 · 수 · 임산물

① 원생산물

② 원생산물의 본래의 성상(성질이나 모양)이 변하지 않는 정도의 원시가공을 거친 것

③ 위 ②의 원시가공을 하는 과정에서 필수적으로 발생하는 부산물

3. 미가공식료품에서 제외되는 것: 죽염, 맛김, 맥반석 등에 구운 오징어, 조미하여 건조한 쥐포류 등

② 주택에 부수되는 토지의 임대용역

㉠ 주택과 부수토지의 범위: 주택의 부수되는 토지의 임대는 면세를 적용받는데, 여기서 주택이란 상시주거용(사업을 위한 주거용의 경우 제외)으로 사용하는 것을 말하며 부수토지는 주택의 일정면적의 토지를 말한다. 다음 중 넓은 면적에 해당하는 토지의 임대는 면세로 보며 초과분은 과세한다.

ⓐ 건물이 정착한 면적 × 5배(도시지역 밖의 토지는 10배)

ⓑ 주택의 연면적(지하층의 면적, 지상층의 주차용으로 사용하는 면적 및 주민공동시설의 면적은 제외)

㉡ 겸용주택의 경우 부수토지: 주택과 사업용 건물이 함께 있는 경우 주택에 대한 부수토지는 다음과 같이 계산한다.

ⓐ 주택의 면적이 사업용 건물보다 큰 경우: 주택과 사업용 건물 모두를 주택으로 보아 부수토지의 면적을 계산한다.

ⓑ 주택의 면적이 사업용 건물과 같거나 작은 경우: 주택만 주택으로 보아 부수토지의 면적을 계산한다.

구분	주택	부수토지
주택 > 사업용	주택 + 사업용	전체를 주택부수토지로 보아 계산한다.
주택 ≦ 사업용	주택	전체부속토지를 건물면적비율(주택면적/총면적)로 안분하여 주택부수토지를 계산한다.

ⓒ 부동산을 2인 이상에게 임차한 경우: 임차인별로 주택부분의 면적과 사업용건물의 면적을 비교하여 판단한다.

③ 공동주택 어린이집의 임대용역: 「주택법」에 따른 관리규약에 따라 관리주체 또는 입주자대표회의가 제공하는 복리시설인 공동주택 어린이집의 임대용역에 대하여 면세를 적용하고 있다(출산장려와 보육경비 절감).

기출 OX

임대주택에 부가가치세가 과세되는 사업용 건물이 함께 설치된 경우에는 주택면적과 사업용 건물면적의 상대적인 크기에 상관없이 주택부분에 대하여는 면세하고 사업용 건물에 대하여는 과세한다. (×) 10. 9급

▶ 건물에서 주택의 면적비율에 따라 달라진다.

(2) 국민후생 및 문화

- 의료보건용역(수의사의 용역 포함)과 혈액
- 교육용역
- 도서(도서대여 및 실내 도서열람 용역을 포함) · 신문(인터넷 신문 포함) · 잡지 · 관보 및 뉴스통신. 다만, 광고는 제외
- 예술창작품(골동품 제외), 예술행사, 문화행사와 아마추어 운동경기
- 도서관, 과학관, 박물관, 미술관, 동물원 또는 식물원에의 입장

① 의료보건용역과 혈액: 의료보건용역(수의사의 용역)과 혈액에 대하여는 면세한다. 약사의 조제용역은 면세에 포함되나 조제약이 아닌 경우는 재화의 공급으로 과세된다.

② 면세되는 의료용역

㉠ 의사 · 치과의사 · 한의사 · 조산사 또는 간호사가 제공하는 용역으로 「국민건강보험법」에 따라 요양급여의 대상에서 제외되는 다음의 진료용역은 면세에서 제외된다.

ⓐ 쌍꺼풀수술, 코성형수술, 유방확대 · 축소술(유방암 수술에 따른 유방재건술은 제외), 지방흡인술, 주름살제거술, 안면윤곽술, 치아성형(치아미백, 라미네이트와 잇몸성형술) 등 성형수술(성형수술로 인한 후유증 치료, 선천성 기형의 재건수술과 종양 제거에 따른 재건수술은 제외)과 악안면 교정술(치아교정치료가 선행되는 악안면 교정술은 제외)

ⓑ 색소모반 · 주근깨 · 흑색점 · 기미 치료술, 여드름 치료술, 제모술, 탈모치료술, 모발이식술, 문신술 및 문신제거술, 피어싱, 지방융해술, 피부재생술, 피부미백술, 항노화치료술 및 모공축소술

㉡ 접골사 · 침사 · 구사 또는 안마사가 제공하는 용역

㉢ 임상병리사 · 방사선사 · 물리치료사 · 작업치료사 · 치과기공사 또는 치과위생사가 제공하는 용역

㉣ 약사가 제공하는 의약품의 조제용역

㉤ 수의사가 제공하는 용역. 다만, 동물의 진료용역은 다음에 해당하는 진료용역으로 한정한다.

ⓐ 가축에 대한 진료용역

ⓑ 수산동물에 대한 진료용역

ⓒ 장애인 보조견에 대한 진료용역

ⓓ 수급자가 기르는 동물의 진료용역

ⓔ 법에서 정하는 질병예방목적 진료용역

㉥ 장의업자가 제공하는 장의용역

㉦ 「장사 등에 관한 법률」의 규정에 따라 사설묘지, 사설화장시설, 사설봉안시설 또는 사설자연장지를 설치 · 관리 또는 조성하는 자가 제공하는 묘지분양, 화장, 유골 안치, 자연장지분양 및 관리업 관련 용역

㉧ 지방자치단체로부터 「장사 등에 관한 법률」에 따른 공설묘지, 공설화장시설, 공설봉안시설 또는 공설자연장지의 관리를 위탁받은 자가 제공하는 묘지분양, 화장, 유골 안치, 자연장지분양 및 관리업 관련 용역

㉨ 응급환자이송업자가 제공하는 응급환자이송용역

㉩ 분뇨수집 · 운반업의 허가를 받은 사업자와 가축분뇨수집 · 운반업 또는 가축분뇨처리업의 허가를 받은 사업자가 공급하는 용역

㉪ 소독업의 신고를 한 사업자가 공급하는 소독용역

㉫ 생활폐기물 또는 의료폐기물의 폐기물처리업 허가를 받은 사업자가 공급하는 생활폐기물 또는 의료폐기물의 수집 · 운반 및 처리용역과 폐기물처리시설의 설치승인을 얻거나 그 설치의 신고를 한 사업자가 공급하는 생활폐기물의 재활용용역

㉬ 지정측정기관이 공급하는 작업환경측정 용역

㉭ 장기 요양인정을 받은 자에게 제공하는 신체활동 · 가사활동의 지원 또는 간병 등의 용역

ⓐ 보호대상자에게 지급되는 사회복지서비스이용권을 대가로 국가 · 지방자치단체 외의 자가 공급하는 용역

ⓑ 산후조리원에서 분만 직후의 임산부나 영유아에게 제공하는 급식 · 요양 등의 용역

③ 교육용역: 교육용역은 정부의 허가 또는 인가를 받거나 주무관청에 등록 또는 신고된(허가 · 인가를 받지 아니한 경우 과세하며 교육내용은 불문) 산학협력단, 인증받은 사회적 기업, 학교 · 학원 · 강습소 · 훈련원 · 교습소 또는 그 밖의 비영리단체나 「청소년활동 진흥법」에 따른 청소년 수련시설에서 학생 · 수강생 · 훈령생 · 교습생 또는 청강생에게 지식 · 기술 등을 가르치는 것으로 한다. 그리고 교육용역 제공시 필요한 교재 · 실습자재 · 기타교육용구의 대가를 수강료 등에 포함하여 받거나 별도로 받는 때에도 주된 용역인 교육용역의 부수재화 · 용역으로 보아 면세한다. 다만, 다음의 교육용역은 과세대상에 포함된다.

㉠ 무도학원

㉡ 자동차운전학원

④ 도서 등: 도서(도서대여 및 실내 도서열람 용역을 포함) · 신문(인터넷신문 포함) · 잡지 · 관보 및 뉴스통신에 관련된 재화와 용역에 대하여는 면세를 적용한다. 다만, 광고는 과세한다.

참고

도서 등

1. 도서에는 도서에 부수하여 그 도서의 내용을 담은 음반, 녹음테이프 또는 비디오테이프를 첨부하여 통상 하나의 공급단위로 하는 것과 전자출판물을 포함한다. 여기서 전자출판물은 도서나 간행물의 형태로 출간된 내용 또는 출간될 수 있는 내용이 음향이나 영상과 함께 전자적 매체에 수록되어 컴퓨터 등 전자장치를 이용하여 그 내용을 보고 듣고 읽을 수 있는 것으로서 문화체육관광부장관이 정하는 기준에 맞는 전자출판물을 말한다. 다만, 「음악산업진흥에 관한 법률」, 「영화 및 비디오물의 진흥에 관한 법률」 및 「게임산업진흥에 관한 법률」의 적용을 받는 것은 제외한다.
2. 신문, 잡지는 「신문 등의 진흥에 관한 법률」에 따른 신문 및 인터넷 신문과 「잡지 등 정기간행물의 진흥에 관한 법률」에 따른 정기간행물로 한다.
3. 뉴스통신은 「뉴스통신 진흥에 관한 법률」에 따른 뉴스통신(뉴스통신사업을 경영하는 법인이 특정회원을 대상으로 하는 금융정보 등 특정한 정보를 제공하는 경우는 제외)과 외국의 뉴스통신사가 제공하는 뉴스통신 용역으로서 「뉴스통신 진흥에 관한 법률」에 따른 뉴스통신과 유사한 것을 포함한다.

⑤ 예술창장품 등

㉠ 예술창작품: 미술, 음악, 사진, 연극 또는 무용에 속하는 창작품. 다만, 골동품과 모조품은 제외한다.

㉡ 예술행사: 영리를 목적으로 하지 아니하는 발표회, 연구회, 경연대회 또는 그 밖에 이와 유사한 행사

㉢ 문화행사: 영리를 목적으로 하지 아니하는 전시회, 박람회, 공공행사 또는 그 밖에 이와 유사한 행사

㉣ 아마추어 운동경기: 대한체육회 및 그 산하단체와 「태권도 진흥 및 태권도공원 조성 등에 관한 법률」에 따른 국기원이 주최, 주관 또는 후원하는 운동경기나 승단 · 승급 · 승품심사로서 영리를 목적으로 하지 아니하는 것

⑥ **도서관 등의 입장**: 도서관, 과학관, 박물관, 미술관, 동물원 또는 식물원에의 입장용역에 대하여는 면세를 적용한다. 동물원 · 식물원에는 지식의 보급 및 연구에 그 목적이 있는 해양수족관 등을 포함하나, 오락 및 유흥시설과 함께 있는 동물원 · 식물원 및 해양수족관을 포함하지 아니한다.

(3) 부가가치의 생산요소

- 금융 및 보험용역
- 토지
- 인적용역

① 금융 및 보험용역

㉠ 은행업 · 신탁업 · 투자신탁업 등의 금융 및 보험용역은 면세대상이다. 금융 및 보험사업 외의 사업을 하는 자가 주된 사업에 부수하여 금융 및 보험용역을 제공하는 경우도 부가가치세를 면세한다.

㉡ 다음의 경우는 금융 및 보험용역으로 보지 않고 과세한다.

ⓐ 복권 · 입장권 · 상품권 · 지금형주화 또는 금지금에 관한 대행용역(다만, 수익증권 등 금융업자의 금융상품 판매대행용역, 유가증권의 명의개서 대행용역, 수납 · 지급 대행용역 및 국가 · 지방자치단체의 금고대행용역은 면세)

ⓑ 기업합병 또는 기업매수의 중개 · 주선 · 대리, 신용정보서비스 및 은행업에 관련된 전산시스템과 소프트웨어의 판매 · 대여용역

ⓒ 부동산임대용역

ⓓ 감가상각자산의 대여용역(시설대여업자가 제공하는 시설대여용역은 면세하되, 그 시설대여업자가 자동차를 대여하고 정비용역을 함께 제공하는 경우는 과세)

ⓔ 집합투자업자 등이 투자자로부터 자금 등을 모아서 부동산, 실물자산, 지상권 · 전세권 · 임차권 등 부동산 관련 권리, 어업권, 광업권 등에 운용하는 경우

ⓕ 보험계리용역 및 연금계리용역

② **토지**: 토지의 공급은 면세대상이나, 토지의 임대는 면세되지 아니한다.

구분	공급	임대
건물	과세(국민주택규모 이하 면세)	과세(주택 면세)
토지	면세	과세(주택부수토지 면세)

③ **인적용역**: 면세대상이 되는 인적용역은 다음과 같다.

㉠ 개인이 물적시설 없이 근로자를 고용하지 않고 독립된 자격으로 제공하는 경우

ⓐ 저술 · 서화 · 도안 · 조각 · 작곡 · 음악 · 무용 · 만화 · 삽화 · 만담 · 배우 · 성우 · 가수와 이와 유사한 용역

기출 OX

금융보험업 외의 사업을 하는 자가 주된 사업에 부수하여 금융보험 용역과 같거나 유사한 용역을 제공하는 경우도 면세에 해당된다. (○) 07. 9급

ⓑ 연예에 관한 감독 · 각색 · 연출 · 촬영 · 녹음 · 장치 · 조명과 이와 유사한 용역

ⓒ 건축감독 · 학술용역과 이와 유사한 용역

ⓓ 음악 · 재단 · 무용(사교무용을 포함) · 요리 · 바둑의 교수와 이와 유사한 용역

ⓔ 직업운동가 · 역사 · 기수 · 운동지도가(심판을 포함)와 이와 유사한 용역

ⓕ 접대부 · 댄서와 이와 유사한 용역

ⓖ 보험가입자의 모집 · 저축의 장려 또는 집금 등을 하고, 실적에 따라 보험회사 또는 금융기관으로부터 모집수당 · 장려수당 · 집금수당 또는 이와 유사한 성질의 대가를 받는 용역과 서적 · 음반 등의 외판원이 판매실적에 따라 대가를 받는 용역

ⓗ 저작자가 저작권에 의하여 사용료를 받는 용역

ⓘ 교정 · 번역 · 고증 · 속기 · 필경 · 타자 · 음반취입과 이와 유사한 용역

ⓙ 고용관계 없는 자가 다수인에게 강연을 하고 강연료 · 강사료 등의 대가를 받는 용역

ⓚ 라디오 · 텔레비전 방송 등을 통하여 해설 · 계몽 또는 연기를 하거나 심사를 하고 사례금 또는 이와 유사한 성질의 대가를 받는 용역

ⓛ 작명 · 관상 · 점술 또는 이와 유사한 용역

ⓜ 개인이 일의 성과에 따라 수당 또는 이와 유사한 성질의 대가를 받는 용역

ⓛ 개인 · 법인 · 법인 아닌 단체가 제공하는 경우

ⓐ 「형사소송법」 및 「군사법원법」 등의 규정에 의한 국선변호인의 국선변호, 「국세기본법」에 따른 국선대리인의 국선대리, 「민법」에 따른 후견인과 후견감독인이 제공하는 후견사무 용역과 기획재정부령이 정하는 법률구조

ⓑ 기획재정부령이 정하는 학술연구용역과 기술연구용역

ⓒ 직업소개소 및 그 밖에 기획재정부령이 정하는 상담소 등을 경영하는 자가 공급하는 용역

ⓓ 「장애인복지법」에 따른 장애인보조견 훈련용역

ⓔ 외국공공기관 또는 「국제금융기구의 가입조치에 관한 법률」의 규정에 의한 국제금융기구로부터 받은 차관자금으로 국가 또는 지방자치단체가 시행하는 국내사업을 위하여 공급하는 용역(국내사업장이 없는 외국법인 또는 비거주자가 공급하는 것을 포함)

ⓕ 가사근로자의 고용개선 등에 관한 법률에 따른 가사서비스 제공기관이 가사서비스 이용자에게 제공하는 가사서비스

(4) **기타**

① 우표 · 인지 · 증지 · 복권 · 공중전화. 다만, 수집용 우표는 과세한다.

② 담배로서 다음에 해당하는 것

㉠ 판매가격이 200원(20개피당) 이하인 담배

㉡ 「담배사업법」에 따른 특수제조용 담배로서 영세율에 해당하지 않는 것(군용담배 등)

③ 종교 · 자선 · 학술 · 구호 · 그 밖의 공익을 목적으로 하는 단체가 공급하는 재화 또는 용역으로서 다음의 것은 면세에 해당한다.

㉠ 주무관청의 허가 또는 인가를 받거나 주무관청에 등록된 단체로서 그 고유의 사업목적(종교 · 학교 등)을 위하여 일시적으로 공급하거나 실비(實費) 또는 무상으로 공급하는 재화 또는 용역

㉡ 학술 및 기술 발전을 위하여 학술 및 기술의 연구와 발표를 주된 목적으로 하는 단체(이하 '학술 등 연구단체'라 함)가 그 연구와 관련하여 실비 또는 무상으로 공급하는 재화 또는 용역

㉢ 「문화재보호법」에 따른 지정문화재(지방문화재를 포함하며, 무형문화재는 제외)를 소유하거나 관리하고 있는 종교단체(주무관청에 등록된 종교단체로 한정)의 경내지(境內地) 및 경내지 안의 건물과 공작물의 임대용역

㉣ 공익을 목적으로 기획재정부령으로 정하는 기숙사를 운영하는 자가 학생이나 근로자를 위하여 실비 또는 무상으로 공급하는 음식 및 숙박용역

㉤ 「저작권법」에 따라 문화체육관광부장관의 허가를 받아 설립된 저작권위탁관리업자로서 기획재정부령으로 정하는 사업자가 저작권자를 위하여 실비 또는 무상으로 공급하는 신탁관리용역

㉥ 「저작권법」에 따라 문화체육관광부장관이 지정한 보상금수령단체로서 기획재정부령으로 정하는 단체인 사업자가 저작권자를 위하여 실비 또는 무상으로 공급하는 보상금 수령 관련 용역

㉦ 「법인세법」에 따른 비영리 교육재단이 「초 · 중등교육법」에 따른 외국인학교의 설립 · 경영 사업을 하는 자에게 제공하는 학교시설 이용 등 교육환경 개선과 관련된 용역

④ 국가 · 지방자치단체 또는 지방자치단체조합이 공급하는 재화 또는 용역은 면세에 해당한다. 다만, 다음의 경우는 과세한다.

㉠ 우정사업조직이 소포우편물을 방문접수하여 배달하는 용역과 우편주문판매를 대행하는 용역

㉡ 고속철도에 의한 여객운송용역

㉢ 부동산 임대업, 도매 및 소매업, 음식점업 · 숙박업, 골프장 · 스키장운영업, 기타 스포츠시설 운영업. 다만, 다음에 해당하는 경우는 면세한다.

ⓐ 국방부 또는 국군이 군인, 일반군무원, 그 밖에 이들의 직계존속 · 비속에게 제공하는 소매업, 음식점업 · 숙박업, 기타 스포츠시설 운영업(골프연습장 운영업은 제외) 관련 재화 또는 용역

ⓑ 국가 · 지방자치단체 또는 지방자치단체조합이 그 소속직원의 복리후생을 위하여 구내에서 식당을 직접 경영하여 공급하는 음식용역

ⓒ 국가 또는 지방자치단체가 「사회기반시설에 대한 민간투자법」에 따른 사업시행자(공공부문 외의 자로서 사업시행자의 지정을 받아 민간투자사업을 시행하는 법인)로부터 BTO(Build-Transfer-Operate) 및 BTL(Build-Transfer-Lease) 방식에 따라 사회기반시설 또는 사회기반시설의 건설용역을 기부채납받고 그 대가로 부여하는 시설관리운영권

㉣ 과세되는 진료용역(쌍꺼풀수술 · 코성형수술 등), 과세되는 애완동물의 진료용역

⑤ 국가 · 지방자치단체 · 지방자치단체조합 또는 대통령령으로 정하는 공익단체에 무상으로 공급하는 재화 또는 용역(유상으로 공급하는 경우는 과세)

(5) 「조세특례제한법」상 면세대상

① 국민주택의 공급과 국민주택의 건설용역(리모델링용역 포함)의 공급

② 영유아용 기저귀와 분유(액상분유 포함)

기출 OX

지방자치단체의 조합이 그 소속 직원의 복리후생을 위하여 구내에서 식당을 직접 경영하여 공급하는 음식용역은 면세에 해당된다. (○) 07. 7급

2. 재화의 수입에 대한 면세

(1) 가공되지 아니한 식료품[1](식용으로 제공되는 농산물 · 축산물 · 수산물 · 임산물 포함)

(2) 도서 · 신문 및 잡지

(3) 학술연구 단체 · 교육기관 및 한국교육방송공사 또는 문화단체가 과학 · 교육 · 문화용으로 수입하는 재화

(4) 종교의식 · 자선 · 구호 · 그 밖의 공익을 목적으로 외국으로부터 종교단체 · 자선단체 또는 구호단체에 기증되는 재화

(5) 외국으로부터 국가 · 지방자치단체 또는 지방자치단체조합에 기증되는 재화

(6) 거주자가 받는 소액물품으로서 관세가 면제되는 재화

(7) 이사 · 이민 또는 상속으로 인하여 수입하는 재화로서 관세가 면제되거나 관세법에 따른 간이세율이 적용되는 재화

[1] 면세하지 않는 수입 미가공식료품(2023.12.31.까지 수입하는 물품은 면세)
1. 커피(원래 모양이나 분쇄한 것으로서 볶은 것은 제외한다) 및 커피의 껍데기 · 껍질과 웨이스트(waste)
2. 코코아두(원래 모양이나 부순 것으로 한정한다)
3. 코코아의 껍데기와 껍질, 그 밖의 코코아 웨이스트(waste)

(8) 여행자의 휴대품 · 별송 물품 및 우송 물품으로서 관세가 면제되거나 해당 간이세율이 적용되는 재화

(9) 수입하는 상품견본과 광고용 물품으로서 관세가 면제되는 재화

(10) 우리나라에서 개최되는 박람회 · 전시회 · 품평회 · 영화제 또는 이와 유사한 행사에 출품하기 위하여 무상으로 수입하는 물품으로서 관세가 면제되는 재화

(11) 조약 · 국제법규 또는 국제관습에 따라 관세가 면제되는 재화

(12) 수출된 후 다시 수입하는 재화로서 관세가 감면되는 것. 다만, 관세가 경감되는 경우에는 경감되는 부분만 해당한다.

(13) 다시 수출하는 조건으로 일시 수입하는 재화로서 관세가 감면되는 것. 다만, 관세가 경감되는 경우에는 경감되는 부분만 해당한다.

(14) 특정 담배

(15) 위 (6) ~ (13) 외에 관세가 무세이거나 감면되는 재화로서 대통령령으로 정하는 것. 다만, 관세가 경감되는 경우에는 경감되는 부분만 해당한다.

4 면세포기

사업자의 의사에 따라 면세를 포기할 수 있으며 면세를 적용받는 사업자가 면세포기하게 되면 과세사업자로 전환된다. 면세를 포기하게 되면 과세사업자가 되어 면세재화를 수출하는 사업자는 그 거래에 대하여 영세율을 적용받을 수 있게 된다.

1. 대상

(1) 영세율이 적용되는 재화와 용역(면세재화를 수출하는 경우)

(2) 학술 · 기술 발전을 위하여 학술 · 기술의 연구 · 발표를 주된 목적으로 하는 단체가 그 연구와 관련하여 실비 또는 무상으로 공급하는 재화 또는 용역

2. 절차

면세를 포기하려는 사업자는 관할세무서장에게 포기신고를 하고 지체 없이 사업자등록을 하여야 한다. 신규사업자의 경우는 면세포기신고서를 사업자등록과 함께 제출할 수 있다. 면세포기는 언제든 가능하고, 포기신고만으로 충분하며 과세관청의 승인은 필요하지 않다.

3. 효력

(1) 신고를 한 사업자는 신고한 날로부터 3년간은 부가가치세의 면제를 받지 못한다.

기출 OX

부가가치세가 면제되는 재화 또는 용역의 공급이 영세율 적용의 대상이 되는 경우, 부가가치세의 면제를 받지 아니하고자 하는 사업자는 면세포기신고를 할 수 있으며 신고한 날로부터 3년간은 부가가치세의 면제를 받지 못한다. (○)

10. 9급

(2) 면세포기신고를 한 사업자가 3년 기간 경과 후 부가가치세의 면제를 받고자 하는 때에는 면세적용신고서와 사업자등록증을 제출하여야 하며, 면세적용신고서를 제출하지 아니한 경우에는 계속하여 면세를 포기한 것으로 본다.
(3) 면세포기신고를 한 사업자가 사업을 포괄적으로 양도하는 경우 면세포기의 효력은 사업을 양수한 사업자에게 승계된다.
(4) 면세포기신고에 대한 효력이 발생하는 시점은 면세사업자가 사업자등록을 한 때부터 면세포기의 효력이 발생한다.

4. 범위

면세되는 2 이상의 사업 또는 종목을 영위하는 사업자는 면세포기대상이 되는 재화 또는 용역의 공급 중 포기하고자 하는 재화 또는 용역의 공급만을 구분하여 면세포기할 수 있다. 또한 영세율적용대상이 되는 것만을 면세포기한 사업자가 면세되는 재화 또는 용역을 국내에 공급하는 경우에는 면세포기의 효력이 없다.

기출문제

01 부가가치세법령상 면세되는 재화 또는 용역에 해당하지 않는 것은?

2018년 7급

① 도서
② 국방부가 군인사법 제2조에 따른 군인에게 제공하는 골프연습장 운영업과 관련한 재화 또는 용역
③ 미술관에 입장하게 하는 것
④ 국가에 무상으로 공급하는 재화 또는 용역

01
국방부 또는 국군이 군인, 일반군무원, 그 밖의 이들의 직계존속 · 비속에게 제공하는 소매업, 음식점업 · 숙박업, 기타 스포츠시설 운영업(골프연습장 운영업은 제외) 관련 재화 또는 용역은 면세에 해당된다.

02 「부가가치세법」상 면세에 대한 설명으로 옳은 것만을 모두 고른 것은?

2016년 9급

ㄱ. 면세사업만을 경영하는 자는 「부가가치세법」에 따른 사업자등록의무가 없다.
ㄴ. 국가나 지방자치단체에 유상 또는 무상으로 공급하는 용역에 대하여는 부가가치세를 면제한다.
ㄷ. 면세의 포기를 신고한 사업자는 신고한 날부터 3년간 부가가치세를 면제받지 못한다.
ㄹ. 부가가치세가 면세되는 미가공식료품에는 김치, 두부 등 기획재정부령으로 정하는 단순가공식료품이 포함된다.

① ㄱ, ㄴ, ㄷ   ② ㄱ, ㄴ, ㄹ
③ ㄱ, ㄷ, ㄹ   ④ ㄴ, ㄷ, ㄹ

02
옳은 것은 ㄱ, ㄷ, ㄹ이다.

오답체크

ㄴ. 국가나 지방자치단체에 무상으로 공급하는 재화 또는 용역에 대하여만 부가가치세를 면제한다.

정답 01 ② 02 ③

03 **「부가가치세법」상 재화 또는 용역의 공급에 대한 면세제도와 관련한 설명으로 옳지 않은 것은?**

2015년 7급

① 국가나 지방자치단체가 공급하는 재화 또는 용역이라고 하여 모두 부가가치세가 면세되는 것은 아니다.

② 국가나 지방자치단체에 재화 또는 용역을 공급하는 거래는 거래의 유·무상을 불문하고 모두 부가가치세가 면제된다.

③ 음악발표회는 영리를 목적으로 하지 않아야 부가가치세가 면제되는 예술행사가 된다.

④「도로교통법」상의 자동차운전학원에서 수강생에게 지식·기술 등을 가르치는 것은 부가가치세가 면제되는 교육용역에 포함되지 않는다.

03
국가나 지방자치단체에 재화 또는 용역을 공급하는 거래는 거래가 무상인 경우에 한하여 부가가치세가 면제된다.

04 **「부가가치세법」상 영세율과 면세에 대한 설명으로 옳지 않은 것은?**

2010년 9급

① 부가가치세가 면제되는 재화 또는 용역의 공급이 영세율 적용의 대상이 되는 경우, 부가가치세의 면제를 받지 아니하고자 하는 사업자는 면세포기신고를 할 수 있으며 신고한 날로부터 3년간은 부가가치세의 면제를 받지 못한다.

② 영세율은 사업자가 비거주자나 외국법인인 경우에는 그 외국에서 대한민국의 거주자 또는 내국법인에 대하여 동일한 면세를 하는 경우에만 적용한다.

③ 토지의 공급은 면세되나 주택과 이에 부수되는 토지의 임대용역을 제외한 토지의 임대용역의 공급은 과세된다.

④ 임대주택에 부가가치세가 과세되는 사업용 건물이 함께 설치된 경우에는 주택면적과 사업용 건물면적의 상대적인 크기에 상관없이 주택부분에 대하여는 면세하고 사업용 건물에 대하여는 과세한다.

04
주택면적이 사업용 건물의 면적보다 큰 경우는 건물 전부를 주택으로 보고 주택면적이 사업용 건물의 면적보다 작거나 같으면 주택만 주택으로 본다.

정답 03 ② 04 ④

05 「부가가치세법」상 영세율제도에 관한 설명으로 옳지 않은 것은? 2009년 9급

① 영세율제도는 매출액에 영세율이 적용되지만 매입세액은 전액 환급받는다는 점에서 매출세액은 면제되나 매입세액은 공제 · 환급되지 아니하는 면세제도와 구별된다.

② 영세율 적용대상이 되는 재화나 용역을 공급하는 사업자가 외국법인인 경우의 영세율 적용은 상호면세주의에 따른다.

③ 재화 또는 용역을 공급한 과세기간의 종료 후 25일 이내에 개설한 내국신용장에 대해서도 영세율을 적용한다.

④ 사업자가 국외에서 건설공사를 도급받은 사업자로부터 당해 건설공사를 재도급받아 국외에서 건설용역을 제공하고 그 대가를 원도급자인 국내사업자로부터 받는 경우에는 영세율을 적용하지 아니한다.

05
사업장이 국내에 있는 사업자가 국외에서 용역을 제공한 것이면 대금결제방법이나 거래상대방을 불문하고 영세율이 적용된다.

06 「부가가치세법」상 영세율과 면세에 대한 설명으로 옳지 않은 것은?

2007년 9급

① 영세율과 면세는 매출세액이 없다는 점에서 동일하나 매입세액의 환급에는 차이가 있다.

② 영세율과 면세를 적용하면 국내외 소비자의 세부담은 경감된다.

③ 영세율은 소비지국 과세원칙의 구현에 목적이 있으나 면세는 조세부담의 역진성 완화에 목적이 있다.

④ 「부가가치세법」상 영세율사업자는 납세의무자이지만 면세사업자는 납세의무자가 아니다.

06
영세율은 생산지국에서는 과세가 되지 않지만 소비지국에서는 부가가치세를 과세한다.

07 부가가치세가 면세되는 거래에 해당하는 것은? 2007년 7급

① 지방자치단체의 조합이 그 소속 직원의 복리후생을 위하여 구내에서 식당을 직접 경영하여 공급하는 음식용역

② 「철도건설법」에 규정하는 고속철도에 의한 여객운송용역

③ 「우정사업 운영에 관한 특례법」에 의한 우정사업조직이 「우편법」에 규정된 부가우편역무 중 소포우편물을 방문 접수하여 배달하는 용역

④ 「항공법」에 규정하는 항공기에 의한 여객운송용역

07
국가 · 지방자치단체 및 지방자치단체의 조합이 그 소속 직원의 복리후생을 위하여 구내에서 식당을 직접 경영하여 공급하는 음식용역은 면세대상에 해당한다.

정답 05 ④ 06 ② 07 ①

08 「부가가치세법」상 영세율을 적용하는 재화 또는 용역의 공급에 해당하는 것만을 모두 고르면? (단, 영세율에 대한 상호주의는 고려하지 않는다)

2022년 7급

ㄱ. 내국물품을 외국으로 반출하는 것에 해당하는 재화의 공급
ㄴ. 「부가가치세법 시행규칙」으로 정하는 내국신용장에 의한 금지금(金地金)의 공급
ㄷ. 항공기에 의하여 여객이나 화물을 국외에서 국내로 수송하는 용역의 공급
ㄹ. 외화를 획득하기 위한 용역의 공급으로서 우리나라에 상주하는 외교공관에 공급하는 용역

① ㄱ, ㄴ, ㄷ
② ㄱ, ㄴ, ㄹ
③ ㄱ, ㄷ, ㄹ
④ ㄴ, ㄷ, ㄹ

08
해당하는 것은 ㄱ, ㄷ, ㄹ이다.

오답체크

ㄴ. 내국신용장에 의한 금지금은 영세율 대상에 해당하지 않는다.

09 부가가치세법령상 부가가치세가 면세되는 것만을 모두 고르면? 2023년 9급

ㄱ. 「우정사업 운영에 관한 특례법」에 따른 우정사업조직이 제공하는 「우편법」 제1조의2 제3호의 소포우편물을 방문접수하여 배달하는 용역의 공급
ㄴ. 거주자가 받는 소액물품으로서 관세가 면제되는 재화의 수입
ㄷ. 「협동조합기본법」 제85조 제1항에 따라 설립인가를 받은 사회적협동조합이 직접 제공하는 간병 · 산후조리 · 보육 용역의 공급

① ㄴ
② ㄱ, ㄷ
③ ㄴ, ㄷ
④ ㄱ, ㄴ, ㄷ

09
면세되는 것은 ㄴ, ㄷ이다.

오답체크

ㄱ. 「우정사업 운영에 관한 특례법」에 따른 우정사업조직이 제공하는 「우편법」 제1조의2 제3호의 소포우편물을 방문접수하여 배달하는 용역의 공급은 과세대상에 해당된다.

정답 08 ③ 09 ③

05 세금계산서와 영수증

1 거래징수

사업자가 재화 또는 용역을 공급하는 경우에는 과세표준에 10%의 세율을 적용하여 계산한 부가가치세를 그 공급을 받는 자로부터 징수하여야 하는데, 이를 거래징수라고 한다. 우리나라가 전단계세액공제방법을 하고 있기 때문에 거래징수를 통하여 거래상대방에게 부가가치세를 전가시키는 역할을 하고 있다.

2 세금계산서

1. 기능

세금계산서란 과세사업자가 재화 또는 용역을 공급할 때 부가가치세를 거래징수하고 그 사실을 증명하기 위하여 발급하는 세금영수증을 말한다. 세금계산서는 거래에 대한 송장 · 청구서 · 영수증 등의 기능을 하고 과세관청의 과세자료로서 중요한 의미를 가진다(거래계약서의 기능은 없음).

2. 발급과 기재사항

(1) 발급

① 납세의무자로 등록한 과세사업자(미등록사업자는 세금계산서를 발급할 수 없음)는 재화 또는 용역을 공급하는 경우 세금계산서를 발급하여야 한다. 이때 세금계산서는 공급자용과 공급받는 자용으로 2매를 발급한다.

② 면세사업자는 세금계산서를 발급할 수 없으며, 영세율사업자도 발급의무가 없는 경우를 제외하고 발급하여야 한다.

③ 수입하는 재화에 대하여는 세관장이 수입세금계산서를 발급한다.

④ 간이과세자 중 신규사업자 및 직전연도 공급대가의 합계액이 4,800만 원 미만인 자는 영수증을 발급하여야 한다.

⑤ 간이과세자 중 직전연도의 공급대가의 합계액이 4,800만 원 이상 8,000만 원 미만인 자는 세금계산서를 발급하여야 한다. 다만, 영수증발급 대상업종을 영위하는 사업자는 영수증을 발급하며 세금계산서 발급금지 업종이 아닌 경우에는 공급받는 자가 요구하는 경우 세금계산서를 발급하여야 한다.

기출 OX

01 납세의무자는 사업자등록을 하지 않더라도 세금계산서를 발급할 수 있다. (×) 12. 7급

▶ 사업자를 등록하여야 세금계산서를 발급할 수 있다.

02 세금계산서는 '공급자 보관용', '공급받는 자 보관용', '세무서 제출용'으로 이루어져 있다. (×) 08. 9급

▶ 세무서 제출용은 없다.

(2) 기재사항

① 필요적 기재사항

㉠ 다음의 사항들은 필수적으로 기재되어야 하며 전부 또는 일부가 기재되지 않은 경우 그 내용이 사실과 다른 경우에는 매입세액을 공제받을 수 없다.

ⓐ 공급하는 사업자의 등록번호와 성명 또는 명칭

ⓑ 공급받는 자의 등록번호[1]

ⓒ 공급가액과 부가가치세액

ⓓ 작성연월일(공급연월일은 임의적 기재사항에 해당)

심화 | 필요적 기재사항 미기재시 불이익

1. 공급자는 세금계산서불성실가산세(부실기재분 1%)를 적용받는다.
2. 공급받는 자는 매입세액을 공제하지 않는다(별도의 가산세는 부과하지 않음).

㉡ 세금계산서의 필요적 기재사항 중 일부가 착오로 기재된 경우에도 해당 세금계산서의 필요적 기재사항 또는 임의적 기재사항으로 보아 거래사실이 확인되는 경우 사실과 다른 세금계산서로 보지 않는다. 따라서 매입세액공제를 받을 수 있다.

② 임의적 기재사항: 임의적 기재사항은 착오기재 또는 누락 시에도 세금계산서의 효력에는 영향을 미치지 않는다.

㉠ 공급하는 자의 주소

㉡ 공급받는 자의 상호 · 성명 · 주소

㉢ 공급하는 자와 공급받는 자의 업태 · 종목 · 품목

㉣ 단가와 수량

㉤ 공급연월일 등

3. 전자세금계산서

(1) 의의

전자세금계산서는 재화 또는 용역의 공급자가 정보통신망으로 세금계산서를 발급하고 전송하는 시스템을 말한다.

(2) 발급의무자

법인사업자와 의무발급 개인사업자는 전자세금계산서를 발급하여야 한다. 법인사업자의 경우 모두 의무발급이지만 개인사업자의 경우는 직전연도의 사업장별 재화 또는 용역의 공급가액의 합계액(면세공급가액을 포함한 금액)이 8천만 원[2] 이상인 개인사업자(그 이후 직전 연도의 사업장별 재화 및 용역의 공급가액이 8천만 원 미만이 된 개인사업자를 포함하며, 이하 "전자세금계산서 의무발급 개인사업자"라 한다)를 말한다.

❶ 공급받는 자의 등록번호

재화 또는 용역을 공급받는 자가 사업자가 아닌 경우에는 공급받는 자의 등록번호에 갈음하여 부여되는 고유번호 또는 공급받는 자의 주소 · 성명 및 주민등록번호를 기재하여야 한다.

기출 OX

세금계산서에 작성연월일을 기재하지 않은 경우에는 세금계산서 불성실가산세를 적용한다. (○) 06. 9급

❷ 전자세금계산서 발급대상 사업자

1. **2022년 7월 1일부터 2023년 6월 30일까지:** 2억 원
2. **2023년 7월 1일부터 ~ 2024년 6월 30일까지:** 1억 원
3. **2024년 7월 1일 이후:** 8천만 원

(3) 전자세금계산서 의무발급기간

① 전자세금계산서 의무발급 개인사업자는 사업장별 재화 및 용역의 공급가액의 합계액이 8천만 원 이상인 해의 다음 해 제2기 과세기간이 시작하는 날부터 전자세금계산서를 발급해야 한다. 다만, 사업장별 재화와 용역의 공급가액의 합계액이 「국세기본법」에 따른 수정신고 또는 결정과 경정으로 8천만 원 이상이 된 경우에는 수정신고 등을 한 날이 속하는 과세기간의 다음 과세기간이 시작하는 날부터 전자세금계산서를 발급해야 한다.

② 전자세금계산서를 의무적으로 발급하여야 하는 사업자가 아닌 경우에도 전자세금계산서를 발급 · 전송할 수 있다.

> **심화 | 전자세금계산서 의무발급에 따른 통지**
>
> 1. 관할 세무서장은 개인사업자가 전자세금계산서 의무발급 개인사업자에 해당하는 경우에는 전자세금계산서를 발급해야 하는 날이 시작되기 1개월 전까지 그 사실을 해당 개인사업자에게 통지하여야 한다.
> 2. 개인사업자가 전자세금계산서를 발급해야 하는 날이 시작되기 1개월 전까지 통지를 받지 못한 경우에는 통지서를 수령한 날이 속하는 달의 다음 다음 달 1일부터 전자세금계산서를 발급하여야 한다.

(4) 전자세금계산서 전송

① 전자세금계산서를 발급하였을 때에는 전자세금계산서의 발급일의 다음날까지 세금계산서 발급명세를 국세청장에게 전송하여야 한다.

② 사업자는 장부 및 세금계산서 · 수입세금계산서 또는 영수증을 그 거래사실이 속하는 과세기간에 대한 확정신고기한 후 5년간 보존하여야 한다. 다만, 전자세금계산서 발급명세를 전송한 경우에는 5년간 세금계산서 보존의무가 면제된다.

③ 전자세금계산서를 발급하거나 발급받고 전자세금계산서발급명세를 해당 재화 또는 용역의 공급시기가 속하는 과세기간(예정신고의 경우에는 예정신고) 마지막날의 다음달 11일까지 국세청장에게 전송한 경우에는 해당 예정신고 또는 확정신고 시 매출 · 매입처별 세금계산서합계표를 제출하지 않을 수 있다.

4. 수입세금계산서

세관장은 수입되는 재화에 대하여 세금계산서규정을 준용하여 수입세금계산서를 수입자에게 발급하여야 한다.

5. 위탁매매 등의 세금계산서

위탁매매(또는 대리인에 의한 매매)를 할 때에는 위탁자(또는 본인)가 직접 재화를 공급하거나 공급받은 것으로 본다.

기출 OX

위탁판매에 의한 판매의 경우에 수탁자가 재화를 인도하는 때에는 수탁자가 세금계산서를 발급하며, 위탁자가 직접 재화를 인도하는 때에는 위탁자가 세금계산서를 발급할 수 있다. (○) 09. 9급

기출 OX

위탁매입의 경우에는 공급자가 위탁자를 공급받는 자로 하여 세금계산서를 발급한다. (○) 14. 7급

(1) 위탁판매

① 수탁자(또는 대리인)가 재화를 인도하는 경우: 수탁자(또는 대리인)가 위탁자(또는 본인)의 명의로 세금계산서를 발급하여야 하며, 수탁자(또는 대리인)의 등록번호를 덧붙여야 한다. 다만, 위탁자(또는 본인)를 알 수 없는 경우에는 위탁자(또는 본인)는 수탁자(또는 대리인)에게, 수탁자(또는 대리인)는 거래상대방에게 공급한 것으로 보아 세금계산서를 발급한다.

② 위탁자(또는 본인)가 직접 재화를 인도하는 경우: 위탁자(또는 본인)가 세금계산서를 발급할 수 있으며, 수탁자(또는 대리인)의 등록번호를 덧붙여야 한다.

(2) 위탁매입

공급자가 위탁자(또는 본인)를 공급받는 자로 하여 세금계산서를 발급하여야 하며, 이 경우에는 수탁자(또는 대리인)의 등록번호를 덧붙여야 한다.

6. 리스거래

납세의무 있는 사업자가 「여신전문금융업법」에 의하여 등록한 시설대여회사로부터 시설 등을 임차하고 해당 시설 등을 공급자 또는 세관장으로부터 직접 인도받는 경우 공급자 또는 세관장이 해당 사업자에게 직접 세금계산서를 발급할 수 있다.

7. 매입자발행 세금계산서

(1) 개념

사업자가 재화 또는 용역을 공급하고 세금계산서 발급 시기에 세금계산서를 발급하지 아니한 경우(사업자의 부도 · 폐업, 공급 계약의 해제 · 변경 또는 그 밖에 대통령령으로 정하는 사유가 발생한 경우로서 사업자가 수정세금계산서 또는 수정전자세금계산서를 발급하지 아니한 경우를 포함) 그 재화 또는 용역을 공급받은 자는 관할세무서장의 확인을 받아 세금계산서(이하 '매입자발행 세금계산서'라 함)를 발행할 수 있다.

(2) 매입세액공제 절차

① 세금계산서 발급의무가 있는 사업자란 일반과세자와 세금계산서 발급의무가 있는 간이과세자를 말한다. 또한 영수증 발급대상 사업을 하는 사업자로서 공급받은 사업자가 사업자등록증을 제시하고 세금계산서의 발급을 요구하는 경우에 세금계산서 발급의무가 있는 사업자를 포함한다.

② 매입자발행 세금계산서를 발행하려는 자(간이과세자와 면세사업자를 포함한 모든 사업자)는 공급시기가 속하는 과세기간의 종료일부터 6개월 이내에 기획재정부령이 정하는 거래사실확인신청서에 거래사실을 객관적으로 입증할 수 있는 서류를 첨부하여 신청인의 관할세무서장에게 거래사실의 확인을 신청하여야 한다. 거래사실의 확인신청 대상이 되는 거래는 거래 건당 공급 대가가 5만 원 이상인 경우로 한다.

③ 신청을 받은 관할세무서장은 신청서에 재화 또는 용역을 공급한 자의 인적사항이 부정확하거나 신청서 기재방식에 흠이 있는 경우에는 신청일부터 7일 이내에 일정한 기간을 정하여 보정요구를 할 수 있다.

④ 보정요구에 응하지 아니하거나 다음의 어느 하나에 해당하는 경우에는 신청인 관할세무서장은 거래사실의 확인을 거부하는 결정을 하여야 한다.

㉠ 신청기간을 넘긴 것이 명백한 경우

㉡ 신청서의 내용으로 보아 거래 당시 미등록사업자 또는 휴 · 폐업자와 거래한 것이 명백한 경우

⑤ 신청인 관할세무서장은 거래사실의 확인을 거부하는 결정을 하지 아니한 신청에 대해서는 거래사실확인신청서가 제출된 날(보정을 요구하였을 때에는 보정이 된 날)부터 7일 이내에 신청서와 제출된 증빙서류를 공급자 관할세무서장에게 송부하여야 한다.

⑥ 신청서를 송부받은 공급자 관할세무서장은 신청인의 신청내용, 제출된 증빙자료를 검토하여 거래사실 여부를 확인하여야 한다. 이 경우 거래사실의 존재 및 그 내용에 대한 입증책임은 신청인에게 있다.

⑦ 공급자 관할세무서장은 신청일의 다음달 말일까지 거래사실 여부를 확인한 후 다음의 구분에 따른 통지를 공급자와 신청인 관할세무서장에게 하여야 한다. 다만, 공급자의 부도 · 일시 부재 등 기획재정부령으로 정하는 불가피한 사유가 있는 경우에는 거래사실 확인기간을 20일 이내의 범위에서 연장할 수 있다.

㉠ **거래사실이 확인되는 경우**: 공급자 및 공급받는 자의 사업자등록번호, 작성연월일, 공급가액 및 부가가치세액 등을 포함한 거래사실 확인 통지

㉡ **거래사실이 확인되지 아니하는 경우**: 거래사실 확인불가 통지

⑧ 신청인 관할세무서장은 공급자 관할세무서장으로부터 통지를 받은 후 즉시 신청인에게 그 확인결과를 통지하여야 한다.

8. 기타

(1) 수용

수용으로 인하여 재화가 공급되는 경우에는 해당 사업시행자가 세금계산서를 발급할 수 있다. 이 경우 원래 소유자의 명의로 세금계산서를 발급할 수 있다.

(2) 조달청 창고

조달청 창고 및 런던금속거래소의 지정창고에 보관된 물품이 국내로 반입되는 경우에는 세관장이 수입세금계산서를 발급한다.

(3) **합병**

합병에 따라 소멸하는 법인이 합병계약서에 기재된 합병을 할 날부터 합병등기일까지의 기간에 재화 또는 용역을 공급하거나 공급받는 경우 합병 이후 존속하는 법인 또는 합병으로 신설되는 법인이 세금계산서를 발급하거나 발급받을 수 있다.

3 발급시기

세금계산서는 공급시기에 발급하는 것이 원칙이지만 실제로 거래가 발생할 것으로 인정되는 것에 대하여 다음과 같은 특례를 두고 있다.

1. 공급시기 도래 전에 발급하는 경우

세금계산서는 재화 또는 용역의 공급시기에 재화 또는 용역을 공급받는 자에게 발급하여야 한다. 다만, 다음의 경우는 공급시기 전에 세금계산서를 발급할 수 있으며 해당 세금계산서 또는 영수증을 발급하는 때를 공급시기로 본다.

기출 OX
공급시기가 도래하기 전에 대가를 받고 세금계산서를 발급한 경우에는 그 발급하는 때를 공급시기로 본다. (○) 06. 9급

(1) 사업자가 재화 또는 용역의 공급시기가 되기 전에 대가의 전부나 일부를 받고 그 받은 대가에 대하여 세금계산서 또는 영수증을 발급한 경우

(2) 사업자가 공급시기 이전에 세금계산서를 발급하고 그 세금계산서 발급일로부터 7일 이내에 대가를 받는 경우

(3) 세금계산서 발급 후 7일이 지난 후 대가를 받더라도 다음 중 어느 하나의 요건을 충족하는 경우

① 거래당사자간 계약서 · 약정서 중에 청구시기(세금계산서 발급일)와 지급시기를 따로 적고, 대금 청구시기와 지급시기가 30일 이내인 경우

② 세금계산서 발급일이 속하는 과세기간(공급받는 자가 조기환급을 받은 경우에는 세금계산서 발급일부터 30일 이내)에 재화 또는 용역의 공급시기가 도래하는 경우

(4) 재화의 장기할부판매와 전력 기타 공급단위를 구획할 수 없는 재화를 계속적으로 공급하는 경우(대가 수령 여부 불문)

(5) 용역의 장기할부 또는 통신 등 그 공급단위를 구획할 수 없는 용역을 계속적으로 공급하는 경우(대가 수령 여부 불문)

2. 공급시기 후 발급하는 경우

공급시기가 지난 후 발급하는 세금계산서의 경우는 인정하지 않는다. 다만, 다음의 경우에는 재화 또는 용역의 공급일이 속하는 달의 다음달 10일(다음달 10일이 공휴일 또는 토요일인 때에는 해당일의 다음날)까지 세금계산서를 발급하는 것을 특례로 인정해 주고 있으며 이 경우 작성연월일을 공급시기로 한다.

(1) 거래처별 1역월의 공급가액을 합계하여 해당 월의 말일자를 작성연월일로 하여 세금계산서를 발급하는 경우
(2) 거래처별로 1역월 내에서 사업자 임의로 정한 기간의 공급가액을 합계하여 그 기간의 종료일자를 작성연월일로 하여 세금계산서를 발급하는 경우
(3) 관계증명서류 등에 따라 실제거래사실이 확인되는 경우로서 해당 거래일자를 작성연월일로 하여 세금계산서를 발급하는 경우

기출 OX
거래처별로 1역월의 공급가액을 합계하여 해당 월의 말일자를 작성연월일로 하여 세금계산서를 발급하는 경우에는 해당 재화 또는 용역의 공급일이 속하는 달의 다음달 10일까지 세금계산서를 발급할 수 있다. (○) 10. 7급

4 수정세금계산서

세금계산서 발급 후 착오나 정정 등의 다음과 같은 사유가 발생하는 경우 수정세금계산서를 발급할 수 있다.

1. 당초 공급한 재화가 환입된 경우

재화가 환입된 날을 작성일자로 적고 비고란에 당초 세금계산서 작성일자를 덧붙여 적은 후 붉은색 글씨로 쓰거나 부(負)의 표시를 하여 발급한다.

2. 계약의 해제로 재화 또는 용역이 공급되지 아니한 경우

계약이 해제된 때에 그 작성일은 계약해제일로 적고 비고란에 처음 세금계산서 작성일을 덧붙여 적은 후 붉은색 글씨로 쓰거나 부(負)의 표시를 하여 발급한다.

3. 계약의 해지 등에 따라 공급가액에 추가 또는 차감되는 금액이 발생한 경우

증감사유가 발생한 날을 작성일자로 적고 추가되는 금액은 검은색 글씨로 쓰고, 차감되는 금액은 붉은색 글씨로 쓰거나 부(負)의 표시를 하여 발급한다.

4. 재화 또는 용역을 공급한 후 공급시기가 속하는 과세기간 종료 후 25일 이내에 내국신용장이 개설되었거나 구매확인서가 발급된 경우

내국신용장 등이 개설된 때에 그 작성일자는 당초 세금계산서 작성일자를 적고 비고란에 내국신용장 개설일 등을 덧붙여 적어 영세율 적용분은 검은색 글씨로 세금계산서를 작성하여 발급하고, 추가하여 당초에 발급한 세금계산서의 내용대로 세금계산서를 붉은색 글씨로 또는 부(負)의 표시를 하여 작성하고 발급한다.

5. 필요적 기재사항 등이 착오로 잘못 적힌 경우

처음에 발급한 세금계산서의 내용대로 세금계산서를 붉은색 글씨로 쓰거나 부(負)의 표시를 하여 발급하고, 수정하여 발급하는 세금계산서는 검은색 글씨로 작성하여 발급한다. 다만, 과세표준 또는 세액을 경정할 것을 미리 알고 있는 경우[1]는 제외한다.

[1] 과세표준 또는 세액을 결정할 것을 미리 알고 있는 경우
1. 세무조사의 통지를 받은 경우
2. 세무공무원이 과세자료의 수집 또는 민원 등을 처리하기 위하여 현지출장이나 확인업무에 착수한 경우
3. 세무서장으로부터 과세자료 해명안내 통지를 받은 경우
4. 그 밖에 1.~3.에 따른 사항과 유사한 경우

6. 필요적 기재사항 등이 착오 외의 사유로 잘못 적힌 경우

재화 및 용역의 공급일이 속하는 과세기간에 대한 확정신고기한 다음날부터 1년 이내에 세금계산서를 작성하되, 처음에 발급한 세금계산서의 내용대로 세금계산서를 붉은색 글씨로 쓰거나 부(負)의 표시를 하여 발급하고, 수정하여 발급하는 세금계산서는 검은색 글씨로 작성하여 발급한다. 다만, 과세표준 또는 세액을 경정할 것을 미리 알고 있는 경우[1]는 제외한다.

[1] 과세표준 또는 세액을 결정할 것을 미리 알고 있는 경우

1. 세무조사의 통지를 받은 경우
2. 세무공무원이 과세자료의 수집 또는 민원 등을 처리하기 위하여 현지출장이나 확인업무에 착수한 경우
3. 세무서장으로부터 과세자료 해명안내 통지를 받은 경우
4. 그 밖에 1.~3.에 따른 사항과 유사한 경우

7. 착오로 전자세금계산서를 이중으로 발급한 경우

당초에 발급한 세금계산서의 내용대로 부(負)의 표시를 하여 발급한다.

8. 면세 등 발급대상이 아닌 거래 등에 대하여 발급한 경우

처음에 발급한 세금계산서의 내용대로 붉은색 글씨로 쓰거나 부(負)의 표시를 하여 발급한다.

9. 세율을 잘못 적용하여 발급한 경우

처음에 발급한 세금계산서의 내용대로 세금계산서를 붉은색 글씨로 쓰거나 부(負)의 표시를 하여 발급하고, 수정하여 발급하는 세금계산서는 검은색 글씨로 작성하여 발급한다. 다만, 과세표준 또는 세액을 경정할 것을 미리 알고 있는 경우[1]는 제외한다.

10. 일반과세자에서 간이과세자로 과세유형이 전환된 후 과세유형전환 전에 공급한 재화 또는 용역에 앞 1.부터 3.까지의 사유가 발생한 경우

처음에 발급한 세금계산서 작성일을 수정세금계산서 또는 수정전자세금계산서의 작성일로 적고, 비고란에 사유 발생일을 덧붙여 적은 후 추가되는 금액은 검은색 글씨로 쓰고 차감되는 금액은 붉은색 글씨로 쓰거나 음(陰)의 표시를 하여 수정세금계산서나 수정전자세금계산서를 발급할 수 있다.

11. 간이과세자에서 일반과세자로 과세유형이 전환된 후 과세유형전환 전에 공급한 재화 또는 용역에 앞 1.부터 3.까지의 사유가 발생하여 수정세금계산서나 수정전자세금계산서를 발급하는 경우

처음에 발급한 세금계산서 작성일을 수정세금계산서 또는 수정전자세금계산서의 작성일로 적고, 비고란에 사유 발생일을 덧붙여 적은 후 추가되는 금액은 검은색 글씨로 쓰고 차감되는 금액은 붉은색 글씨로 쓰거나 음(陰)의 표시를 해야 한다.

5 세금계산서합계표 제출

1. 세금계산서합계표

사업자가 세금계산서를 발급하거나 발급받은 경우 매출처별 세금계산서합계표와 매입처별 세금계산서합계표를 제출하여야 하며 이렇게 제출한 매출 · 매입처별 세금계산서합계표는 매출과 매입의 적정성을 파악하고 검증하는 자료가 된다.

2. 제출의무 대상자

(1) 과세사업자

① **합계표 제출**: 사업자는 세금계산서를 발급하였거나 발급받은 때에는 매출처별 세금계산서합계표와 매입처별 세금계산서합계표를 당해 예정신고 또는 확정신고와 함께 사업장 관할세무서장에게 제출하여야 하며, 예정신고의무가 면제되는 사업자의 경우에는 당해 과세기간의 확정신고와 함께 제출하여야 한다.

② **전자세금계산서 전송에 따른 매출 · 매입처별 세금계산서합계표 미제출 혜택**: 전자세금계산서를 발급하거나 발급받고 전자세금계산서 발급명세를 해당 재화 또는 용역의 공급시기가 속하는 과세기간(예정신고의 경우에는 예정신고기간) 마지막날의 다음달 11일까지 국세청장에게 전송한 경우에는 예정신고 또는 확정신고 시 매출 · 매입처별 세금계산서합계표를 제출하지 아니할 수 있다.

③ **예정신고 누락분 확정신고 시 제출**: 예정신고를 하는 사업자가 각 예정신고와 함께 매출처별 세금계산서합계표와 매입처별 세금계산서합계표를 제출하지 못하는 경우에는 해당 예정신고기간이 속하는 과세기간의 확정신고와 함께 제출할 수 있다.

(2) 면세사업자 등

세금계산서를 발급받은 국가 · 지방자치단체 · 지방자치단체조합 및 면세사업자 등은 부가가치세의 납세의무가 없는 경우에도 매입처별 세금계산서합계표를 당해 과세기간 종료 후 25일 이내에 사업장 관할세무서장에게 제출하여야 한다.

(3) 세관장

세금계산서를 발급한 세관장은 매출처별 세금계산서합계표를 사업자의 경우를 준용하여 사업장 관할세무서장에게 제출하여야 한다.

6 수입세금계산서

1. 수입세금계산서

세관장은 수입되는 재화에 대하여 부가가치세를 징수할 때(부가가치세의 납부가 유예되는 때를 포함)에는 수입된 재화에 대한 세금계산서(이하 '수입세금계산서'라 함)를 수입하는 자에게 발급하여야 한다.

2. 수정수입세금계산서

세관장은 다음의 어느 하나에 해당하는 경우에는 수입하는 자에게 수정수입세금계산서를 발급하여야 한다.

(1) 「관세법」에 따라 세관장이 과세표준 또는 세액을 결정 또는 경정하기 전에 수입하는 자가 수정신고 등을 하는 경우[아래 (3)에 따라 수정신고하는 경우는 제외한다]

(2) 「관세법」에 따라 세관장이 과세표준 또는 세액을 결정 또는 경정하는 경우(수입하는 자가 해당 재화의 수입과 관련하여 다음의 어느 하나에 해당하지 아니하는 경우로 한정한다)

① 「관세법」을 위반하여 고발되거나 통고처분을 받은 경우

② 「관세법」에 따른 부정한 행위 또는 「자유무역협정의 이행을 위한 관세법의 특례에 관한 법률」에 따른 부당한 방법으로 관세의 과세표준 또는 세액을 과소신고한 경우

③ 수입자가 과세표준 또는 세액을 신고하면서 관세조사 등을 통하여 이미 통지받은 오류를 다음 신고 시에도 반복하는 등 중대한 잘못이 있는 경우

(3) 수입하는 자가 세관공무원의 관세조사 등 행위[1]가 발생하여 과세표준 또는 세액이 결정 또는 경정될 것을 미리 알고 그 결정·경정 전에 「관세법」에 따라 수정신고하는 경우[해당 재화의 수입과 관련하여 위 (2)의 각 항목의 어느 하나에 해당하지 아니하는 경우로 한정한다]

[1] 다음 중 어느 하나에 해당하는 행위를 말한다.
1. 관세 조사 또는 관세 범칙사건에 대한 조사를 통지하는 행위
2. 세관공무원이 과세자료의 수집 또는 민원 등을 처리하기 위하여 현지출장이나 확인업무에 착수하는 행위
3. 그 밖에 유사한 행위

3. 그 외 규정

(1) 수정수입세금계산서의 취소

세관장은 위 (2)의 ② 또는 ③의 결정·경정 또는 수정신고에 따라 수정수입세금계산서를 발급한 후 수입하는 자가 위 (2)의 각 항목의 어느 하나에 해당하는 사실을 알게 된 경우에는 이미 발급한 수정수입세금계산서를 그 수정 전으로 되돌리는 내용의 수정수입세금계산서를 발급하여야 한다.

(2) 수정수입세금계산서의 취소의 예외

세관장은 위 (2)의 ①에에 해당하여 ② 또는 ③에 따라 수정수입세금계산서를 발급하지 아니하였거나 위 (1) 수정수입세금계산서의 취소 규정에 따라

수정수입세금계산서를 다시 발급한 이후에 수입하는 자가 무죄 취지의 불기소 처분이나 무죄 확정판결을 받은 경우에는 당초 세관장이 결정 또는 경정한 내용이나 수입하는 자가 수정신고한 내용으로 수정수입세금계산서를 발급하여야 한다.

7 영수증

영수증이란 필요적 기재사항 중 공급받는 자와 부가가치세를 별도로 기재하지 않은 계산서를 말한다. 영수증의 발행금액은 부가가치세가 포함된 공급대가로 표시된다. 그러나 일반과세자로서 영수증 발급업종을 영위하는 사업자가 신용카드기 또는 직불카드기 등 기계적장치에 의하여 영수증을 발급하는 때에는 영수증에 공급가액과 세액을 별도로 구분하여 적어야 한다. 영수증은 과세자료로 활용되며 영수증을 발급받은 사업자는 매입세액으로 공제받을 수 없다.

참고

영수증 등

1. 신용카드매출전표, 현금영수증, 직불카드영수증, 결제대행업체를 통한 신용카드매출전표, 실제 명의가 확인되는 선불카드영수증 등이 있다.
2. 이러한 영수증은 원칙적으로 매입세액공제를 받을 수 없지만 일정요건을 충족한 신용카드 등은 매입세액공제를 받을 수 있다.

1. 영수증 발급사업자

다음에 해당하는 자는 재화 또는 용역의 공급시기에 세금계산서 대신 영수증을 발급하여야 한다.

(1) 간이과세자 중 다음 중 어느 하나에 해당하는 자❶

① 직전 연도의 공급대가의 합계액이 4,800만 원 미만인 자

② 신규로 사업을 시작하는 개인사업자로서 간이과세자로 하는 최초의 과세기간 중에 있는 자❷

(2) 사업자가 아닌 자에게 재화 또는 용역을 공급하는 사업자 중 영수증 발급대상 사업자

2. 영수증 발급사업자의 구분

(1) 세금계산서 발급업종

다음의 사업은 공급받는 사업자가 사업자등록증을 제시하고 세금계산서 발급을 요구하는 경우에는 세금계산서를 발급하여야 한다.

① 소매업

② 음식점업(다과점업을 포함)

③ 숙박업

④ 여객운송업 중 전세버스운송사업

❶ 간이과세자의 영수증 발급 적용기간

1. 영수증 발급에 관한 규정이 적용되거나 적용되지 아니하게 되는 기간은 1역년(曆年)의 공급대가의 합계액(신규로 사업을 시작한 개인사업자의 경우 12개월로 환산한 금액)이 4천800만 원에 미달하거나 그 이상이 되는 해의 다음 해의 7월 1일부터 그 다음 해의 6월 30일까지로 한다.
2. 신규로 사업을 시작하는 개인사업자로서 간이과세자로 하는 최초의 과세기간 중에 있는 자의 영수증 발급에 관한 규정이 적용되는 기간은 사업개시일부터 사업을 시작한 해의 다음 해의 6월 30일까지로 한다.

❷ 간이과세자 영수증 발급 적용기간 통지

1. 간이과세자의 직전연도 공급대가 합계액이 변동되어 영수증 발급에 관한 규정이 적용되거나 적용되지 않게 되는 사업자의 관할세무서장은 해당 기간이 시작되기 20일 전까지 영수증 발급에 관한 규정이 적용되거나 적용되지 않게 되는 사실을 그 사업자에게 통지해야 하고, 사업자등록증을 정정하여 과세기간 개시 당일까지 발급해야 한다.
2. 간이과세자의 직전연도 공급대가 합계액이 변동되어 영수증 발급에 관한 규정이 적용되지 않게 되는 사업자의 관할세무서장이 간이과세자에 관한 규정이 적용되지 않게 되는 사실을 그 사업자에게 통지하고 사업자등록증을 정정하여 발급한 경우에는 위 1.에 따른 통지·발급을 하지 않는다.

기출 OX

음식점업은 영수증 교부대상이나 공급받는 사업자가 사업자등록증을 제시하고 세금계산서의 발급을 요구하는 때에는 세금계산서를 발급하여야 한다. (○)

06. 9급

⑤ 우정사업조직이 소포우편물을 방문접수하여 배달하는 용역을 공급하는 사업

⑥ 변호사 · 공인회계사 · 세무사 등 전문적 인적용역을 공급하는 사업 및 행정사업(사업자에게 공급하는 경우는 세금계산서를 발급하여야 함)

⑦ 전자서명법에 따른 전자서명인증사업자가 인증서를 발급하는 사업

⑧ 주로 사업자가 아닌 소비자에게 재화 또는 용역을 공급하는 사업으로서 세금계산서를 발급할 수 없거나 발급하는 것이 현저히 곤란한 사업[1]

(2) **세금계산서 발급금지업종**

다음의 경우에는 거래상대방이 세금계산서를 요구하더라도 발급할 수 없다. 다만, 감가상각자산을 공급하는 경우 또는 영수증발급대상 역무 외의 역무를 공급하는 경우에 거래상대방이 사업자등록증을 제시하고 세금계산서의 발급을 요구하는 경우는 발급하여야 한다.

① 미용, 욕탕 및 유사서비스업

② 여객운송업(전세버스운송사업 제외)

③ 입장권발행영위사업

④ 의료 · 보건용역 중 부가가치세가 과세되는 미용목적 성형수술의 진료용역

⑤ 부가가치세가 과세되는 수의사가 제공하는 동물의 진료용역

⑥ 자동차운전학원 및 무도학원

8 세금계산서 발급의무면제

세금계산서를 발급하기 어렵거나 불필요한 경우 등 다음에 따른 재화 또는 용역을 공급하는 경우는 세금계산서를 발급하지 않을 수 있다.

1. 택시운송 사업자, 노점 또는 행상을 하는 자, 무인판매기를 이용하여 공급하는 재화 또는 용역
2. 소매업 또는 미용, 욕탕 및 유사서비스업을 영위하는 자가 공급하는 재화 또는 용역. 다만, 소매업의 경우에는 공급받는 자가 세금계산서의 발급을 요구하지 아니하는 경우에 한한다.
3. 재화의 간주공급에 해당하는 재화의 자가공급(판매목적 타사업장 반출은 제외) · 개인적 공급 · 사업상 증여 · 폐업 시 잔존재화
4. **영세율 거래**

(1) 수출하는 재화. 다만, 다음의 경우는 세금계산서를 발급하여야 한다.

① 내국신용장 또는 구매확인서에 의하여 공급하는 재화

② 한국국제협력단 · 한국국제보건의료재단 · 대한적십자사에 공급하는 재화

③ 수출재화임가공용역

④ 위탁가공을 위한 원료의 국외 무상반출이 수출에 해당하는 경우

---

[1] 도정업과 떡류 제조업 중 떡방앗간, 양복점업, 양장점업 및 양화점업, 주거용 건물공급업(주거용 건물을 자영건설하는 경우를 포함), 운수업과 주차장 운영업, 부동산중개업, 사회서비스업과 개인서비스업, 가사서비스업, 도로 및 관련 시설 운영업, 자동차 제조업 및 자동차 판매업, 주거용 건물 수리 · 보수 및 개량업 등 여기서 자동차 제조업 및 자동차 판매업을 경영하는 사업자가 영수증을 발급하였으나, 공급을 받는 사업자가 해당 재화를 공급받은 날이 속하는 과세기간의 다음달 10일까지 사업자등록증을 제시하고 세금계산서 발급을 요구하는 때에는 세금계산서를 발급하여야 한다. 이 경우 처음에 발급한 영수증은 발급되지 아니한 것으로 본다.

기출 OX

택시운송 사업자, 노점 또는 행상을 하는 자가 공급하는 재화나 용역의 경우 세금계산서 발급의무가 면제된다. (○)

13. 9급

(2) 국외에서 제공하는 용역

공급받는 사업자가 국내에 사업장이 없는 비거주자 또는 외국법인인 경우에 한한다.

(3) 선박 또는 항공기의 외국항행용역

공급받는 자가 국내에 사업장이 없는 비거주자 또는 외국법인인 경우와 외국항공용역으로서 항공기의 외국항행용역 및 「항공사업법」에 의한 상업서류송달용역에 한한다.

(4) 기타 외화획득

① 국내에서 비거주자 또는 외국법인에게 공급하는 재화 또는 용역

② 「관광진흥법」에 의한 일반여행업자가 외국인관광객에게 공급하는 관광알선용역

③ 외국항행선박 · 항공기 또는 원양어선에 공급하는 재화 또는 용역으로 공급받는 자가 국내에 사업장이 없는 비거주자 또는 외국법인인 경우에 한함

④ 우리나라에 상주하는 외교공관, 영사기관(명예영사기관을 장으로 하는 영사기관은 제외), 국제연합과 이에 준하는 국제기구(우리나라가 당사국인 조약과 그 밖의 국내법에 따라 특권과 면제를 부여받을 수 있는 경우만 해당), 국제연합국 또는 미국군에게 공급한 재화 또는 용역

5. 그 밖에 국내사업장이 없는 비거주자 또는 외국법인에 공급하는 재화 또는 용역. 다만, 다음의 어느 하나에 해당하는 경우는 제외한다.

(1) 국내사업장이 없는 비거주자 또는 외국법인이 해당 외국의 개인사업자 또는 법인사업자임을 증명하는 서류를 제시하고 세금계산서 발급을 요구하는 경우

(2) 「법인세법」에 따른 외국법인연락사무소에 재화 또는 용역을 공급하는 경우

6. 간주임대료

7. 전자서명법에 따른 전자서명인증사업자가 인증서를 발급하는 경우. 다만, 공급받는 자가 사업자로서 세금계산서의 발급을 요구하는 경우는 제외한다.

8. 간편사업자등록을 한 사업자가 국내에 공급하는 전자적 용역

> **심화 | 신용카드매출전표 발급 시 세금계산서 발급면제**
>
> 세금계산서 발급금지업종 외의 사업을 경영하는 사업자가 신용카드매출전표 · 직불카드영수증 · 선불카드영수증 · 현금영수증을 발급한 경우에는 상대방이 요구하더라도 세금계산서를 발급하지 않는다(신용카드매출전표 등과 세금계산서의 이중공제를 방지하기 위함).

9 금전등록기

영수증을 발급하는 사업자는 금전등록기를 설치하여 공급대가를 기재한 금전등록기 계산서를 발급할 수 있다. 이 경우 사업자가 금전등록기계산서를 발급하고 해당 감사테이프를 보관한 경우에는 영수증을 발급하고 장부의 작성을 이행한 것으로 보며 현금수입기준으로 과세표준을 계산하여 부가가치세를 부과할 수 있다.

■ 「부가가치세법」 시행규칙 [별지 제14호서식] (적색) 〈기획재정부령 제718호 2019.3.20. 일부개정〉

책 번 호 　권　호

세금계산서(공급자 보관용)

일련번호 ☐☐-☐☐☐

구분	항목	내용	항목	내용
공급자	등록번호	☐☐☐-☐☐-☐☐☐☐☐		
	상호(법인명)		성명(대표자)	
	사업장 주소			
	업태		종목	
공급받는자	등록번호			
	상호(법인명)		성명(대표자)	
	사업장 주소			
	업태		종목	

작성				공급가액	세액	비고
연	월	일	공란수	조 천 백 십 억 천 백 십 만 천 백 십 일	천 백 십 억 천 백 십 만 천 백 십 일	

월	일	품목	규격	수량	단가	공급가액	세액	비고

합계금액	현금	수표	어음	외상 미수금	이 금액을 영수/청구 함

210㎜×148.5㎜ (인쇄용지(특급) 34g/㎡)

■ 「부가가치세법 시행규칙」 [별지 제14호서식] (청색)

책 번 호 　권　호

세금계산서(공급받는 자 보관용)

일련번호 ☐☐-☐☐☐

구분	항목	내용	항목	내용
공급자	등록번호	☐☐☐-☐☐-☐☐☐☐☐		
	상호(법인명)		성명(대표자)	
	사업장 주소			
	업태		종목	
공급받는자	등록번호			
	상호(법인명)		성명(대표자)	
	사업장 주소			
	업태		종목	

작성				공급가액	세액	비고
연	월	일	공란수	조 천 백 십 억 천 백 십 만 천 백 십 일	천 백 십 억 천 백 십 만 천 백 십 일	

월	일	품목	규격	수량	단가	공급가액	세액	비고

합계금액	현금	수표	어음	외상 미수금	이 금액을 영수/청구 함

210㎜×148.5㎜ (인쇄용지(특급) 34g/㎡)

기출문제

01 부가가치세법령상 세금계산서에 대한 설명으로 옳은 것은? 2021년 7급

① 사업자가 재화 또는 용역의 공급시기가 되기 전에 세금계산서를 발급하고 그 세금계산서 발급일부터 7일 이내에 대가를 받으면 해당 세금계산서를 발급한 때를 재화 또는 용역의 공급시기로 본다.

② 계약의 해제로 재화 또는 용역이 공급되지 아니한 경우 수정세금계산서의 작성일은 처음 세금계산서 작성일로 한다.

③ 법인사업자와 직전 연도의 사업장별 재화 및 용역의 공급대가의 합계액이 4억 원 이상인 개인사업자는 세금계산서를 발급하려면 전자세금계산서를 발급하여야 한다.

④ 전자세금계산서를 발급하여야 하는 사업자가 아닌 사업자는 전자세금계산서를 발급할 수 없다.

01

✓ 오답체크

② 계약이 해제된 경우에는 그 작성일은 계약해제일을 적어서 수정세금계산서를 발급한다.

③ 법인사업자는 의무적으로 전자세금계산서를 발급하여야 하며 개인사업자는 1억 원(2024.7.1. 이후 8천만 원)을 기준으로 판단한다.

④ 전자세금계산서는 의무발급사업자가 아닌 경우에도 발급할 수 있다.

02 「부가가치세법」상 세금계산서를 교부하지 않는 경우에 세금계산서불성실가산세를 적용받게 되는 경우로서 옳은 것은? 2016년 7급

① 국내에서 국내사업장이 없는 외국법인에게 재화를 공급하고 그 대금은 외화로 직접 송금받아 외국환은행에 매각한 경우(재화는 외국법인이 지정하는 국내사업자에게 인도되고 이는 해당 사업자의 과세사업에 사용)

② 수출업자와 직접 도급계약에 의하여 수출하는 재화의 임가공용역을 공급하는 경우

③ 부동산임대사업자가 수령한 임대보증금에 대한 간주임대료를 계산하는 경우

④ 면세사업자가 면세재화를 과세사업자에게 공급하는 경우

02

수출업자와 직접 도급계약에 의하여 수출하는 재화의 임가공용역을 공급하는 경우는 영세율 세금계산서를 발급하여야 한다.

정답 01 ① 02 ②

03 「부가가치세법」상 세금계산서에 관한 설명으로 옳지 않은 것은? 2013년 9급

① 영세율이 적용되는 재화의 공급이 법령에서 정하는 내국신용장에 의한 수출인 경우 세금계산서 발급의무가 면제된다.
② 택시운송 사업자, 노점 또는 행상을 하는 자가 공급하는 재화나 용역의 경우 세금계산서 발급의무가 면제된다.
③ 관할세관장은 수입되는 재화에 대하여 부가가치세를 징수할 때에는 수입세금계산서를 수입하는 자에게 발급하여야 한다.
④ 수용으로 인하여 재화가 공급되는 경우 해당 사업시행자가 세금계산서를 발급할 수 있다.

03
내국신용장 또는 구매확인서에 의한 수출인 경우에는 영세율 적용대상으로 세금계산서 발급대상에 해당한다.

04 「부가가치세법」상 세금계산서 제도에 대한 설명으로 옳은 것은? 2012년 7급

① 납세의무자는 사업자등록을 하지 않더라도 세금계산서를 발급할 수 있다.
② 사업자가 자기의 사업과 관련하여 취득한 재화를 자기의 사업을 위하여 직접 사용하는 경우 세금계산서를 발급하여야 한다.
③ 세관장은 수입되는 재화에 대하여 대통령령이 정하는 바에 따라 세금계산서를 수입자에게 발급하여야 한다.
④ 사업자가 재화 또는 용역의 공급시기 도래 전에 세금계산서를 발급하고 그 세금계산서 발급일부터 10일 이내에 대가를 지급받은 경우에는 정당한 세금계산서를 발급한 것으로 본다.

04
오답체크
① 사업자등록을 하지 않은 납세의무자는 세금계산서를 발급할 수 없다.
② 사업자가 자기의 사업과 관련하여 취득한 재화를 자기의 사업을 위하여 직접 사용하는 경우 세금계산서 발급대상에 해당하지 않는다.
④ 사업자가 재화 또는 용역의 공급시기 도래 전에 세금계산서를 발급하고 그 세금계산서 발급일부터 7일 이내에 대가를 지급받은 경우에는 정당한 세금계산서를 발급한 것으로 본다.

정답 03 ① 04 ③

05 「부가가치세법」상 세금계산서의 발급에 관한 설명으로 옳지 않은 것은?

2010년 7급

① 거래처별로 1역원의 공급가액을 합계하여 해당 월의 말일자를 작성연월일로 하여 세금계산서를 발급하는 경우에는 해당 재화 또는 용역의 공급일이 속하는 달의 다음달 10일까지 세금계산서를 발급할 수 있다.
② 재화 또는 용역의 공급시기가 도래하기 전에 세금계산서를 발급하고 그 세금계산서 발급일로부터 7일 이내에 대가를 지급받는 경우에는 적법하게 세금계산서를 발급한 것으로 본다.
③ 세관장은 수입되는 재화에 대해 대통령령이 정하는 바에 따라 세금계산서를 수입하는 자에게 발급하여야 한다.
④ 관계 증명서류 등에 따라 실제 거래사실이 확인되는 경우로서 해당 거래일자를 작성연월일로 하여 세금계산서를 발급하는 경우에는 해당 재화 또는 용역의 공급일이 속하는 과세기간의 확정신고기한까지 세금계산서를 발급할 수 있다.

05
관계 증명서류 등에 따라 실제 거래사실이 확인되는 경우로서 해당 거래일자를 작성연월일로 하여 세금계산서를 발급하는 경우에는 해당 재화 또는 용역의 공급일이 속하는 달의 다음달 10일까지 세금계산서를 발급할 수 있다.

06 「부가가치세법」상 세금계산서 발급에 관한 설명으로 옳은 것은 몇 개인가?

2009년 9급

ㄱ. 위탁판매에 의한 판매의 경우에 수탁자가 재화를 인도하는 때에는 수탁자가 세금계산서를 발급하며, 위탁자가 직접 재화를 인도하는 때에는 위탁자가 세금계산서를 발급할 수 있다.
ㄴ. 수용으로 인하여 재화가 공급되는 경우에는 당해 사업시행자가 세금계산서를 발급할 수 있다.
ㄷ. 위탁매입에 의한 매입의 경우에는 공급자가 수탁자를 공급받는 자로 하여 세금계산서를 발급한다.
ㄹ. 소매업의 경우에는 공급받는 자가 세금계산서의 발급을 요구하지 아니하는 경우에는 세금계산서를 발급하지 아니할 수 있다.

① 1개 ② 2개
③ 3개 ④ 4개

06
옳은 것은 3개(ㄱ, ㄴ, ㄹ)이다.

오답체크

ㄷ. 위탁매입에 의한 매입의 경우에는 공급자가 위탁자를 공급받는 자로 하여 세금계산서를 발급한다. 이 경우 수탁자의 등록번호를 덧붙여 적어야 한다.

정답 05 ④ 06 ③

07 「부가가치세법」상 세금계산서와 영수증에 대한 설명으로 옳지 않은 것은?

2008년 9급

① 신규사업자인 간이과세자는 세금계산서를 발급하지 못하며 영수증을 발급하여야 한다.

② 간이과세자는 세금계산서를 발급받아도 세금계산서에 기재된 부가가치세액의 전부를 자기가 납부할 부가가치세에서 공제받을 수는 없다.

③ 세금계산서는 '공급자 보관용', '공급받는 자 보관용', '세무서 제출용'으로 이루어져 있다.

④ 재화를 직접 수출하는 경우에는 세금계산서 발급의무가 면제된다.

07
세금계산서는 '공급자 보관용', '공급받는 자 보관용'으로 이루어져 있다.

08 세금계산서에 관한 설명 중 옳지 않은 것은?

2006년 9급

① 음식점업은 영수증 교부대상이나 공급받는 사업자가 사업자등록증을 제시하고 세금계산서의 발급을 요구하는 때에는 세금계산서를 발급하여야 한다.

② 영세율 적용대상인 내국신용장에 의한 재화의 공급에 대하여는 세금계산서의 발급의무가 면제된다.

③ 공급시기가 도래하기 전에 대가를 받고 세금계산서를 발급한 경우에는 그 발급하는 때를 공급시기로 본다.

④ 세금계산서에 작성연월일을 기재하지 않은 경우에는 세금계산서 불성실가산세를 적용한다.

08
수출하는 재화로서 내국신용장 또는 구매확인서에 의하여 공급하는 재화는 세금계산서 발급의무가 있다.

정답 07 ③ 08 ②

06 과세표준

1 개념

과세표준이란 세액을 산출하기 위하여 기초가 되는 과세물건의 수량 또는 가액을 말한다. 우리나라는 전단계세액공제법을 채택하여 매출세액에서 매입세액을 차감하여 세액을 계산한다. 따라서 매출세액의 기준이 되는 재화 또는 용역의 공급가액을 합한 금액이 과세표준이 된다. 과세표준 계산구조는 다음과 같다.

구분		과세표준	세율	세액
과세	세금계산서발급분	×××	10%	×××
	매입자발행 세금계산서	×××	10%	×××
	신용카드 · 현금영수증 발행분	×××	10%	×××
	기타(정규영수증 외 매출분)	×××	10%	×××
영세율	세금계산서발급분	×××	0%	0
	기타	×××	0%	0
예정신고누락분				×××
대손세액가감				×××
합계				×××

2 일반적인 과세표준 계산

1. 일반기준

부가가치세의 과세표준은 해당 과세기간에 공급한 재화 또는 용역의 공급가액을 합한 금액으로 한다(부가가치세가 포함된 금액은 공급대가). 공급가액은 다음의 금액을 말한다.

(1) **금전으로 대가를 받는 경우**

그 대가

(2) **금전 외의 대가를 받는 경우**

자기가 공급한 재화 또는 용역의 시가❶

(3) **특수관계에게 부당하게 저가 또는 무상으로 공급하는 경우**

특수관계인에게 공급하는 재화 또는 용역(수탁자가 위탁자의 특수관계인에게 공급하는 신탁재산과 관련된 재화 또는 용역을 포함)에 대한 조세의 부담을 부당하게 감소시킬 것으로 인정되는 경우로서 다음의 어느 하나에 해당하는 경우에는 공급한 재화 또는 용역의 시가를 공급가액으로 한다.

기출 OX

자기가 공급한 재화에 대해 금전 외의 대가를 받는 경우에는 부가가치세를 포함한 그 대가를 공급가액으로 한다. (×) 16. 9급

▶ 부가가치세를 제외한 금액을 공급가액으로 한다.

❶

시가란 다음의 금액을 말한다.

1. **1순위:** 사업자가 그와 특수관계인 외의 자와 해당 거래와 유사한 상황에서 계속적으로 거래한 가격 또는 제3자간에 일반적으로 거래된 가격
2. **2순위:** 1순위의 가격이 없는 경우 사업자가 그 대가로 받은 재화 또는 용역의 가격
3. **3순위:** 1순위 또는 2순위의 가격이 없거나 시가가 불분명한 경우 「소득세법」이나 「법인세법」에서 규정하고 있는 시가산정기준에 따른 가격(감정평가업자의 감정가액 → 「상속세 및 증여세법」상 보충적 평가가액)

① 재화의 공급에 대하여 부당하게 낮은 대가를 받거나 아무런 대가를 받지 아니한 경우

② 용역의 공급에 대하여 부당하게 낮은 대가를 받는 경우

③ 용역의 공급에 대하여 대가를 받지 아니하는 경우로서 사업용부동산임대용역을 공급하는 경우

(4) **폐업하는 경우**

재고재화의 시가

구분		특수관계 ○	특수관계 ×
재화	무상	시가	시가(간주공급)
	저가	시가	거래금액
용역	무상	과세대상 아님 (사업용부동산 임대의 경우는 시가)	과세대상 아님
	저가	시가	거래금액

심화 | 부가가치세의 포함 여부가 불분명한 경우의 과세표준

사업자가 재화 · 용역을 공급하고 그 대가로 받은 금액에 공급가액과 세액이 별도로 표시되어 있지 않은 경우와 부가가치세가 포함되어 있는지 불분명한 경우에는 거래금액에 부가가치세가 포함된 것으로 보아 해당 금액에 100/110에 해당하는 금액을 공급가액으로 본다.

2. 과세표준에 포함되는 것과 포함되지 않는 것

(1) 과세표준에 포함되는 것

거래상대방으로부터 받는 대금 · 요금 · 수수료, 기타 명목 여하에 불구하고 실질적 대가관계에 있는 모든 금전적 가치를 포함한다.

① 장기할부판매 또는 할부판매의 경우 이자상당액

② 대가의 일부로 받는 운송보험료 · 산재보험료 · 운송비 · 포장비 · 하역비 등

③ 개별소비세, 주세, 교통 · 에너지 · 환경세가 과세되는 재화 또는 용역에 대해서는 해당 개별소비세, 주세, 교통 · 에너지 · 환경세와 그 교육세 및 농어촌특별세

(2) 과세표준에 포함되지 않는 것

① 매출에누리액 · 매출환입 · 매출할인액[1]

② 공급받는 자에게 도달하기 전에 파손 · 훼손 또는 멸실된 재화의 가액

③ 재화 또는 용역의 공급과 직접 관련되지 아니하는 국고보조금과 공공보조금

④ 공급 대가의 지급이 지연되어 받는 이자로서 연체이자

⑤ 반환조건부 용기대금과 포장비용. 다만, 반환이 불가능하게 되어 변상금형식으로 변제받는 금액은 과세표준에 포함된다.

❶

1. **매출에누리액**: 재화나 용역을 공급할 때 그 품질이나 수량, 인도조건 또는 공급대가의 결제방법이나 그 밖의 공급조건에 따라 통상의 대가에서 일정액을 직접 깎아 주는 금액으로 과세표준에 포함되지 않는다.
2. **매출환입**: 공급가액의 취소에 해당하는 매출환입은 과세표준에 포함하지 않는다.
3. **매출할인액**: 공급에 대한 대가를 약정기일 전에 받았다는 이유로 사업자가 당초의 공급가액에서 할인해준 금액으로 해당 금액은 과세표준에 포함하지 않는다.

⑥ 용역 등의 대가와 구분기재되는 경우로 봉사료를 당해 종업원에게 지급한 사실이 확인되는 경우 그 종업원의 봉사료 금액. 다만, 사업자가 자기의 수입금액으로 봉사료를 계상하는 경우 과세표준에 포함된다.

⑦ 공급받는 자가 부담하는 원자재 등의 가액❶

3. 과세표준에서 공제하지 않는 것

재화 또는 용역을 공급한 이후에 그 공급가액에 대한 다음의 금액은 과세표준에서 공제하지 않는다.

(1) 대손금

과세표준에서 공제하지 않고 대손세액공제를 통하여 매출세액에서 공제한다.

(2) 판매장려금

현금으로 지급하는 경우에는 과세표준에서 공제하지 않는다. 다만, 현물로 지급하는 경우 사업상증여로 보아 과세표준에 포함한다.

(3) 하자보증금

예치금에 불과하므로 과세표준에서 공제하지 않는다.

4. 마일리지❷

(1) 자기 적립 마일리지❸

① 상대방에게 결제받은 금액 중 일부를 마일리지로 적립하더라도 공급가액에서 제외하지 않는다.

② 자기 적립 마일리지 등으로 결제받은 금액은 공급가액에서 제외한다.

(2) 자기 적립 마일리지 외 과세표준

다음의 금액을 합한 금액을 과세표준으로 한다.

① 마일리지 등 외의 수단으로 결제받은 금액

② 자기 적립 마일리지 등 외의 마일리지 등으로 결제받은 부분에 대하여 재화 또는 용역을 공급받는 자 외의 자로부터 보전(補塡)받았거나 보전받을 금액

심화 | 시가를 과세표준으로 하는 마일리지 등

자기 적립 마일리지 등 외의 마일리지 등으로 대금의 전부 또는 일부를 결제받은 경우로서 다음의 어느 하나에 해당하는 경우는 공급한 재화 또는 용역의 시가를 과세표준으로 한다.

1. 금액을 보전받지 아니하고 매입세액을 공제받은 자기생산 · 취득재화를 공급한 경우
2. 특수관계인으로부터 부당하게 낮은 금액을 보전받거나 아무런 금액을 받지 아니하여 조세의 부담을 부당하게 감소시킬 것으로 인정되는 경우

---

❶

거래상대방으로부터 인도받은 원자재 등을 사용하여 제조 · 가공한 재화를 공급하거나 용역을 제공하는 경우에 해당 원자재 등의 가액은 과세표준에 포함하지 아니한다. 다만, 재화 또는 용역을 공급하고 그 대가로 원자재 등을 받는 경우에는 그러하지 아니하다.

기출 OX

01 사업자가 재화 또는 용역을 공급받는 자에게 지급하는 장려금이나 이와 유사한 금액 및 대손금액은 과세표준에서 공제하지 아니한다. (○) 13. 9급

02 사업자가 중간지급조건부로 재화를 공급하고 계약에 따라 대가의 각 부분을 받을 때 하자보증을 위해 공급받는 자에게 보관시키는 하자보증금은 과세표준에서 공제한다. (×) 08. 7급

▶ 하자보증금은 공제하지 않는다.

❷ 마일리지

재화 또는 용역의 구입실적에 따라 마일리지, 포인트 또는 그 밖에 이와 유사한 형태로 별도의 대가 없이 적립받은 후 다른 재화 또는 용역 구입 시 결제수단으로 사용할 수 있는 것과 재화 또는 용역의 구입실적에 따라 별도의 대가 없이 교부받으며 전산시스템 등을 통하여 그 밖의 상품권과 구분 관리되는 상품권을 말한다.

❸ 자기 적립 마일리지

당초 재화 또는 용역을 공급하고 마일리지 등을 적립(다른 사업자를 통하여 적립하여 준 경우를 포함)하여 준 사업자에게 사용한 마일리지 등(여러 사업자가 적립하여 줄 수 있거나 여러 사업자를 대상으로 사용할 수 있는 마일리지 등의 경우 다음의 요건을 모두 충족한 경우로 한정함)을 말한다.

1. 고객별 · 사업자별로 마일리지 등의 적립 및 사용 실적을 구분하여 관리하는 등의 방법으로 당초 공급자와 이후 공급자가 같다는 사실이 확인될 것
2. 사업자가 마일리지 등으로 결제받은 부분에 대하여 재화 또는 용역을 공급받는 자 외의 자로부터 보전받지 아니할 것

5. 거래형태별 과세표준

(1) 외화로 대가를 받은 경우

기출 OX
재화공급의 대가로 외국통화를 받고 이를 법률에 따른 재화의 공급시기가 되기 전에 원화로 환가한 경우에는 환가한 금액을 공급가액으로 한다. (○) 15. 7급

대가를 외국통화나 그 밖의 외국환으로 받은 경우에는 다음의 구분에 따른 금액을 그 대가로 한다.

① 공급시기 도래 전에 원화로 환가한 경우는 그 환가한 가액

② 공급시기 이후에 외국통화 기타 외국환의 상태로 보유하거나 지급받는 경우는 공급시기의 「외국환거래법」에 따른 기준환율 또는 재정환율에 따라 계산한 금액

(2) 재화의 수입

기출 OX
재화의 수입에 대한 과세표준은 그 재화에 대한 과세의 과세가격과 관세, 개별소비세, 주세, 교육세, 농어촌특별세 및 교통 · 에너지 · 환경세를 합한 금액으로 한다. (○) 15. 7급

① 수입재화의 과세표준: 재화수입의 경우 과세표준은 관세의 과세가격과 관세, 개별소비세, 주세, 교육세, 농어촌특별세 및 교통 · 에너지 · 환경세의 합계액으로 한다.

과세표준 = 관세의 과세가격 + 관세 + 개별소비세, 주세, 교통 · 에너지 · 환경세 + 교육세, 농어촌특별세

② 보세구역에서 반출하는 수입재화

㉠ 보세구역으로 외국에서 재화를 반입하는 것은 재화의 수입에 해당하지 않는다. 그리고 동일한 보세구역 내에서 재화 또는 용역을 공급하거나 보세구역 이외의 장소에서 보세구역으로 재화 또는 용역을 공급하는 경우 재화 또는 용역의 공급에 해당한다.

㉡ 사업자가 보세구역 내에 보관된 수입재화를 다른 사업자에게 공급하고 해당 재화를 공급받은 자가 그 재화를 보세구역으로부터 반입하는 경우 재화를 공급한 자의 과세표준은 그 재화의 공급가액에 세관장이 발급한 수입세금계산서의 공급가액을 뺀 금액으로 한다. 다만, 세관장이 부가가치세를 징수하기 전에 같은 재화에 대한 선하증권이 양도되는 경우에는 해당 재화를 공급하는 자의 과세표준은 선하증권의 양수인으로부터 받은 대가를 공급가액으로 할 수 있다.

ⓐ 세관장의 수입세금계산서상 공급가액(과세표준) = 관세의 과세가격 + 관세 + 개별소비세, 주세, 교통 · 에너지 · 환경세 + 교육세, 농어촌특별세 ⓑ 사업자의 과세표준 = 총공급가액 − ⓐ

(3) 둘 이상의 과세기간에 걸쳐 용역을 제공하고 대가를 선불로 받는 경우

헬스클럽 등 스포츠센터를 운영하는 사업자 등이 둘이상의 과세기간에 걸쳐 용역을 제공하고 그 대가를 선불로 받는 경우에는 다음의 금액을 과세표준으로 한다.

과세표준 = 선불로 받은 금액 × 과세기간의 용역제공월수❶ / 계약기간의 월수

❶ 용역제공월수
용역제공월수는 초월은 산입하고 말월은 불산입한다.

(4) BOT방식을 준용하여 공급한 경우

용역을 제공하는 기간 동안 지급받는 대가와 그 시설의 설치가액을 그 용역제공기간의 개월 수로 나눈 금액의 각 과세대상기간의 합계액을 과세표준으로 한다.

과세표준 = (용역제공기간 동안 받은 대가 + 시설 설치가액) × 당기 용역제공월수❷ / 용역제공기간의 월수

❷
용역제공월수는 초월은 산입하고 말월을 불산입한다.

(5) 위탁가공무역방식의 수출

완성된 제품의 인도가액을 과세표준으로 한다.

(6) 외상판매 및 할부판매

공급한 재화의 총가액을 과세표준으로 한다.

(7) 장기할부판매 · 완성도기준지급 · 중간지급조건부 및 계속적 공급

계약에 따라 받기로 한 대가의 각 부분을 과세표준으로 한다.

기출 OX
장기할부판매의 경우에는 계약에 따라 받기로 한 대가의 각 부분을 공급가액으로 한다. (○) 13. 7급

(8) 기부채납

기부채납된 가액(부가가치세 제외)을 과세표준으로 한다.

(9) 매립용역 공급

매립공사에 소요된 총사업비를 과세표준으로 한다.

3 간주공급

1. 판매목적으로 타 사업장 반출하는 재화의 과세표준

(1) 원칙

취득가액❸(「법인세법」 및 「소득세법」에서 규정하는 취득가액)으로 한다.

❸ 판매목적 타사업장 반출 취득가액
「법인세법」 및 「소득세법」상 취득가액이므로 매입세액 공제 여부에 상관없이 취득세 등을 포함한 가액으로 한다.

(2) 취득가액에 일정액을 가산하여 공급하는 경우

취득가액에 일정액을 더한 금액으로 한다.

(3) 개별소비세 · 주세 및 교통 · 에너지 · 환경세가 부과되는 재화

개별소비세 · 주세 및 교통세 · 에너지 · 환경세의 과세표준에 해당 개별소비세 · 주세 · 교육세 · 농어촌특별세 및 교통 · 에너지 · 환경세 상당액을 합계한 금액으로 한다.

2. 자가공급(판매목적 타사업장 반출 제외) · 개인적 공급 · 사업상 증여 · 폐업시 잔존재화의 경우

(1) 감가상각자산 이외의 경우

자기가 공급한 재화의 시가, 폐업시 남아 있는 재화의 시가를 과세표준으로 하고 있다.

(2) 재화가 감가상각자산인 경우

재화가 감가상각자산에 해당하는 경우에 다음의 산식에 따라 계산한 금액을 그 재화의 시가(간주시가)로 본다.

> 공급가액 = 해당 재화의 취득가액❶ × (1 − 감가율❷ × 경과된 과세기간의 수❸)

❶ 취득가액

취득가액은 매입세액을 공제받은 해당 재화의 가액으로 한다. 현재가치할인차금과 연지급수입이자를 포함한 명목가액으로 한다(매입세액공제대상에 해당하지 않는 취득세 등은 취득가액에 포함하지 않음).

❷ 감가율

1. **건물과 구축물**: 5%
2. **그 밖의 감가상각자산**: 25%

❸ 경과된 과세기간의 수

경과된 과세기간의 수를 계산함에 있어서 과세기간의 개시일 후에 감가상각자산을 취득하거나 당해 재화가 공급된 것으로 보게 되는 경우에는 그 과세기간의 개시일에 당해 재화를 취득하거나 당해 재화가 공급된 것으로 본다. 단, 건물 또는 구축물의 경과된 과세기간 수가 20을 초과할 때는 20으로 하고, 그 밖의 감가상각자산의 경과된 과세기간의 수가 4를 초과할 때에는 4로 한다.

(3) 과세사업에 사용하던 감가상각자산을 면세사업에 일부 사용하는 경우

다음에 의하여 계산한 금액을 공급가액으로 하되, 당해 면세사업에 의한 면세공급가액이 총공급가액 중 5% 미만인 경우에는 과세표준이 없는 것으로 본다. 즉, 면세에 사용한 부분에 대하여 과세하지 않겠다는 것이다.

> 공급가액 = 취득가액 × (1 − 감가율 × 경과된 과세기간의 수) × $\frac{\text{면세사업에 일부 사용한 날이 속하는 과세기간의 면세공급가액}}{\text{면세사업에 일부 사용한 날이 속하는 과세기간의 총공급가액}}$

기출 OX

과세사업에 공한 건물을 면세사업에 일부 사용하는 경우 면세사업에 일부 사용한 날이 속한 과세기간의 면세공급가액이 총공급가액의 5% 미만인 경우 공급가액이 없는 것으로 본다. (○) 08. 7급

4 부동산의 일괄공급

1. 토지와 건물 등의 실거래가액이 구분되는 경우

사업자가 토지와 그 토지에 정착된 건물 및 그 밖의 구축물 등을 함께 공급하는 경우에 그 건물 등의 공급가액은 실지거래가액에 의한다. 다만, 실제거래가액으로 구분한 가액이 아래 **2.**에 따라 안분계산한 금액과 30% 이상 차이가 나는 경우에는 **2.**에 따라 안분계산한 금액을 과세표준으로 한다. 다만, 다음의 사유에 해당하는 경우는 제외한다.

(1) 다른 법령에서 정한 토지 또는 건물 등의 양도가액에 따라 실지거래가액을 구분한 경우

(2) 건물 등이 있는 토지를 취득하여 그 건물을 철거하고 토지만 사용하는 경우 등

2. 실지거래가액 중 토지의 가액과 건물 등의 가액의 구분이 불분명한 경우❹

(1) 토지와 건물 등에 대한 기준시가가 모두 있는 경우

공급계약일 현재의 기준시가에 따라 계산한 가액에 비례하여 안분계산한다. 다만, 감정평가액이 있는 경우에는 그 가액에 비례하여 안분계산한다.

❹

감정평가가액은 공급시기(중간지급조건부 · 장기할부의 경우는 최초 공급시기)가 속하는 과세기간의 직전과세기간 개시일부터 공급시기가 속하는 과세기간 종료일까지 감정평가업자가 평가한 가액(감정가액이 2 이상인 경우는 평균액)으로 한다.

(2) **토지와 건물 등 중 어느 하나 또는 모두의 기준시가가 없는 경우**

감정평가가액이 있는 경우에는 그 가액에 비례하여 안분계산한다. 다만, 감정평가가액이 없는 경우에는 장부가액(장부가액이 없는 경우에는 취득가액)에 비례하여 안분계산한 후 기준시가가 있는 자산에 대하여는 그 합계액을 다시 기준시가에 의하여 안분계산한다.

(3) 위의 규정을 적용할 수 없거나 적용하기 곤란한 경우에는 국세청장이 정하는 바에 따라 안분계산한다.

3. 안분

(1) **대가에 부가가치세가 포함되지 않은 경우**

$$\text{공급가액} = \text{일괄양도가액} \times \frac{\text{건물 등 가액}}{\text{토지가액} + \text{건물 등 가액}}$$

(2) **대가에 부가가치세가 포함된 경우**

$$\text{공급가액} = \text{일괄양도가액} \times \frac{\text{건물 등 가액}}{\text{토지가액} + \text{건물 등 가액} + \text{건물 등 가액} \times 10\%}$$

참고

토지와 건물의 일괄공급 시 안분순서

순위	내용
1순위	실거래가액
2순위	감정평가가액
3순위	기준시가(기준시가가 모두 있는 경우)
4순위	기준시가가 모두 없거나 일부가 없는 경우 장부가액(장부가액이 없는 경우 취득가액)으로 안분 후 다시 기준시가 있는 자산에 대해서 기준시가 비율로 안분

5 부동산임대용역의 공급

1. 일반적인 경우

부동산임대용역을 공급하는 경우 공급가액은 다음과 같다.

$$\text{공급가액} = \text{임대료} + \text{간주임대료} + \text{관리비}$$

(1) **임대료**

① 해당 과세기간에 수입할 임대료를 말한다.

② 사업자가 둘 이상의 과세기간에 걸쳐 부동산임대용역을 공급하고 그 대가를 선불 또는 후불로 받는 경우에는 다음의 금액을 공급가액으로 한다.

$$\text{선불 또는 후불로 받는 임대료} \times \frac{\text{각 과세기간의 월수}^{❶}}{\text{계약기간의 월수}}$$

❶ 월수는 초월은 산입하고 말월은 불산입한다.

(2) 간주임대료

① 사업자가 부동산임대용역을 공급하고 전세금 또는 임대보증금을 받는 경우에는 금전 이외의 대가를 받는 것으로 보아 다음 산식에 의하여 계산한 금액을 공급가액으로 한다.

② 간주임대료는 실제 공급에 해당하지 않으므로 간주임대료에 대한 부가가치세를 누가 부담하는지 상관없이 세금계산서를 발급할 수 없다.

$$\text{해당 기간의 전세금 또는 보증금}^{❶} \times \frac{\text{일수}^{❷}}{365(\text{윤년 }366)} \times \text{정기예금이자율}^{❸}$$

❶ 사업자가 계약에 따라 전세금 또는 임대보증금을 임대료에 충당한 경우에는 그 금액을 제외한 가액을 전세금 또는 임대보증금으로 한다.

❷ 일수는 실제 입주사용 여부에 상관없이 계약상 사용하거나 사용하기로 한 때를 기준으로 계산한다.

❸ 이자율은 해당 예정신고기간 또는 과세기간 종료일 현재의 계약기간 1년의 정기예금이자율을 말한다.

심화 | 부동산을 임대하여 다시 임대용역을 제공하는 경우(재임대)

사업자가 부동산을 임차하여 다시 임대용역을 제공하는 경우에는 다음과 같이 간주임대료를 계산한다.

$$(\text{전세금} \cdot \text{보증금} - \text{임차시 지출한 전세금} \cdot \text{보증금}) \times \text{이자율} \times \frac{\text{일수}}{365(\text{윤년 }366)}$$

▶ 임차한 부동산 중 직접 자기의 사업에 사용하는 부분이 있는 경우는 다음과 같이 계산한다.

$$\text{임차시 지출한 전세금} \cdot \text{임차보증금} \times \left(1 - \frac{\text{직접 자기의 사업에 사용하는 면적}}{\text{임차한 부동산의 총면적}}\right)$$

(3) 관리비

사업자가 과세되는 부동산을 임대하고 받는 관리비는 과세표준에 포함한다. 다만, 임차인이 부담하여야 할 보험료 · 수도료 및 공공요금 등을 별도로 구분 징수하여 납입을 대행하는 경우 그 금액은 과세하지 않는다.

2. 과세되는 부동산임대용역과 면세되는 주택임대용역을 함께 공급하는 경우

과세되는 부동산임대용역과 면세되는 주택임대용역을 함께 공급하여 임대료 등의 구분이 불분명한 경우에는 다음의 산식을 순차로 적용하여 공급가액을 계산한다. 그러나 구분이 명확한 경우는 과세되는 부분의 실지귀속에 따라 과세한다.

(1) 기준시가 기준

$$\text{건물분 또는 토지분 임대료상당액} = \text{임대료 총액} \times \frac{\text{건물가액 또는 토지가액}^{❹}}{\text{토지가액과 건물가액}^{❹}\text{의 합계액}}$$

❹ 건물가액과 토지가액은 예정신고기간종료일 또는 과세기간종료일 현재의 기준시가로 한다.

(2) 임대면적 기준

$$① 건물분\ 공급가액 = 건물분\ 임대료\ 상당액 \times \frac{과세되는\ 건물임대면적}{총건물임대면적}$$

$$② 토지분\ 공급가액 = 토지분\ 임대료\ 상당액 \times \frac{과세되는\ 토지임대면적}{총토지임대면적}$$

(3) 전체 공급가액

전체 공급가액 = 건물분 공급가액 + 토지분 공급가액

6 대손세액공제

1. 개념

사업자가 외상으로 재화 또는 용역을 공급하고 부가가치세를 신고·납부하였는데 거래처의 파산이나 부도 등(「법인세법」이나 「소득세법」에 따른 대손금사유[1]에 해당되는 경우)으로 인하여 공급가액과 부가가치세를 받지 못하게 되는 경우 공급한 사업자에게 대손세액공제라는 혜택을 주는 제도이다. 공급자는 부가가치세를 회수하지도 못하였는데 부가가치세를 납부하였으므로 이중의 손해가 발생하게 된다. 이러한 공급자의 매출세액에서 받지 못한 부가가치세를 공제하는 것을 대손세액공제라고 한다.

2. 대손세액

대손세액공제는 부가가치세가 과세되는 재화 또는 용역에 대한 외상매출금 등의 채권에 해당되어야 한다. 또한 과세표준으로 신고된 것뿐만 아니라 부가가치세 신고 후 과세관청이 과세표준과 부가가치세액을 결정·경정한 경우에도 대손세액공제를 받을 수 있다.

$$대손세액 = 대손금액(부가가치세\ 포함) \times \frac{10}{110}$$

3. 신고서 제출

대손세액공제를 받으려 하거나 대손세액을 매입세액에 더하려는 사업자는 부가가치세 확정신고와 함께 대손세액공제(변제)신고서 및 대손사실 또는 변제사실을 증명하는 서류를 관할세무서장에게 제출하여야 한다. 따라서 대손세액공제는 확정신고를 할 때만 가능하다.

[1] 대손사유
「채무자 회생 및 파산에 관한 법률」에 따른 법원의 회생계획인가의 결정에 따라 채무를 출자전환하는 경우 출자로 전환하는 시점의 출자전환된 매출채권 장부가액과 출자전환으로 취득한 주식 또는 출자지분의 시가와의 차액을 대손되어 회수할 수 없는 금액으로 본다.

기출 OX
「법인세법」 또는 「소득세법」에 의한 대손사유로 인하여 재화 또는 용역에 대한 외상매출금, 기타 채권의 전부 또는 일부를 회수할 수 없는 경우에 대손세액공제가 적용 가능하다. (○) 11. 9급

기출 OX

대손세액공제의 범위는 사업자가 부가가치세가 과세되는 재화 또는 용역을 공급한 후 그 공급일부터 10년이 지난 날이 속하는 과세기간에 대한 확정신고기한까지 확정되는 대손세액으로 한다. (○) 07. 9급

기출 OX

사업자가 대손금액의 전부 또는 일부를 회수한 경우에는 회수한 대손금액에 관련된 대손세액을 회수한 날이 속하는 과세기간의 매출세액에 가산한다. (○) 09. 7급

4. 신고기간

재화 또는 용역을 공급한 후 그 공급일부터 10년이 지난 날이 속하는 과세기간에 대한 확정신고기한까지 대손이 확정되어야 한다.

5. 대손세액의 처리

(1) 공급하는 사업자

① 대손이 확정된 경우: 대손이 확정된 날이 속하는 과세기간의 매출세액에서 뺄 수 있다.

② 대손금을 회수한 경우: 사업자가 대손되어 회수할 수 없는 금액의 전부 또는 일부를 회수한 경우에는 대손금을 회수한 날이 속하는 과세기간의 매출세액에 더한다.

(2) 공급받은 사업자

① 대손이 확정된 경우: 공급받은 사업자가 대손세액의 전부 또는 일부를 매입세액으로 공제받은 경우로서 공급자의 대손이 그 공급을 받은 사업자가 폐업하기 전에 확정되는 경우에는 관련 대손세액에 해당하는 금액을 대손이 확정된 날이 속하는 과세기간의 매입세액에서 뺀다. 다만, 그 사업자가 대손세액을 차감하지 않은 경우에는 공급을 받은 자의 관할세무서장이 결정 또는 경정[1]하여야 한다. 다만, 이 경우에는 무신고가산세, 과소신고 · 초과환급신고가산세, 납부지연가산세를 적용하지 않는다.

② 대손금을 변제한 경우: 매입세액을 차감한(관할세무서장이 결정 또는 경정한 경우를 포함) 해당 사업자가 대손금액의 전부 또는 일부를 변제한 경우에는 변제한 대손금액에 관련된 대손세액을 변제한 날이 속하는 과세기간의 매입세액에 더한다.

[1] 공급자가 대손세액을 매출세액에서 차감한 경우 공급자의 관할세무서장은 대손세액 공제사실을 공급받는 자의 관할세무서장에게 통지하여야 한다. 그리고 공급받은 자의 관할세무서장은 공급받은 자가 해당 대손세액을 매입세액에서 차감하여 신고하지 않은 경우에는 결정하거나 경정하여야 한다.

기출문제

01 부가가치세법령상 과세표준에 대한 설명으로 옳은 것은? (단, 제시된 금액은 부가가치세가 포함되지 않은 금액임) 2021년 9급

① 시가 500원, 원가 450원인 재화를 공급하고 시가 480원인 재화를 대가로 받을 경우 과세표준은 480원이다.

② 특수관계인에게 시가 1,000원인 사업용 부동산 임대용역(「부가가치세법 시행령」에서 제외하는 사업용 부동산 임대용역은 아님)을 무상으로 제공한 경우 용역의 공급으로 보지 않으므로 과세표준은 없다.

③ 사업을 위하여 대가를 받지 않고 다른 사업자에게 인도한 견본품의 시가가 200원, 원가가 150원일 경우 과세표준은 150원이다.

④ 재화의 공급에 해당되는 폐업 시 남아 있는 재화(감가상각자산은 아님)의 시가가 1,000원, 원가가 800원일 경우 과세표준은 1,000원이다.

01

오답체크

① 공급한 시가인 500원을 과세표준으로 한다.

② 특수관계인에 대한 사업용 부동산의 무상임대는 공급한 시가를 과세표준으로 한다.

③ 무상견본품은 공급에 해당하지 않는다.

02 부가가치세법령상 공급가액에 대한 설명으로 옳은 것만을 모두 고르면? (단, 특수관계인과의 거래는 아닌 것으로 가정함) 2021년 9급

ㄱ. 개별소비세, 주세 및 교통·에너지·환경세가 부과되는 재화는 개별소비세, 주세 및 교통·에너지·환경세의 과세표준에 해당 개별소비세, 주세, 교육세, 농어촌특별세 및 교통·에너지·환경세 상당액을 공제한 금액을 공급가액으로 한다.

ㄴ. 기부채납의 경우에는 해당 기부채납의 근거가 되는 법률에 따라 기부채납된 가액으로 하되, 기부채납된 가액에 부가가치세가 포함된 경우 그 부가가치세는 제외한다.

ㄷ. 재화나 용역을 공급할 때 그 품질이나 수량, 인도조건 또는 공급대가의 결제방법이나 그 밖의 공급조건에 따라 통상의 대가에서 일정액을 직접 깎아 주는 금액은 공급가액에 포함하지 아니한다.

ㄹ. 사업자가 재화 또는 용역을 공급하고 그 대가로 받은 금액에 부가가치세가 포함되어 있는지가 분명하지 아니한 경우에는 그 대가로 받은 금액을 공급가액으로 한다.

① ㄱ, ㄴ ② ㄴ, ㄷ

③ ㄱ, ㄷ, ㄹ ④ ㄴ, ㄷ, ㄹ

02

옳은 것은 ㄴ, ㄷ이다.

오답체크

ㄱ. 개별소비세, 주세 및 교통·에너지·환경세가 부과되는 재화는 개별소비세, 주세 및 교통·에너지·환경세의 과세표준에 해당 개별소비세, 주세, 교육세, 농어촌특별세 및 교통·에너지·환경세 상당액을 포함한 금액을 공급가액으로 한다.

ㄹ. 사업자가 재화 또는 용역을 공급하고 그 대가로 받은 금액에 부가가치세가 포함되어 있는지가 분명하지 아니한 경우에는 받은 대가의 100/110을 공급가액으로 한다.

정답 01 ④ 02 ②

03 **부가가치세법령상 과세표준과 관련된 설명으로 옳은 것은?** 2020년 7급

① 「부가가치세법」상 대손금액은 과세표준에서 공제한다.
② 공급에 대한 대가의 지급이 지체되었음을 이유로 받는 연체이자는 공급가액에 포함한다.
③ 통상적으로 용기 또는 포장을 해당 사업자에게 반환할 것을 조건으로 그 용기대금과 포장비용을 공제한 금액으로 공급하는 경우에는 그 용기대금과 포장비용은 공급가액에 포함하지 아니한다.
④ 사업자가 재화를 공급받는 자에게 지급하는 장려금은 과세표준에서 공제한다.

03
오답체크
① 대손금액은 과세표준에서 공제하지 않는다.
② 연체이자는 공급가액에 포함하지 않는다.
④ 사업자가 지급하는 장려금은 과세표준에서 공제하지 않는다.

04 **과세사업을 영위하는 ㈜한국이 미국에 $20,000의 제품을 수출한 경우, 부가가치세법령상 ㈜한국의 2023년 제2기 과세기간의 부가가치세 과세표준은?** 2021년 7급

- 10월 1일 선수금으로 $10,000를 송금받아 당일에 1$당 1,000원에 환가하였다.
- 10월 15일 수출물품을 선적하였고, 당일의 기준환율은 1$당 1,100원이다.
- 10월 30일 수출대금 잔액 $10,000를 외화로 송금받아 1$당 1,200원에 환가하였다.

① 20,000,000원 ② 21,000,000원
③ 22,000,000원 ④ 24,000,000원

04
$10,000 × 1,000원+$10,000 × 1,100원 =21,000,000원

05 **다음은 일반과세자인 ㈜국세의 2023년 제1기 과세기간의 자료이다. 2023년 제1기 과세기간의 부가가치세 과세표준을 계산하면? (단, 제시된 금액은 부가가치세가 포함되지 않은 금액이다)** 2019년 9급

- 총매출액: 5천만 원(이 금액에는 환입된 재화의 가액 5백만 원이 포함되어 있음)
- 과세사업에 사용하던 기계장치의 매각금액: 2천만 원(장부가액 1천 5백만 원)
- 양도담보의 목적으로 제공한 토지: 3백만 원

① 5천 5백만 원 ② 6천 5백만 원
③ 6천 8백만 원 ④ 7천만 원

05
5천만 원−5백만 원(환입액)+2천만 원(매각금액)=6천 5백만 원이다. 양도담보는 공급에 해당하지 않는다.

정답 03 ③ 04 ② 05 ②

06 다음은 도매업을 영위하는 일반과세자인 甲의 2023년 제1기 과세기간 동안 해당 사업에서 발생한 수입내역이다. 2023년 제1기 과세기간의 부가가치세 과세표준을 계산한 것은? (단, 제시된 금액은 부가가치세액이 포함되지 아니한 금액임) 2018년 7급

- 매출액은 50,000,000원이며, 매출에누리 1,000,000원이 차감된 금액임
- 위 매출액에는 공급에 대한 대가의 지급이 지체되었음을 이유로 받은 연체이자 500,000원이 포함되어 있음
- 위 매출액에는 공급받는 자에게 도달하기 전에 멸실한 재화의 가액 2,000,000원이 포함되어 있음
- 위 매출액 중 600,000원은 외상 매출한 것으로서 거래처가 파산하여 매출채권을 회수하지 못하였음

① 46,900,000원 ② 47,500,000원
③ 47,900,000원 ④ 48,500,000원

07 「부가가치세법」상 일반과세자의 과세표준으로 보는 공급가액에 대한 설명으로 옳지 않은 것은? 2016년 9급

① 자기가 공급한 재화에 대해 금전 외의 대가를 받는 경우에는 부가가치세를 포함한 그 대가를 공급가액으로 한다.
② 폐업하는 경우에는 폐업시 남아있는 재화의 시가를 공급가액으로 한다.
③ 완성도기준지급조건부로 재화를 공급하는 경우에는 계약에 따라 받기로 한 대가의 각 부분을 공급가액으로 한다.
④ 조세의 부담을 부당하게 감소시킬 것으로 인정되는 경우로서 특수관계인에게 아무런 대가를 받지 아니하고 재화를 공급하는 경우에는 공급한 재화의 시가를 공급가액으로 본다.

06
50,000,000 − 500,000 − 2,000,000 = 47,500,000원이다.
- 매출액에서 에누리를 차감하였으므로 조정할 사항은 없다.
- 연체이자는 과세표준에 포함하지 않으므로 차감해야 한다.
- 공급받는 자에게 도달하기 전에 멸실한 재화는 공급에 해당하지 않으므로 과세표준에서 차감해야 한다.
- 대손이 발생한 매출채권은 과세표준에서 공제하지 않는다. 즉, 과세표준에 미치는 영향은 없다.

07
자기가 공급한 재화에 대하여 금전 외의 대가를 받는 경우에는 자기가 공급한 재화 또는 용역의 시가를 과세표준으로 한다. 그리고 부가가치세는 부가가치세 과세표준에 포함하지 아니한다.

정답 06 ② 07 ①

08 **「부가가치세법」상 일반과세사업자인 홍길동이 2023년 제1기에 거래처에 외상으로 재화를 공급하고 이를 과세표준에 포함하여 적절하게 신고하였는데, 거래처 파산으로 인하여 2023년 제2기에 매출채권이 회수불능으로 확정되었다. 거래처 파산으로 인한 대손발생이 2023년 제2기 부가가치세 확정신고시 과세표준과 납부세액에 미치는 영향으로 옳은 것은? (단, 대손과 관련된 모든 요건은 충족되었다고 가정함)** 2015년 9급

① 과세표준에는 영향이 없지만 납부세액은 감소한다.
② 과세표준과 납부세액을 모두 감소시킨다.
③ 과세표준과 납부세액에는 모두 영향이 없다.
④ 과세표준을 감소시키지만 납부세액에는 영향이 없다.

08
대손금은 과세표준에서 공제하지 않으나 매출세액에서 차감하므로 납부세액은 감소한다.

09 **「부가가치세법」상 일반과세자의 과세표준에 대한 설명으로 옳지 않은 것은?** 2015년 7급

① 사업자가 재화 또는 용역을 공급하고 그 대가로 받은 금액에 부가가치세가 포함되어 있는지가 분명하지 아니한 경우에는 그 대가로 받은 금액에 110분의 100을 곱한 금액을 공급가액으로 한다.
② 재화의 수입에 대한 과세표준은 그 재화에 대한 관세의 관세가격과 관세, 개별소비세, 주세, 교육세, 농어촌특별세 및 교통 · 에너지 · 환경세를 합한 금액으로 한다.
③ 사업자가 고객에게 매출액의 일정 비율에 해당하는 마일리지를 적립해 주고, 향후 그 고객이 재화를 공급받고 그 대가의 일부 또는 전부를 적립된 자기적립 마일리지로 결제하는 경우 해당 마일리지 상당액은 공급가액에 포함한다.
④ 재화공급의 대가로 외국통화를 받고 이를 법률에 따른 재화의 공급시기가 되기 전에 원화로 환가한 경우에는 환가한 금액을 공급가액으로 한다.

09
사업자가 고객에게 매출액의 일정 비율에 해당하는 마일리지를 적립해 주고, 향후 그 고객이 재화를 공급받고 그 대가의 일부 또는 전부를 적립된 마일리지로 결제하는 경우 해당 마일리지 상당액은 공급가액에 포함하지 않는다.

정답 08 ① 09 ③

10 **「부가가치세법」상 과세표준에 관한 설명으로 옳지 않은 것은?** 2013년 9급

① 재화의 수입에 대한 부가가치세 공급가액은 그 재화에 대한 관세의 과세가격과 관세, 개별소비세, 주세, 교육세, 농어촌특별세 및 교통 · 에너지 · 환경세를 합한 금액으로 한다.
② 사업자가 재화 또는 용역을 공급받는 자에게 지급하는 장려금이나 이와 유사한 금액 및 대손금액은 과세표준에서 공제하지 아니한다.
③ 재화 또는 용역의 공급과 관련하여 금전 외의 대가를 받는 경우에는 해당 대가의 시가를 공급가액으로 한다.
④ 장기할부판매의 경우에는 계약에 따라 받기로 한 대가의 각 부분을 공급가액으로 한다.

10
재화 또는 용역의 공급과 관련하여 금전 외의 대가를 받는 경우에는 자기가 공급한 재화 또는 용역의 시가를 공급가액으로 한다.

11 **「부가가치세법」상 과세표준에 대한 설명으로 옳지 않은 것은? (단, 부가가치세는 포함되지 않는다)** 2012년 9급

① 용역의 공급에 대하여 금전으로 대가를 받는 경우에는 그 대가
② 용역의 공급에 대하여 금전 이외의 대가를 받는 경우에는 자기가 공급한 용역의 시가
③ 폐업하는 경우 재고재화에 대하여는 그 재화의 시가
④ 용역의 공급에 대하여 부당하게 낮은 대가를 받은 경우에는 그 대가

11
용역의 공급에 대하여 부당하게 낮은 대가를 받은 경우에는 시가를 공급가액으로 한다.

12 **「부가가치세법」에 대한 설명으로 옳지 않은 것은?** 2011년 9급

① 하치장설치신고서를 하치장 관할세무서장에게 제출한 경우에는 하치장도 사업장으로 볼 수 있다.
② 재화와 용역을 공급하고 받은 대가에 공급가액과 세액이 별도 표시되지 아니한 경우에는 해당 거래금액의 110분의 100을 공급가액으로 한다.
③ 부동산임대에 따른 간주임대료에 대하여는 세금계산서를 발급하거나 발급받을 수 없다.
④ 재화 또는 용역의 공급대가로 외국통화를 받은 경우 공급시기 도래 후에 원화로 환산하는 것은 공급시기의 기준환율 또는 재정환율에 의하여 환산한 금액을 공급가액으로 한다.

12
하치장은 사업자가 재화의 보관 · 관리시설만을 갖추고 하치장설치신고를 한 장소로서 「부가가치세법」상 사업장에 해당하지 아니한다. 사업자가 하치장설치신고를 하였다 하여 하치장이 「부가가치세법」상 사업장에 해당하는 것은 아니다.

정답 10 ③ 11 ④ 12 ①

13 「부가가치세법」상 과세표준에 대한 설명으로 옳은 것만으로 묶인 것은?

2011년 9급

> ㄱ. 사업자가 2과세기간 이상에 걸쳐 부동산임대용역을 공급하고 그 대가를 선불 또는 후불로 받은 경우에는 그 선불 또는 후불로 받은 금액을 공급가액으로 한다.
> ㄴ. 과세사업과 면세사업에 공통으로 사용되는 재화를 공급하는 경우에는 재화를 공급하는 날이 속하는 과세기간의 총공급가액 중 면세공급가액의 비율이 5% 미만인 경우 당해 재화의 공급가액을 과세표준으로 한다.
> ㄷ. 「대외무역법」에 의한 위탁가공무역방식으로 수출하는 경우에는 완성된 제품의 인도가액을 공급가액으로 한다.
> ㄹ. 계약 등에 의하여 확정된 대가의 지급지연으로 인하여 지급받은 연체이자는 과세표준에서 공제하지 아니한다.

① ㄷ　② ㄱ, ㄴ
③ ㄴ, ㄷ　④ ㄴ, ㄹ

13
옳은 것은 ㄷ이다.

오답체크

ㄱ. 사업자가 2과세기간 이상에 걸쳐 부동산임대업을 공급하고 그 대가를 선불 또는 후불로 받은 경우에는 해당 금액을 계약기간의 월수로 나눈 금액의 각 과세대상기간의 합계액을 공급가액으로 한다.
ㄴ. 과세사업과 면세사업에 공통으로 사용되는 재화를 공급하는 경우에는 재화를 공급하는 날이 속하는 과세기간의 직전과세기간의 총공급가액 중 면세공급가액의 비율이 5% 미만인 경우 당해 재화의 공급가액을 과세표준으로 한다. 단, 해당 재화의 공급가액이 5천만 원 이상인 경우는 제외한다.
ㄹ. 계약 등에 의하여 확정된 대가의 지급지연으로 인하여 지급받은 연체이자는 과세표준에 포함하지 아니한다.

14 부가가치세 과세표준의 계산에 관한 설명으로 옳지 않은 것은? (단, 모든 거래는 과세거래로 가정함)

2011년 7급

① 종업원에서 장부가액 1,200,000원, 시가 1,600,000원의 상품을 무상 제공한 경우 공급가액은 1,600,000원이다.
② 당해 과세기간 중에 매월 3,000,000원씩 24개월 동안 지급받는 조건의 장기할부매출에서 할부매출 후 4개월이 경과되었으나 대금은 8,000,000원만 수령한 경우 공급가액은 12,000,000원이다.
③ 당해 과세기간 중에 이루어진 공급가액 43,000,000원의 매출 중에서 매출환입 3,000,000원과 매출에누리 2,000,000원이 있는 경우 공급가액은 38,000,000원이다.
④ 장부가액 6,000,000원, 시가 7,200,000원의 보유한 재고자산을 거래처의 장부가액 4,000,000원, 감정가액 7,000,000원인 기계설비와 교환한 경우 공급가액은 7,000,000원이다.

14
거래상대자로부터 금전 이외의 대가를 받는 경우 공급가액은 자기가 공급한 재고자산의 시가인 7,200,000원이 된다.

정답 13 ① 14 ④

15 「부가가치세법」상 과세표준에 관한 설명으로 옳지 않은 것은? 2010년 7급

① 환입된 재화의 가액은 과세표준에 포함하지 않는다.
② 할부판매의 이자상당액은 과세표준에 포함하지 않는다.
③ 재화 또는 용역을 공급한 후의 그 공급가액에 대한 대손금은 과세표준에서 공제하지 않는다.
④ 재화의 수입에 대한 부가가치세의 과세표준은 관세의 과세가격, 관세, 개별소비세 · 주세 · 교육세 · 농어촌특별세 및 교통 · 에너지 · 환경세를 합한 금액으로 한다.

15
일반할부나 장기할부의 할부이자는 과세표준에 포함한다.

16 「부가가치세법」상 과세표준에 관한 설명으로 옳지 않은 것은? 2008년 7급

① 사업자가 토지와 그 토지에 정착된 건물 및 그 밖의 구축물을 함께 공급하는 경우에 그 공급가액은 실지거래가액이 있는 경우 이에 의한다.
② 기부채납의 경우에는 당해 기부채납의 근거가 되는 법률에 의해 기부채납된 가액(부가가치세가 포함된 경우 이를 제외)을 공급가액으로 한다.
③ 사업자가 중간지급조건부로 재화를 공급하고 계약에 따라 대가의 각 부분을 받을 때 하자보증을 위해 공급받는 자에게 보관시키는 하자보증금은 과세표준에서 공제한다.
④ 과세사업에 공한 건물을 면세사업에 일부 사용하는 경우 면세사업에 일부 사용한 날이 속한 과세기간의 면세공급가액이 총공급가액의 5% 미만인 경우 공급가액이 없는 것으로 본다.

16
사업자가 중간지급조건부로 재화를 공급하고 계약에 따라 대가의 각 부분을 받을 때 하자보증을 위하여 공급받는 자에게 보관시키는 하자보증금은 과세표준에서 공제하지 아니한다.

17 부가가치세의 과세표준 계산에 관한 설명으로 옳지 않은 것은? 2007년 9급

① 사업자가 재화를 공급한 후의 그 공급가액에 대한 장려금은 과세표준에서 공제한다.
② 사업자가 그와 법령에서 정하는 특수관계 있는 자에게 부당하게 낮은 대가를 받고 재화를 공급한 경우에는 공급한 재화의 시가가 부가가치세 공급가액이 된다.
③ 사업자가 재화를 공급하고 거래상대방으로부터 대가의 일부로 받은 보험료 및 운송비 · 포장비 · 하역비 등은 부가가치세 과세표준에 포함된다.
④ 재화의 수입에 대한 부가가치세의 공급가액은 관세의 과세가격과 관세 · 개별소비세 · 주세 · 교육세 · 농어촌특별세 및 교통 · 에너지 · 환경세의 합계액으로 한다.

17
거래상대방에게 지급한 장려금은 과세표준에서 공제하지 않는다. 다만, 현물로 장려금을 제공하는 경우에는 과세표준에 포함한다.

정답 15 ② 16 ③ 17 ①

18 「부가가치세법」상 과세표준에 대한 설명으로 옳지 않은 것은? 2007년 서울시

① 재화 또는 용역을 공급한 후의 대손금, 판매장려금과 이와 유사한 금액은 과세표준에서 공제하지 않는다.
② 재화의 수입에 대하여는 관세의 과세가격과 관세, 개별소비세, 주세, 교통 · 에너지 · 환경세, 교육세 및 농어촌특별세의 합계액을 공급가액으로 한다.
③ 공급받는 자에게 도달하기 전에 파손 · 훼손 또는 멸실된 재화의 가액도 공급한 과세표준에 포함한다.
④ 현금판매 · 외상판매 · 할부판매의 경우에는 공급한 재화의 총가액을 공급가액으로 한다.
⑤ 공급받는 자로부터 부담받은 원자재는 과세표준에 포함되지 않는다.

18
공급받는 자에게 도달하기 전에 파손 · 훼손 또는 멸실된 재화의 가액은 공급한 과세표준에 포함하지 아니한다.

19 「부가가치세법」상 대손세액공제 제도에 대한 설명으로 옳은 것은?

2007년 9급

① 공제되는 대손세액은 대손금액에 100분의 10을 곱한 금액으로 하며, 여기에서 대손금액은 회수불능 매출채권으로서 부가가치세를 포함한 금액이 된다.
② 대손세액공제의 범위는 사업자가 부가가치세가 과세되는 재화 또는 용역을 공급한 후 그 공급일부터 10년이 지난 날이 속하는 과세기간에 대한 확정신고기한까지 확정되는 대손세액으로 한다.
③ 사업자가 대손금액의 전부 또는 일부를 회수한 경우에는 회수한 대손금액에 관련된 대손세액을 회수한 날이 속하는 과세기간의 매출세액에서 차감한다.
④ 대손세액공제는 사업자가 부가가치세 예정신고 또는 확정신고와 함께 대손사실을 증명하는 서류를 제출하여야 한다.

19
✓ 오답체크
① 공제되는 대손세액은 대손금액에 110분의 10을 곱한 금액으로 하며, 여기에서 대손금액은 매출채권으로서 부가가치세를 포함한 금액이 된다.
③ 사업자가 대손금액의 전부 또는 일부를 회수한 경우에는 회수한 대손금액에 관련된 대손세액을 회수한 날이 속하는 과세기간의 매출세액에서 가산한다.
④ 대손세액공제는 부가가치세 확정신고 시에만 공제받을 수 있다.

정답 18 ③ 19 ②

20 **부가가치세법령상 건축자재 판매업을 영위하는 내국법인 (주)K가 2023년 제1기 부가가치세 확정신고 시 과세표준의 계산 내용으로 옳은 것은? (단, 거래금액은 부가가치세가 포함되지 않은 금액이다)** 2022년 7급

① 2023년 5월 1일 지방자치단체에 원가 35,000,000원, 시가 43,000,000원인 축제 준비용 건축자재를 38,000,000원에 공급하고 43,000,000원을 과세표준에 포함하였다.

② 2023년 제1기 과세기간 최종 3개월 동안에 마일리지로 결제된 매출액은 15,000,000원으로 이 중 (주)K가 적립해준 마일리지로 결제된 금액은 9,000,000원이고, 나머지는 신용카드사가 고객에게 적립해준 마일리지로 결제받고 추후 보전받는 것이기 때문에 마일리지로 결제된 매출액 중 6,000,000원만을 과세표준에 포함하였다.

③ 2023년 5월 20일 미국의 F사(특수관계인이 아님)와 $80,000의 수출계약을 체결하고 5월 25일 선수금 $20,000을 송금 받아 23,000,000원으로 환전하였고, 6월 1일 수출품 전부를 선적하고 6월 20일 잔금 $60,000을 송금받아 원화로 환가한 수출거래에 대하여 92,600,000원을 과세표준에 포함하였다(기준환율: 5월 20일 1$당 1,100원, 6월 1일 1$당 1,130원, 6월 20일 1$당 1,160원).

④ 2023년 4월 1일 특수관계인인 甲에게 회사의 창고를 임대보증금 없이 월 임대료 600,000원(시가는 1,000,000원)에 1년간 임대하고, 그 대가로 받은 과세기간 최종 3개월의 임대료 1,800,000원을 과세표준에 포함하였다(단, 월 임대료 600,000원은 부당하게 낮은 대가로서 조세의 부담을 부당하게 감소시킬 것으로 인정된다).

20

☑ 오답체크

① 특수관계인이 아닌 지방자치단체에 시가 43,000,000원의 자재를 38,000,000원(저가)에 공급했으므로 거래금액인 38,000,000원을 과세표준으로 한다.

③ 선적일인 6월 1일이 공급시기이므로 공급시기 전에 받은 선수금 23,000,000원은 인정된다. 다만, 공급시기 이후에 받은 $60,000는 공급시기의 환율은 1,130원(6.1.)을 적용하여 계산해야 한다.
과세표준: 23,000,000+$60,000 × 1,130 =90,800,000

④ 특수관계인에 대한 저가 용역공급이므로 시가로 계산해야 한다.
과세표준: 1,000,000 × 3개월=3,000,000

정답 20 ②

07 차가감납부세액

1 매입세액공제

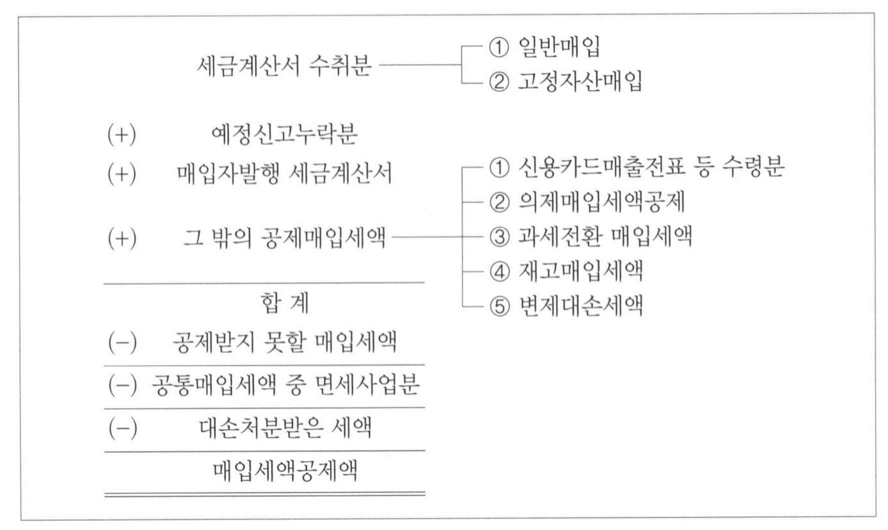

매입세액 계산구조

1. 매입세액공제의 범위 · 시기

(1) 매출세액에서 공제하는 매입세액은 다음의 금액을 말한다.

① 사업자가 자기의 사업을 위하여 사용하였거나 사용할 목적으로 공급받은 재화 또는 용역에 대한 부가가치세액(사업의 포괄양도에 따른 대리납부에 따라 납부한 부가가치세액을 포함)

② 사업자가 자기의 사업을 위하여 사용하였거나 사용할 목적으로 수입하는 재화의 수입에 대한 부가가치세액

(2) 위 (1)의 ①에 따른 매입세액은 재화 또는 용역을 공급받는 시기가 속하는 과세기간의 매출세액에서 공제한다.

(3) 위 (1)의 ②에 따른 매입세액은 재화의 수입시기가 속하는 과세기간의 매출세액에서 공제한다.

2. 신용카드매출전표 등 수령분 매입세액공제

(1) 신용카드매출전표 등 수령분 매입세액공제 요건

사업자가 일반과세자 및 간이과세자로부터 재화 또는 용역을 공급받고 다음의 요건을 모두 충족하는 경우에는 매입세액을 공제한다.

① 신용카드매출전표 등 수령명세서를 제출할 것

② 신용카드매출전표 등을 그 거래사실이 속하는 과세기간에 대한 확정신고를 한 날부터 5년간 보관할 것

③ 간이과세자가 영수증을 발급하여야 하는 기간에 발급한 신용카드매출전표 등이 아닐 것

(2) 신용카드매출전표 등

신용카드매출전표, 직불카드영수증, 결제대행업체를 통한 신용카드매출전표, 선불카드(실지명의가 확인되는 것), 현금영수증을 말한다.

(3) 매입세액 공제배제

다음의 경우는 신용카드매출전표 등을 발급받더라도 공제할 수 없다.

① 간이과세자 중 다음 중 어느 하나에 해당하는 자

㉠ 직전연도의 공급대가의 합계액이 4,800만 원 미만인 자

㉡ 신규로 사업을 시작하는 개인사업자 중 간이과세자로 하는 최초의 과세기간 중에 있는 자

② 세금계산서 발급금지 업종에 해당하는 다음의 업종을 경영하는 사업자

㉠ 미용, 욕탕 및 유사서비스업

㉡ 여객운송업(전세버스운송사업 제외)

㉢ 입장권발행영위사업

㉣ 의료 · 보건용역 중 부가가치세가 과세되는 미용목적 성형수술의 진료용역

㉤ 부가가치세가 과세되는 수의사가 제공하는 동물의 진료용역

㉥ 자동차운전학원 및 무도학원

2 의제매입세액공제

1. 개념

사업자가 부가가치세를 면제받아 공급받거나 수입한 농산물 등을 원재료로 하여 제조 · 가공한 재화 또는 창출한 용역의 공급에 대하여 과세되는 경우 일정한 비율로 계산한 금액을 매입세액으로 공제할 수 있다. 이러한 의제매입세액공제는 누적효과와 환수효과를 완화하고 최종소비자의 세부담을 경감하기 위한 제도이다.

2. 의제매입세액공제 요건

다음의 요건을 모두 충족하는 경우에 한하여 적용한다.

(1) 과세사업을 하는 사업자일 것(사업자등록을 한 자를 대상으로 함)

기출 OX

제조업을 경영하는 사업자가 법령에서 규정하는 농어민으로부터 면세농산물 등을 직접 공급받는 경우 의제매입세액공제를 받기 위해서는 세무서장에게 의제매입세액공제신고서만 제출하면 된다. (○) 15. 7급

(2) 면세로 공급받은 면세농산물 등을 원재료로 하여 제조 · 가공한 재화 또는 용역이 부가가치세가 과세될 것. 다만, 면세포기로 인하여 면세를 적용받지 아니하고 영세율이 적용되는 경우는 제외한다.

(3) 사업자가 예정신고 및 확정신고를 할 때 의제매입세액공제신고서와 함께 면세농산물 등을 공급받은 사실을 증명하는 서류(매입처별 계산서합계표 · 신용카드매출전표등수령명세서, 소득세법 또는 법인세법상 매입자발행 계산서합계표 중 하나의 서류)를 사업장 관할세무서장에게 제출(국세정보통신망에 의한 제출을 포함)할 것. 다만, 제조업을 영위하는 사업자가 농 · 어민으로부터 면세농산물 등을 직접 공급받는 경우에는 의제매입세액공제신고서만을 제출하여도 의제매입세액공제를 적용한다.

심화 | 면세농산물 등

매입세액으로서 공제할 수 있는 면세농산물 등은 부가가치세를 면제받아 공급받은 농산물 · 축산물 · 수산물 또는 임산물(1차 가공을 거친 것 및 소금을 포함)로 한다.

3. 의제매입세액의 계산

(1) 일반적인 경우

의제매입세액 공제액 = Min(①, ②)

① 공제대상액: 면세농산물 등의 매입가액 × 공제율

② 한도: 면세농산물 등과 관련하여 공급한 과세표준 × 한도율 × 공제율

① 면세농산물 등의 가액에 적용하는 공제율

㉠ 음식점업

ⓐ 과세유흥장소의 경영자: 2/102

ⓑ 과세유흥장소의 경영자 외의 음식점을 영위하는 법인사업자: 6/106

ⓒ 과세유흥장소의 경영자 외의 음식점을 영위하는 개인사업자: 8/108 (개인사업자의 과세표준 2억 원 이하인 경우 2023.12.31.까지 9/109)

㉡ 일반업종: 2/102

㉢ 제조업(중소기업 또는 개인사업자): 4/104(단, 과자점업, 도정업, 제분업 및 떡류 제조업 중 떡방앗간을 경영하는 개인사업자는 6/106)

② 의제매입세액공제 한도율

과세표준		음식점	그 외
개인	1억 원 이하	75%(50%)	65%(50%)
	2억 원 이하	70%(50%)	
	2억 원 초과	60%(40%)	55%(40%)
법인		50%(30%)	

▶ 괄호 안의 율은 2024년 1월 1일부터 적용한다.

의제매입세액 공제한도는 해당 과세기간(6개월)에 해당 사업자가 면세농산물 등과 관련하여 공급한 과세표준을 기준으로 계산하므로, 예정신고 및 조기환급신고시 의제매입세액은 공제한도를 적용하지 않는다.

따라서 확정신고시에 의제매입세액공제한도를 계산하며 예정신고 및 조기환급신고시 이미 공제받은 의제매입세액을 확정신고시에 정산한다.

③ **면세농산물 등의 매입가액**: 면세농산물 등의 매입가액은 운임 등을 제외한 매입원가로 계산하고 수입되는 농산물 등의 경우에는 관세의 과세가격으로 한다. 다만, 면세농산물업자가 면세농산물 등을 운반하는 경우에는 면세농산물의 부수거래에 해당하므로 의제매입세액공제를 적용한다.

(2) 겸영사업자의 경우

과세사업과 면세사업을 겸영하는 경우에는 면세농산물 등의 실지귀속에 따라 과세사업에 사용되었거나 사용될 부분에 대해서만 의제매입세액공제를 적용하고 그 실지귀속을 구분할 수 없는 경우에는 다음의 산식에 따라 안분계산한다.

$$\text{의제매입세액} = \text{면세농산물 등의 가액} \times \text{공제율} \times \frac{\text{당기 과세공급가액}}{\text{당기 총공급가액}}$$

(3) 의제매입세액의 공제시기[1]

의제매입세액의 공제는 예정신고 또는 확정신고 기간별로 계산하고 사용시점이 아닌 구입시점이 해당되는 기간에 공제를 한다.

(4) 의제매입세액의 추징

매입세액으로서 공제한 면세농산물 등을 그대로 양도 또는 인도하거나 부가가치세가 면제되는 재화 또는 용역을 공급하는 사업 기타의 목적을 위하여 사용하거나 소비하는 때에는 그 공제한 금액을 납부세액에 가산하거나 환급세액에서 공제하여야 한다.

참고

농산물 등 매입시기가 집중되는 제조업에 대한 공제한도 계산

1. 요건
   ① 1역년에 공급받은 면세농산물 등의 가액 대비 제1기 과세기간에 공급받은 면세농산물 등의 가액의 비중이 75% 이상이거나 25% 미만일 것
   ② 해당 과세기간이 속하는 1역년 동안 계속하여 제조업을 영위하였을 것
2. 1. 요건을 충족한 사업자는 제2기 과세기간의 납부세액을 확정신고하는 경우 다음 금액을 의제매입세액으로 공제할 수 있다.

Min(①, ②) – 제1기 과세기간의 의제매입세액공제액
① 1역년 면세농산물등 공제대상 매입가액 × 공제율
② 한도: 1역년 과세표준합계액 × 한도율[2] × 공제율

❶ 공제받지 못한 의제매입세액의 구제

1. 사업자가 예정신고 시에 공제받지 못한 의제매입세액은 확정신고 시에 제출하여 공제받을 수 있으며, 예정 또는 확정신고 시에 공제받지 못한 의제매입세액은 해당 서류를 다음과 같이 제출하는 경우에는 의제매입세액을 공제받을 수 있다.
   ① 과세표준수정신고서와 함께 제출하는 경우
   ② 경정청구서와 함께 제출하여 경정기관이 경정하는 경우
   ③ 기한 후 과세표준신고서와 함께 제출하여 관할세무서장이 결정하는 경우
   ④ 계산서 또는 신용카드매출전표 등 수령명세서를 경정기관의 확인을 거쳐 정부에 제출하는 경우
2. 사업자등록을 신청한 사업자가 사업자등록증 발급일까지의 거래에 대하여 해당 사업자 또는 대표자의 주민등록번호를 기재하여 발급받은 계산서도 의제매입세액을 공제할 수 있는 계산서로 본다.
3. 발급받은 계산서의 필요적 기재사항 중 일부가 착오로 기재되었으나 해당 계산서의 그 밖의 필요적 기재사항 또는 임의적 기재사항으로 보아 거래사실이 확인된 경우의 계산서는 의제매입세액을 공제할 수 있는 계산서로 본다.
4. 면세되는 농산물 등의 공급시기 이후에 발급받은 계산서로서 해당 공급시기가 속하는 부가가치세과세기간 내 발급받은 계산서는 의제매입세액을 공제받을 수 있는 계산서로 본다.

기출 OX

의제매입세액의 공제를 받은 면세농산물 등을 그대로 양도 또는 인도하는 때에는 그 공제한 금액을 납부세액에 가산하거나 환급세액에서 공제하여야 한다. (○) 15. 7급

❷ 한도율

1. **법인**: 30%(2023.12.31.까지는 50%)
2. **개인**: 과세표준 4억 원 초과 40%, 4억 원 이하 50%(2023.12.31.까지는 4억 원 초과 55%, 4억 원 이하 65%)

참고

재활용폐자원 등에 대한 매입세액(「조세특례제한법」)

재활용폐자원 및 중고자동차를 수집하는 사업자가 국가 등과 부가가치세 과세사업을 영위하지 않는 자(겸영사업자 포함) 또는 간이과세자로부터 재활용폐자원 등을 취득하여 제조 · 가공하거나 이를 공급하는 경우에는 취득가액의 3/103(중고자동차매매업자는 10/110)을 매입세액으로 공제할 수 있다.

3 공제받지 못할 매입세액

다음 경우의 매입세액은 매출세액에서 공제하지 아니한다.

1. 매입처별 세금계산서합계표 미제출 또는 부실기재분

(1) 매입세액불공제대상

매입처별 세금계산서합계표를 제출하지 않은 경우의 해당 매입세액 또는 제출한 매입처별 세금계산서합계표의 기재사항 중 거래처별 등록번호 또는 공급가액의 전부 또는 일부가 적히지 아니하였거나 사실과 다르게 적힌 경우에는 그 기재사항이 적히지 아니한 부분 또는 사실과 다르게 적힌 부분의 매입세액은 공제하지 않는다.

(2) 매입세액공제가 되는 경우

다음 중 어느 하나에 해당하는 경우는 매입세액을 공제한다.

① 매입처별 세금계산서합계표 또는 신용카드매출전표 등 수령명세서를 과세표준수정신고서, 경정청구서, 기한후과세표준신고서와 함께 제출하는 경우(매입처별 세금계산서합계표불성실 가산세 부과하지 않음)

② 매입처별 세금계산서합계표의 거래처별등록번호 또는 공급가액이 착오로 사실과 다르게 적힌 경우로서 발급받은 세금계산서에 의하여 거래사실이 확인되는 경우(매입처별 세금계산서합계표불성실 가산세 부과하지 않음)

③ 세무서장 등의 경정시 사업자가 발급받은 세금계산서 또는 신용카드매출전표 등을 경정기관의 확인을 거쳐 제출하는 경우(매입처별 세금계산서합계표불성실 가산세 부과함)

2. 세금계산서 미수취 또는 부실기재분

(1) 매입세액불공제 대상[1]

세금계산서 또는 수입세금계산서를 발급받지 아니한 경우 또는 발급받은 세금계산서 또는 수입세금계산서의 필요적 기재사항 중 전부 또는 일부가 적히지 아니하였거나 사실과 다르게 적힌 경우의 매입세액은 공제하지 않는다.

(2) 매입세액공제가 되는 경우

다음 중 어느 하나에 해당하는 경우는 매입세액을 공제한다.

❶ 매입세액불공제 대상

공급가액이 사실과 다르게 적힌 경우에는 실제 공급가액과 사실과 다르게 적힌 금액의 차액에 해당하는 세액을 공제하지 않는다.

① 사업자등록을 신청한 사업자가 사업자등록증 발급일까지의 거래에 대하여 해당 사업자 또는 대표자 주민번호로 발급받은 경우

② 발급받은 매입세금계산서 필요적 기재사항 중 일부가 착오로 기재되었으나 그 세금계산서에 적힌 나머지 필요적 기재사항 또는 임의적 기재사항으로 보아 거래사실이 확인되는 경우

③ 재화 또는 용역의 공급시기 이후 발급받은 세금계산서로서 해당 공급시기가 속하는 과세기간에 대한 확정신고기한까지 발급받은 경우(매입처별 세금계산서합계표 가산세를 부과)

④ 전자세금계산서 의무발급 사업자로부터 발급받은 전자세금계산서가 국세청장에게 전송되지 아니하였으나 발급 사실이 확인되는 경우

⑤ 전자세금계산서 발급대상 사업자로부터 발급받은 전자세금계산서 외의 세금계산서로서 재화나 용역의 공급시기가 속하는 과세기간에 대한 확정신고기한까지 발급받았고 거래사실도 확인되는 경우

⑥ 실제로 재화 또는 용역을 공급하거나 공급받은 사업장이 아닌 사업장을 적은 세금계산서를 발급받았더라도 그 사업장이 총괄하여 납부하거나 사업자 단위 과세 사업자에 해당하는 사업장인 경우로서 그 재화 또는 용역을 실제로 공급한 사업자가 납세지 관할세무서장에게 해당 과세기간에 대한 납부세액을 신고하는 납부한 경우

⑦ 공급시기 이후 세금계산서를 발급받았으나, 실제 공급시기가 속하는 과세기간의 확정신고기한 다음날부터 1년 이내에 발급받은 것으로 수정신고 · 경정청구하거나, 거래사실을 확인하여 결정 · 경정하는 경우(매입처별 세금계산서합계표 가산세를 부과)

⑧ 공급시기 이전에 세금계산서를 발급받았으나, 실제 공급시기가 6개월 이내에 도래하고 거래사실을 확인하여 결정 · 경정하는 경우(매입처별 세금계산서합계표 가산세를 부과)

⑨ 부가가치세를 납부해야 하는 수탁자가 위탁자를 재화 또는 용역을 공급받는 자로 하여 발급된 세금계산서의 부가가치세액을 매출세액에서 공제받으려는 경우로서 그 거래사실이 확인되고 재화 또는 용역을 공급한 자가 납세지 관할세무서장에게 해당 납부세액을 신고하고 납부한 경우

⑩ 부가가치세를 납부해야 하는 위탁자가 수탁자를 재화 또는 용역을 공급받는 자로 하여 발급된 세금계산서의 부가가치세액을 매출세액에서 공제받으려는 경우로서 그 거래사실이 확인되고 재화 또는 용역을 공급한 자가 납세지 관할세무서장에게 해당 납부세액을 신고하고 납부한 경우

⑪ 다음의 경우로서 그 거래사실이 확인되고 거래 당사자가 신고납부 규정에 따라 납세지 관할 세무서장에게 해당 납부세액을 신고하고 납부한 경우

기출 OX

재화 또는 용역의 공급시기 이후에 발급받은 세금계산서로서 해당 공급시기가 속하는 과세기간의 확정신고기한 내에 발급받은 경우에는 매입세액을 공제한다. (○) 10. 7급

㉠ 거래의 실질이 위탁매매 또는 대리인에 의한 매매에 해당함에도 불구하고 거래 당사자 간 계약에 따라 위탁매매 또는 대리인에 의한 매매가 아닌 거래로 하여 세금계산서를 발급받은 경우
㉡ 거래의 실질이 위탁매매 또는 대리인에 의한 매매에 해당하지 않음에도 불구하고 거래 당사자 간 계약에 따라 위탁매매 또는 대리인에 의한 매매로 하여 세금계산서를 발급받은 경우
㉢ 거래의 실질이 용역의 공급에 대한 주선 · 중개에 해당함에도 불구하고 거래 당사자 간 계약에 따라 용역의 공급에 대한 주선 · 중개가 아닌 거래로 하여 세금계산서를 발급받은 경우
㉣ 거래의 실질이 용역의 공급에 대한 주선 · 중개에 해당하지 않음에도 불구하고 거래 당사자 간 계약에 따라 용역의 공급에 대한 주선 · 중개로 하여 세금계산서를 발급받은 경우
㉤ 다른 사업자로부터 사업(용역을 공급하는 사업으로 한정함. 이하 같음)을 위탁받아 수행하는 사업자가 위탁받은 사업의 수행에 필요한 비용을 사업을 위탁한 사업자로부터 지급받아 지출한 경우로서 해당 비용을 공급가액에 포함해야 함에도 불구하고 거래 당사자 간 계약에 따라 이를 공급가액에서 제외하여 세금계산서를 발급받은 경우
㉥ 다른 사업자로부터 사업을 위탁받아 수행하는 사업자가 위탁받은 사업의 수행에 필요한 비용을 사업을 위탁한 사업자로부터 지급받아 지출한 경우로서 해당 비용을 공급가액에서 제외해야 함에도 불구하고 거래 당사자 간 계약에 따라 이를 공급가액에 포함하여 세금계산서를 발급받은 경우
㉦ 매출에누리에 해당하는 금액을 공급가액에 포함하지 않아야 함에도 불구하고 거래 당사자 간 계약에 따라 해당 금액을 장려금이나 이와 유사한 금액으로 보고 이를 공급가액에 포함하여 세금계산서를 발급받은 경우

3. 사업과 직접 관련이 없는 지출

사업과 직접 관련이 없는 다음의 지출은 매입세액을 공제하지 않는다.

(1) 업무와 관련 없는 지출, 업무무관 자산의 유지 · 관리를 위한 지출
(2) 공동경비 중 공동사업자의 분담비율을 초과하여 지출한 금액

4. 개별소비세 과세대상 자동차의 구입 · 임차 · 유지에 관한 매입세액(비영업용 소형승용차 관련 비용)

(1) 개별소비세 과세대상 소형승용차(운수업 · 자동차판매업 · 자동차임대업 · 운전학원업 · 「경비업법」상 기계경비업의 출동차량 등 업종에 직접 영업으로 사용되는 것은 제외)의 구입과 임차 및 유지에 관한 매입세액은 공제하지 않는다.

(2) 개별소비세 과세대상 자동차가 아닌 화물차 · 경차 등의 매입세액과 영업용에 해당하는 운수업 등 업종에서 사용하는 개별소비세 과세대상 자동차는 매입세액을 공제한다.

기출 OX
비영업용 승용자동차의 구입과 임차 및 유지에 관한 매입세액은 공제하지 아니한다. (○) 08. 9급

5. 기업업무추진비[1] 관련 매입세액

기업업무추진비 및 이와 유사한 비용의 지출에 관련된 매입세액은 공제하지 않는다.

[1] 기업업무추진비
2024년 1월 1일부터는 접대비의 명칭이 기업업무추진비로 변경될 예정이다.

6. 토지조성 등을 위한 자본적 지출 관련 매입세액

토지는 면세재화로 그 토지와 관련된 다음의 자본적 지출에 해당하는 매입세액은 공제하지 아니한다.

(1) 토지의 취득 및 형질변경, 공장부지 및 택지의 조성 등에 관련된 매입세액

(2) 건축물이 있는 토지를 취득하여 그 건축물을 철거하고 토지만을 사용하는 경우에는 철거한 건축물의 취득 및 철거비용에 관련된 매입세액

(3) 토지의 가치를 현실적으로 증가시켜 토지의 취득원가를 구성하는 비용에 관련된 매입세액

기출 OX
토지의 가치를 현실적으로 증가시켜 토지의 취득원가를 구성하는 비용에 관련된 매입세액은 매출세액에서 공제하지 아니한다. (○) 14. 9급

7. 사업자등록 전 매입세액

(1) 사업자등록을 하기 전의 매입세액은 매출세액에서 공제하지 아니한다.

(2) 공급시기가 속하는 과세기간이 끝난 후 20일 이내에 등록신청한 경우 등록신청일부터 공급시기가 속하는 과세기간 기산일(1월 1일 또는 7월 1일)까지 역산한 기간 이내의 매입세액은 공제한다.

8. 면세사업 등에 관련된 매입세액

부가가치세가 면제되는 사업과 관련된 매입세액(면세사업을 위한 투자에 관련된 매입세액 포함)과 부가가치세 과세되지 않는 재화 또는 용역을 공급하는 사업과 관련된 매입세액은 공제하지 않는다.

4 차감납부할 세액계산

1. 차감납부할 세액계산구조

	매출세액	
(−)	매입세액	
	납부세액(또는 환급세액)	
(−)	경감 · 공제세액	…… 신용카드매출전표발급세액공제, 전자신고세액공제 등
(−)	예정신고 미환급세액	
(−)	예정고지세액	
(+)	가산세	
	차가감 납부할 세액	…… 납부할 세액의 76.3%을 부가가치세로, 23.7%을 지방소비세(2023년부터는 부가가치세 74.7%, 지방소비세는 25.3%로 함)

2. 경감 · 공제세액[1]

(1) 신용카드매출전표 등 발급세액공제

① 일반과세자 중 영수증발급사업자(법인사업자와 각 사업장의 직전연도의 재화 또는 용역의 공급가액의 합계액이 10억 원을 초과하는 개인사업자는 제외)가 부가가치세가 과세되는 재화 또는 용역을 공급하고 세금계산서의 발급 시기에 신용카드매출전표[2] 등(신용카드매출전표, 직불카드영수증, 실지명의가 확인되는 선불카드, 현금영수증)을 발급하거나 전자화폐에 의하여 대금을 결제받는 경우에는 다음의 금액을 납부세액에서 공제한다.

> 신용카드매출전표 등 발급세액공제 Min(㉠, ㉡)
>
> ㉠ 발급금액 또는 결제금액(부가가치세 포함금액) × 1.3%(2024년 1월 1일부터 1%)
>
> ㉡ 한도: 연간 1,000만 원(2024년 이후 500만 원)

② 신용카드매출전표 등 발급세액공제액이 그 공제액을 차감하기 전의 납부할 세액[3]을 초과하는 경우에는 그 초과하는 부분은 없는 것으로 본다.

(2) 예정신고 미환급세액과 예정고지세액

① **예정신고 미환급세액**: 부가가치세 환급세액은 확정신고기한 경과 후 30일 내에 환급(조기환급 제외)하는 것이 원칙이다. 따라서 예정신고기간 중에 발생한 환급세액은 환급하지 않고 확정신고시 납부세액에서 공제한다.

② **예정고지세액**: 예정신고기간에 신고의무가 면제된 개인사업자 및 영세법인사업자는 직전과세기간 납부세액의 1/2에 상당하는 금액을 결정하여 고지한 세액을 납부한다. 따라서 예정신고기간에 신고의무가 면제된 개인사업자 및 영세법인사업자는 해당 과세기간의 부가가치세를 신고할 때 예정신고기간에 고지된 세액을 확정신고시 공제세액으로 차감한다.

---

❶ **전자신고세액공제(「조세특례제한법」)**

납세자가 직접 전자신고방법으로 확정신고시 1만 원을 납부세액에서 공제하거나 환급세액에 가산한다. 다만, 매출가액과 매입가액이 없는 일반과세자에 대해서는 전자신고세액공제를 적용하지 않는다(확정신고시에만 적용함).

❷ **신용카드매출전표**

신용카드매출전표 등에는 전자금융거래법에 따른 직불전자지급수단 영수증, 선불전자지급수단 영수증(실제명의가 확인되는 것), 전자지급결제대행에 관한 업무를 하는 금융회사 또는 전자금융업자를 통한 신용카드매출전표를 포함한다.

❸

납부세액에서 「부가가치세법」, 「국세기본법」 및 「조세특례제한법」에 따라 빼거나 더할 세액(가산세 제외)을 빼거나 더하여 계산한 세액을 말하며, 그 계산한 세액이 0보다 작으면 0으로 본다.

(3) **전자세금계산서 발급 전송에 대한 세액공제**

① **공제대상**: 직전연도 사업장별 재화 · 용역의 공급가액 합계액(부가가치세 면세공급가액 포함)이 3억 원 미만인 개인사업자가 전자세금계산서를 2024.12.31.까지 발급(발급일의 다음 날까지 전자계산서 발급명세를 국세청장에게 전송하는 경우로 한정함)하는 경우

② **공제한도**: 연 100만 원

③ **공제금액**: 발급건수 당 200원

5 가산세

1. 등록불성실가산세

(1) 미등록가산세

사업자가 사업개시일로부터 20일 이내에 사업자등록을 신청하지 않은 경우

미등록가산세=공급가액❶ × 1%

❶ 사업개시일부터 등록을 신청한 날의 직전일까지의 공급가액 합계액

(2) 타인명의등록가산세

① 개념: 사업자가 타인(자기의 계산과 책임으로 사업을 하지 않는 자)의 명의로 사업자등록을 하거나 그 타인 명의의 사업자등록을 이용하여 사업을 하는 것으로 확인되는 경우를 말한다.

② 타인에 해당하지 않는 경우

㉠ 배우자

㉡ 상속으로 인하여 피상속인이 경영하던 사업이 승계되는 경우 그 피상속인(상속개시일부터 상속세 과세표준 신고기한까지의 기간 동안 상속인이 피상속인 명의의 사업자등록을 활용하여 사업을 하는 경우로 한정)

타인명의등록가산세=공급가액❷ × 1%

❷ 타인명의의 사업개시일부터 실제 사업을 하는 것으로 확인되는 날의 직전일까지의 공급가액 합계액

2. 세금계산서불성실가산세

구분	대상	가산세액
세금계산서 지연발급	세금계산서 발급시기를 경과한 후 재화 또는 용역의 공급시기가 속하는 과세기간의 확정신고기한까지 발급하는 경우	공급가액×1%
세금계산서 부실기재분	세금계산서의 필요적 기재사항의 전부 또는 일부가 착오 또는 과실로 적혀있지 않거나 사실과 다른 경우(다른 기재사항으로 보아 거래사실이 확인되는 경우는 제외)	공급가액×1%

다른 사업장 명의발급	둘 이상의 사업장을 가진 사업자가 재화 또는 용역을 공급한 사업장 명의로 세금계산서를 발급하지 않고 세금계산서의 발급시기에 자신의 다른 사업장 명의로 세금계산서를 발급한 경우	공급가액×1%
세금계산서 미발급	재화 또는 용역의 공급시기가 속하는 과세기간에 대한 확정신고기한까지 세금계산서를 발급하지 아니한 경우(다만, 전자세금계산서를 발급하여야 할 의무가 있는 자가 전자세금계산서를 발급하지 않고 세금계산서의 발급시기에 전자세금계산서 외의 세금계산서를 발급한 경우에는 그 공급가액의 1%를 가산세로 함)	공급가액×2%
위장세금계산서 발급 및 수령	① 재화 또는 용역을 공급하고 실제로 재화 또는 용역을 공급하는 자가 아닌 자 또는 실제로 재화 또는 용역을 공급받는 자가 아닌 자의 명의로 세금계산서 또는 신용카드매출전표 등을 발급한 경우 ② 재화 또는 용역을 공급받고 실제로 재화 또는 용역을 공급하는 자가 아닌 자의 명의로 세금계산서 또는 신용카드매출전표 등을 발급받은 경우	공급가액×2%
가공세금계산서의 발급 및 수령	① 재화 또는 용역을 공급하지 아니하고 세금계산서 또는 신용카드매출전표 등을 발급한 경우 ② 재화 또는 용역을 공급받지 아니하고 세금계산서 또는 신용카드매출전표 등을 발급받은 경우	세금계산서 등에 적힌 금액×3%
비사업자의 가공세금계산서	사업자가 아닌 자가 재화 또는 용역을 공급하지 아니하고 세금계산서를 발급하거나 재화 또는 용역을 공급받지 아니하고 세금계산서를 발급받은 경우(비사업자를 사업자로 보고 그 세금계산서를 발급하거나 발급받은 자에게 사업자등록증을 발급한 세무서장이 가산세로 징수)	세금계산서에 적힌 공급가액×3%
과다기재 세금계산서	① 재화 또는 용역을 공급하고 세금계산서 또는 신용카드 매출전표 등의 공급가액을 과다하게 기재한 경우 ② ①의 과다기재분 세금계산서 또는 신용카드매출전표 등을 발급받은 경우	실제보다 과다하게 기재하거나 기재된 부분에 대한 공급가액×2%
전자세금계산서 발급명세 지연전송	전자세금계산서 발급명세 전송기한이 지난 후 재화 · 용역의 공급시기가 속하는 과세기간에 대한 확정신고기한까지 국세청장에게 전자세금계산서 발급명세를 전송하는 경우	공급가액×0.3%
전자세금계산서 발급명세 미전송	전자세금계산서 발급명세 전송기한이 지난 후 재화 · 용역의 공급시기가 속하는 과세기간에 대한 확정신고기한까지 국세청장에게 전자세금계산서 발급명세를 전송하지 않은 경우	공급가액×0.5%

3. 매출처별 세금계산서합계표 불성실가산세

(1) 공급가액의 0.5% 가산세

① 매출처별 세금계산서합계표를 제출하지 아니한 경우(미제출)

② 제출한 매출처별 세금계산서합계표의 기재사항 중 거래처별 등록번호 또는 공급가액의 전부 또는 일부가 적혀 있지 아니하거나 사실과 다르게 적혀 있는 경우[1]

(2) 공급가액의 0.3% 가산세(지연제출)

예정신고 때 제출하여야 할 매출처별 세금계산서합계표를 예정신고기간이 속하는 과세기간의 확정신고를 할 때 매출처별 세금계산서합계표를 함께 제출하는 경우[단, 위 (1)의 ②에 해당하지 않는 경우로 함]

[1] 제출한 합계표의 기재사항이 착오로 적힌 경우로서 사업자가 발급한 세금계산서에 따라 거래사실이 확인되는 부분의 공급가액에 대하여는 가산세를 적용하지 않는다.

4. 매입처별 세금계산서합계표 불성실가산세

다음에 해당하는 경우는 공급가액[(3)은 과다기재분 공급가액]의 0.5%의 가산세를 부과한다.

(1) 매입처별 세금계산서합계표의 미제출 또는 부실기재로 인하여 발급받은 세금계산서를 경정시 경정기관의 확인을 거쳐 경정기관에 제출하여 매입세액을 공제받는 경우

(2) 재화 또는 용역의 공급시기 이후에 발급받은 세금계산서로서 해당 공급시기가 속하는 과세기간에 대한 확정신고기한까지 발급받아 매입세액을 공제받는 경우

(3) 매입처별 세금계산서합계표의 기재사항 중 공급가액을 사실과 다르게 과다하게 적어 신고한 경우

(4) 공급시기 이후 세금계산서를 발급받았으나, 실제 공급시기가 속하는 과세기간의 확정신고기한 다음날부터 1년 이내에 발급받은 것으로 수정신고 · 경정청구하거나, 거래사실을 확인하여 결정 · 경정하는 경우

(5) 공급시기 이전에 세금계산서를 발급받았으나, 실제 공급시기가 6개월 이내에 도래하고 거래사실을 확인하여 결정 · 경정하는 경우

5. 신용카드매출전표 등 불성실가산세

(1) 사업자가 신용카드매출전표 등 수령명세서를 예정 · 확정신고를 할 때에 제출하지 않고 발급받은 신용카드매출전표 등을 경정시 경정기관의 확인을 거쳐 해당 경정기관에 제출하여 매입세액을 공제받는 경우는 공급가액의 0.5%의 가산세를 부과한다.

(2) 매입세액을 공제받기 위하여 제출한 신용카드매출전표 등 수령명세서에 공급과액이 과다하게 적은 경우에는 과다하게 적은 금액의 0.5%를 가산세로 부과한다(착오로 기재된 경우 거래사실이 확인되는 경우는 제외).

6. 현금매출명세서 등 미제출가산세

다음에 해당하는 경우 미제출하거나 허위기재분 수입금액의 1%를 가산세로 부과한다.

(1) 변호사 · 회계사 · 세무사 등 전문자격사업을 하는 사업자가 현금매출명세서를 미제출하거나 수입금액이 허위기재된 경우

(2) 부동산임대업자가 부동산임대공급가액명세서를 미제출하거나 수입금액이 허위기재된 경우

7. 중복적용배제

(1) 등록불성실가산세(1%)가 적용되는 경우 다음의 가산세는 적용하지 않는다.

① 세금계산서 관련 가산세 중 지연발급(1%) 가산세, 부실기재분(1%)

② 전자세금계산서 관련 가산세(지연전송과 미전송)

③ 매출처별 세금계산서합계표 불성실가산세(0.3%, 0.5%)

④ 신용카드매출전표 등 불성실가산세(1%)

(2) 세금계산서불성실 가산세 중 2%(미발급 · 위장세금계산서 · 과다기재분)와 3%(가공세금계산서)의 가산세가 적용되는 경우 다음의 가산세는 적용하지 않는다.

① 등록불성실가산세(1%)

② 매출처별 세금계산서합계표 불성실가산세(0.3%, 0.5%)

③ 매입처별 세금계산서합계표 불성실가산세(0.5%)

(3) 세금계산서불성실가산세 중 1%(지연발급 · 부실기재)와 신용카드매출전표 등 불성실가산세(1%), 전자세금계산서발급명세전송가산세(0.5%, 0.3%)의 가산세가 적용되는 경우 다음의 가산세는 적용하지 않는다.

⇨ 매출처별 세금계산서합계표 불성실가산세(0.3%, 0.5%)

(4) 세금계산서불성실가산세 중 2%(위장세금계산서 발급)의 가산세가 적용되는 경우 다음의 가산세는 적용하지 않는다.

⇨ 세금계산서불성실가산세 중 2%(미발급)

(5) 세금계산서불성실가산세 중 1%(지연발급)와 2%(미발급)의 가산세가 적용되는 경우 다음의 가산세는 적용하지 않는다.

① 세금계산서불성실가산세 중 1%(부실기재)의 가산세

② 전자세금계산서 전송불성실가산세(0.5%, 0.3%)

(6) 세금계산서불성실가산세 중 1%(부실기재)의 가산세가 적용되는 경우 다음의 가산세는 적용하지 않는다.

⇨ 전자세금계산서 전송불성실가산세(0.5%, 0.3%)

8. 신고 · 납부 관련 가산세

(1) 무신고가산세

사업자가 법정신고기한까지 예정신고 또는 확정신고를 하지 않은 경우 다음과 같이 가산세를 계산한다.

① 일반적인 경우

(납부세액 − 기납부세액[1]) × 20% + 영세율과세표준[2] × 0.5%

② 부정행위로 인한 경우

납부세액 × 40% + 영세율과세표준[2] × 0.5%

(2) 과소신고 · 초과환급신고가산세

납부세액을 신고하여야 할 세액보다 적게 신고하거나 환급세액을 신고하여야 할 금액보다 많이 신고한 경우 다음에 산식에 따라 가산세를 계산한다.

① 일반적인 경우

(과소신고분 납부세액 + 초과신고분 환급세액) × 10% + 영세율과세표준 × 0.5%

② 부정행위로 인한 경우

가산세 = ㉠ + ㉡ + 영세율과세표준 × 0.5% ㉠ (부정과소신고분 납부세액 + 부정초과신고분 환급세액) × 40% ㉡ (과소신고분 납부세액 + 초과신고분 환급세액) × 10%

(3) 납부지연가산세

가산세 = ① + ② + ③ ① 미납세액 · 과소납부세액 × 일수[3] × 22/100,000 ② 초과환급받은 세액 × 일수[4] × 22/100,000 ③ 법정납부기한까지 납부하지 않은세액 또는 과소납부분 세액 × 3%

❶ 기납부세액

수시부과세액 등 납부세액에서 공제하는 세액을 말한다.

❷ 영세율과세표준

예정신고 또는 확정신고하지 않은 영세율과세표준이 있는 경우이다.

❸

납부기한의 다음날부터 납부일까지의 기간이다.

❹

환급받은 날의 다음날부터 납부일까지의 기간이다.

참고

환수효과와 누적효과

전단계세액공제법에서는 중간거래단계에서 영세율이나 면세가 적용되는 경우 환수효과와 누적효과가 발생한다.

1. **영세율이 중간단계에 적용되는 경우**: 전거래단계에서 영세율을 적용하고 그 후 거래단계에서 과세하게 되면 그 후 거래단계의 과세액이 해당 거래단계에서 생성된 부가가치를 과세기초로 하여 계산한 세액보다 많아지게 되는 것을 환수효과라고 한다.
2. **면세가 중간단계에 적용되는 경우**: 중간거래단계에 면세를 적용하고 그 후 거래단계에서 과세를 하면 환수효과와 누적효과가 발생한다. 환수효과는 면세를 적용한 중간단계에서 창출한 부가가치액에 대한 세액이 최종단계에서 거래징수됨으로써 면세사업자의 면세효과가 취소되는 현상을 말한다. 그리고 누적효과란 면세 전단계에 과세된 부가가치액이 최종단계에서 다시 과세됨으로 중복과세될 뿐 아니라 면세 전단계의 부가가치세에 대해서도 부가가치세가 과세되는 것을 말한다.
3. **환수효과와 누적효과를 완화하기 위한 제도**
   ① 의제매입세액공제
   ② 면세포기
   ③ 간이과세포기

기출문제

01 **부가가치세법령상 매입세액과 관련된 설명으로 옳은 것은?** 2020년 7급

① 매입세액에서 대손세액에 해당하는 금액을 뺀(관할세무서장이 결정 또는 경정한 경우 포함) 사업자가 대손금액을 변제한 경우에는 대통령령으로 정하는 바에 따라 변제한 대손금액에 관련된 대손세액에 해당하는 금액을 변제한 날이 속하는 과세기간의 매입세액에 더한다.
② 면세사업을 위한 투자에 관련된 매입세액은 공제한다.
③ 건축물이 있는 토지를 취득하여 그 건축물을 철거하고 토지만 사용하는 경우 철거한 건축물의 취득 및 철거 비용과 관련된 매입세액은 공제한다.
④ 사업자가 면세농산물을 원재료로 하여 제조한 재화의 공급에 대하여 부가가치세가 과세되는 경우(면세를 포기하고 영세율을 적용받는 경우 포함)에는 면세농산물을 공급받을 때 매입세액이 있는 것으로 보아 의제매입세액을 공제한다.

01
오답체크
② 면세사업을 위한 투자에 관련된 매입세액은 불공제한다.
③ 건축물이 있는 토지를 취득하여 그 건축물을 철거하고 토지만 사용하는 경우 철거한 건축물의 취득 및 철거 비용과 관련된 매입세액은 불공제한다.
④ 사업자가 면세농산물을 원재료로 하여 제조한 재화의 공급에 대하여 부가가치세가 과세되는 경우(면세를 포기하고 영세율을 적용받는 경우 제외)에는 면세농산물을 공급받을 때 매입세액이 있는 것으로 보아 의제매입세액을 공제한다.

02 **부가가치세법령상 납부세액을 계산할 때 매출세액에서 공제하지 아니하는 매입세액이 아닌 것은?** 2018년 7급

① 「부가가치세법」 제32조에 따라 발급받은 세금계산서의 필요적 기재사항 중 일부가 착오로 사실과 다르게 적혔으나 그 세금계산서에 적힌 나머지 필요적 기재사항으로 보아 거래사실이 확인되는 경우의 매입세액
② 사업과 직접 관련이 없는 지출로서 「부가가치세법 시행령」으로 정하는 것에 대한 매입세액
③ 기업업무추진비 및 이와 유사한 비용으로서 「부가가치세법 시행령」으로 정하는 비용의 지출에 관련된 매입세액
④ 면세사업 등에 관련된 매입세액

02
「부가가치세법」에 따라 발급받은 세금계산서의 필요적 기재사항 중 일부가 착오로 사실과 다르게 적혔으나 그 세금계산서에 적힌 나머지 필요적 기재사항으로 보아 거래사실이 확인되는 경우의 매입세액은 공제대상에 해당된다.

정답 01 ① 02 ①

03 「부가가치세법」상 제조업을 영위하는 일반과세자 ㈜E의 2023년 제1기 부가가치세 과세기간 중의 거래내역이다. 2023년 제1기 부가가치세 납부세액을 계산할 때 공제가능한 매입세액 총액은? (단, 거래대금을 지급하고 세금계산서를 적법하게 수취한 것으로 가정함) 2016년 9급

(1) 4월 18일: 배기량이 3,000cc인 승용자동차의 구입과 관련된 매입세액 100만 원
(2) 4월 22일: 사업에 사용할 목적으로 매입한 원료 매입세액 100만 원. 세금계산서의 필요적 기재사항 중 일부가 착오로 사실과 다르게 기재되었으나 그 세금계산서에 적힌 나머지 임의적 기재사항으로 보아 거래사실이 확인됨
(3) 5월 12일: 「법인세법」 제25조에 따른 기업업무추진비의 지출과 관련된 매입세액 100만 원
(4) 6월 10일: 공장부지의 조성과 관련된 매입세액 100만 원
(5) 6월 20일: 사업에 사용할 목적으로 매입하였으나 과세기간 말 현재 사용하지 않은 재료의 매입세액 100만 원

① 100만 원 ② 200만 원
③ 300만 원 ④ 400만 원

03
(1) 4월 18일: 개별소비세 과세대상 비영업용승용차 매입세액 불공제
(2) 4월 22일: 세금계산서 착오지만 확인되는 매입세액 공제대상(100만 원)
(3) 5월 12일: 기업업무추진비 관련 매입세액 불공제
(4) 6월 10일: 토지 관련 매입세액 불공제
(5) 6월 20일: 사용하지 않더라도 매입당시에 공제하므로 매입세액 공제대상(100만 원)

04 「부가가치세법」상 일반과세자(면세를 포기하고 영세율을 적용받는 경우는 제외)가 면세농산물 등에 대해 의제매입세액공제를 받는 것에 대한 설명으로 옳지 않은 것은? 2015년 7급

① 의제매입세액공제는 면세원재료를 사용하여 과세재화 · 용역을 공급하는 경우에 발생하는 누적효과를 제거하거나 완화시키기 위한 취지에서 마련된 제도이다.
② 의제매입세액은 면세농산물 등을 공급받은 날이 속하는 과세기간이 아니라, 그 농산물을 이용하여 과세대상 물건을 생산한 후 공급하는 시점이 속하는 과세기간의 매출세액에서 공제한다.
③ 의제매입세액의 공제를 받은 면세농산물 등을 그대로 양도 또는 인도하는 때에는 그 공제한 금액을 납부세액에 가산하거나 환급세액에서 공제하여야 한다.
④ 제조업을 경영하는 사업자가 법령에서 규정하는 농어민으로부터 면세농산물 등을 직접 공급받는 경우 의제매입세액공제를 받기 위해서는 세무서장에게 의제매입세액공제신고서만 제출하면 된다.

04
의제매입세액은 면세농산물 등을 공급받은 날이 속하는 과세기간에 의제매입세액 공제를 받을 수 있다.

정답 03 ② 04 ②

05 「부가가치세법」상 매입세액공제에 대한 설명으로 옳지 않은 것은?

2014년 9급

① 사업자가 면세농산물 등을 원재료로 하여 제조 · 가공한 재화 또는 창출한 용역의 공급에 대하여 부가가치세가 과세되는 경우(법에 따라 면세를 포기하고 영세율을 적용받는 경우에는 제외한다) 면세농산물 등을 공급받거나 수입할 때 매입세액이 있는 것으로 보아 공제할 수 있다.

② 토지의 가치를 현실적으로 증가시켜 토지의 취득원가를 구성하는 비용에 관련된 매입세액은 매출세액에서 공제하지 아니한다.

③ 재화의 공급시기 이후 해당 공급시기가 속하는 과세기간 내에 세금계산서를 발급받았다 하더라도 세금계산서는 공급시기에 발급받아야 하므로 매입세액공제를 받을 수 없다.

④ 사업자등록을 신청하기 전이라도 공급시기가 속하는 과세기간이 끝난 후 20일 이내에 등록을 신청한 경우 등록신청일부터 공급시기가 속하는 과세기간 기산일까지 역산한 기간 이내의 매입세액은 매출세액에서 공제한다.

05
재화의 공급시기 이후 해당 공급시기가 속하는 과세기간의 확정신고기한 내에 세금계산서를 발급받은 경우에는 매입세액공제를 받을 수 있다.

06 「부가가치세법」상 예정 또는 확정신고시에 공제받지 못한 의제매입세액을 공제받기 위하여 서류를 제출하는 경우에 해당하는 것만을 모두 고르면?

2014년 9급

ㄱ. 해당 서류를 경정청구서와 함께 제출하여 경정기관이 경정하는 경우
ㄴ. 해당 서류와 함께 신용카드매출전표 등 수령명세서를 경정기관의 확인을 거쳐 정부에 제출하는 경우
ㄷ. 해당 서류를 기한후 과세표준신고서와 함께 제출하여 관할세무서장이 결정하는 경우
ㄹ. 해당 서류를 과세표준수정신고서와 함께 제출하는 경우

① ㄱ, ㄷ
② ㄴ, ㄷ
③ ㄱ, ㄴ, ㄹ
④ ㄱ, ㄴ, ㄷ, ㄹ

06
ㄱ, ㄴ, ㄷ, ㄹ 모두 해당한다.
의제매입세액 공제는 예정신고 또는 확정신고, 수정신고, 경정청구, 기한후신고, 경정시 경정기관의 확인시 공제 가능하다.

정답 05 ③ 06 ④

07 「부가가치세법」상 납부세액에 관한 설명으로 옳은 것은? 2014년 7급

① 자기의 사업과 관련하여 생산한 재화를 국가에 무상으로 공급하는 경우 당해 재화의 매입세액은 매출세액에서 공제하지 아니한다.
② 면세사업에 사용한 건물을 과세사업과 면세사업에 공통으로 사용하는 때에 그 과세사업에 사용한 날이 속하는 과세기간의 과세공급가액이 총공급가액의 5% 미만인 경우 공제세액이 없는 것으로 본다.
③ 부도발생일이 2023년 1월 10일인 어음상의 채권에 대한 대손세액은 2023년 제1기 과세기간의 매출세액에서 공제받을 수 있다.
④ 대손세액공제의 범위는 사업자가 부가가치세가 과세되는 재화 또는 용역을 공급한 후 그 공급일로부터 10년이 지난 날이 속하는 과세기간 말까지 법령이 정하는 사유로 인하여 확정되는 대손세액만으로 한다.

07

✓ 오답체크

① 자기의 사업과 관련하여 생산한 재화를 국가에 무상으로 공급하는 경우에도 매입세액은 매출세액에서 공제한다.
③ 부도발생일이 2023년 1월 10일인 어음상의 채권에 대한 대손세액은 2023년 제2기 과세기간의 매출세액에서 공제받을 수 있다(부도 6개월이 경과해야 함).
④ 대손세액공제의 범위는 사업자가 부가가치세가 과세되는 재화 또는 용역을 공급한 후 그 공급일로부터 10년이 지난 날이 속하는 과세기간에 대한 확정신고기한까지 법령이 정하는 사유로 인하여 확정되는 대손세액만으로 한다.

08 「부가가치세법」상 매입세액공제가 허용되는 경우로 옳은 것은? 2010년 7급

① 발급받은 세금계산서의 필요적 기재사항 중 일부가 적히지 않았으며 거래사실도 확인되지 않는 경우
② 재화 또는 용역의 공급시기 이후에 발급받은 세금계산서로서 해당 공급시기가 속하는 과세기간의 확정신고기한 내에 발급받은 경우
③ 토지의 취득 및 형질변경, 공장부지 및 택지의 조성 등에 관련된 매입세액
④ 사업과 직접 관련이 있는 기업업무추진비에 관련된 매입세액

08

✓ 오답체크

① 발급받은 세금계산서의 필요적 기재사항 중 일부가 적히지 않았으며 거래사실도 확인되지 않는 경우는 매입세액공제가 되지 않는다.
③ 토지의 취득 및 형질변경, 공장부지 및 택지의 조성 등에 관련된 매입세액은 토지관련 매입세액으로 공제되지 않는다.
④ 기업업무추진비에 관련된 매입세액은 매입세액 불공제 대상에 해당한다.

정답 07 ② 08 ②

09 「부가가치세법」상 의제매입세액계산에 관한 설명으로 옳지 않은 것은?

2009년 7급

① 수입되는 면세농산물 등에 대하여 의제매입세액을 계산함에 있어서의 그 수입가액은 관세의 과세가격으로 한다.

② 매입세액으로서 공제한 면세농산물 등을 그대로 양도하는 때에는 그 공제한 금액을 납부세액에 가산하여야 한다.

③ 매입세액을 공제받고자 하는 제조업을 영위하는 사업자가 농 · 어민으로부터 면세농산물 등을 직접 공급받는 경우에는 의제매입세액공제신고서만을 제출한다.

④ 의제매입세액으로서 공제할 수 있는 금액은 면세농산물 등의 가액의 100분의 2(음식점업의 경우에는 100분의 3)를 곱하여 계산한다.

09
의제매입세액으로서 공제할 수 있는 금액은 면세농산물 등의 가액의 2/102[음식점업의 경우로서 개인이면 8/108(과세표준 2억 원 이하 9/109), 법인이면 6/106, 과세유흥장소는 2/102, 제조업(개인 또는 중소기업)은 4/104, 6/106]에 해당하는 금액을 매입세액으로서 공제할 수 있다.

10 「부가가치세법」상 매입세액공제에 대한 설명으로 옳지 않은 것은?

2008년 9급

① 공제대상 매입세액은 자기의 사업을 위하여 사용된 재화 또는 용역의 공급 및 재화의 수입에 대한 세액에 한한다.

② 비영업용 승용자동차의 구입과 임차 및 유지에 관한 매입세액은 공제하지 아니한다.

③ 부가가치세가 면제되는 재화를 공급하는 사업의 투자에 관련된 매입세액은 공제하지 아니한다.

④ 과세사업에 사용된 토지의 형질변경에 관련된 매입세액은 공제하지 아니한다.

10
공제대상 매입세액은 자기의 사업을 위하여 사용되었거나 사용될 재화 · 용역의 공급 또는 재화의 수입에 대한 세액이다.

정답 09 ④ 10 ①

11 「부가가치세법」상 매입세액공제 제도에 관한 설명으로 옳지 않은 것은?

2007년 9급

① 비영업용 승용자동차의 구입과 유지에 관한 매입세액은 매출세액에서 공제하지 아니한다.

② 사업자등록을 신청한 사업자가 사업자등록증 교부일까지의 거래에 대하여 당해 사업자 또는 대표자의 주민등록번호를 기재하고 세금계산서를 발급받은 경우에는 매입세액을 공제받을 수 있다.

③ 간이과세자가 일반과세자로 변경되는 경우에는 당해 변경 당시의 재고품 · 건설 중인 자산과 감가상각자산에 대하여 법령이 정하는 바에 따라 계산한 금액을 매입세액을 공제할 수 있다.

④ 과세재화를 원재료로 하여 면세재화를 공급하는 사업자는 의제매입세액 공제를 받을 수 있다.

11
면세재화를 원재료로 하여 과세재화를 공급하는 사업자는 의제매입세액공제를 받을 수 있다.

12 부가가치세법령상 납부세액 등에 대한 설명으로 옳은 것은?

2023년 9급

① 사업자는 부가가치세가 과세되는 재화를 공급하고 외상매출금(부가가치세를 포함한 것을 말한다)의 일부가 공급을 받은 자의 파산으로 대손되어 회수할 수 없는 경우에는 대손금액에 100분의 10을 곱한 금액을 매출세액에서 뺄 수 있다.

② 건축물이 있는 토지를 취득하여 그 건축물을 철거하고 토지만 사용하는 경우에는 철거한 건축물의 취득 및 철거 비용과 관련된 매입세액은 매출세액에서 공제하지 아니한다.

③ 사업자가 자기의 사업을 위하여 사용할 목적으로 공급받은 재화에 대한 부가가치세액은 해당 재화를 사업에 사용한 날이 속하는 과세기간의 매출세액에서 공제한다.

④ 사업자가 과세사업과 면세사업 등을 겸영하는 경우에 과세사업과 면세사업 등에 관련된 매입세액의 계산은 실지귀속과 관계없이 총공급가액에 대한 면세공급가액의 비율 등 대통령령으로 정하는 기준을 적용하여 안분 계산한다.

12
✓ 오답체크

① 사업자는 부가가치세가 과세되는 재화를 공급하고 외상매출금(부가가치세를 포함한 것을 말한다)의 일부가 공급을 받은 자의 파산으로 대손되어 회수할 수 없는 경우에는 대손금액에 110분의 10을 곱한 금액을 매출세액에서 뺄 수 있다.

③ 사업자가 자기의 사업을 위하여 사용할 목적으로 공급받은 재화에 대한 부가가치세액은 해당 재화를 매입한 날이 속하는 과세기간의 매출세액에서 공제한다.

④ 사업자가 과세사업과 면세사업 등을 겸영하는 경우에 과세사업과 면세사업 등에 관련된 매입세액의 계산은 실지귀속이 구분되는 경우에는 실지귀속에 따라 계산한다.

정답 11 ④ 12 ②

08 겸영사업자의 세액계산

1 개념

1. 과세사업과 면세사업을 겸영하는 사업자가 과세사업과 면세사업에 공통으로 사용하는 재화를 처분하거나 매입하는 경우 안분의 문제가 생긴다. 과세사업과 면세사업에 공통으로 사용하기 위하여 구입한 재화의 매입세액 중 과세사업과 관련된 매입세액은 공제대상에 해당하며 면세사업에 관련된 매입세액은 불공제에 해당한다.

2. 마찬가지로 과세사업과 면세사업에 공통으로 사용하던 재화를 처분하는 경우에는 과세사업에 관련된 공급가액이 과세표준에 해당하고 면세사업과 관련된 공급가액은 과세대상에 해당하지 않는다. 따라서 과세사업과 면세사업을 겸영하는 사업자는 과세와 면세사용분에 대한 매입 · 보유 · 처분 시 안분계산이 필요하게 된다.

2 공통사용재화의 공급

1. 과세표준 계산

과세사업과 면세사업(부가가치세가 과세되지 아니하는 재화 또는 용역을 공급하는 사업을 포함. 이하 '면세사업 등'이라고 함)에 공통으로 사용하던 재화를 공급하는 경우, 면세사업에 사용한 부분에 대하여는 과세하지 않고 과세사업에 사용한 부분에 대하여만 과세하기 위하여 다음과 같이 과세표준을 구한다.

$$\text{해당 재화의 공급가액} \times \frac{\text{재화를 공급한 날이 속하는 과세기간의 직전과세기간}^{❶}\text{의 과세되는 공급가액}^{❷}}{\text{재화를 공급한 날이 속하는 과세기간의 직전과세기간}^{❶}\text{의 총공급가액}^{❷}}$$

2. 안분계산의 배제

다음의 어느 하나에 해당하는 경우에는 해당 재화의 공급가액을 과세표준으로 한다. 즉, 공급가액 전액을 과세표준으로 한다.

(1) 재화를 공급하는 날이 속하는 과세기간의 직전과세기간의 총공급가액 중 면세공급가액이 5% 미만인 경우. 다만, 해당 재화의 공급가액이 5천만 원 이상인 경우는 제외한다.

❶ 직전과세기간의 공급가액이 없는 경우

휴업 등으로 인하여 직전과세기간의 공급가액이 없는 경우에는 그 재화를 공급한 날에 가장 가까운 과세기간의 공급가액에 의하여 계산한다.

❷ 사용면적비율로 안분하는 경우

예정사용면적비율에 따라 공통매입세액을 안분계산 또는 정산하거나 사용면적비율에 따라 납부세액이나 환급세액을 재계산한 재화로서 과세사업과 면세사업에 공통으로 사용되는 재화를 공급하는 경우에는 총사용면적 중에 과세사용면적 비율로 과세표준을 계산한다. 이 경우 휴업 등으로 인하여 직전과세기간의 사용면적비율이 없는 경우에는 그 재화를 공급한 날에 가장 가까운 과세기간의 사용면적비율에 의하여 계산한다.

$$\text{해당 재화의 공급가액} \times \frac{\text{재화를 공급한 날이 속하는 과세기간의 직전과세기간의 과세사용면적}}{\text{재화를 공급한 날이 속하는 과세기간의 직전과세기간의 총사용면적}}$$

(2) 재화의 공급가액이 50만 원 미만인 경우(공급단위별로 판단)

(3) 재화를 공급하는 날이 속하는 과세기간에 신규로 사업을 개시하여 직전과세기간이 없는 경우

3 공통매입세액의 안분

1. 공통매입세액

(1) 안분계산

① 과세사업과 면세사업에 공통으로 사용되는 재화나 용역은 실지귀속에 따라 구분하여 과세사업분에 대하여 매입세액을 공제한다. 공통사용분에 대하여 실지귀속을 구분할 수 없는 공통매입세액은 인원 수 등에 따르는 등 기획재정부령으로 정하는 경우를 제외하고 다음의 산식에 따라 구한다.

② 인원 수 등에 따르는 경우는 도축업을 영위하는 사업자가 공통매입세액을 과세사업과 면세사업에 관련된 도축두수에 따라 안분하여 계산하는 경우를 말한다.

$$\text{면세관련매입세액} = \text{공통매입세액} \times \frac{\text{해당 과세기간의 면세공급가액}^{❶}}{\text{해당 과세기간의 총공급가액}^{❷}}$$

❶ 면세공급가액

면세공급가액이란 면세사업 등에 대한 공급가액(공통매입세액과 관련된 해당 과세기간의 면세사업에 대한 수입금액)과 사업자가 해당 면세사업 등과 관련하여 받았으나 과세표준에 포함되지 아니하는 국고보조금과 공공보조금 및 이와 유사한 금액의 합계액을 말한다.

❷ 총공급가액

총공급가액이란 공통매입세액에 관련된 해당 과세기간의 과세사업에 대한 공급가액과 면세사업에 대한 수입금액의 합계액을 말한다.

(2) 공통사용재화를 매입과 동일한 과세기간에 공급한 경우

동일한 과세기간에 공통사용재화에 대한 매입과 공급이 발생하고 재화의 공급시 과세표준을 직전과세기간의 공급가액을 기준으로 안분계산한 경우 그 재화의 매입세액의 안분도 직전과세기간의 공급가액을 기준으로 한다.

$$\text{면세관련매입세액} = \text{공통매입세액} \times \frac{\text{직전과세기간의 면세공급가액}}{\text{직전과세기간의 총공급가액}}$$

(3) 안분계산 배제

다음의 경우는 안분계산을 하지 않고 전액을 공제한다.

① 해당 과세기간의 총공급가액 중 면세공급가액이 5% 미만인 경우. 다만, 공통매입세액이 500만 원 이상인 경우는 제외한다.

② 해당 과세기간 중 공통매입세액 합계액이 5만 원 미만인 경우

③ 신규로 사업을 개시함으로 인하여 해당 과세기간에 매입하여 해당 과세기간에 매각한 공통사용재화의 과세표준의 안분계산을 생략한 경우에 동 재화의 매입세액

(4) 공통매입의 정산

① 예정신고기간에 매입한 공통사용재화의 매입세액 정산: 공통매입의 정산이란 예정신고를 하는 때에 예정신고기간(3개월)의 총공급가액에 대한 면세공급가액의 비율에 의하여 안분계산하고 확정신고를 하는 때 해당 과세기간(6개월) 총공급가액 중에서 면세공급가액의 비율로 매입세액을 정산하는 것을 말한다.

② 공급가액이 없는 경우 정산

㉠ 공급가액이 없는 경우 대체비율: 해당 과세기간 중 과세사업과 면세사업의 공급가액이 없거나 그 어느 한 사업의 공급가액이 없는 경우에 해당 과세기간에 있어서의 안분계산은 다음의 대체비율 순서에 의한다. 다만, 건물을 신축 또는 취득하여 과세사업과 면세사업에 제공할 예정면적을 구분할 수 있는 경우에는 ⓒ를 ⓐ · ⓑ에 우선하여 적용한다.

ⓐ 총매입가액(공통매입가액을 제외)에 대한 면세사업에 관련된 매입가액의 비율

ⓑ 총예정공급가액에 대한 면세사업에 관련된 예정공급가액의 비율

ⓒ 총예정사용면적에 대한 면세사업에 관련된 예정사용면적의 비율

㉡ 대체비율로 안분 후 정산

ⓐ 과세사업 또는 면세사업 등의 공급가액이 없거나 어느 한 사업의 공급가액이 없어서 대체비율로 안분을 한 경우 실제공급가액이 확정되면 정산을 하여야 한다.

ⓑ 공급가액이 없어서 매입가액의 비율이나 예정공급가액비율을 대체비율로 사용한 경우 실제 공급가액이 확정되면 공급가액 비율로 정산한다.

ⓒ 다만, 예정사용면적비율로 안분한 경우에는 공급가액이 아니라 실제사용면적이 확정된 때 정산한다.

2. 납부세액 또는 환급세액의 재계산

(1) 개념

과세사업과 면세사업에 공통으로 사용되는 감가상각자산의 취득과 관련된 공통매입세액을 안분하여 계산한 이후에 과세비율과 면세비율이 증가 또는 감소함에 따라 변동되는 비율을 고려하여 매입세액을 재계산하는 것을 말한다.

(2) **요건**

① 과세사업과 면세사업에 공통으로 사용되는 감가상각자산에 한한다.

② 당해 과세기간의 총공급가액에 대한 면세공급가액의 비율(또는 총사용면적에 대한 면세사용면적의 비율)과 당초 취득일이 속하는 과세기간(그 후의 과세기간에 재계산한 때에는 그 재계산기간)에 적용하였던 면세비율간의 차이가 5% 이상이어야 한다.

③ 확정신고시에만 재계산하여 신고 · 납부한다.

(3) **재계산방법**

다음의 금액을 납부세액에 가산(또는 공제)하거나 환급세액에서 가산(또는 공제)한다.

> 가산 또는 공제되는 세액
> =공통 매입세액 × (1 − 감가율❶ × 경과된 과세기간의 수❷) × 증감된 면세비율

(4) **재계산의 배제**

① 과세사업에 사용하던 감가상각자산이 간주공급에 해당하여 과세되는 경우에는 재계산을 하지 아니한다.

② 과세사업과 면세사업에 공통으로 사용하는 감가상각자산을 공급하는 경우 당해 재화를 공급하는 날이 속하는 과세기간에는 재계산하지 아니한다.

3. 면세사업용 감가상각자산의 과세사업용 전환시 매입세액공제

(1) **개념**

당초에 면세사업에 사용하여 매입세액이 공제되지 못한 감가상각자산을 과세사업에 사용하는 경우 당초 공제받지 못한 매입세액 중 일부를 공제하는 것을 말한다.

(2) **공제요건**

면세사업용 감가상각자산을 과세사업용으로 전환함에 따라 매입세액을 공제받기 위하여는 다음의 요건을 모두 충족하여야 한다.

① 면세사업 관련 매입세액으로 불공제된 감가상각자산일 것

② 취득일이 속하는 과세기간 이후에 과세사업에 전용되거나 과세와 면세 겸용으로 사용 또는 소비할 것

③ 과세사업과 면세사업에 공통으로 사용 · 소비하는 날이 속하는 과세기간에 대한 확정신고시 과세사업전환 감가상각자산신고서에 의하여 사업장 관할세무서장에게 신고할 것

❶ 감가율

1. **건물과 구축물**: 5%
2. **그 밖의 감가상각자산**: 25%

❷ 경과된 과세기간의 수

경과된 과세기간의 수를 계산함에 있어서 과세기간의 개시일 후에 감가상각자산을 취득하거나 당해 재화가 공급된 것으로 보게 되는 경우에는 그 과세기간의 개시일에 당해 재화를 취득하거나 당해 재화가 공급된 것으로 본다. 단, 건물 또는 구축물의 경과된 과세기간 수가 20을 초과할 때는 20으로 하고, 그 밖의 감가상각자산의 경과된 과세기간의 수가 4를 초과할 때에는 4로 한다.

(3) 공제되는 매입세액 계산

① 전부 과세에 전용하는 경우

공제세액 = 불공제매입세액 × (1 − 감가율❶ × 경과된 과세기간의 수❷)

② 일부 과세에 전용하는 경우: 과세사업과 면세사업에 공통으로 사용·소비하는 경우에는 다음의 금액을 공제한다. 다만, 해당 과세사업에 의한 과세공급가액이 총공급가액 중 5% 미만인 경우 공제세액은 없는 것으로 한다.

$$\text{공제세액} = \text{불공제매입세액} \times (1 - \text{감가율}^{❶} \times \text{경과된 과세기간의 수}^{❷}) \times \frac{\text{해당 과세기간 과세공급가액}}{\text{해당 과세기간 총공급가액}}$$

(4) 공급가액이 없는 경우

① 안분: 해당 과세기간 중 과세사업과 면세사업의 공급가액이 없거나 그 어느 한 사업의 공급가액이 없는 경우에 해당 과세기간에 있어서의 안분계산은 다음 순서에 의한다. 다만, 건물을 신축 또는 취득하여 과세사업과 면세사업에 제공할 예정면적을 구분할 수 있는 경우에는 ⓒ을 ㉠, ㉡에 우선하여 적용한다.

㉠ 총매입가액(공통매입가액을 제외)에 대한 면세사업에 관련된 매입가액의 비율

㉡ 총예정공급가액에 대한 면세사업에 관련된 예정공급가액의 비율

㉢ 총예정사용면적에 대한 면세사업에 관련된 예정사용면적의 비율

② 안분계산한 매입세액의 정산: 당초 매입가액 또는 예정공급가액 및 예정사용면적의 비율로 매입세액을 안분계산한 경우에는 면세사업용 감가상각자산의 과세사업용 사용·소비로 과세사업과 면세사업의 공급가액 또는 과세사업과 면세사업의 사용면적이 확정되는 과세기간에 대한 납부세액을 확정신고하는 때에 정산한다.

❶ 감가율

1. 건물과 구축물: 5%
2. 그 밖의 감가상각자산: 25%

❷ 경과된 과세기간 수

경과된 과세기간의 수를 계산함에 있어서 과세기간의 개시일 후에 감가상각자산을 취득하거나 당해 재화가 공급된 것으로 보게 되는 경우에는 그 과세기간의 개시일에 당해 재화를 취득하거나 당해 재화가 공급된 것으로 본다. 단, 건물 또는 구축물의 경과된 과세기간 수가 20을 초과할 때는 20으로 하고, 그 밖의 감가상각자산의 경과된 과세기간의 수가 4를 초과할 때에는 4로 한다.

기출문제

01 소매업을 영위하는 ㈜한국은 과세사업과 면세사업을 겸영하고 있다. 2023년 제1기 과세 및 면세사업의 공급가액과 매입세액이 다음과 같을 때, 확정 신고 시 공제받을 수 없는 매입세액은? (단, 모든 거래에 대한 세금계산서 및 계산서는 적법하게 발급받았으며, 주어진 자료 이외의 다른 사항은 고려하지 않는다) 2022년 9급

(단위: 만 원)

구분	공급가액	매입세액
과세사업	300	25
면세사업	200	10
과세 · 면세공통(실지귀속 불분명)	–	20
합계	500	55

① 8만 원
② 10만 원
③ 18만 원
④ 30만 원

01
매입세액불공제 금액을 찾는 문제이므로 면세사업과 공통매입세액 중 면세분을 계산하면 된다.
10만 원+8만 원*=18만 원
*20만 원×200만 원/500만 원=8만 원

02 부가가치세법령상 홍길동은 과세사업과 면세사업을 겸영하고 있는데 과세사업과 면세사업으로 실지귀속을 구분할 수 없는 2023년 제2기의 공통매입세액은 1천만 원이다. 홍길동의 2023년 제1기와 제2기의 과세 및 면세사업의 공급가액은 다음과 같다. 공통매입세액 중 2023년 제2기 과세기간에 공제받을 수 있는 금액은? (단, 매입세액의 공제요건은 충족하고, 2023년 제2기 중 공통으로 사용되는 재화를 공급한 것은 없다) 2019년 9급

구분	2023년 제1기	2023년 제2기	합계
과세사업	8천만 원	4천만 원	1억 2천만 원
면세사업	2천만 원	6천만 원	8천만 원
합계	1억 원	1억 원	2억 원

① 2백만 원
② 4백만 원
③ 6백만 원
④ 8백만 원

02
당기 과세비율에 해당하는 금액을 공제할 수 있다.
1천만 원×4천만 원/1억 원=4백만 원

정답 01 ③ 02 ②

03 다음은 과세재화와 면세재화를 제조 및 판매하고 있는 甲회사의 2023년도 제2기 부가가치세 과세기간에 대한 자료이다. 한편, 2023년도 제2기 과세기간의 매입가액에 대한 부가가치세는 모두 매입세액공제대상이다. 2023년 제2기 甲회사의 부가가치세 납부세액은? 2012년 7급

> 1. 공급가액: 2023년 1기
>   ① 총공급가액: 200,000,000원
>   ② 면세공급가액: 100,000,000원
> 2. 공급가액: 2023년 2기
>   ① 총공급가액: 200,000,000원
>   ② 면세공급가액: 80,000,000원
> 3. 매입가액
>   ① 과세재화용 원재료: 65,000,000원
>   ② 면세재화용 원재료: 35,000,000원
>   ③ 과세사업과 면세사업에 공통으로 사용되는 부재료: 25,000,000원

① 2,000,000원 ② 2,250,000원
③ 4,000,000원 ④ 4,250,000원

03
- 매출세액: 12,000,000원 (120,000,000 × 10%)
- 매입세액: ㉠+㉡=8,000,000원
  ㉠ 과세사용: 6,500,000원
  ㉡ 공통사용: 2,500,000 × 1억 2천만 원 / 2억 원=1,500,000원
- 납부세액: 4,000,000원

정답 03 ③

09 납세절차

1 신고와 납부

1. 예정신고와 납부

기출 OX

외국법인(신규사업 개시자 아님)은 각 과세기간 중 예정신고기간이 끝난 후 25일 이내에 법령으로 정하는 바에 따라 각 예정신고기간에 따라 과세표준과 납부세액 또는 환급세액을 사업장 관할세무서장에게 신고하여야 한다. (○) 11. 7급

(1) 원칙

사업자는 원칙적으로 각 예정신고기간이 끝난 후 25일 이내에 각 예정신고기간에 대한 과세표준과 납부세액 또는 환급세액을 사업장 관할세무서장에게 신고 · 납부하여야 한다. 다만, 예정신고기간 중에 조기환급신고를 한 부분에 대해서는 예정신고할 때 제외한다.

> **심화 | 예정신고를 할 때 적용하지 않는 것**
>
> 1. 대손세액공제
> 2. 재계산
> 3. 가산세
> 4. 전자신고세액공제
> 5. 과세전환에 따른 매입세액공제
> 6. 일반환급

기출 OX

개인사업자에 대하여는 각 예정신고기간마다 직전과세기간 납부세액의 2분의 1에 상당하는 금액을 결정하여 징수함이 원칙이다. (○) 07. 7급

(2) 특례

① **원칙 – 고지 · 징수:** 개인사업자와 직전 과세기간 공급가액의 합계액이 1억 5천만 원 미만인 법인사업자(이하 '영세법인사업자'라 함)에 대하여는 각 예정신고기간마다 직전과세기간에 대한 납부세액(납부세액에서 공제하거나 경감한 세액이 있는 경우에는 그 세액을 뺀 금액으로 하고, 결정 또는 경정과 수정신고 및 경정청구에 따른 결정이 있는 경우에는 그 내용이 반영된 금액으로 함)의 2분의 1에 해당하는 금액(1천 원 미만의 단수가 있을 때에는 그 단수금액은 버림)을 결정하여 해당 예정신고기한까지 징수한다.

② **예외 – 신고 · 납부:** 다음에 해당하는 개인사업자 및 영세법인사업자는 예정신고를 할 수 있다. 예정신고를 한 경우에는 예정고지세액의 결정은 없었던 것으로 본다.

㉠ 휴업 또는 사업부진 등으로 인하여 각 예정신고기간의 공급가액 또는 납부세액이 직전과세기간의 공급가액 또는 납부세액의 3분의 1에 미달하는 자

㉡ 각 예정신고기간분에 대하여 조기환급을 받고자 하는 자

③ 징수 예외: 다음의 경우에는 부가가치세를 징수하지 않는다.

㉠ 징수하여야 할 금액이 50만 원 미만인 경우

㉡ 간이과세자에서 해당 과세기간 개시일 현재 일반과세자로 변경된 경우

㉢ 「국세징수법」 재난 등으로 인한 납부기한연장[1]의 어느 하나에 해당하는 사유로 납세자가 징수하여야 할 금액을 납부할 수 없다고 인정되는 경우

(3) 제출서류

예정신고시에는 부가가치세예정신고서와 함께 영세율첨부서류 · 매출처별 세금계산서합계표 · 매입처별 세금계산서합계표 · 신용카드매출전표 등 수령명세서 등 법에서 정한 일정한 명세서 등을 각 사업장 관할세무서장에게 제출하여야 한다. 다만, 다음의 경우에는 당해 예정신고기간이 속하는 과세기간의 확정신고와 함께 제출할 수 있다.

① 예정신고의무가 면제되는 경우

② 예정신고를 하는 사업자가 각 예정신고와 함께 매출 · 매입처별 세금계산서합계표를 제출하지 못하는 경우

(4) 전자고지세액공제

납세자가 국세기본법에 따른 전자송달의 방법으로 납부고지서의 송달을 신청한 경우 신청한 달의 다음다음달 이후 송달하는 분부터 결정 · 징수하는 부가가치세의 납부세액에서 납부고지서 1건당 1,000원을 공제한다. 이 경우 전자고지세액공제 금액은 각 세법에 따라 부과하는 국세의 납부세액에서 국세기본법에 따른 고지금액의 최저한도(1만 원)를 차감한 금액을 한도로 한다.

2. 확정신고와 납부

(1) 확정신고

사업자는 각 과세기간에 대한 과세표준과 납부세액 또는 환급세액을 그 과세기간이 끝난 후 25일(폐업하는 경우에는 폐업일이 속한 달의 다음달 25일) 이내에 사업장 관할세무서장에게 신고하여야 한다.

(2) 납부

① 사업자는 확정신고와 함께 그 과세기간에 대한 납부세액을 사업장 관할세무서장에게 납부하여야 한다.

② 다만, 예정신고를 한 사업자 또는 조기환급신고를 한 사업자는 이미 신고한 과세표준과 납부한 납부세액 또는 환급받은 환급세액은 신고하지 않는다.

③ 사업자는 확정신고를 할 때 확정신고시의 납부세액에서 조기환급을 받을 환급세액 중 환급되지 않은 세액과 예정고지세액을 빼고 부가가치세 확정신고서와 함께 각 납세지 관할세무서장에게 납부하거나, 한국은행 또는 체신관서에 납부하여야 한다.

[1] 재난 등으로 인한 납부기한연장 사유

1. 납세자가 재난 또는 도난으로 재산에 심한 손실을 입은 경우
2. 납세자가 경영하는 사업에 현저한 손실이 발생하거나 부도 또는 도산의 우려가 있는 경우
3. 납세자 또는 그 동거가족이 질병이나 중상해로 6개월 이상의 치료가 필요한 경우 또는 사망하여 상중(喪中)인 경우
4. 그 밖에 납세자가 국세를 납부기한 등까지 납부하기 어렵다고 인정되는 경우로서 대통령령으로 정하는 경우

(3) 재화의 수입

납세의무자가 「관세법」에 따라 관세를 신고 · 납부하는 경우에는 재화의 수입에 대한 부가가치세를 함께 신고 · 납부하여야 한다.

(4) 제출서류

확정신고시에는 부가가치세확정신고서와 함께 영세율첨부서류 · 매출처별 세금계산서합계표 · 매입처별 세금계산서합계표 · 신용카드매출전표 등 수령명세서 등 법에서 정한 일정한 명세서 등을 각 사업장 관할세무서장에게 제출하여야 한다.

3. 재화의 수입에 대한 신고와 납부

(1) 일반적인 경우

재화를 수입하는 자가 관세를 신고 · 납부하는 경우에는 재화의 수입에 대한 부가가치세를 같이 신고 · 납부하여야 한다.

(2) 재화수입에 대한 납부유예

① 개념: 일정요건을 갖춘 중소사업자 또는 중견사업자의 자금부담을 완화하기 위하여 해당 사업자가 수입할 때 부가가치세의 납부를 유예하고 추후 부가가치세를 신고할 때 유예된 부가가치세를 납부하도록 하고 있다.

② 적용대상자: 다음의 요건을 모두 충족한 중소 · 중견사업자를 그 대상으로 하고 있다.

㉠ 직전사업연도에 중소기업 또는 중견기업에 해당하는 법인(제조업을 주된 사업으로 경영하는 기업에 한정)일 것

㉡ 직전사업연도에 영세율을 적용받은 재화의 공급가액의 합계액(이하 '수출액'이라 함)이 다음에 해당할 것

ⓐ 직전사업연도에 중소기업인 경우: 직전사업연도에 공급한 재화 또는 용역의 공급가액의 합계액에서 수출액이 차지하는 비율이 30퍼센트 이상이거나 수출액이 50억 원 이상일 것

ⓑ 직전사업연도에 중견기업인 경우: 직전사업연도에 공급한 재화 또는 용역의 공급가액의 합계액에서 수출액이 차지하는 비율이 30퍼센트 이상일 것

㉢ 확인 요청일[1] 현재 다음의 요건에 모두 해당할 것

ⓐ 최근 3년간 계속하여 사업을 경영하였을 것

ⓑ 최근 2년간 국세(관세를 포함)를 체납한 사실이 없을 것

ⓒ 최근 3년간 「조세범 처벌법」 또는 「관세법」 위반으로 처벌받은 사실이 없을 것

[1] 확인 요청일

중소 · 중견사업자는 다음의 신고기한의 만료일 중 늦은 날부터 3개월 이내에 관할세무서장에게 적용대상자의 요건 충족 여부의 확인을 요청할 수 있다. 관할세무서장은 중소 · 중견사업자가 확인을 요청한 경우에는 해당 중소 · 중견사업자가 적용대상자에 해당하는지 여부를 확인한 후 요청일로부터 1개월 이내에 확인서를 해당 중소 · 중견사업자에게 발급하여야 한다.

1. 직전사업연도에 대한 각 사업연도 소득 또는 연결사업연도소득에 대한 법인세 과세표준과 세액의 신고기한의 만료일
2. 직전사업연도에 대한 부가가치세 확정신고기한의 만료일

ⓓ 최근 2년간 재화의 수입에 대한 부가가치세 납부유예가 취소된 사실이 없을 것

③ 납부유예대상

㉠ 납부유예신청: 세관장은 중소 · 중견사업자가 물품을 제조 · 가공하기 위한 원재료 등으로서 중소 · 중견사업자가 자기의 과세사업에 사용하기 위한 재화의 수입에 대하여 부가가치세의 납부유예를 미리 신청하는 경우에는 부가가치세의 납부를 유예할 수 있다. 이 경우 매출세액에서 공제가 되지 않는 매입세액과 관련된 재화는 제외한다.

㉡ 신청 · 승인절차

ⓐ 부가가치세의 납부를 유예받으려는 중소 · 중견사업자는 발급받은 확인서를 첨부하여 부가가치세 납부유예적용신청서를 관할세관장에게 제출하여야 한다. 신청을 받은 관할세관장은 신청일부터 1개월 이내에 납부유예의 승인 여부를 결정하여 해당 중소 · 중견사업자에게 통지하여야 한다.

ⓑ 관할세관장의 납부유예승인을 받은 중소 · 중견사업자의 부가가치세 유예기간은 1년으로 한다.

④ 부가가치세 정산: 납부를 유예받은 중소 · 중견사업자는 납세지 관할세무서장에게 예정신고 또는 확정신고 또는 조기환급신고를 할 때 해당 재화에 대하여 공제되는 재화의 수입에 대한 부가가치세 매입세액과 납부가 유예된 세액을 정산하거나 납부하여야 한다. 이 경우 납세지 관할세무서장에게 납부한 세액은 세관장에게 납부한 것으로 본다.

⑤ 납부유예취소(취소사유)

㉠ 세관장은 부가가치세의 납부가 유예된 중소 · 중견사업자가 국세를 체납하는 등 다음의 사유에 해당하는 경우에는 그 납부의 유예를 취소할 수 있다. 이 경우 세관장은 해당 중소 · 중견사업자에게 그 취소 사실을 통지하여야 한다.

ⓐ 해당 중소 · 중견사업자가 국세를 체납한 경우

ⓑ 「조세범 처벌법」 또는 「관세법」 위반으로 국세청장, 지방국세청장, 관할세무서장 또는 관세청장, 관할세관장으로부터 고발된 경우

ⓒ 중소 · 중견사업자의 요건을 충족하지 아니한 중소 · 중견사업자가 납부유예를 승인한 사실을 세관장이 알게 된 경우

ⓛ 국세청장 · 지방국세청장 · 세무서장은 해당 중소 · 중견사업자가 위의 어느 하나에 해당하는 사실을 알게 되었을 때에는 지체 없이 그 사실을 관세청장에게 통보하여야 한다. 한편, 납부유예취소는 중소 · 중견사업자가 부가가치세 납부를 유예받고 수입한 재화에 대하여는 영향을 미치지 않는다.

4. 대리납부

(1) 국외 비거주자 등으로부터 공급받는 용역 · 권리의 대리납부

① 개념: 국내사업장이 없는 비거주자 등이 공급하는 용역이나 권리(재화로 과세되지 않는 것)의 수입에 대해서 거래징수를 할 수 없다. 이러한 국내에서 과세하지 않게 되면 소비지국과세원칙을 실현할 수 없는 문제가 발생한다. 따라서 이러한 문제를 해결하기 위하여 용역 등 수입에 대한 부가가치세를 공급자를 대신해서 공급받는 자가 그 대가에서 부가가치세를 징수하여 납부하도록 하고 있다.

② 용역 또는 권리의 공급자: 다음의 자가 국내에서 부가가치세가 과세되는 용역 또는 권리를 공급(국내에 반입하는 것으로 관세와 함께 부가가치세를 신고 · 납부하여야 하는 재화의 수입에 해당하지 아니하는 경우를 포함)한 경우이어야 한다. 만약 공급되는 용역 또는 권리가 면세대상인 경우에는 대리납부의무는 없다.

㉠ 국내사업장이 없는 비거주자 또는 외국법인

㉡ 국내사업장이 있는 비거주자 또는 외국법인이 국내사업장과 관련 없이 용역 등을 제공하거나 국내사업장에 귀속되지 않는 용역 등을 공급하는 경우

기출 OX

국내사업장이 없는 비거주자 또는 외국법인으로부터 용역 또는 권리를 공급받는 자는 그 대가를 지급하는 때에는 부가가치세를 징수하고 대리납부하여야 한다. (○) 13. 7급

③ 용역 또는 권리를 공급받는 자: 용역 또는 권리를 공급받고 대가를 지급하는 자가 공급받은 용역 또는 권리를 과세사업에 제공하는 경우에는 대리납부의무가 없다. 즉, 대리납부의무를 지는 자는 면세사업자, 사업자가 아닌 자, 매입세액이 공제되지 아니하는 용역 또는 권리를 공급받는 과세사업자이다.

④ 과세표준

㉠ 실지귀속을 구분할 수 없는 경우: 대리납부세액은 용역 또는 권리의 공급가액에 10%를 곱하여 계산한다. 다만, 비거주자 또는 외국법인으로부터 공급받은 용역 등이 과세사업과 면세사업에 공통으로 사용되어 그 실지귀속을 구분할 수 없는 경우의 면세사업에 사용된 용역 등의 과세표준은 다음 산식에 의하여 계산한 금액으로 한다. 그리고 과세기간 중 과세사업과 면세사업의 공급가액이 모두 없거나 어느 하나의 사업에 공급가액이 없으면 그 과세기간에 있어서의 안분계산은 공통매입세액의 안분계산시 공급가액이 없는 경우와 그 정산규정을 준용한다.

면세사업에 사용된 용역 등의 과세표준	$= 공급가액 \times \dfrac{\text{대가지급일이 속하는 과세기간의 면세공급가액}}{\text{대가지급일이 속하는 과세기간의 총공급가액}}$

ⓛ 외화로 지급하는 경우: 대가를 외화로 지급하는 때에는 다음에 규정하는 금액을 공급가액으로 한다.

ⓐ 원화를 외화로 매입하여 지급하는 경우에는 지급일 현재의 대고객 외국환매도율에 의하여 계산한 금액

ⓑ 보유 중인 외화로 지급하는 경우에는 지급일 현재의 기준환율 또는 재정환율에 의하여 계산한 금액

⑤ 대리납부시기: 용역 또는 권리를 공급받은 자가 대가를 지급하는 때[1]에 부가가치세를 징수하고, 이를 예정신고 또는 확정신고 규정을 준용하고 사업장 또는 주소지 관할세무서장에게 대리납부신고서와 함께 납부하거나 「국세징수법」에 따른 납부서를 작성하여 한국은행이나 체신관서에 납부하여야 한다.

⑥ 대리납부지연가산세

㉠ 대리납부의무자가 법정납부기한까지 납부하지 않거나 과소납부한 경우에는 납부하지 않은 세액 또는 과소납부분 세액의 50%(ⓐ의 금액과 ⓑ 중 법정납부기한의 다음날부터 납부고지일까지의 기간에 해당하는 금액을 합한 금액은 10%)에 상당하는 금액을 한도로 하여 다음의 금액을 합한 금액을 가산세로 한다.

> 대리납부지연가산세: ⓐ+ⓑ
> ⓐ 미납세액 또는 과소납부분 세액×3%
> ⓑ 미납세액 또는 과소납부분 세액×법정납부기한의 다음날부터 납부일까지의 기간(납부고지일부터 납부고지서에 따른 납부기한까지의 기간은 제외)×22/100,000

ⓛ 대리납부지연가산세를 적용할 때 납부고지서에 따른 납부기한의 다음날부터 납부일까지의 기간이 5년을 초과하는 경우에는 그 기간은 5년으로 한다.

ⓒ 체납된 국세의 납부고지서별 · 세목별 세액이 150만 원 미만인 경우에는 대리납부지연가산세 중 ⓑ의 가산세를 적용하지 않는다.

[1] 대가를 수회에 걸쳐 지급하는 경우는 지급할 때마다 징수한다.

기출 OX

사업의 포괄적 양도에 따라 그 사업을 양수받는 자는 그 대가를 지급하는 때에 그 대가를 받은 자로부터 부가가치세를 징수하여 납부할 수 있다. (○) 15. 9급

(2) 사업양수인의 대리납부

사업의 포괄양도(이에 해당하는지 여부가 분명하지 아니한 경우를 포함)에 따라 그 사업을 양수받는 자는 그 대가를 지급하는 때에는 그 대가를 받은 자로부터 부가가치세를 징수하여 그 대가를 지급하는 날이 속하는 달의 다음달 25일까지 확정신고규정을 준용하여 사업장 관할세무서장에게 납부할 수 있다.

참고

신용카드 등 결제금액에 대한 부가가치세 대리납부(「조세특례제한법」)

1. **신용카드업자의 대리납부**: 신용카드업자는 부가가치세 체납률 등을 고려하여 법으로 정하는 특례사업자가 부가가치세가 과세되는 재화 또는 용역을 공급(「여신전문금융업법」에 따른 신용카드 · 직불카드 또는 선불카드를 사용한 거래로 한정)하고 그 신용카드업자로부터 공급대가를 받는 경우에는 「부가가치세법」에도 불구하고 해당 공급대가를 특례사업자에게 지급하는 때에 공급대가의 110분의 4에 해당하는 금액을 부가가치세로 징수하여 매 분기가 끝나는 날의 다음달 25일까지 대리납부신고서와 함께 신용카드업자의 관할세무서장에게 납부하여야 한다.
2. **대리납부 적용대상 사업자**: 부가가치세가 과세되는 재화와 용역을 공급하는 사업자로서 다음의 업종을 영위하는 특례사업자를 말한다. 다만, 간이과세자는 제외한다.
   ① 일반유흥 주점업(단란주점영업을 포함)
   ② 무도유흥 주점업
3. **세액공제**
   ① 신용카드업자가 납부한 부가가치세액은 특례사업자가 예정신고 및 확정신고시 이미 납부한 세액으로 본다.
   ② 특례사업자는 신용카드업자가 납부한 부가가치세액에서 금융기관의 이자율 등을 고려하여 대통령령으로 정하는 이자율(1%)을 곱한 금액을 예정신고 및 확정신고시 납부세액에서 공제할 수 있다. 이 경우 해당 공제금액을 차감한 후 납부할 세액[「부가가치세법」 및 「국세기본법」에 따라 빼거나 더할 세액(가산세는 제외)을 빼거나 더하여 계산한 세액을 말함]이 음수인 경우에는 영(0)으로 본다.
4. **예정고지시 차감**: 특례사업자에 대하여 예정고지 또는 예정부과 규정에 따라 부가가치세를 결정하여 징수하는 경우에는 그 결정세액에서 해당 예정신고기간 또는 예정부과기간 종료일 현재 신용카드업자가 신용카드업자의 관할세무서장에게 납부할 부가가치세를 뺀 금액을 각각 징수한다. 다만, 그 산정한 세액이 음수인 경우에는 영(0)으로 본다.
5. **적용대상자 통지**: 관할세무서장은 사업자가 대리납부의 적용대상이 되는 특례사업자에 해당하는 경우에는 해당 규정을 적용하여야 하는 과세기간이 시작되기 1개월 전까지 그 사실을 해당 사업자에게 통지하여야 한다. 이 경우 대리납부규정이 적용되어야 하는 과세기간이 시작되기 1개월 전까지 해당 사업자가 통지를 받지 못한 경우에는 통지서를 수령한 날이 속하는 달의 다음달 1일부터 대리납부제도를 적용한다.
6. **기타**
   ① 국세청장은 신용카드업자가 부가가치세를 대리납부할 수 있도록 신용카드업자에게 대리납부에 필요한 특례사업자에 대한 정보를 제공하여야 한다.
   ② 국세청장은 신용카드업자에게 대리납부에 필요한 경비를 지원한다.

5. 국외사업자의 용역 등 공급에 대한 특례

(1) 위탁판매용역

국외사업자[1]가 사업자등록의 대상으로서 다음의 어느 하나에 해당하는 자(이하 '위탁매매인 등'이라 함)를 통하여 국내에서 용역 등을 공급하는 경우에는 해당 위탁매매인 등이 해당 용역 등을 공급한 것으로 본다.

① 위탁매매인

② 준위탁매매인

③ 대리인

④ 중개인(구매자로부터 거래대금을 수취하여 판매자에게 지급하는 경우에 한정)

(2) 공급장소특례

국외사업자로부터 권리를 공급받는 경우에는 일반적인 공급장소 규정에도 불구하고 공급받는 자의 국내에 있는 사업장의 소재지 또는 주소지를 해당 권리가 공급되는 장소로 본다.

6. 전자적 용역을 공급하는 국외사업자의 용역공급에 관한 특례

(1) 개념

① 국외사업자가 정보통신망(「정보통신망 이용촉진 및 정보보호 등에 관한 법률」에 따른 정보통신망을 말함. 이하 같음)을 통하여 이동통신단말장치 또는 컴퓨터 등으로 공급하는 용역으로서 다음의 어느 하나에 해당하는 용역(이하 '전자적 용역'이라 함)을 국내에 제공하는 경우[부가가치세법, 소득세법 또는 법인세법에 따라 사업자등록을 한 자(이하 '등록사업자'라 함)의 과세사업 또는 면세사업에 대하여 용역을 공급하는 경우는 제외]에는 사업의 개시일부터 20일 이내에 간편한 방법으로 사업자등록(이하 '간편사업자등록'이라 함)을 하여야 한다.

② 여기서 '전자적 용역'이란 정보통신망을 이용하여 공급받는 것으로서 이동통신단말장치 또는 컴퓨터 등에 저장(download)되어 구동되거나, 저장되지 않고 실시간으로 사용(streaming)할 수 있는 다음의 것을 말한다.

㉠ 게임 · 음성 · 동영상 파일(contents), 전자문서 또는 소프트웨어와 같은 저작물 등으로서 광(光) 또는 전자적 방식으로 처리하여 부호 · 문자 · 음성 · 음향 및 영상 등의 형태로 제작 또는 가공된 것

㉡ 위 ㉠에 따른 전자적 용역을 개선시키는 것

㉢ 광고를 게재하는 용역

㉣ 클라우드 컴퓨팅

[1] 국외사업자

국외사업자는 다음 중 어느 하나에 해당하는 비거주자 또는 외국법인을 말한다.
1. 국내사업장이 없는 비거주자 또는 외국법인
2. 국내사업장이 있는 비거주자 또는 외국법인(비거주자 또는 외국법인의 국내사업장과 관련 없이 용역 등을 제공하거나 국내사업장에 귀속되지 않는 용역 등을 공급하는 경우)

ⓜ 재화 또는 용역을 중개하는 용역

ⓗ 그 밖에 유사한 용역으로 대통령령이 정하는 용역

(2) 국외사업자가 제3자를 통한 전자적 용역공급에 대한 과세

국외사업자가 다음의 어느 하나에 해당하는 제3자(비거주자 또는 외국법인을 포함)를 통하여 국내에 전자적 용역을 공급하는 경우(등록사업자의 과세사업 또는 면세사업에 대하여 용역을 공급하는 경우나 국외사업자의 용역 등 공급 특례가 적용되는 경우는 제외)에는 그 제3자가 해당 전자적 용역을 공급한 것으로 보며, 그 제3자는 사업의 개시일부터 20일 이내에 간편사업자등록을 하여야 한다.

① 정보통신망 등을 이용하여 전자적 용역의 거래가 가능하도록 오픈마켓이나 그와 유사한 것을 운영하고 관련 서비스를 제공하는 자

② 전자적 용역의 거래에서 중개에 관한 행위 등을 하는 자로서 구매자로부터 거래대금을 수취하여 판매자에게 지급하는 자

③ 그 밖에 위 ① 또는 ②와 유사하게 전자적 용역의 거래에 관여하는 자로서 대통령령으로 정하는 자

(3) 간편사업자등록

간편사업자등록을 하려는 사업자는 국세정보통신망에 접속하여 다음의 사항을 입력하는 방식으로 국세청장에게 간편사업자등록을 해야 한다.

① 사업자 및 대표자의 이름과 전화번호, 우편주소, 이메일 주소 및 웹사이트 주소 등의 연락처. 이 경우 법인인 사업자가 법인 이름과 다른 이름으로 거래하는 경우 거래이름을 포함한다.

② 등록국가 · 주소 및 등록번호 등 용역을 제공하는 사업장이 소재하는 국외사업자 등록 관련 정보

③ 제공하는 전자적 용역의 종류, 국내에 전자적 용역을 공급하는 사업개시일 및 그 밖에 간편사업자등록을 위하여 필요한 사항으로서 기획재정부령으로 정하는 것

(4) 사업자등록 통지

국세청장은 간편사업자등록을 한 자(이하 '간편사업자등록자'라 함)에 대하여 간편사업자등록번호를 부여하고, 사업자(납세관리인이 있는 경우 납세관리인을 포함)에게 통지(정보통신망을 이용한 통지를 포함)하여야 한다.

(5) 부가가치세 신고

부가가치세를 신고하려는 사업자는 국세정보통신망에 접속하여 다음의 사항을 입력하는 방식으로 부가가치세 예정신고 및 확정신고를 하여야 한다.

① 사업자이름 및 간편사업자등록번호

② 신고기간 동안 국내에 공급한 전자적 용역의 총 공급가액, 공제받을 매입세액 및 납부할 세액

③ 그 밖에 필요한 사항으로서 기획재정부령으로 정하는 것

(6) 부가가치세 납부

① 납부는 국세청장이 정하는 바에 따라 외국환은행의 계좌에 납입하는 방식으로 한다.

② 간편사업자등록자가 국내에 공급한 전자적 용역의 대가를 외국통화나 그 밖의 외국환으로 받은 경우에는 과세기간 종료일(예정신고 및 납부에 대해서는 예정신고기간 종료일을 말함)의 기준환율을 적용하여 환가한 금액을 과세표준으로 할 수 있다. 이 경우 국세청장은 정보통신망을 이용하여 통지하거나 국세정보통신망에 고시하는 방법 등으로 사업자(납세관리인이 있는 경우 납세관리인을 포함)에게 기준환율을 알려야 한다.

③ 간편사업자등록을 한 자는 해당 전자적 용역의 공급과 관련하여 부가가치세법에 따라 공제되는 매입세액 외에는 매출세액 또는 납부세액에서 공제하지 아니한다.

(7) 거래명세서

① 보관

㉠ 간편사업자등록을 한 자는 전자적 용역의 공급에 대한 거래명세(등록사업자의 과세사업 또는 면세사업에 대하여 용역을 공급하는 경우의 거래명세를 포함)를 그 거래사실이 속하는 과세기간에 대한 확정신고 기한이 지난 후 5년간 보관하여야 한다.

㉡ 간편사업자등록자는 전자적 용역의 공급에 대한 거래명세를 정보처리장치 등의 전자적 형태로 보관할 수 있다.

② 제출

㉠ 국세청장은 부가가치세 신고의 적정성을 확인하기 위하여 간편사업자등록을 한 자에게 기획재정부령으로 정하는 전자적 용역 거래명세서(이하 '전자적 용역 거래명세서'라 함)를 제출할 것을 요구할 수 있다.

㉡ 간편사업자등록을 한 자는 전자적 용역 거래명세서의 제출의 요구를 받은 날부터 60일 이내에 전자적 용역 거래명세서를 국세청장에게 제출하여야 한다.

(8) **등록말소**

국세청장은 간편사업자등록을 한 자가 국내에서 폐업한 경우(사실상 폐업한 경우로서 대통령령으로 정하는 경우를 포함) 간편사업자등록을 말소할 수 있다.

(9) **공급시기**

국내로 공급되는 전자적 용역의 공급시기는 다음의 시기 중 빠른 때로 한다.

① 구매자가 공급하는 자로부터 전자적 용역을 제공받은 때

② 구매자가 전자적 용역을 구매하기 위하여 대금의 결제를 완료한 때

(10) **납세지**

간편사업자등록을 한 사업자의 납세지는 사업자의 신고 · 납부의 효율과 편의를 고려하여 국세청장이 지정한다.

2 결정 · 경정

1. 개념

부가가치세는 신고납세제도로 납세의무자의 신고에 의하여 세액이 확정되며, 납세의무자가 신고하지 않거나 신고내용에 오류나 탈루가 있는 경우 과세관청의 조사에 의하여 과세표준 과세액을 확정하는 것을 결정 또는 경정이라고 한다.

2. 결정 · 경정사유

사업장 관할세무서장, 사업장 관할지방국세청장 또는 국세청장(사업장 관할세무서장 등)은 사업자가 다음에 해당하는 경우에만 그 과세기간에 대한 부가가치세의 과세표준과 납부세액 또는 환급세액을 조사하여 결정 또는 경정한다.

(1) 예정신고 또는 확정신고를 하지 아니한 경우

(2) 예정신고 또는 확정신고를 한 내용에 오류가 있거나 내용이 누락된 경우

(3) 확정신고를 할 때 매출처별 세금계산서합계표 또는 매입처별 세금계산서합계표를 제출하지 아니하거나 제출한 매출처별 세금계산서합계표 또는 매입처별 세금계산서합계표에 기재사항의 전부 또는 일부가 적혀 있지 아니하거나 사실과 다르게 적혀 있는 경우

(4) 그 밖에 부가가치세를 포탈할 우려가 있는 경우

① 사업장의 이동이 빈번한 경우

② 사업장의 이동이 빈번하다고 인정되는 지역에 사업장이 있는 경우

③ 휴업 또는 폐업상태에 있는 경우

④ 신용카드가맹점 또는 현금영수증가맹점 가입대상으로 지정받은 사업자가 정당한 사유 없이 신용카드가맹점 또는 현금영수증가맹점으로 가입하지 아니한 경우로서 사업규모나 영업상황으로 보아 신고내용이 불성실하다고 판단되는 경우

⑤ 영세율 등 조기환급신고의 내용에 오류 또는 탈루가 있는 경우

3. 결정 · 경정기관

(1) 부가가치세의 과세표준과 납부세액 또는 환급세액의 결정 · 경정은 각 납세지 관할세무서장이 한다. 다만, 국세청장이 특히 중요하다고 인정하는 경우에는 납세지 관할지방국세청장 또는 국세청장이 결정하거나 경정할 수 있다.

(2) 주사업장총괄납부를 하는 경우 각 납세지 관할세무서장, 납세지 관할지방국세청장 또는 국세청장이 과세표준과 납부세액 또는 환급세액을 결정하거나 경정하였을 때에는 지체 없이 납세지 관할세무서장 또는 총괄 납부를 하는 주된 사업장의 관할세무서장에게 통지하여야 한다.

4. 결정 · 경정의 제한

영수증을 발급하여야 하는 사업 중 국세청장이 정하는 업종을 영위하는 사업자로서 동일 장소에서 계속하여 5년 이상 사업을 영위한 자에 대하여는 객관적인 증빙자료에 의하여 과소신고한 것이 명백한 경우에 한하여 결정 · 경정할 수 있다.

5. 결정 · 경정방법

(1) 원칙(실지조사)

납세지 관할세무서장 등은 각 예정신고기간 및 과세기간에 대한 과세표준과 납부세액 또는 환급세액을 조사하여 결정 · 경정하는 경우에는 세금계산서 · 수입세금계산서 · 장부 또는 그 밖의 증명 자료를 근거로 하여야 한다.

(2) 예외(추계 결정 · 경정)

다음의 어느 하나에 해당하는 경우에는 추계할 수 있다.

① 과세표준을 계산할 때 필요한 세금계산서 · 수입세금계산서 · 장부 또는 그 밖의 증명 자료가 없거나 그 중요한 부분이 갖추어지지 아니한 경우

② 세금계산서 · 수입세금계산서 · 장부 또는 그 밖의 증명 자료의 내용이 시설규모, 종업원 수와 원자재 · 상품 · 제품 또는 각종 요금의 시가에 비추어 거짓임이 명백한 경우

③ 세금계산서 · 수입세금계산서 · 장부 또는 그 밖의 증명 자료의 내용이 원자재 사용량 · 동력(動力) 사용량이나 그 밖의 조업 상황에 비추어 거짓임이 명백한 경우

(3) 추계방법

추계는 다음에 규정하는 방법에 의한다.

① 장부의 기록이 정당하다고 인정되고 신고가 성실하여 경정을 받지 아니한 같은 업종과 같은 현황의 다른 사업자와 권형(權衡)에 따라 계산하는 방법

② 국세청장이 업종별로 투입원재료에 대하여 조사한 생산수율(生産收率)이 있을 때에는 생산수율을 적용하여 계산한 생산량에 그 과세기간 중에 공급한 수량의 시가를 적용하여 계산하는 방법

③ 국세청장이 사업의 종류 · 지역 등을 감안하여 사업과 관련된 종업원, 객실, 사업장, 차량, 수도, 전기 등 인적 · 물적 시설의 수량 또는 가액과 매출액의 관계를 정한 영업효율이 있을 때에는 영업효율을 적용하여 계산하는 방법

④ 국세청장이 사업의 종류별 · 지역별로 정한 다음 중 어느 하나에 해당하는 기준에 따라 계산하는 방법

㉠ 생산에 투입되는 원재료 · 부재료 중에서 일부 또는 전체의 수량과 생산량의 관계를 정한 원단위 투입량

㉡ 인건비 · 임차료 · 재료비 · 수도광열비 · 그 밖의 영업비용 중에서 일부 또는 전체의 비용과 매출액의 관계를 정한 비용관계비율

㉢ 일정기간 동안의 평균재고금액과 매출액 또는 매출원가의 관계를 정한 상품회전율

㉣ 일정기간 동안의 매출액과 매출총이익의 비율을 정한 매매총이익률

㉤ 일정기간 동안의 매출액과 부가가치액의 비율을 정한 부가가치율

⑤ 추계 경정 · 결정대상 사업자에 대하여 위 ②부터 ④까지의 비율을 계산할 수 있는 경우에는 그 비율을 적용하여 계산하는 방법

⑥ 주로 최종소비자를 대상으로 거래하는 음식 및 숙박업과 서비스업에 대해서는 국세청장이 정하는 입회조사기준에 따라 계산하는 방법

(4) 추계시 매입세액공제

납부세액을 계산할 때 공제하는 매입세액은 발급받은 세금계산서를 관할세무서장에게 제출하고 그 기재내용이 분명한 부분으로 한정한다. 다만, 재해 또는 그 밖의 불가항력으로 인하여 발급받은 세금계산서가 소멸되어 세금계산서를 제출하지 못하게 되었을 때에는 해당 사업자에게 공급한 거래상대방이 제출한 세금계산서에 의하여 확인되는 것을 납부세액에서 공제하는 매입세액으로 한다.

(5) 재경정

사업장 관할세무서장 등은 결정 · 경정한 과세표준과 납부세액 또는 환급세액에 오류 또는 탈루가 있는 것이 발견된 경우에는 즉시 이를 다시 경정한다.

3 징수

1. 세무서장 징수

납세지 관할세무서장은 사업자가 예정신고 또는 확정신고를 할 때에 신고한 납부세액을 납부하지 아니하거나 납부하여야 할 세액보다 적게 납부한 경우에는 그 세액을 「국세징수법」에 따라 징수하고, 결정 · 경정을 한 경우에는 추가로 납부하여야 할 세액을 「국세징수법」에 따라 징수한다.

2. 세관장 징수

재화의 수입에 대한 부가가치세는 세관장이 「관세법」에 따라 징수한다.

4 환급

1. 일반환급

환급세액은 각 과세기간별로 그 확정신고기한 경과 후 30일 내에 사업자에게 환급하여야 한다. 예정신고기간에 발생한 환급세액은 환급하지 않고 확정신고시 납부세액에서 공제한다.

2. 조기환급

(1) 조기환급대상

다음의 환급세액은 신고기한 경과 후 15일 이내에 사업자에게 환급하여야 한다.

① 영세율을 적용받는 경우[1]

② 사업설비(건물 · 기계장치 등의 감가상각자산)를 신설 · 취득 · 확장 또는 증축하는 경우

③ 재무구조개선계획을 이행 중인[2] 사업자

(2) 예정신고기간 또는 과세기간

조기환급을 받고자 하는 사업자가 예정신고기간 또는 과세기간에 예정신고서 또는 확정신고서를 제출한 경우에는 조기환급신고를 한 것으로 본다. 이러한 신고를 받은 관할세무서장은 각 예정신고기간별 또는 과세기간별로 그 예정신고기한 또는 확정신고기한이 지난 후 15일 이내에 사업자에게 환급하여야 한다.

(3) 조기환급기간

① 예정신고기간 또는 과세기간의 매월 또는 매 2월을 조기환급기간이라고 한다. 사업자가 조기환급기간 종료일로부터 25일 이내에 과세표준과 환급세액을 신고하여야 한다.

② 이러한 신고를 받은 관할세무서장은 각 조기환급기간별로 해당 조기환급 신고기한 지난 후 15일 이내에 사업자에게 환급하여야 한다.

[1] 조기환급을 받을 수 있는 사업자는 해당 영세율 등 조기환급신고기간 · 예정신고기간 또는 과세기간 중에 각 신고기간 단위별로 영세율이 적용되는 과세표준이 있는 경우에 한한다. 따라서 영세율 과세표준이 없는 경우에는 조기환급을 받을 수 없다.

기출 OX

사업자가 사업설비 확장을 위해 토지를 취득하는 경우 사업장 관할세무서장은 일반환급 절차에도 불구하고 환급세액을 조기환급할 수 있다. (×) 12. 7급

▶ 감가상각자산이 대상이므로 토지는 해당하지 않는다.

[2] 재무구조개선계획을 이행 중인 경우란 조기환급기간, 예정신고기간 또는 과세기간의 종료일 현재 재무구조개선계획 승인권자가 승인한 다음에 따른 재무구조개선계획을 이행 중인 경우를 말한다.

1. 「기업구조조정 촉진법」에 따른 주채권은행 또는 금융채권자협의회가 기업과 체결한 기업개선계획의 이행을 위한 약정
2. 채권은행자율협의회가 그 설치근거 및 재무구조개선 대상기업에 대한 채권을 가진 은행의 공동관리절차를 규정한 협약에 따라 재무구조개선 대상기업과 체결한 기업개선계획의 이행을 위한 특별약정
3. 「채무자 회생 및 파산에 관한 법률」에 따른 회생계획으로서 법원이 인가 결정을 선고한 것

기출 OX

조기환급을 받으려는 사업자가 법령에 의한 부가가치세 확정신고서를 각 납세지 관할세무서장에게 제출한 경우에는 법률에 따라 조기환급을 신고한 것으로 본다. (○) 14. 9급

❶

납세의무가 있는 사업자가 사업설비를 신설 · 취득 · 확장 등의 목적으로 해당 시설 등을 시설대여업자로부터 임차하고 공급자 또는 세관장으로부터 세금계산서를 발급받은 경우에는 조기환급을 받을 수 있다.

기출 OX

결정 · 경정에 의하여 추가로 발생한 환급세액은 지체 없이 사업자에게 환급하여야 한다. (○) 12. 7급

(4) 조기환급시 첨부서류

① 조기환급신고와 함께 영세율첨부서류, 매출 · 매입처별 세금계산서합계표를 제출하여야 한다. 그리고 사업설비를 신설 · 취득 · 확장 또는 증축하는 경우에는 건물등감가상각자산취득명세서를, 재무구조개선계획을 이행 중인 경우에는 재무구조개선계획서를 각각 그 신고서에 첨부하여야 한다.

② 조기환급신고서와 함께 매출 · 매입처별 세금계산서합계표를 제출한 경우에는 예정신고 또는 확정신고와 함께 매출 · 매입처별 세금계산서합계표를 제출한 것으로 본다.

(5) 기타❶

① 조기환급세액은 영세율이 적용되는 공급분에 관련된 매입세액 · 시설투자에 관련된 매입세액 · 국내공급분에 대한 매입세액을 구분하지 않고 사업장별로 해당 매출세액에서 매입세액을 공제하여 계산한다.

② 조기환급신고를 한 부분은 예정신고 및 확정신고의 대상에서 제외한다.

3. 경정시 환급

결정이나 경정에 따라 환급세액이 추가로 발생하는 경우 관할세무서장은 지체 없이 사업자에게 환급하여야 한다.

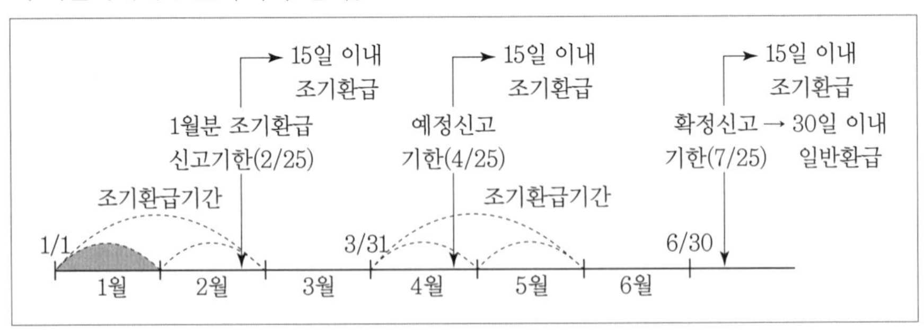

부가가치세의 환급절차

기출문제

01 「부가가치세법」상 신고와 납부에 대한 설명으로 옳지 않은 것은? 2021년 7급

① 국외사업자로부터 권리를 공급받는 경우에는 공급받는 자의 국내에 있는 사업장의 소재지 또는 주소지를 해당 권리가 공급되는 장소로 본다.
② 국외사업자로부터 국내에서 용역을 공급받는 자(공급받은 그 용역을 과세사업에 제공하는 경우는 제외하되, 매입세액이 공제되지 않은 용역을 공급받는 경우는 포함)는 그 대가를 지급하는 때에 그 대가를 받은 자로부터 부가가치세를 징수하여야 한다.
③ 국외사업자가 「부가가치세법」에 따른 사업자등록의 대상으로서 위탁매매인을 통하여 국내에서 용역을 공급하는 경우에는 국외사업자가 해당 용역을 공급한 것으로 본다.
④ 국외사업자가 전자적 용역을 국내에 제공하는 경우(사업자등록을 한 자의 과세사업 또는 면세사업에 대하여 용역을 공급하는 경우는 제외)에는 사업의 개시일부터 20일 이내에 간편사업자 등록을 하여야 한다.

01
국외사업자가 위탁매매인을 통하여 국내에 용역을 공급하는 경우에는 위탁매매인 등이 해당 용역을 공급한 것으로 본다.

02 「부가가치세법」상 환급 및 조기환급에 대한 설명으로 옳지 않은 것은? 2016년 7급

① 납세지 관할세무서장은 각 과세기간별로 그 과세기간에 대한 환급세액을 확정신고한 사업자에게 그 확정신고기한이 지난 후 30일 이내(조기환급 제외)에 대통령령으로 정하는 바에 따라 환급하여야 한다.
② 조기환급세액은 영세율이 적용되는 공급분에 관련된 매입세액 · 시설투자에 관련된 매입세액 또는 국내공급분에 대한 매입세액을 구분하여 사업장별로 해당 매출세액에서 매입세액을 공제하여 계산한다.
③ 납세지 관할세무서장은 결정 또는 경정에 의하여 추가로 발생한 환급세액이 있는 경우에는 지체 없이 사업자에게 환급하여야 한다.
④ 조기환급을 신고할 때 이미 신고한 과세표준과 납부한 납부세액 또는 환급받은 환급세액은 예정신고 및 확정신고 대상에서 제외하며, 조기환급 신고를 할 때 매출 · 매입처별 세금계산서합계표를 제출한 경우에는 예정신고 또는 확정신고와 함께 매출 · 매입처별 세금계산서합계표를 제출한 것으로 본다.

02
조기환급세액은 영세율이 적용되는 공급분에 관련된 매입세액 · 시설투자에 관련된 매입세액 또는 국내공급분에 대한 매입세액을 구분하지 아니하고 사업장별로 해당 매출세액에 매입세액을 공제하여 계산한다.

정답 01 ③ 02 ②

03 **부가가치세법령상 환급 및 조기환급에 대한 설명으로 옳지 않은 것은?**

2021년 9급

① 조기환급신고를 할 때 매출·매입처별 세금계산서합계표를 제출한 경우에는 예정신고 또는 확정신고를 할 때 함께 제출하여야 하는 매출·매입처별 세금계산서합계표를 제출한 것으로 본다.
② 사업자는 각 과세기간에 대한 과세표준과 납부세액 또는 환급세액을 그 과세기간이 끝난 후 25일(폐업하는 경우 폐업일이 속한 달의 다음달 25일) 이내에 납세지 관할세무서장에게 신고하여야 하며, 조기에 환급을 받기 위하여 신고한 사업자는 이미 신고한 과세표준과 환급받은 환급세액도 신고하여야 한다.
③ 관할세무서장은 결정·경정에 의하여 추가로 발생한 환급세액이 있는 경우에는 지체 없이 사업자에게 환급하여야 한다.
④ 조기환급이 적용되는 사업자가 조기환급신고기한에 조기환급기간에 대한 과세표준과 환급세액을 관할세무서장에게 신고하는 경우에는 조기환급기간에 대한 환급세액을 각 조기환급기간별로 해당 조기환급신고기한이 지난 후 15일 이내에 사업자에게 환급하여야 한다.

03
사업자는 각 과세기간에 대한 과세표준과 납부세액 또는 환급세액을 그 과세기간이 끝난 후 25일(폐업하는 경우 폐업일이 속한 달의 다음달 25일) 이내에 납세지 관할 세무서장에게 신고하여야 하며, 조기에 환급을 받기 위하여 신고한 사업자는 이미 신고한 과세표준과 환급받은 환급세액은 제외한다.

04 **「부가가세치법」상 환급에 대한 설명으로 옳지 않은 것은?**

2012년 7급

① 사업자가 사업설비 확장을 위해 토지를 취득하는 경우 사업장 관할세무서장은 일반환급 절차에도 불구하고 환급세액을 조기환급할 수 있다.
② 환급세액은 원칙적으로 각 과세기간별로 그 확정신고기한 경과 후 30일 내에 사업자에게 환급하여야 한다.
③ 결정·경정에 의하여 추가로 발생한 환급세액은 지체 없이 사업자에게 환급하여야 한다.
④ 제1기 과세기간의 경우에는 3월과 6월은 조기환급기간이 될 수 없다.

04
조기환급 대상인 사업설비는 감가상각자산을 대상으로 한다.

정답 03 ② 04 ①

05 「부가가치세법」상 조기환급에 대한 설명으로 옳지 않은 것은? 2014년 9급

① 사업자가 법령에 따른 영세율을 적용받는 경우 납세지 관할세무서장은 환급세액을 조기에 환급할 수 있다.

② 조기환급 신고를 받은 세무서장은 각 조기환급 기간별로 해당 조기환급 신고기한이 지난 후 25일 이내에 사업자에게 환급하여야 한다.

③ 조기환급을 받으려는 사업자가 법령에 의한 부가가치세 확정신고서를 각 납세지 관할세무서장에게 제출한 경우에는 법률에 따라 조기환급을 신고한 것으로 본다.

④ 사업자가 법령으로 정하는 사업설비를 신설 · 취득 · 확장 또는 증축하는 경우에는 납세지 관할세무서장은 환급세액을 조기에 환급할 수 있다.

05
조기환급 신고를 받은 세무서장은 각 조기환급 기간별로 해당 조기환급 신고기한이 지난 후 15일 이내에 사업자에게 환급하여야 한다.

06 「부가가치세법」상 영세율 및 대리납부에 대한 설명으로 옳지 않은 것은? 2013년 7급

① 사업자가 국외의 비거주자 또는 외국법인과 직접계약에 의하여 공급하고 대금을 외국환은행에서 원화로 받는 경우에는 영의 세율을 적용하지 않는다.

② 사업자가 비거주자 또는 외국법인인 경우에는 그 외국에서 대한민국의 거주자 또는 내국법인에 대하여 동일한 면세를 하는 경우에만 영의 세율을 적용한다.

③ 영세율이 적용되는 법인사업자(직전 과세기간 공급가액 합계액이 1억 5천만 원 이상인 법인사업자)의 경우에는 부가가치세 예정신고를 하여야 한다.

④ 국내사업장이 없는 비거주자 또는 외국법인으로부터 용역 또는 권리를 공급받는 자는 그 대가를 지급하는 때에는 부가가치세를 징수하고 대리납부하여야 한다.

06
사업자가 국외의 비거주자 또는 외국법인과 직접계약에 의하여 공급하고 대금을 외국환은행에서 원화로 받는 경우에는 영의 세율을 적용한다.

정답 05 ② 06 ①

07 「부가가치세법」상 대리납부제도에 대한 설명으로 옳지 않은 것은?

2015년 9급 변형

① 사업의 포괄적 양도에 따라 그 사업을 양수받는 자는 그 대가를 지급하는 때에 그 대가를 받은 자로부터 부가가치세를 징수하여 납부할 수 있다.
② 대리납부의무자가 대리납부를 하지 않은 경우에는 가산세를 부과한다.
③ 국내사업장이 없는 비거주자로부터 부가가치세 면세대상용역을 공급받는 자는 부가가치세 대리납부의무가 없다.
④ 국내사업장이 없는 외국법인으로부터 용역을 공급받는 자의 대리납부시기는 용역제공이 완료되는 때이다.

07
용역제공이 완료되는 때가 아니라 그 대가를 지급하는 때가 대리납부시기이다. 만일, 대리납부대상 용역 등을 공급받기 전에 그 대가의 일부를 수회에 걸쳐 지급하는 경우에는 그 지급을 하는 때마다 대리납부세액을 징수한다.

08 부가가치세의 신고, 환급 및 대리납부 등에 관한 설명으로 옳지 않은 것은?

2011년 7급

① 외국법인(신규사업 개시자 아님)은 각 과세기간 중 예정신고기간이 끝난 후 25일 이내에 법령으로 정하는 바에 따라 각 예정신고기간에 따라 과세표준과 납부세액 또는 환급세액을 사업장 관할세무서장에게 신고하여야 한다.
② 사업자가 영세율 등 조기환급기간에 대한 과세표준과 환급세액을 정부에 신고하는 경우에는 조기환급기간에 대한 환급세액을 조기환급기간별로 당해 조기환급신고기한 경과 후 25일 이내에 사업자에게 환급하여야 한다.
③ 대리납부의무자가 부가가치세를 납부하지 아니한 경우에는 사업장 또는 주소지 관할세무서장은 그 납부하지 아니한 세액에 법 소정의 금액을 더하여 국세징수의 예에 따라 징수한다.
④ 국내사업장이 없는 외국법인으로부터 용역을 공급받는 자가 공급받은 그 용역을 과세사업에 제공(매입세액공제 대상에 해당함)하는 경우에는 대리납부의무가 없다.

08
사업자가 영세율 등 조기환급기간에 대한 과세표준과 환급세액을 정부에 신고하는 경우에는 조기환급기간에 대한 환급세액을 조기환급기간별로 당해 조기환급신고기한 경과 후 15일 이내에 사업자에게 환급하여야 한다.

정답 07 ④ 08 ②

09 「부가가치세법」상 부가가치세의 결정 · 경정 · 징수와 환급에 관한 설명으로 옳지 않은 것은? 2010년 9급

① 재화의 수입에 대한 부가가치세는 세관장이 관세징수의 예에 의하여 징수한다.

② 조기환급사유에 해당하는 경우를 제외하고 환급세액은 각 과세기간별로 그 확정신고기한 경과 후 30일 내에 사업자에게 환급하여야 한다.

③ 추계하는 경우를 제외하고 각 과세기간에 대한 과세표준과 납부세액을 결정하는 경우에는 세금계산서 · 장부 또는 그 밖의 증명자료를 근거로 하여야 한다.

④ 사업장별로 사업자등록을 하지 않은 경우에는 과세표준과 납부세액 또는 환급세액을 조사하여 결정 또는 경정하고 국세징수의 예에 따라 징수할 수 있다.

09
사업자단위과세제도에 따라 사업자단위로 등록할 수 있으므로 사업장별로 등록하지 않았다고 결정 또는 경정의 대상이 되는 것은 아니다.

10 부가가치세의 결정 · 경정이나 징수 및 환급에 관한 설명으로 옳지 않은 것은? 2007년 9급

① 사업장 관할세무서장은 각 예정신고기간의 환급세액을 그 예정신고기한 경과 후 30일 이내에 사업자에게 환급하여야 한다.

② 사업장 관할세무서장 등은 결정 또는 경정을 할 경우에 과세표준을 계산함에 있어서 필요한 세금계산서 · 장부 기타의 증빙이 없을 때에는 추계할 수 있다.

③ 사업장 관할세무서장 등은 조사에 의하여 결정 또는 경정한 과세표준과 납부세액 또는 환급세액에 오류 또는 탈루가 있는 것이 발견된 때에는 즉시 이를 다시 경정한다.

④ 사업장 관할세무서장은 결정 또는 경정을 한 경우에는 추가로 납부하여야 할 세액을 국세징수의 예에 의하여 징수한다.

10
예정신고기간에 대한 환급세액은 원칙적으로 이를 환급하지 않고 확정신고시 납부할 세액에서 차감하는 것이다.

정답 09 ④ 10 ①

11 부가가치세법령상 신고와 납부 등에 대한 설명으로 옳은 것은? (단, 부가가치세를 징수하지 않거나 휴업 또는 사업부진 등으로 인하여 사업실적이 악화된 경우 등은 고려하지 않는다)

2022년 7급

① 납세지 관할 세무서장은 개인사업자에 대하여는 제2기분 예정신고기간분 「부가가치세법」 제48조 제3항 본문에 따른 부가가치세액(예정고지세액)에 대하여 10월 1일부터 10월 15일까지의 기간 이내에 납부고지서를 발부해야 한다.

② 세금계산서를 발급받은 국가 또는 지방자치단체는 매입처별 세금계산서 합계표를 해당 과세기간이 끝난 후 25일 이내에 납세지 관할 세무서장에게 제출하여야 한다.

③ 개인사업자에 대하여는 각 예정신고기간마다 직전 과세기간 납부세액의 30퍼센트에 상당하는 금액을 결정하여 징수한다.

④ 예정신고를 한 사업자 또는 조기에 환급을 받기 위하여 신고한 사업자는 확정신고를 할 때 이미 신고한 과세표준과 납부한 납부세액 또는 환급받은 환급세액을 포함해서 신고해야 한다.

11

✓ 오답체크

① 제2기분 예정신고기간에 대한 예정고지세액의 납부고지서는 10월 1일부터 10월 10일까지 기간 내에 발부해야 한다.

③ 개인사업자에 대하여 예정신고기간마다 직전 과세기간 납부세액의 50%에 상당하는 세액을 결정하여 징수한다.

④ 예정신고 또는 조기환급신고한 과세표준 및 세액은 확정신고를 할 때 제외한다.

정답 11 ②

10 간이과세

1 개념

소규모 영세한 사업자의 경우 세법 지식 등의 부족으로 세법에서 정하고 있는 의무를 이행하는 데 어려움이 있다. 이에 대하여 영세한 사업자가 간편하게 납세의무를 이행할 수 있도록 하는 제도이다.

2 적용

1. 간이과세 적용대상

간이과세자[1]는 직전연도의 재화와 용역에 대한 공급대가의 합계액이 8,000만 원[2]에 미달하는 개인사업자로 한다. 법인은 될 수 없으며 부가가치세가 포함된 공급대가를 기준으로 판단한다.

2. 간이과세 적용배제[3]

다음의 어느 하나에 해당하는 사업자는 간이과세자로 보지 아니한다.

(1) 간이과세가 적용되지 아니하는 다른 사업장을 보유하고 있는 사업자

(2) 간이과세 배제사업을 경영하는 자

(3) 부동산임대업 또는 개별소비세법에 따른 과세유흥장소를 경영하는 사업자로서 해당 업종의 직전 연도의 공급대가의 합계액이 4,800만 원 이상인 사업자

(4) 둘 이상의 사업장이 있는 사업자로서 그 둘 이상의 사업장의 직전 연도의 공급대가의 합계액이 8,000만 원 이상인 사업자. 다만, 부동산임대업 또는 과세유흥장소에 해당하는 사업장을 둘 이상 경영하고 있는 사업자의 경우 그 둘 이상의 사업장의 직전 연도의 공급대가(하나의 사업장에서 둘 이상의 사업을 겸영하는 사업자의 경우 부동산임대업 또는 과세유흥장소의 공급대가만을 말함)의 합계액이 4,800만 원 이상인 사업자로 한다.

3. 간이과세 배제업종

(1) 광업

(2) 제조업. 다만, 주로 최종소비자에게 직접 재화를 공급하는 과자점업 · 도정업과 제분업(떡 방앗간을 포함), 양복점업 · 양장점업 · 양화점업 기타 자기가 공급하는 재화의 50% 이상을 최종소비자에게 공급하는 사업으로서 국세청장이 정하는 사업은 간이과세를 적용받을 수 있다.

---

❶ 기장의무면제

영수증만을 발급하는 간이과세자(신규사업자 및 직전연도 공급 대가가 4,800만 원 미만인 간이과세자)가 발급받았거나 발급한 세금계산서 또는 영수증을 보관하였을 때에는 기장의무를 이행한 것으로 본다.

❷

직전 1역년 중 휴업하거나 신규로 사업을 시작한 사업자나 사업을 양수한 사업자인 경우에는 휴업기간, 사업 개시 전의 기간이나 사업 양수 전의 기간을 제외한 나머지 기간에 대한 재화 또는 용역의 공급대가의 합계액을 12개월로 환산한 금액을 기준으로 하며, 휴업한 개인사업자인 경우로서 직전 1역년 중 공급대가가 없는 경우에는 신규로 사업을 시작한 것으로 본다. 이 경우 1개월 미만의 끝수가 있으면 1개월로 한다.

❸

개인택시운송업, 용달 및 개별 화물자동차운송업, 그 밖의 도로화물운송업, 이용업, 미용업, 그 밖에 이와 유사한 것으로서 대통령령이 정하는 사업에 대하여는 해당 사업장이 간이과세에 해당하는 경우에는 다른 사업장과 무관하게 간이과세를 적용한다.

기출 OX

01 간이과세자의 부가가치세 납부세액 계산에서 과세표준이 되는 공급대가는 거래징수한 부가가치세가 포함된 개념이다. (○) 07. 9급

02 부동산매매업을 경영하는 개인사업자로서 직전 연도의 공급대가의 합계액이 8,000만 원에 미달하는 자는 간이과세자에 관한 규정을 적용받을 수 있다. (×) 13. 9급

▶ 부동산매매업은 간이과세자가 될 수 없다.

(3) 도매업(소매업을 겸영하는 경우를 포함하되, 재생용 재료수집 및 판매업을 제외)

(4) 부동산매매업

(5) 「개별소비세법」에 해당하는 과세유흥장소를 영위하는 사업으로서 기획재정부령이 정하는 것

(6) 부동산임대업으로서 기획재정부령으로 정하는 것

(7) 변호사업, 심판변론인업, 변리사업, 법무사업, 공인회계사업, 세무사업, 경영지도사업, 기술지도사업, 감정평가사업, 손해사정인업, 통관업, 기술사업, 건축사업, 도선사업, 측량사업, 공인노무사업, 의사업, 한의사업, 약사업, 한약사업, 수의사업, 그 밖에 이와 유사한 사업서비스업으로서 기획재정부령으로 정하는 것

(8) 일반과세자로부터 포괄적으로 양수한 사업. 사업의 양수 이후 공급대가 합계액이 8,000만 원에 미달하여 간이과세자 기준을 충족하는 경우는 간이과세자가 될 수 있다.

(9) 사업장의 소재 지역, 사업의 종류, 규모 등을 감안하여 국세청장이 정하는 기준에 해당하는 경우

(10) 전전연도 기준 복식부기의무자가 경영하는 사업

(11) 상품중개업

(12) 전기 · 가스 · 증기 및 수도사업

(13) 건설업(다만, 주로 최종소비자에게 직접 공급하는 사업으로서 기획재정부령으로 정하는 것은 제외)

(14) 전문, 과학 및 기술서비스업과 사업시설관리, 사업지원 및 임대서비스업(다만, 주로 최종소비자에게 직접 공급하는 사업으로서 기획재정부령으로 정하는 것은 제외)

4. 신규사업자의 경우

(1) 간이과세자로 신청한 경우

① 신규로 사업을 시작한 개인사업자에 대하여는 그 사업개시일부터 그 과세기간종료일까지의 공급대가를 합한 금액을 12개월로 환산한 금액이 8,000만 원에 미달될 것으로 예상되는 경우 사업자등록신청서와 함께 간이과세적용신청서를 사업장 관할세무서장에게 제출하여야 한다.

② 간이과세 적용신고를 한 개인사업자는 최초의 과세기간에는 간이과세자로 한다. 다만, 간이과세 배제대상 사업자는 그렇지 않다.

(2) **사업자등록을 하지 않은 경우**

사업자등록을 하지 아니한 개인사업자로서 사업을 시작한 날이 속하는 연도의 공급대가의 합계액이 8,000만 원에 미달하는 경우에는 최초의 과세기간에 있어서는 간이과세자로 한다. 다만, 간이과세가 배제되는 업종의 경우는 그렇지 않다.

3 과세유형의 변경

1. 개념

개인사업자의 직전연도의 공급대가가 8,000만 원 이상이 되면 간이과세자는 일반과세자로 전환되며, 반대로 직전연도의 공급대가가 8,000만 원에 미달하게 되면 일반과세자가 간이과세자로 전환된다.

2. 변경시기

(1) **일반적인 경우**

간이과세자에 관한 규정이 적용되거나 적용되지 않게 되는 기간은 1역년의 공급대가가 8,000만 원에 미달되거나 그 이상이 되는 해의 다음해의 7월 1일부터 그 다음해의 6월 30일까지로 한다.

(2) **신규사업자의 경우**

① 직전과세기간에 신규로 사업을 시작한 개인사업자에 대해서는 그 사업개시일부터 그 과세기간종료일까지의 공급대가의 합계액을 12개월로 환산한 금액을 기준으로 하여 기준금액에 미달하는지를 판단하여야 한다. 이 경우에 1개월 미만의 끝수가 있는 때에는 1개월로 한다.

② 신규로 사업을 개시한 경우에 간이과세 또는 일반과세 적용기간은 최초로 사업을 개시한 해의 다음해 7월 1일부터 그 다음해의 6월 30일까지로 한다.

(3) **특별한 경우**

① **간이과세 배제업종을 겸영하게 된 경우**: 광업 · 제조업 · 도매업 등 간이과세배제사업을 겸영하게 된 경우에는 해당 사업의 개시일이 속하는 과세기간의 그 다음 과세기간부터 과세유형이 전환된다. 다만, 일반과세자로 전환된 사업자로서 당해연도 공급대가의 합계액이 8,000만 원 미만인 사업자가 간이과세배제업종을 폐지하는 경우에는 해당 사업의 폐지일이 속하는 연도의 다음 연도 7월 1일부터 간이과세자에 관한 규정을 적용한다.

② **일반과세자 적용 사업장을 신규로 개설하는 경우**: 간이과세자가 일반과세자에 관한 규정을 적용받는 사업장을 신규로 개설하는 경우에는 해당 사업개시일이 속하는 과세기간의 다음 과세기간부터 간이과세자에 관한 규정을 적용하지 않는다.

기출 OX

간이과세자가 부동산매매업을 신규로 겸영하는 경우에는 해당 사업의 개시일이 속하는 과세기간의 다음 과세기간부터 간이과세자에 관한 규정을 적용하지 않는다. (O) 15. 9급

③ 기준사업장이 간이과세대상으로 변경된 경우

㉠ 간이과세가 적용되지 않는 다른 사업장(기준사업장)의 1역년의 공급대가의 합계액이 8,000만 원에 미달하는 경우에는 그 미달되는 해의 다음 해 7월 1일부터 그 다음해의 6월 30일까지 기준사업장과 기준사업장으로 인하여 일반과세로 전환된 사업장 모두에 간이과세에 관한 규정을 적용한다.

㉡ 다만, 기준사업장으로 인하여 일반과세로 전환된 사업장의 1역년의 공급대가의 합계액이 8,000만 원 이상이거나 간이과세 배제업종에 해당하는 경우에는 적용하지 않는다.

④ 일반과세를 적용받는 기준사업장을 폐업한 경우: 간이과세자가 일반과세를 적용받는 사업장(기준사업장)을 신설하여 일반사업자로 전환된 후 기준사업장을 폐업한 경우에는 기준사업장의 폐업일이 속하는 연도의 다음연도 7월 1일부터 간이과세자에 대한 규정을 적용한다.

⑤ 경정에 의한 공급대가가 기준금액 이상인 경우: 결정 · 경정한 공급대가가 기준금액 이상인 개인사업자는 그 결정 또는 경정한 날이 속하는 과세기간까지는 간이과세자로 본다.

⑥ 간이과세포기신고를 한 경우: 간이과세포기신고를 한 사업장은 포기한 달의 다음달 1일부터 일반과세로 전환되고 그 외의 사업장은 포기신고를 한 사업장이 일반과세를 적용받은 달이 속하는 과세기간의 다음 과세기간부터 일반과세로 전환된다.

3. 변경절차

(1) 변경통지

과세유형이 변경되는 경우 해당 사업자의 관할세무서장은 그 변경되는 과세기간 개시 20일 전까지 그 사실을 통지하여야 하며 사업자등록증을 정정하여 과세기간개시 당일까지 발급하여야 한다.

(2) 변경통지의 효력

① 일반과세자가 간이과세자로 전환되는 경우: 간이과세가 적용되게 되는 사업자에 대하여는 관할세무서장의 통지에 상관없이 간이과세가 적용된다. 다만, 부동산임대업을 영위하는 사업자는 통지를 받은 날까지 일반과세를 적용한다(부동산임대업의 경우 간이과세자로 변경되면 거액의 재고납부세액을 납부하여야 하므로 간이과세자로 전환되는 것이 불리함).

② 간이과세자가 일반과세자로 전환되는 경우: 간이과세가 적용되지 않게 되는 사업자에 대하여는 그 통지를 받은 날이 속하는 과세기간까지는 간이과세를 적용한다.

4 간이과세의 부가가치세 계산구조

	납부세액
(+)	재고납부세액
(−)	공제세액
(+)	가산세
(−)	예정신고기간 납부세액
	차가감납부세액

1. 과세표준

간이과세자에 대하여는 그 공급대가를 과세표준으로 한다.

2. 납부세액

(1) 납부세액의 계산

간이과세자에 대하여는 다음의 계산식에 따라 계산한 금액을 납부세액으로 한다. 이 경우 둘 이상의 업종을 겸영하는 간이과세자의 경우에는 각각의 업종별로 계산한 금액의 합계액을 납부세액으로 한다.

납부세액 = 과세표준 × 업종별 부가가치율 × 10%(0%)

참고

업종별 부가가치율

업종별 부가가치율이란 직전 3년간 신고된 업종별 평균 부가가치율 등을 고려하여 5%에서 50% 범위에서 대통령령으로 정하는 해당 업종의 부가가치율을 말한다. 대통령령으로 정하는 부가가치율은 다음과 같다.

1. 소매업, 재생용 재료수입 및 판매업, 음식점업: 15%
2. 제조업, 농업 · 임업 및 어업, 소화물 전문 운송업: 20%
3. 숙박업: 25%
4. 건설업, 운수 및 창고업(소화물 전문 운송업은 제외), 정보통신업: 30%
5. 금융 및 보험 관련 서비스업, 전문 · 과학 및 기술서비스업(인물사진 및 행사용 영상 촬영업은 제외), 사업시설관리 · 사업지원 및 임대서비스업, 부동산 관련 서비스업, 부동산임대업: 40%
6. 그 밖의 서비스업: 30%

(2) 둘 이상의 업종에 공통사용하던 재화를 공급한 경우

공통으로 사용하던 재화를 공급하여 업종별 실지귀속을 구분할 수 없는 경우에 적용할 부가가치율은 다음 산식(가중평균한 업종별 부가가치율)에 의한다. 이 경우 휴업 등으로 인하여 해당 과세기간의 공급가액이 없는 경우에는 그 재화를 공급한 날에 가장 가까운 과세기간의 공급대가에 의하여 계산한다.

해당 재화와 관련된 각 업종별 부가가치율

$$= \text{각 업종별 부가가치율} \times \frac{\text{해당 재화의 공급일이 속하는 과세기간의 해당 재화와 관련된 각 업종의 공급가액}}{\text{해당 재화의 공급일이 속하는 과세기간의 해당 재화와 관련된 각 업종의 총공급가액}}$$

❶ 전자신고세액공제

간이과세자가 직접 전자신고방법에 의하여 부가가치세 확정신고를 하는 경우에는 당해 납부세액에서 1만 원을 공제한다(환급은 되지 않음).

3. 세액공제[1]

다음의 공제세액을 납부세액에서 차감하여 계산한다. 이 경우 공제세액의 합계액이 각 과세기간의 납부세액(재고납부세액 포함)을 초과하는 경우에는 그 초과하는 부분은 없는 것으로 본다. 즉, 공제세액이 납부세액보다 더 큰 경우에도 환급은 발생하지 않는다.

(1) 매입세금계산서 등에 대한 세액공제

간이과세자가 다른 사업자로부터 세금계산서 · 매입자발행세금계산서 및 신용카드매출전표 등을 발급받아 매입처별 세금계산서합계표 또는 신용카드매출전표 등 수령명세서를 납세지 관할세무서장에게 제출하는 경우에는 다음의 금액을 공제한다. 다만, 매입세액불공제대상 매입세액은 포함하지 않는다.

> 세금계산서 등 수취세액공제 = 세금계산서 등을 발급받은 재화와 용역의 공급대가 × 0.5%

(2) 신용카드매출전표 등 발급세액공제

다음의 적용대상 사업자가 부가가치세 과세되는 재화 또는 용역을 공급하고 세금계산서의 발급시기에 신용카드매출전표 등을 발급하거나 전자적 결제수단에 의하여 대금을 결제받는 경우에는 다음의 금액을 납부세액에서 공제한다.

① 주로 사업자가 아닌 자에게 재화 또는 용역을 공급하는 사업으로서 영수증 발급대상 사업을 하는 간이과세자

② 간이과세자 중 다음 중 어느 하나에 해당하는 자

㉠ 직전 연도의 공급대가의 합계액이 4,800만 원 미만인 자

㉡ 신규로 사업을 시작하는 개인사업자로서 간이과세자로 하는 최초의 과세기간 중에 있는 자

> 신용카드매출전표등발급 세액공제 Min(㉠, ㉡)
>
> ㉠ 발급금액 또는 결제금액 × 1.3%(2024년 1월 1일부터 1%)
>
> ㉡ 한도: 연간 1,000만 원(2024년 1월 1일부터 500만 원)

(3) 전자세금계산서 발급전송세액공제(2023. 7. 1.부터 적용)

세금계산서 발급의무가 있는 간이과세자가 전자세금계산서를 2024년 12월 31일까지 발급[전자세금계산서 발급명세를 전송기한(발급일의 다음날)까지 국세청장에게 전송한 경우로 한정함]하고 전자세금계산서 발급세액공제신고서를 납세지 관할 세무서장에게 제출한 경우에는 다음의 금액을 부가가치세 납부세액에서 공제할 수 있다.

Min(①, ②) ① 전자세금계산서발급 건수×200원 ② 한도: 연간 100만 원

4. 결정 · 경정과 가산세

(1) 결정 · 경정과 징수

일반과세자의 규정을 준용한다.

(2) 결정 · 경정으로 인한 납부세액계산의 특례

결정 · 경정하거나 「국세기본법」에 따라 수정신고한 간이과세자의 해당 연도의 공급대가의 합계액이 기준금액 이상인 경우 결정 · 경정과세기간의 다음 과세기간의 납부세액은 일반과세자의 계산방법을 준용하여 계산한 금액으로 한다.

$$\text{납부세액} = \text{공급대가} \times \frac{100}{110} \times 10\% - (\text{매입세액} - \text{이미 공제받은 매입세액})$$

(3) 가산세

① **사업자등록 관련 가산세**: 간이과세자가 다음의 어느 하나에 해당하면 다음에 따른 금액을 납부세액에 더하거나 환급세액에서 뺀다.

㉠ **미등록가산세**: 사업개시일로부터 20일 이내에 등록을 신청하지 아니한 경우에는 사업개시일부터 등록을 신청한 날의 직전일까지의 공급대가 합계액의 0.5%

㉡ **타인명의등록가산세**: 타인의 명의로 사업자등록을 하거나 그 타인 명의의 사업자등록을 이용하여 사업을 하는 것으로 확인되는 경우에는 그 타인 명의의 사업개시일부터 실제 사업을 하는 것으로 확인되는 날의 직전일까지의 공급대가 합계액의 0.5%

② **세금계산서 불성실가산세**: 사업자가 다음의 어느 하나에 해당하면 다음에 따른 금액을 납부세액에 더하거나 환급세액에서 뺀다.

㉠ 세금계산서 지연발급(확정신고기한까지 발급한 경우): 공급가액의 1%

기출 OX

사업자가 타인명의로 사업자등록을 함으로 인한 가산세는 간이과세자와 일반과세자 모두에게 적용된다. (○) 07. 9급

㉡ 세금계산서 미발급(확정신고기한까지 발급하지 않은 경우): 공급가액의 2%. 다만, 둘 이상의 사업장을 가진 사업자가 재화 또는 용역을 공급한 사업장 명의로 세금계산서를 발급하지 아니하고 세금계산서의 발급시기에 자신의 다른 사업장 명의로 세금계산서를 발급한 경우에는 그 공급가액의 1%로 한다.

㉢ 전자세금계산서 지연전송: 공급가액의 0.3%

㉣ 전자세금계산서 미전송: 공급가액의 0.5%

㉤ 세금계산서 부실기재: 공급가액의 1%

㉥ 세금계산서 가공발급(공급 없이 발급한 경우): 세금계산서 등에 적힌 공급가액의 3%

㉦ 세금계산서 위장발급(실제 공급자 또는 실제 공급받은 자 외의 자 명의로 발급하거나 받은 경우): 공급가액의 2%

㉧ 공급가액 과다기재 발급: 실제보다 과다하게 기재한 부분에 대한 공급가액의 2%

③ 세금계산서미수취가산세 및 결정 · 경정기관 확인 매입세액공제 가산세: 간이과세자가 다음의 어느 하나에 해당하는 경우 다음의 구분에 따른 금액을 납부세액에 더하거나 환급세액에서 뺀다.

㉠ 세금계산서미수취가산세: 세금계산서를 발급하여야 하는 사업자로부터 재화 또는 용역을 공급받고 세금계산서를 발급받지 아니한 경우(영수증을 발급하여야 하는 기간에 세금계산서를 발급받지 아니한 경우는 제외)에는 그 공급대가의 0.5%

㉡ 세금계산서 등을 발급받고 '세금계산서 등 수취세액 공제'를 받지 아니한 경우로서 해당 결정 또는 경정 기관의 확인을 거쳐 '결정 · 경정 · 수정신고의 경우 납부세액계산특례 규정'에 따라 납부세액을 계산할 때 매입세액으로 공제받는 경우에는 그 공급가액의 0.5%

④ 매출처별 세금계산서합계표 불성실가산세: 간이과세자가 다음의 어느 하나에 해당하는 경우 다음의 구분에 따른 금액을 납부세액에 더하거나 환급세액에서 뺀다. 다만, 제출한 매출처별 세금계산서합계표의 기재사항이 착오로 적힌 경우로서 사업자가 발급한 세금계산서에 따라 거래사실이 확인되는 부분의 공급가액에 대해서는 그러하지 아니하다.

㉠ 매출처별 세금계산서합계표 미제출: 공급가액의 0.5%

㉡ 매출처별 세금계산서합계표 부실기재: 공급가액의 0.5%

㉢ 매출처별 세금계산서합계표 지연제출: 공급가액의 0.3%

5. 신고와 납부

(1) 예정부과와 납부[1]

① 원칙(고지납부): 사업장 관할세무서장은 간이과세자에 대하여 직전과세기간에 대한 납부세액의 1/2에 해당하는 금액[2](1천 원 미만의 단수는 버림)을 예정부과기간(1월 1일부터 6월 30일까지)의 납부세액으로 결정하여 예정부과기한(예정부과기간이 끝난 후 25일 이내)까지 징수한다. 다만, 다음의 어느 하나에 해당하는 경우에는 징수하지 아니한다.

㉠ 징수하여야 할 금액이 50만 원 미만인 경우

㉡ 간이과세자가 일반과세자로 변경되어 변경 이전 1.1.~6.30.의 과세기간이 적용되는 간이과세자의 경우

㉢ 「국세징수법」에 따라 재난 등으로 인한 납부기한연장의 어느 하나에 해당하는 사유로 납세자가 징수하여야 할 금액을 납부할 수 없다고 인정되는 경우

② 예외(신고납부)

㉠ 간이과세자라고 할지라도 휴업 또는 사업부진 등으로 인하여 예정부과기간의 공급대가 또는 납부세액이 직전과세기간의 공급대가 또는 납부세액의 1/3에 미달하는 경우에는 예정부과기간의 과세표준과 납부세액을 예정부과기한까지 사업장 관할세무서장에게 신고할 수 있다.

㉡ 예정부과기간에 세금계산서를 발급한 간이과세자는 예정부과기간의 과세표준과 납부세액을 예정부과기한까지 사업장 관할세무서장에게 신고하여야 한다.

㉢ 예정부과기간에 대하여 신고한 간이과세자에 대한 세무서장의 결정은 없었던 것으로 한다.

㉣ 예정부과기간의 과세표준과 세액을 신고하는 간이과세자는 매출처별 세금계산서합계표 및 매입처별 세금계산서합계표를 제출하여야 하며, 매출처별 세금계산서합계표 및 매입처별 세금계산서합계표를 예정신고를 할 때 제출하지 못하는 경우에는 과세기간이 끝난 후 25일 이내에 신고를 할 때 제출할 수 있다.

(2) 확정신고와 납부

① 간이과세자는 과세기간의 과세표준과 납부세액을 그 과세기간이 끝난 후 25일(폐업하는 경우에는 폐업일이 속한 달의 다음달 25일) 이내에 사업장 관할세무서장에게 신고 · 납부하여야 한다.

② 부가가치세를 납부하는 경우 예정부과기간에 신고하고 납부한 세액은 공제하고 납부한다.

③ 간이과세자는 매출처별 세금계산서합계표 및 매입처별 세금계산서합계표를 확정신고할 때 제출하여야 한다.

---

[1] **전자고지세액공제**

납세자가 국세기본법에 따른 전자송달의 방법으로 납부고지서의 송달을 신청한 경우 신청한 달의 다음다음달 이후 송달하는 분부터 결정 · 징수하는 부가가치세의 납부세액에서 납부고지서 1건당 1,000원을 공제한다. 이 경우 전자고지세액공제 금액은 각 세법에 따라 부과하는 국세의 납부세액에서 국세기본법에 따른 고지금액의 최저한도(1만 원)를 차감한 금액을 한도로 한다.

[2] 직전과세기간이 일반과세자가 간이과세자로 변경되어 그 변경 이후 7월 1일부터 12월 31일까지의 과세기간에 해당되는 경우에는 직전과세기간에 대한 납부세액의 전액을 말한다.

6. 납부의무면제

(1) 간이과세자의 해당 과세기간에 대한 공급대가가 4,800만 원 미만인 경우에는 납부세액은 납부할 의무를 면제한다. 다만, 재고납부세액에 더하여야 할 세액은 그러하지 아니하다.

(2) 이와 같이 납부할 의무를 면제하는 경우에는 일반적인 가산세는 부과하지 않지만, 법정기한 내 사업자등록을 하지 않은 경우에는 다음의 미등록가산세를 부과한다.

미등록가산세 = Max(공급대가 × 0.5%, 5만 원)

(3) 위의 규정을 적용할 때 해당 과세기간에 신규로 사업을 시작한 간이과세자에 대하여는 그 사업개시일부터 그 과세기간종료일까지의 공급대가의 합계액을 12개월로 환산한 금액을 기준으로 하고, 휴업자 · 폐업자 및 과세기간 중에 과세유형을 전환한 간이과세자에 대하여는 그 과세기간 개시일부터 휴업일 · 폐업일 및 과세유형 전환일까지의 공급대가의 합계액을 12개월로 환산한 금액을 기준으로 한다. 이 경우 1개월 미만의 끝수가 있을 때에는 이를 1개월로 한다.

(4) 납부의무가 면제되는 사업자가 자진납부한 사실이 확인된 경우에는 관할세무서장은 납부한 금액을 환급하여야 한다.

5 간이과세의 포기

1. 개념

간이과세포기는 간이과세자가 간이과세를 포기하고 일반과세자로 전환되는 것을 말한다. 이러한 간이과세 포기제도를 통하여 누적효과를 제거하고자 한다.

2. 간이과세포기대상자

(1) 간이과세자

(2) 과세유형의 변경규정에 따라 간이과세자에 관한 규정을 적용받게 되는 일반과세자

(3) 신규로 사업을 시작하는 개인사업자

3. 간이과세포기절차

(1) 포기신고서 제출

일반과세자에 관한 규정을 적용받으려는 달의 전달 마지막날까지 간이과세포기신고서를 납세지 관할세무서장에게 제출하여야 한다.

기출 OX

간이과세자가 간이과세자에 관한 규정의 적용을 포기하고 일반과세자에 관한 규정을 적용받으려는 경우, 적용받으려는 달의 전달의 마지막날까지 납세지 관할세무서장에게 신고하여야 한다. (○)

13. 9급

(2) **신규사업자**

사업자등록증을 신청할 때 납세지 관할세무서장에게 간이과세자에 관한 규정의 적용을 포기하고 일반과세자에 관한 규정을 적용받으려고 신고한 경우에는 일반과세자의 규정을 적용받을 수 있다.

4. 간이과세포기 후 재적용

(1) 간이과세를 포기한 개인사업자는 다음의 날부터 3년이 되는 날이 속하는 과세기간까지는 일반과세를 적용받아야 한다.

① **간이과세자 또는 간이과세규정을 적용받게 되는 일반과세자:** 일반과세자에 관한 규정을 적용받으려는 달의 1일

② **신규사업자:** 사업개시일이 속하는 달의 1일

(2) 간이과세를 포기한 사업자가 3년이 되는 날이 속하는 과세기간이 경과한 후 다시 간이과세의 적용을 받고자 할 때에는 이를 적용받으려는 과세기간 개시 10일 전까지 간이과세적용신고서를 제출하여야 한다. 이 경우에 그 적용을 받을 수 있는 자는 해당 과세기간의 직전 1역년의 재화 또는 용역의 공급대가의 합계액이 8,000만 원 미만인 개인사업자에 한한다.

5. 간이과세를 포기한 경우 과세기간

간이과세자가 간이과세자에 관한 규정의 적용을 포기함으로써 일반과세자로 되는 경우에는 다음의 기간을 각각 하나의 과세기간으로 한다.

(1) **간이과세자의 과세기간**

간이과세의 적용 포기의 신고일이 속하는 과세기간의 개시일부터 그 신고일이 속하는 달의 마지막날까지의 기간

(2) **일반과세자의 과세기간**

신고일이 속하는 달의 다음달 1일부터 그날이 속하는 과세기간의 종료일까지의 기간

6 재고매입세액공제 및 재고납부세액의 납부

1. 개념

(1) 간이과세자에서 일반과세자로 변경되어 일반과세자가 공제받아야 할 매입세액에 대하여 추가로 공제를 해주는 것을 재고매입세액공제라고 한다.

(2) 일반과세자에서 간이과세자로 변경됨에 따라 공제받았던 매입세액에 대하여 다시 납부가 이루어져야 하는데 이를 재고납부세액이라고 한다.

2. 대상자산

과세유형이 변경되는 경우에는 그 변경되는 날 현재의 다음에 따른 재고품, 건설 중인 자산 및 감가상각자산이 계산대상이 된다. 다만, 매입세액공제대상이 아닌 것은 제외한다.

(1) **재고품**

상품 · 제품(반제품 및 재공품 포함) · 재료(부재료 포함)

(2) 건설 중인 자산

(3) **감가상각자산**

건물 및 구축물은 취득 · 건설 또는 신축 후 10년 이내의 것, 기타의 감가상각자산은 취득 또는 제작 후 2년 이내의 것에 한한다.

3. 재고매입세액의 공제

(1) **계산**

① 재고품

취득가액 × 10/110 × (1 − 0.5% × 110/10)

② 건설 중인 자산

건설 중인 자산 관련 매입세액 × (1 − 0.5% × 110/10)

③ 감가상각자산의 경우

㉠ 다른 사람에게서 매입한 자산

$$\text{취득가액} \times 10/110 \times \left(1 - \text{상각률} \times \frac{\text{경과된}}{\text{과세기간 수}}\right) \times (1 - 0.5\% \times 110/10)$$

㉡ 사업자가 직접 제작 · 건설 또는 신축한 자산

$$\frac{\text{제작 관련}}{\text{매입세액}} \times \left(1 - \text{상각률} \times \frac{\text{경과된}}{\text{과세기간 수}}\right) \times (1 - 0.5\% \times 110/10)$$

ⓐ 재고품 등의 금액: 장부 또는 세금계산서에 의하여 확인되는 취득가액으로 하며 그 금액에는 부가가치세가 포함되어 있으므로 매입세액은 취득가액에 10/110을 곱하여 구한다. 장부 또는 세금계산서로 확인이 되지 않으면 재고매입세액공제는 적용하지 않는다.

ⓑ 감가율

㉮ 건물 또는 구축물: 10%

㉯ 기타 감가상각자산: 50%

ⓒ 경과된 과세기간수: 과세기간 단위(1년 단위)로 계산하되 과세기간 중에 취득한 경우 과세기간 개시일에 취득한 것으로 본다.

(2) **공제방법**

승인을 얻은 날이 속하는 예정신고기간 또는 과세기간의 매출세액에서 공제한다. 환급이 발생하는 경우 환급도 가능하다.

(3) **재고매입세액공제 배제**

일반과세자가 간이과세자로 변경된 후에 다시 일반과세자로 변경되는 경우에는 간이과세자로 변경된 때에 재고납부세액의 납부규정을 적용하지 아니한 재고품 등에 대하여는 재고매입세액공제 규정을 적용하지 않는다.

기출 OX

일반과세자가 간이과세자로 변경된 후 다시 일반과세자로 변경되는 경우에는 간이과세자로 변경된 때에 재고납부세액을 납부하지 않은 재고품 등에 대해서는 재고품 등의 신고와 재고매입세액공제에 관한 규정을 적용하지 않는다. (○)

15. 9급

4. 재고납부세액의 납부

(1) **계산**

① 재고품

$$\text{취득가액} \times 10/100 \times (1 - 0.5\% \times 110/10)$$

② 건설 중인 자산

$$\text{건설 중인 자산 관련 매입세액} \times (1 - 0.5\% \times 110/10)$$

③ 감가상각자산의 경우

㉠ 다른 사람에게서 매입한 자산

$$\text{취득가액} \times 10/100 \times \left(1 - \text{상각률} \times \begin{matrix}\text{경과된} \\ \text{과세기간 수}\end{matrix}\right) \times (1 - 0.5\% \times 110/10)$$

㉡ 사업자가 직접 제작 · 건설 또는 신축한 자산

$$\begin{matrix}\text{제작 관련} \\ \text{매입세액}\end{matrix} \times \left(1 - \text{상각률} \times \begin{matrix}\text{경과된} \\ \text{과세기간 수}\end{matrix}\right) \times (1 - 0.5\% \times 110/10)$$

ⓐ 재고품 등의 금액: 장부 또는 세금계산서에 의하여 확인되는 취득가액으로 한다. 다만, 장부 또는 세금계산서가 없거나 기장이 누락된 경우에는 시가에 따른다. 이 금액에는 부가가치세가 포함되어 있지 않으므로 매입세액은 취득가액에 10/100을 곱하여 계산한다.

ⓑ 감가율

㉮ 건물 또는 구축물: 5%

㉯ 기타 감가상각자산: 25%

ⓒ 경과된 과세기간수: 과세기간 단위(6개월 단위)로 계산하되 과세기간 중에 취득한 경우 과세기간 개시일에 취득한 것으로 본다.

(2) 납부방법

간이과세자로 변경된 날이 속하는 과세기간에 대한 확정신고를 할 때 납부할 세액에 더하여 납부한다.

5. 신고 및 승인

(1) 신고

과세유형이 변경되는 경우 그 변경되는 날의 직전과세기간에 대한 확정신고와 함께 재고품 등 신고서에 의하여 각 사업장 관할세무서장에게 신고하여야 한다. 신고하지 않거나 과소하게 신고한 경우 다음과 같이 처리한다.

① 일반과세자에서 간이과세자로 변경된 경우: 관할세무서장이 재고금액을 조사하여 결정 · 통지한다.

② 간이과세자에서 일반과세자로 변경된 경우: 관할세무서장이 결정 · 통지하지 않는다. 따라서 재고매입세액공제를 적용받으려는 사업자가 신고하여야 한다.

(2) 승인

① 신고를 받은 세무서장은 재고금액을 조사 · 승인하고 다음 기한 내에 당해 사업자에게 세액을 통지하여야 하며, 기한 내에 통지하지 않은 경우는 승인한 것으로 본다.

㉠ 재고매입세액: 신고기한이 지난 후 1개월 내

㉡ 재고납부세액: 간이과세자로 변경된 날로부터 90일 이내

② 이와 같이 승인하거나 승인한 것으로 보는 재고매입세액 또는 재고납부세액의 내용에 오류가 있거나 내용이 누락된 경우에는 그 금액을 조사하여 경정한다.

기출문제

01 **부가가치세법령상 간이과세자에게 허용되지 않는 것은? (단, 법령상의 해당 요건은 충족한다)** 2019년 9급

① 재화의 수출에 대한 영세율 적용
② 매입세금계산서의 세액공제
③ 간이과세자에 관한 규정의 적용 포기
④ 법령에 따라 공제받을 금액이 각 과세기간의 납부세액을 초과하는 경우 그 초과부분의 환급

01
간이과세자는 환급을 하지 않는다.

02 **「부가가치세법」상 간이과세에 대한 설명으로 옳지 않은 것은?** 2015년 9급

① 간이과세자가 부동산매매업을 신규로 겸영하는 경우에는 해당 사업의 개시일이 속하는 과세기간의 다음 과세기간부터 간이과세자에 관한 규정을 적용하지 않는다.
② 간이과세자의 납부세액은 공급대가에 해당 업종별 부가가치율과 10퍼센트를 곱하여 계산하며, 둘 이상의 업종을 겸영하면 각각의 업종별로 계산한 금액의 합계액으로 한다.
③ 일반과세자가 간이과세자로 변경된 후 다시 일반과세자로 변경되는 경우에는 간이과세자로 변경된 때에 재고납부세액을 납부하지 않은 재고품 등에 대해서는 재고품 등의 신고와 재고매입세액공제에 관한 규정을 적용하지 않는다.
④ 일반과세자가 간이과세자로 변경되는 경우 재고매입세액을 납부세액에 가산하여 납부해야 하며, 가산대상은 매입세액을 공제받은 것으로서 변경 당시의 재고품 및 감가상각자산에 한한다.

02
재고매입세액공제 및 재고납부세액은 재고품 및 감가상각자산뿐만 아니라, 건설 중인 자산도 적용대상이다.

정답 01 ④ 02 ④

03 「부가가치세법」상 간이과세제도에 관한 설명으로 옳지 않은 것은?

2013년 9급

① 간이과세자가 일반과세자로 변경된 경우 그 변경 당시의 재고품 등에 대하여 매입세액공제가 허용된다.
② 간이과세자도「부가가치세법」상 사업개시일부터 20일 이내에 사업자등록 의무가 있다.
③ 간이과세자가 간이과세자에 관한 규정의 적용을 포기하고 일반과세자에 관한 규정을 적용받으려는 경우, 적용받으려는 달의 전달의 마지막날까지 납세지 관할세무서장에게 신고하여야 한다.
④ 부동산매매업을 경영하는 개인사업자로서 직전연도의 공급대가의 합계액이 8,000만 원에 미달하는 자는 간이과세자에 관한 규정을 적용받을 수 있다.

03
부동산매매업은 공급대가에 상관없이 간이과세 배제업종에 해당한다.

04 「부가가치세법」상 간이과세에 대한 설명으로 옳지 않은 것은?

2013년 7급

① 간이과세자는 의제매입세액공제를 받을 수 없다.
② 휴업자 · 폐업자 및 과세기간 중 과세유형을 전환한 간이과세자에 대하여는 그 과세기간개시일부터 휴업일 · 폐업일 및 과세유형전환일까지의 공급대가의 합계액을 12개월로 환산한 금액을 기준으로 납세의무의 면제 여부를 판정하며, 이 경우 1개월 미만의 끝수가 있을 때에는 이를 1개월로 한다.
③ 신규사업자인 간이과세자가 재화 또는 용역을 공급하는 경우 영수증을 교부하여야 하며, 상대방이 사업자등록증을 제시하고 세금계산서의 발급을 요구하는 경우에는 세금계산서를 발급할 수 있다.
④ 간이과세자가 일반과세자에 관한 규정을 적용받기 위하여 간이과세 포기신고를 한 경우에는 그 적용받으려는 달의 1일부터 3년이 되는 날이 속하는 과세기간까지는 일반과세자에 관한 규정을 적용받아야 한다.

04
신규사업자인 간이과세자는 상대방이 세금계산서의 발급을 요구하더라도 발급할 수 없다.

정답 03 ④ 04 ③

05 「부가가치세법」상 간이과세 및 일반과세의 적용시기에 관한 설명으로서 가장 옳지 않은 것은?

2008년 서울시

① 일반과세자에서 간이과세자로 혹은 간이과세자에서 일반과세자로 과세유형의 변경은 1역년 공급대가가 8,000만 원에 미달하거나 그 이상이 되는 해의 다음해의 제1과세기간부터 적용한다.

② 신규사업자의 경우에는 간이과세자에 관한 규정이 적용되거나 적용되지 아니하게 되는 기간은 최초로 사업을 개시한 해의 다음해의 7월 1일부터 그 다음해의 6월 30일까지로 한다.

③ 간이과세자가 간이과세 적용배제업종을 신규로 겸영하는 경우에는 당해 사업개시일이 속하는 과세기간의 다음 과세기간부터 간이과세 규정을 적용하지 아니한다.

④ 간이과세자의 결정 또는 경정한 공급대가가 기준금액(연 8,000만 원) 이상인 개인사업자는 그 결정 또는 경정한 날이 속하는 과세기간까지는 간이과세자로 본다.

⑤ 일반과세자에서 간이과세자로 과세유형의 전환은 과세유형 전환에 관한 통지를 요건으로 하지 아니한다.

05
간이과세가 적용되거나 적용되지 않게 되는 기간은 1역년의 공급대가가 기준금액인 8,000만 원에 미달되거나 그 이상이 되는 해의 다음해의 7월 1일부터 그 다음해의 6월 30일까지로 한다.

06 「부가가치세법」상 각종 세액공제를 설명한 것으로 옳지 않은 것은?

2009년 9급

① 재고매입세액공제는 일반과세자가 간이과세자로 변경되는 경우에 인정된다.

② 면세받은 농산물을 원료로 제조한 재화의 공급이 과세되는 경우에는 의제매입세액공제가 인정된다.

③ 대손세액공제는 대손이 확정된 날이 속하는 과세기간의 매출세액에서 차감할 수 있다.

④ 「법인세법」상 손금산입이 인정되는 기업업무추진비의 지출에 관련된 매입세액은 공제를 받을 수 없다.

06
재고매입세액공제는 간이과세자가 일반과세자로 변경된 경우에 적용한다.

정답 05 ① 06 ①

07 「부가가치세법」상의 일반과세자와 간이과세자에 대한 설명으로 옳지 않은 것은?

2007년 9급

① 법인사업자는 간이과세자가 될 수 없다.
② 일반과세자의 경우에는 예정신고에 의한 부가가치세 납부제도가 있는 반면, 간이과세자의 경우에는 예정고지에 의한 부가가치세 징수제도만 있다.
③ 재화 또는 용역을 공급함에 있어 일반과세자는 세금계산서를 발급하는 것이 원칙이나 영수증만 발급하는 신규 간이과세자는 세금계산서를 발급할 수 없다.
④ 사업자가 타인명의로 사업자등록을 함으로 인한 가산세는 간이과세자와 일반과세자 모두에게 적용된다.

07
세금계산서를 발급한 간이과세자는 예정부과기간에 신고하여야 한다.

08 부가가치세법령상 과세유형의 전환에 대한 설명으로 옳지 않은 것은?

2022년 7급

① 일반과세자가 간이과세자로 변경되는 경우 그 변경되는 해에 간이과세자에 관한 규정이 적용되는 기간의 부가가치세의 과세기간은 그 변경 이후 1월 1일부터 12월 31일까지이다.
② 간이과세자가 일반과세자로 변경되는 경우 그 변경되는 해에 간이과세자에 관한 규정이 적용되는 기간의 부가가치세의 과세기간은 그 변경 이전 1월 1일부터 6월 30일까지이다.
③ 간이과세자가 「부가가치세법 시행령」 제109조 제2항에 따른 사업(간이과세자로 보지 아니하는 사업)을 신규로 겸영하는 경우에는 해당 사업의 개시일이 속하는 과세기간의 다음 과세기간부터 간이과세자에 관한 규정을 적용하지 않는다.
④ 「부가가치세법 시행령」 제109조 제2항에 따른 사업(간이과세자로 보지 아니하는 사업)을 신규로 겸영하여 일반과세자로 전환된 사업자로서 해당 연도 공급대가의 합계액이 8천만 원 미만인 사업자가 해당 간이과세자로 보지 아니하는 사업을 폐지하는 경우에는 해당 사업의 폐지일이 속하는 연도의 다음 연도 7월 1일부터 간이과세자에 관한 규정을 적용한다.

08
일반과세자에서 간이과세자로 변경되는 경우 그 변경되는 해의 간이과세자 과세기간은 변경 이후 7월 1일부터 12월 31일로 한다.

정답 07 ② 08 ①

MEMO

MEMO

2024 대비 최신개정판

해커스공무원 김영서 세법 기본서 | 1권

개정 6판 1쇄 발행 2023년 7월 3일

지은이	김영서, 해커스 공무원시험연구소 공편저
펴낸곳	해커스패스
펴낸이	해커스공무원 출판팀
주소	서울특별시 강남구 강남대로 428 해커스공무원
고객센터	1588-4055
교재 관련 문의	gosi@hackerspass.com 해커스공무원 사이트(gosi.Hackers.com) 교재 Q&A 게시판 카카오톡 플러스 친구 [해커스공무원 노량진캠퍼스]
학원 강의 및 동영상강의	gosi.Hackers.com
ISBN	1권: 979-11-6999-318-0 (14360) 세트: 979-11-6999-317-3 (14360)
Serial Number	06-01-01